# 「情報セキュリティ白書2023」の刊行にあたって

2022年を振り返ると、2月に発生したロシアのウクライナ侵攻は、近隣諸国や支援国、そして食料やエネルギー等の経済的つながりを持つ国々にまで影響を及ぼしました。この紛争は武力戦にサイバー空間を含む情報戦を加えたハイブリッド戦と呼ばれるものとなり、関係各国はランサムウェアを始めとするサイバー攻撃や、世論誘導を意図する虚偽情報拡散等の対応に追われました。米国ではCISA、FBI等によりサイバー攻撃への注意喚起が繰り返されました。日本では、9月に政府機関や企業のホームページ等を標的としたDDoS攻撃と思われるサービス不能攻撃により、業務継続に影響のある事案も発生したほか、国家等が背景にあると考えられる攻撃者による暗号資産取引事業者等を狙ったサイバー攻撃や、一定の集団によるものとみられる学術関係者等を標的としたサイバー攻撃も明らかとなり、国民の誰もがサイバー攻撃の懸念に直面することとなりました。政府からも関係省庁等々の合同による注意喚起が多数出されました。

この間、国内では、ランサムウェア攻撃による大きな被害が報告されました。2月には自動車部品工場が攻撃を受け、出荷先の工場が稼働停止しました。10月には自治体の医療センターのサーバーが取引先の給食提供業者を経由した攻撃を受け、電子カルテシステムが利用できなくなりました。サプライチェーン全体のセキュリティ対策、事業継続計画、インシデント対応等の重要性が再認識されました。

一方政策面では、「サイバーセキュリティ2022」「重要インフラのサイバーセキュリティに係る行動計画」「国家安全保障戦略」等が公表され、サイバー警察局、サイバー特別捜査隊等の設置等が実施されました。6月に閣議決定された「デジタル社会の実現に向けた重点計画」では、利便性の向上とサイバーセキュリティ確保の両立に向け、官民の緊密な連携を進めていくことが示されました。

そして、2022年はAIへの注目が集まった年でもありました。特に生成系AIの技術的な発展は目覚ましく、ビジネスにおける業務革新等への期待が高まる一方、AIの利用による人権、プライバシー、知的財産権等の保護が課題として顕在化しました。更にウクライナ侵攻では、虚偽情報生成にAIが利用され、情報の信頼性に対する課題が深刻化しました。このようなAIの課題に対してEUでは、AIの安全で遵法的な利用に関する規則が策定されました。また米国も「AI権利章典」を公開して人権や安全に配慮したAIの利用を宣言しました。

AI利用を起点とするIT環境の革新は、確かに大きな可能性があるようですが、セキュリティやプライバシーの脅威も大きくなると思われます。では、私達はどうすればよいのでしょうか。

まずはリスクを正しく知ることから始めましょう。何が重大なリスクなのかを特定した上で、変化に対応してセキュリティ対策の基本を継続的に実践していくとともに、未知の脅威に対しては情報共有し、適切な利用について議論を重ね、安全、安心なデジタル社会の実現を目指していくことが重要です。

本白書が、多くの方々に広く利用され、技術の進展とそれに伴う未知の脅威、リスクに対する備えを実践するための一助となることを祈念します。

2023年7月

独立行政法人情報処理推進機構（IPA）

理事長　齊藤裕

# 目次

## コラム

# 情報セキュリティ白書

# 序章

# 2022年度の情報セキュリティの概況

2022年はウクライナ侵攻による安全面や経済面の不安が継続する一方、生成系AIの急激な普及等でIT環境の革新を予感させる年となった。国内では、企業・団体におけるランサムウェア被害が増え続けた。攻撃の手口では、窃取したデータを暴露する「二重の脅迫」に加え、被害組織へのDDoS攻撃や、被害の事実を被害組織の顧客や利害関係者に連絡する等の脅迫手法も確認されている。ここ数年で被害が急増している要因として、ランサムウェア攻撃をサービスとして提供する「RaaS（Ransomware as a Service）」の普及や、攻撃者の組織化・分業化が挙げられる。2022年2月の自動車部品会社へのランサムウェア攻撃では、部品供給先である自動車工場の稼働が1日停止した。同年10月の大阪市の医療センターへのランサムウェア攻撃では、VPNでつながる給食提供業者から侵入され、サーバーを介して医療センターの電子カルテシステムに障害が及んだ。同システムはバックアップが保管されていたが復旧に2ヵ月を要した。これらの事案から、サプライチェーン全体での脆弱性対策、データ保護、復旧計画の必要性等が再認識された。

情報漏えいの被害について、調査会社の調査によれば、漏えい・紛失事故を公表した社数、事故件数はともに2年連続で最多となった。2022年6月には、地方自治体の業務委託先の従業員が、46万人余りの個人情報を含むUSBメモリーを紛失した。USBメモリーは回収され、漏えいの痕跡はないとされたが、記録媒体管理の重要性を再認識させられる事案であった。

個人を狙ったフィッシング等の被害については、2022年度は通信事業者をかたる偽SMSが減少した一方、宅配便業者や公的機関をかたる偽SMSが増加、または新たに出現した。また、パソコン利用者に対する偽のセキュリティ警告についてIPAに寄せられた相談件数は過去4年間で最多となった。

海外においても、様々なサイバー攻撃の脅威がより深刻になっている。米国連邦捜査局（FBI）の年次報告書によると、2022年に報告されたビジネスメール詐欺の被害総額は、前年比約15%増の約27億4,200万ドルであった。セキュリティベンダーが2022年上半期に全世界で確認したDDoS攻撃は、過去最多となる約602万回で、前年同期比で205%であった。ランサムウェア攻撃も世界中で起きており、イタリアでは地方行政機関の通信インフラのサービスが全面中断し、フランスでは病院が被害を受け手術の中止や入院患者の移送等、生活や治療に影響を及ぼす被害が報告されている。

セキュリティ政策面では、国内ではサイバー警察局、サイバー特別捜査隊等の体制面の強化、「サイバー攻撃被害に係る情報の共有・公表ガイダンス」の公開、業界ごとのサイバー・フィジカル・セキュリティ対策ガイドラインの公開等で、より実践的な対策を推進した。また、経済安全保障推進法や安全保障関連3文書の中でもサイバーセキュリティ対策強化の方向性が示された。

世界的には、2022年2月のウクライナ侵攻以降、安全保障面の緊張、エネルギー・食料不足等で予断を許さない状況が続いている。ウクライナでの戦いは、国家間の武力攻撃とサイバー攻撃のハイブリッド戦、及びサイバー空間での情報宣伝戦が特徴となっている。サイバー攻撃について、米国はサイバー軍による諜報面のウクライナ支援、国内におけるサイバー攻撃注意喚起、大統領令14028に基づくサプライチェーン防御強化等を継続した。またEUは、重要インフラの統一セキュリティ規格である「NIS 2」を2022年11月に成立させた。

情報宣伝戦について、ロシアは虚偽情報を多用したが、ウクライナもSNS等で情報を発信して対抗した。技術面では、生成系AIの急速な発展や広告配信等のIT基盤の普及により、虚偽情報の容易な生成・配信が可能となった。虚偽情報の識別は難しく、拡散にどう対応するかは今後の課題である。AIの関連政策として、EUは、AIの安全で遵法的な利用に関する規則「Artificial Intelligence Act」（AI法）を公表、2023年6月には生成系AIの利用や学習に関する規制を追加した修正案を採択した。米国は2022年10月、「AI権利章典」を公開した。欧米それぞれで人権や安全に関するAIの不適切な利用への対処に進展が見られた。

# 2022年度の情報セキュリティの概況

| | 主な情報セキュリティインシデント・事件 | 主な情報セキュリティ政策・イベント |
|---|---|---|
| 2022年 4月 | CISA、ロシアのウクライナに対するサイバー攻撃情報開示(2.2.2) | IPA、「組織における内部不正防止ガイドライン」第5版を公開(2.8.1)<br>警察庁にサイバー警察局、関東管区警察局にサイバー特別捜査隊を新設(2.1.5) |
| 5月 | | 「経済施策を一体的に講ずることによる安全保障の確保の推進に関する法律案」成立(2.1.1)<br>第28回日EU定期首脳協議開催、デジタルパートナーシップ合意(2.2.1) |
| 6月 | 地方自治体の業務委託先が個人情報を保存したUSBメモリーを紛失(1.2.9)<br>イタリアの地方行政機関がランサムウェア攻撃でサービス停止(3.1.1) | G7エルマウサミット開催(2.2.1)<br>「デジタル社会の実現に向けた重点計画」が閣議決定(2.1.1)<br>NISC、「重要インフラのサイバーセキュリティに係る行動計画」公開(2.1.1) |
| 7月 | ENISA、ランサムウェア脅威実態を報告(2.2.3) | |
| 8月 | | 総務省、「ICTサイバーセキュリティ総合対策2022」公開(2.1.4) |
| 9月 | 親ロシア系攻撃集団、国内組織にDDoS攻撃(1.2.4)<br>家具製造小売業の持株会社が不正アクセスを受け、約13万2,000アカウント分の個人情報が流出(1.2.9) | IPA、ビジネスメール詐欺の特設ページを開設(1.2.3)<br>EU、デジタル製品の「サイバーレジリエンス法案」公開(2.2.3)<br>ISMAP-LIU運用開始(2.7.3) |
| 10月 | 大阪府の病院にランサムウェア攻撃、電子カルテシステムに障害が発生(1.2.1)<br>入力フォーム支援サービス事業者のサービスが不正アクセスを受け、入力情報が流出(1.2.9) | 米国、「AI権利章典」公開(2.2.3) |
| 11月 | IPA、学術関係者・シンクタンク研究員等を標的としたサイバー攻撃について注意喚起(1.2.2)<br>厚生労働省、医療機関等のサイバーセキュリティ対策で注意喚起(2.1.1)<br>オーストラリアの保険会社の個人情報970万人分が漏えい(1.1.1) | 経済産業省、「工場システムにおけるサイバー・フィジカル・セキュリティ対策ガイドライン」公開(2.1.3)<br>EUの重要インフラの統一セキュリティ規格「NIS 2」が成立(2.2.3)<br>EU、AI法修正案を公開(2.2.3) |
| 12月 | フランスの病院がランサムウェア攻撃により患者を緊急移送(3.1.1) | 安全保障関連3文書が閣議決定(2.1.1)<br>米国、国防授権法2023成立(2.2.2) |
| 2023年 1月 | 保険会社の委託先に不正アクセス、顧客情報が流出(1.2.9)<br>米国ソーシャルテクノロジー企業にGDPR違反で3億9,000万ユーロの制裁金(2.2.3) | 経済産業省、「クレジットカード決済システムのセキュリティ対策強化検討会 報告書」公開(2.1.3) |
| 2月 | | 日米豪印の4ヵ国(QUAD)で連携したサイバーセキュリティ月間実施(2.1.1) |
| 3月 | IPA、Emotetの攻撃活動再開を観測(1.2.6) | 経済産業省、「サイバー攻撃被害に係る情報の共有・公表ガイダンス」公開(2.1.1、2.1.3)<br>IPA、「サイバーセキュリティ経営ガイドライン」改訂(2.1.3)<br>米国、新サイバーセキュリティ戦略を公開(2.2.2) |

※ 2022年度の主な情報セキュリティインシデント・事件、及び主な情報セキュリティ政策・イベントを示している。ランサムウェア攻撃、標的型攻撃、ビジネスメール詐欺、DDoS攻撃、Web改ざん、フィッシング等の被害は通年で発生している。表中の数字は本白書中に掲載している項目番号である。特に注目されたもののみを挙げた。他のインシデントや手口と対策、及び政策・イベント等については本文を参照されたい。

# 第1章

# 情報セキュリティインシデント・脆弱性の現状と対策

2022 年度は、コロナ禍でのテレワークや DX 推進の取り組みが定着しつつある中、サイバー攻撃は国内外ともに増加傾向が見られた。特に、国内では、ランサムウェア攻撃やサプライチェーンが狙われたインシデントが発生し、多数の被害が報告された。

本章では、国内外で発生した主なインシデントの概要と攻撃の手口や対策の状況、脆弱性の動向等について解説する。

## 1.1 2022年度に観測されたインシデント状況

本節では 2022 年度に観測された世界と日本における情報セキュリティインシデントの発生状況について概説する。

### 1.1.1 世界における情報セキュリティインシデントの発生状況

世界における情報セキュリティインシデントの発生状況について、主に以下の情報セキュリティ関連の報告書を参照し概説する。

- 米国連邦捜査局（FBI：Federal Bureau of Investigation）：「Internet Crime Report 2022※1」
- Anti-Phishing Working Group, Inc.（以下、APWG）：「Phishing Activity Trends Reports※2」
- 日本アイ・ビー・エム株式会社（以下、IBM 社）：「IBM X-Force 脅威インテリジェンス・インデックス 2023※3」
- Mandiant, Inc.（以下、Mandiant 社）：「M-Trends 2023※4」

FBI によると、サイバー犯罪の件数と被害額は過去 4 年にわたり増加を続けてきた。2022 年には件数は 80 万件と微減したが、被害額は大幅に増加し 103 億ドルとなった（図 1-1-1）。

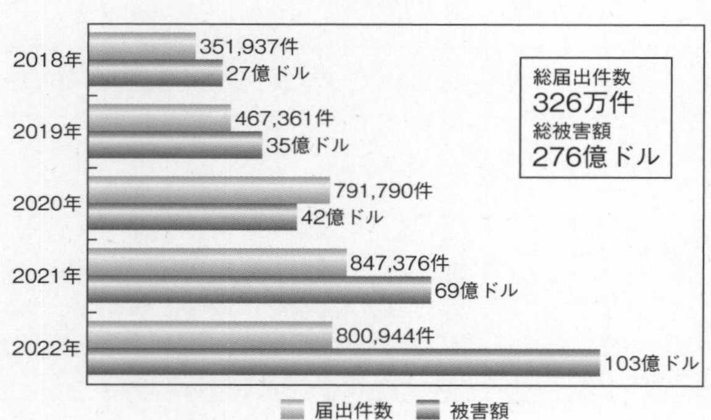


■図 1-1-1　サイバー犯罪の届出件数と被害額の推移（2018〜2022 年）
（出典）FBI「Internet Crime Report 2022」を基に IPA が編集

#### (1) ウクライナ情勢によるセキュリティインシデントの急増

Mandiant 社によると、全世界で標的とされている産業の各年の順位は、図 1-1-2 に示すように変化は大きくないが、「官公庁」は 2022 年には前年の 5 位から 1 位と急激に上昇している。これは Mandiant 社がウクライナに広範な支援を行った影響によるという。

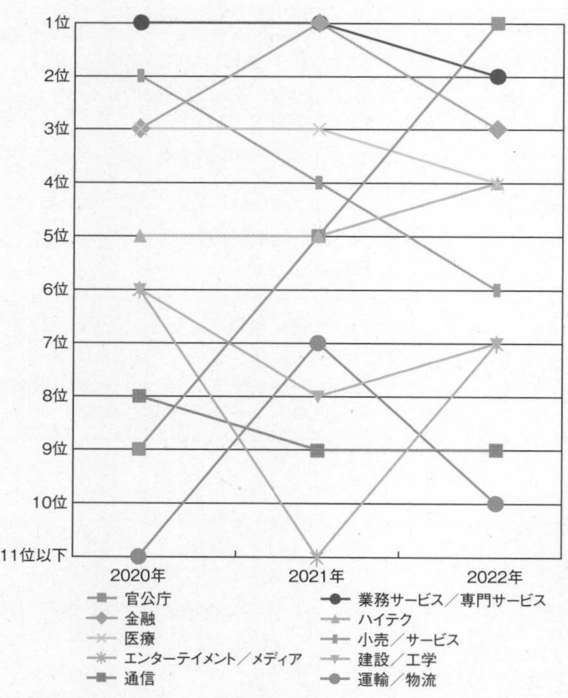


■図 1-1-2　全世界で標的とされている産業の順位（2020 〜 2022 年）
（出典）Mandiant 社「M-Trends 2021※5」「M-Trends 2022※6」「M-Trends 2023」を基に IPA が編集

Microsoft Corporation（以下、Microsoft社）の調査[※7]によると、2022年2月24日のロシアによるウクライナ侵攻開始前である同年1月13日に、攻撃者が「WhisperGate」と呼ばれるワイパー型（データ破壊型）のウイルス[※8]をウクライナの政府機関やIT部門へ拡散させた。同時にウクライナの政府サイトに対して同時多発的な改ざんが行われたとウクライナのセキュリティインシデント対応組織であるCERT-UA（Computer Emergency Response Team of Ukraine）が発表した[※9]。更に2月15日には、ウクライナの軍や銀行等にDDoS攻撃が行われた。侵攻開始前日の2月23日には、「HermeticWiper」と呼ばれるウイルスによる再度のワイパー攻撃とDDoS攻撃が実施された。

侵攻当日の2月24日には、攻撃者はヨーロッパに数万人の利用者がいるViasat, Inc.のブロードバンド衛星インターネットサービスに対し、「AcidRain」の亜種と考えられるワイパー型ウイルスを使って、同社のシステムを破壊した。その影響はウクライナのみならず、ドイツのエネルギー企業やフランスのインターネットプロバイダー等、様々な分野に及び、2週間以上の接続停止等が発生した（「3.1.1（1）ロシアのウクライナ侵攻に伴うサイバー攻撃」参照）。また、攻撃者はウクライナの首都キーウにある放送局へ「DesertBlade」と呼ばれるワイパー型ウイルスを送り込み、ミサイル攻撃とともに3月1日に情報発信を遮断した。

更に、NATO（North Atlantic Treaty Organization：北大西洋条約機構）加盟国であるモンテネグロの防衛省、財務省、内務省を含む政府機関に対し、2022年8月22日、ロシアが支援していると見られる攻撃者がランサムウェアとDDoS攻撃の両手法により攻撃を行い、電力、水道、輸送等、幅広い重要インフラにも影響を与えたという。

## (2) フィッシングの傾向

APWGによると、2022年に届け出されたフィッシングサイトの総数は約474万5,000件で、2021年と比較して66.6%増と大幅に増加し、過去11年で最多となった（図1-1-3）。

業界別のフィッシングサイト件数では、「金融機関」が最も多く、続いて「SaaS／Webメール」「ソーシャルメディア」と続き、その順位は2021年と変わっていない。一方「小売り／eコマース」や「ペイメント（支払い）」では2021年よりも件数が減少しているが、「流通／出荷」で102.7%増という大幅な増加が認められた（図1-1-4）。

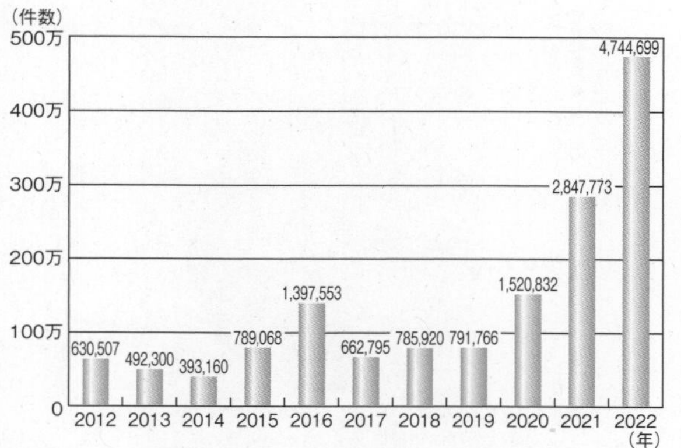


■図1-1-3　世界における届け出されたフィッシングサイト件数（2012～2022年）
（出典）APWG「Phishing Activity Trends Reports」を基にIPAが作成

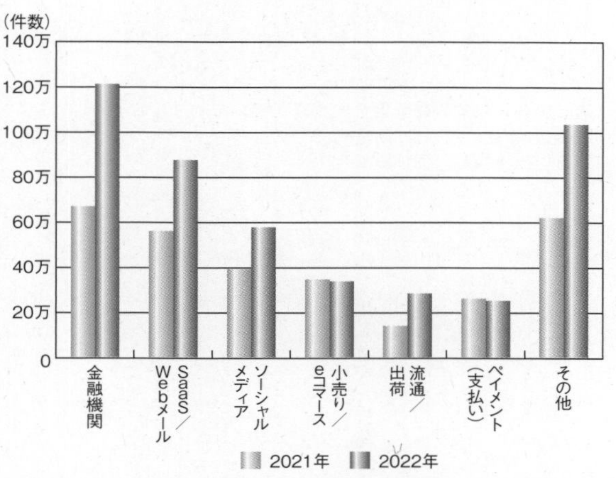


■図1-1-4　業種別のフィッシングサイト件数（2021年と2022年の比較）
（出典）APWG「Phishing Activity Trends Reports」を基にIPAが作成

## (3) 侵入の手口とランサムウェア

IBM社によると、サイバー攻撃のきっかけとなる初期攻撃元を追跡した結果、「外部公開されたアプリケーションの悪用」が26%と最も多く、次が「フィッシング - スピア・フィッシングの添付ファイル」によるものだった（次ページ図1-1-5）。

また、攻撃者がターゲットのネットワークに対して行った具体的な行動を、目的実行方法として分類した結果によると、最も割合が多いのは「マルウェア - バックドア」で、次が「マルウェア - ランサムウェア」となっている（次ページ図1-1-6）。

FBIのIC3（Internet Crime Complaint Center：インターネット犯罪苦情センター）に重要インフラ組織から届けられたランサムウェア攻撃の業界ごとの被害報告件数を図1-1-7（次ページ）に示す。最も多かったのは「医療関連」で210件、続いて「重要分野製造業」の157件であった。中でも、「重要分野製造業」は2021年の2.4倍以上の件数となった。

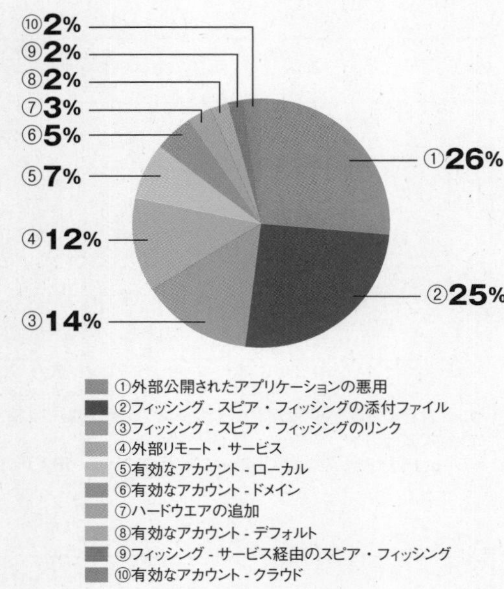


■図 1-1-5　初期攻撃元区分の割合（2022 年）
（出典）IBM 社「X-Force 脅威インテリジェンス・インデックス 2023」を基に IPA が編集

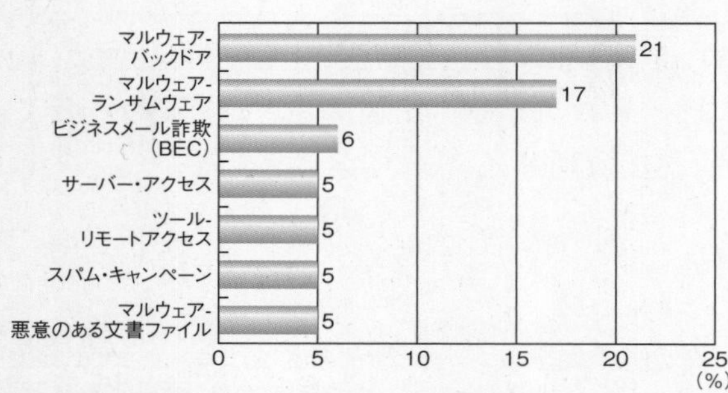


■図 1-1-6　目的実行方法の上位ランキング（2022 年）
（出典）IBM 社「X-Force 脅威インテリジェンス・インデックス 2023」

### （4）情報漏えいインシデントの状況

2022 年も多くの情報漏えいインシデントが発生した。ここでは、頻繁に報じられた 3 件のインシデントについて紹介する。

- 2022 年 8 月、Twitter, Inc.（以下、Twitter 社。現、X Corp.）は、アカウントや名前等の公開情報と一部のメールアドレス等の個人情報が漏えいしたと公表した※10-2。これは 2021 年 12 月に Twitter の API の脆弱性を利用して窃取されたもので、その後 2023 年 1 月には 2 億人のアカウント情報が窃取されたと報じられた※10-3 が、Twitter 社はこれを否定している※10-4。
- 2022 年 9 月、オーストラリアで第 2 位の規模の通信会社である SingTel Optus Pty Limited は、顧客の名前、生年月日、電話番号、電子メール、一部の顧客の住所、パスポートや運転免許証等の身分証明書番号が漏えいするインシデントが発生したと公表した※10-5。漏えいした 1,000 万件のアカウントのうち、210 万件の身分証明書番号が公開されており、再発行が必要な可能性があるという※10-6 。
- 2022 年 11 月、オーストラリア最大の健康保険会社である、Medibank Private Ltd. で 970 万人の名前、住所、メールアドレス等の個人情報が漏えいした※10-7。侵入者は身代金を要求したが、同社は支払わないと明言した。

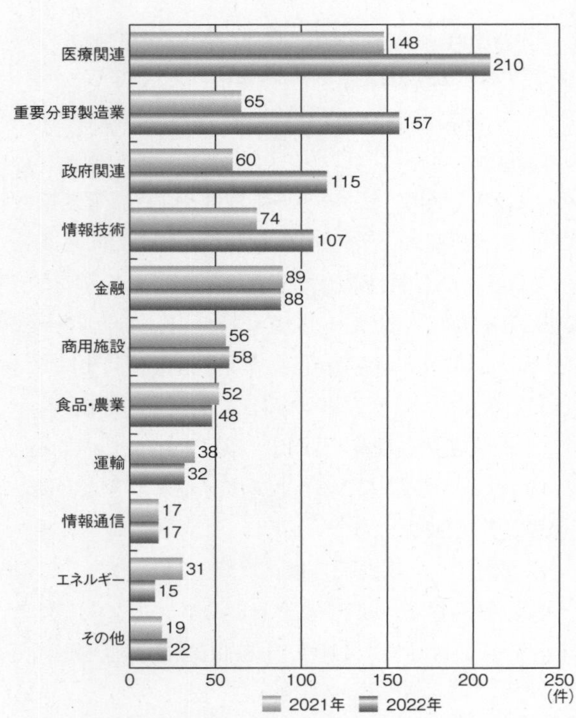


■図 1-1-7　攻撃対象となった業界ごとの被害報告件数（上位 10 業種、2021 年と 2022 年の比較）
（出典）FBI「Internet Crime Report 2021※10-1」「Internet Crime Report 2022」を基に IPA が編集

## 1.1.2　国内における情報セキュリティインシデントの発生状況

国内における情報セキュリティインシデントの発生状況について、主に以下の資料を参照して概説する。

- 三井物産セキュアディレクション株式会社（以下、MBSD 社）による集計情報※10-8
- 一般社団法人 JPCERT コーディネーションセンター（JPCERT/CC：Japan Computer Emergency Response Team Coordination Center）：「JPCERT/CC インシデント報告対応レポート 2023 年 1 月 1 日〜2023 年 3 月 31 日※10-9」
- フィッシング対策協議会：「月次報告書※10-10」
- 警察庁：「令和 4 年におけるサイバー空間をめぐる脅威の情勢等について※10-11」「令和 3 年におけるサイバー空間をめぐる脅威の情勢等について※10-12」

### (1) 情報セキュリティインシデントの発生状況

MBSD社によれば、2022年の情報セキュリティインシデントの種類別報道件数は全体で795件となり、2021年に対し3.4%増であった。不正アクセス、改ざんがほぼ横ばいで、「情報流出」は前年比14.6%減、「その他」が27.5%増であった(図1-1-8)。

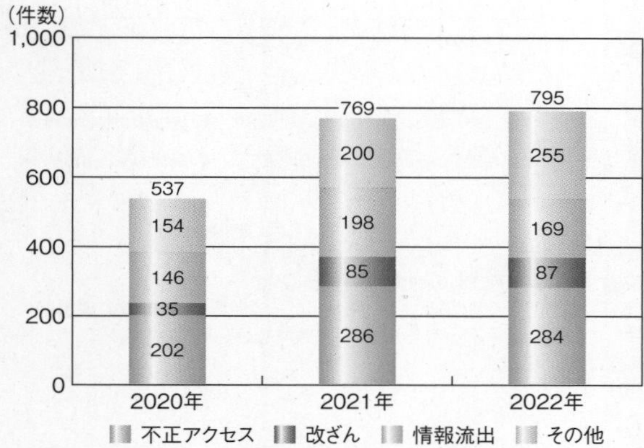


■図1-1-8　情報セキュリティインシデントの種類別報道件数
(出典)MBSD社による集計情報を基にIPAが作成

### (2) Webサイト改ざんによる被害

2022年4月1日から2023年3月31日までにJPCERT/CCに報告されたWebサイト改ざん件数は2,041件で、2021年度(2,439件)※10-13の83.7%であったが、2020年度(1,351件)※10-14と比較すると151%であった。月別では9月が363件と最も多かった(図1-1-9)。

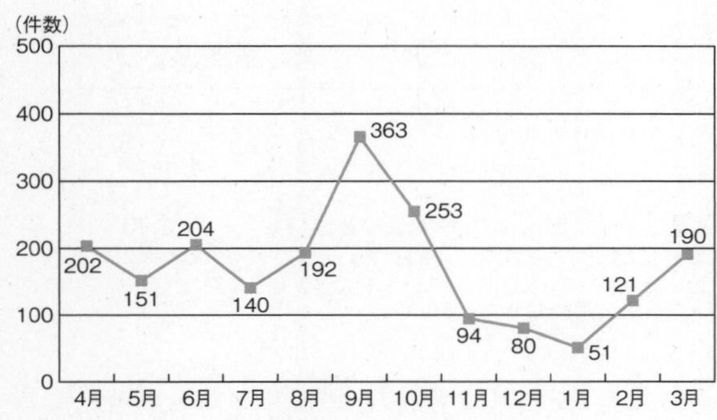


■図1-1-9　2022年度Webサイト改ざん月別推移
(出典)JPCERT/CC「JPCERT/CCインシデント報告対応レポート2023年1月1日～2023年3月31日」を基にIPAが作成

### (3) フィッシングによる被害

フィッシング対策協議会への2022年度の報告件数は96万1,595件と前年度比63%増であり、2020年度の約3倍、2019年度の約13倍、2018年度の約43倍、2017年度の約86倍と、著しい増加を示している(図1-1-10)。

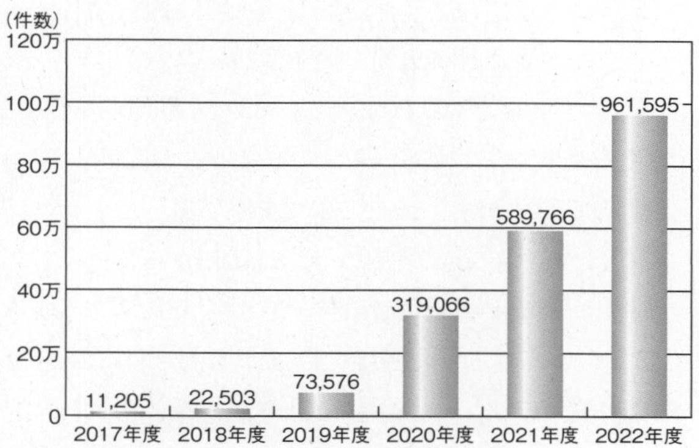


■図1-1-10　年度別フィッシング報告件数(2017～2022年度)
(出典)フィッシング対策協議会「月次報告書」(2017年4月～2023年3月)を基にIPAが作成

図1-1-11にフィッシングサイトのURL件数の年度別推移を示す。2022年度は前年度比約3.5倍と顕著な増加が見られた。2022年度の件数を2017年度と比較すると約40倍となっており、フィッシングを仕掛け、情報を詐取する手口が以前とは比較にならない程多くインターネット上に横行していることが分かる。

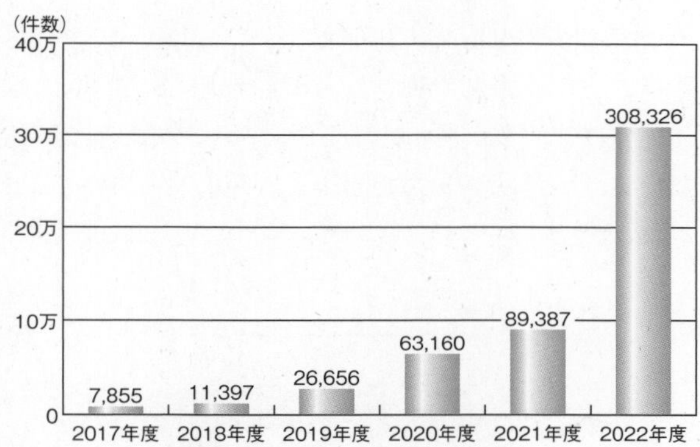


■図1-1-11　フィッシングサイトのURL件数の比較(2017～2022年度)
(出典)フィッシング対策協議会「月次報告書」(2017年4月～2023年3月)を基にIPAが作成

また、警察庁によればフィッシング等に伴う不正送金被害の発生件数は2021年に前年までの1,734件から584件へ急減していたが、2022年には再び反転し、1,136件となったという(フィッシング被害については「2.1.5(3)(a)サイバー犯罪の情勢」参照)。

フィッシング対策協議会のフィッシングの緊急情報の一覧※10-15を見ると、2022年度も金融機関やクレジットカード会社だけでなく多様なサービスが悪用されている。フィッシングにはスマートフォンのSMS(Short Message Service)からフィッシングサイトに誘導するスミッシングもあり、宅配便の不在通知、配達完了をかたりSMSから誘導する手口は、年度を通じて同協議会の月次報告書で言及されていた。また、国税庁をかたり、個人情報やクレジットカード情報等の入力を促す手口について、同協議会が2022年8月から2023年5末までの間に4回にわたり注意喚起を実施している※10-16。IPAでも2022年10月31日に手口の解説とともに注意を呼び掛けた※10-17。

このほか、Google翻訳の正規URLからショッピングサイトやクレジットカード等のフィッシングサイトへ誘導する手口について、同協議会は2022年8月9日に緊急情報を発出している。この手口ではURLフィルターで警告が出ないことがあるとされ※10-18、その後、2022年9月、10月の月次報告書においてフィッシングの報告が増加していることが指摘された。2023年1月、2月の月次報告書においても、この手口によるフィッシングが継続していると指摘されている※10-19。

フィッシングの増加によりIDとパスワードを窃取され、スマートフォンアプリ等を介した金銭被害の急増が懸念される。フィッシングへの一層の注意が必要である。

### (4) ランサムウェアによる被害

2022年中に警察庁に報告された国内のランサムウェアによる被害は230件で、前年比57.5%増であった(図1-1-12)。中小企業の被害件数が前年比53.2%増、団体等の被害件数が前年比155.6%増となっており、被害は企業、団体等の規模を問わず広範に及んでいることがうかがえる。

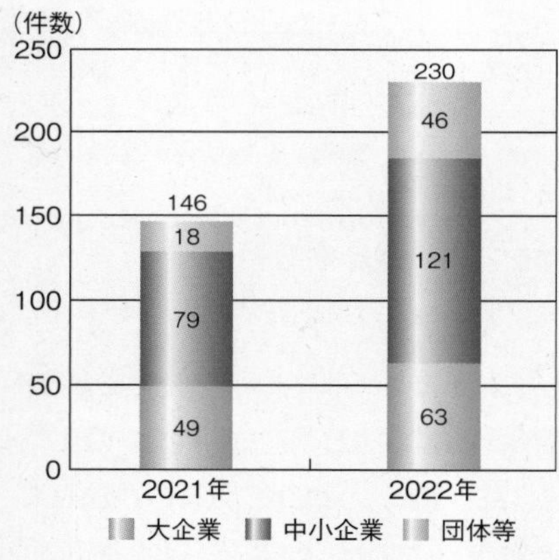


■図 1-1-12 国内のランサムウェアによる被害件数(2021〜2022年)
(出典)警察庁「令和3年におけるサイバー空間をめぐる脅威の情勢等について」「令和4年におけるサイバー空間をめぐる脅威の情勢等について」を基にIPAが作成

業種別で見ると、「製造業」が32.6%(75件)と最も多くを占め、次いで「サービス業」21.3%(49件)、「医療、福祉」8.6%(20件)と続く。それ以外は「卸売、小売業」「建設業」「情報通信業」がそれぞれ約7%、「教育、学習支援業」が6.1%と、業種を問わず被害が発生していることがうかがえる。

また手口を確認できたのは230件のうち182件であり、そのうち、データを暗号化、窃取した上で対価を要求する「二重恐喝」が65.4%(119件)を占めたという。「二重恐喝」の割合は2021年の84.5%(82件)より低いものの、件数は119件と前年比45.1%増となった(図1-1-13)。

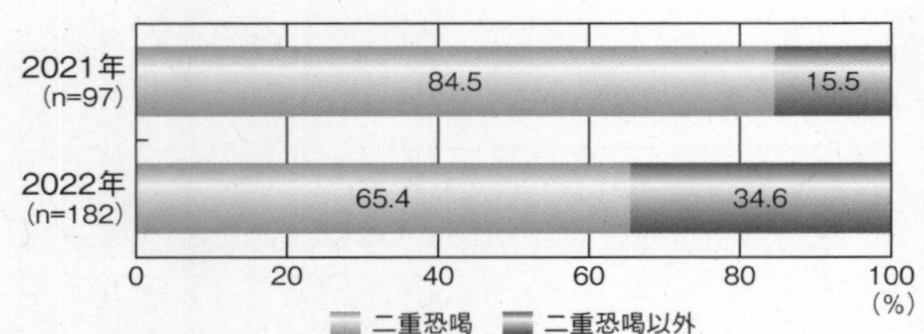


■図 1-1-13 手口別の報告件数割合(2021〜2022年)
(出典)警察庁「令和3年におけるサイバー空間をめぐる脅威の情勢等について」「令和4年におけるサイバー空間をめぐる脅威の情勢等について」を基にIPAが作成

感染経路としては、2021年に引き続きインターネットに公開されたVPN機器等の脆弱性や強度の弱い認証情報等を悪用し、ランサムウェアに感染させる手口が多く見られたという。感染経路の有効回答を、2021年(76件)と2022年(102件)で比較した結果を図1-1-14に示す。2021年と同様に2022年も「VPN機器からの侵入」の割合が最も高く、2021年より約8ポイント増えている。

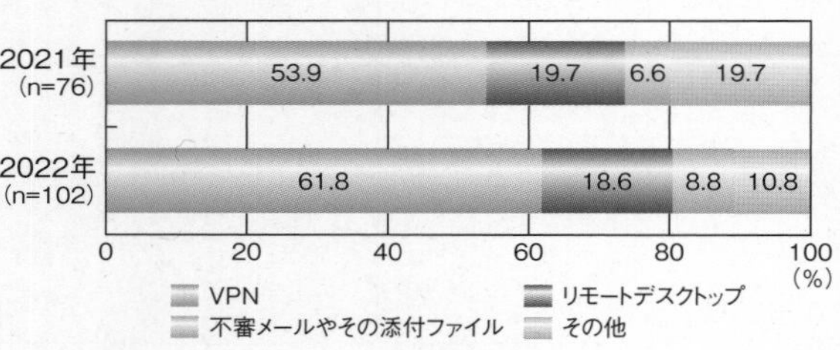


■図 1-1-14 ランサムウェアの感染経路(2021〜2022年)
(出典)警察庁「令和3年におけるサイバー空間をめぐる脅威の情勢等について」「令和4年におけるサイバー空間をめぐる脅威の情勢等について」を基にIPAが作成

侵入経路とされる機器のセキュリティパッチの適用状況について、得られた119件の回答のうち、「最新のセキュリティパッチを適用済み」は29.4%(35件)、「未適用のセキュリティパッチがあった」は54.6%(65件)であった。またウイルス対策ソフトを導入していた被害企業・団体等118件のうち、ランサムウェアが検出できたのはわずか7.6%(9件)であった。

被害に遭った企業・団体等のうち有効回答が得られた131件について、復旧に要した期間を2021年の108件と比べてみると、「1週間以内」の割合が約4ポイント減り、「1週間〜1ヵ月未満」「1ヵ月〜2ヵ月未満」がわずかに増加している(図 1-1-15)。2022 年にランサムウェアに感染した企業・団体等のうち、復旧までに 1 週間以上かかった企業・団体等が 7 割以上あったことになる。

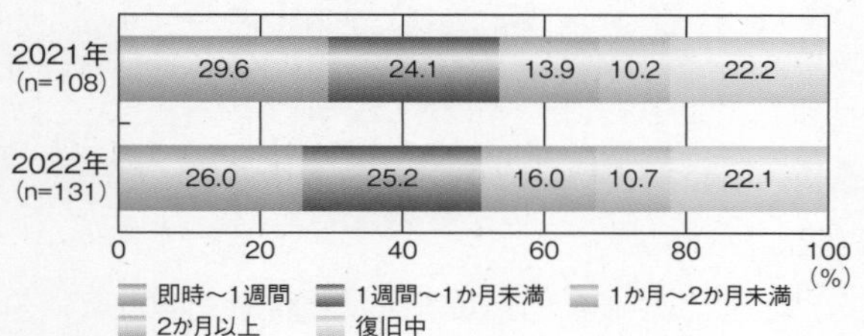


■図 1-1-15 復旧に要した期間(2021 ～ 2022 年)
(出典)警察庁「令和 3 年におけるサイバー空間をめぐる脅威の情勢等について」「令和 4 年におけるサイバー空間をめぐる脅威の情勢等について」を基に IPA が作成

調査・復旧費用の総額について得られた有効回答を、2022 年(121 件)と 2021 年(97 件)で比較した結果を図 1-1-16 に示す。2021 年と同様に 2022 年も「1,000 万円以上 5,000 万円未満」の割合が最も高く、全体に占める割合に大きな変化はない。一方で「5,000 万円以上」が約 5 ポイント、「500 万円以上 1,000 万円未満」が約 7 ポイント、「100 万円未満」が約 2 ポイント増えている。逆に「100 万円以上 500 万円未満」は 12 ポイント減っている。

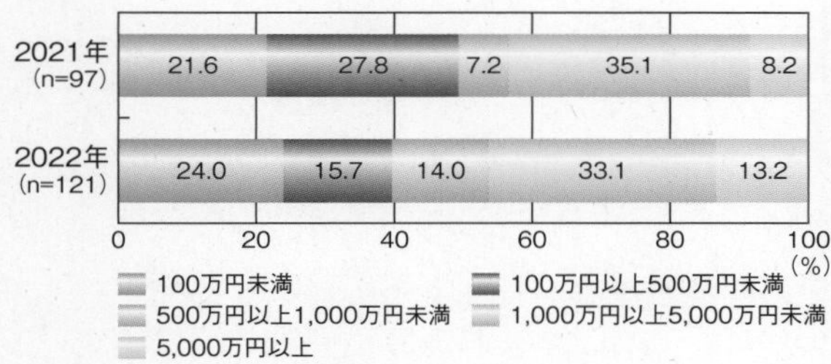


■図 1-1-16 調査・復旧費用の総額(2021 ～ 2022 年)
(出典)警察庁「令和 3 年におけるサイバー空間をめぐる脅威の情勢等について」「令和 4 年におけるサイバー空間をめぐる脅威の情勢等について」を基に IPA が作成

被害に遭ったシステム、機器のバックアップの取得状況について有効回答(139 件)の結果を図 1-1-17 に示す。取得していたバックアップから復元を試みた 111 件の復元結果を図 1-1-18 に示す。83.5% がバックアップを取得していた一方で、復元できたのは 18.9% に過ぎない。

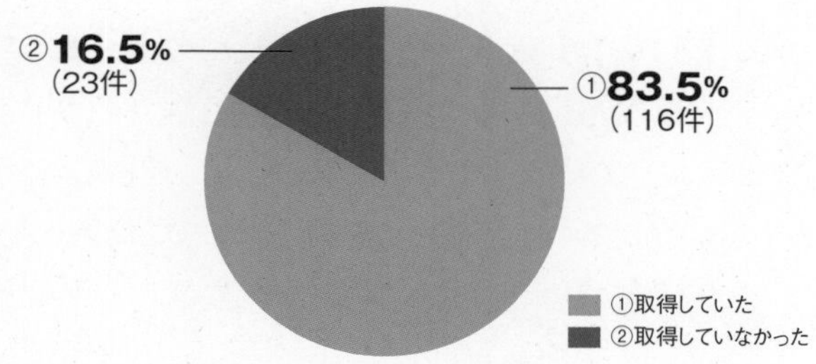


■図 1-1-17 バックアップ取得の有無(2022 年、n=139)
(出典)警察庁「令和 4 年におけるサイバー空間をめぐる脅威の情勢等について」を基に IPA が編集

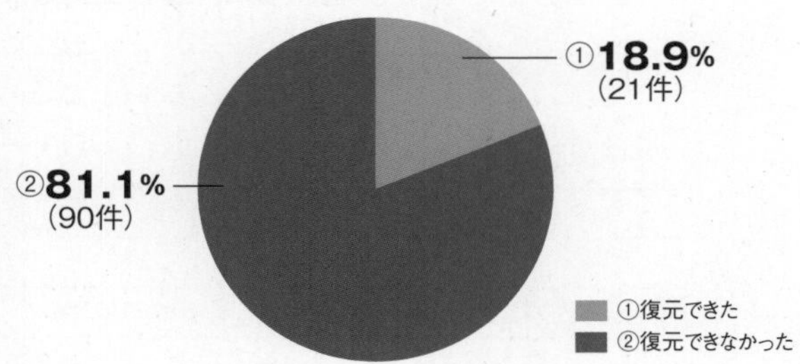


■図 1-1-18 バックアップからの復元結果(2022 年、n=111)
(出典)警察庁「令和 4 年におけるサイバー空間をめぐる脅威の情勢等について」を基に IPA が編集

2022 年中にランサムウェア被害を警察庁に報告した被害企業・団体等(有効回答数 140 件)のうち 12.9%(18 件)がすべての業務の停止に追い込まれており、ランサムウェア被害は事業継続を困難にし、サプライチェーンにも多大な影響を及ぼしかねない。感染被害を引き起こさないためにも、修正プログラムの適用等の基本的対策の実施はもとより、手口の理解、万が一侵入された場合に備えた対策の準備が必要である。これらについては「1.2.1 ランサムウェア攻撃」を参照されたい。

COLUMN

## 情報セキュリティ10大脅威 2023
## ～全部担当のせいとせず、組織的にセキュリティ対策の足固めを～

IPAが毎年発表している情報セキュリティ10大脅威。2023年版では「個人」向けと「組織」向けの脅威どちらも、昨年はランク外であった脅威が10位に入り、以下の表に示す順位になりました。これらは新しい脅威ではなく、いずれも2018年にはランクインしていました。このことから、ランク外になったとしても脅威がなくなったのではなく、その年は「他の脅威より目立たなかっただけ」と言えます。つまり、被害に遭うリスクは存在し続けており、対策が不十分であればリスクはより高まります。

**情報セキュリティ10大脅威 2023「個人」・「組織」向け脅威の順位**

| 「個人」向け脅威 | 順位 | 「組織」向け脅威 |
|---|---|---|
| フィッシングによる個人情報等の詐取 | 1 | ランサムウェアによる被害 |
| ネット上の誹謗・中傷・デマ | 2 | サプライチェーンの弱点を悪用した攻撃 |
| メールやSMS等を使った脅迫・詐欺の手口による金銭要求 | 3 | 標的型攻撃による機密情報の窃取 |
| クレジットカード情報の不正利用 | 4 | 内部不正による情報漏えい |
| スマホ決済の不正利用 | 5 | テレワーク等のニューノーマルな働き方を狙った攻撃 |
| 不正アプリによるスマートフォン利用者への被害 | 6 | 修正プログラムの公開前を狙う攻撃（ゼロデイ攻撃） |
| 偽警告によるインターネット詐欺 | 7 | ビジネスメール詐欺による金銭被害 |
| インターネット上のサービスからの個人情報の窃取 | 8 | 脆弱性対策情報の公開に伴う悪用増加 |
| インターネット上のサービスへの不正ログイン | 9 | 不注意による情報漏えい等の被害 |
| ワンクリック請求等の不正請求による金銭被害 | 10 | 犯罪のビジネス化（アンダーグラウンドサービス） |

また、脅威は単独ではなく複数が組み合わされる場合もあります。例えば「個人」向け脅威でランクインしている、「フィッシング」によって詐取された認証情報で「スマホ決済の不正利用」や「インターネット上のサービスへの不正ログイン」をされることがあります。また「組織」向け脅威でランクインしている、自組織の「サプライチェーン」に含まれる取引先等の関連組織が「ランサムウェア」の被害に遭い、最終的に自組織も被害を受けるような事例も発生しています。

組織においては特に、担当者や外注先任せとはせずに、役員等の組織上層部が中心となって対策を行うことが大切です。また、自組織に関係する他組織も含めた対策も必要になっています。関係する組織とともに自組織を取り巻く脅威にはどんなものがあるのか？　その対策は何をすればよいのか？　今一度、確認してみましょう。

前述した複数の脅威が組み合わされる状況から、「情報セキュリティ10大脅威 2023」では複数の脅威に有効な対策をまとめた「セキュリティ対策の基本と共通対策」を新しく公開しています。毎年公開している「解説書」と、社内教育や研修に使えるスライド形式の「簡易説明資料」等も以下のURLからダウンロードできます。併せてご活用ください。

https://www.ipa.go.jp/security/10threats/10threats2023.html

# 1.2 情報セキュリティインシデント、手口、対策



本節では、インシデント別の発生状況と、具体的な事例について述べる。また、2022年度に確認されたサイバー攻撃の手口を中心に解説する。

## 1.2.1 ランサムウェア攻撃

ランサムウェア（ransomware）とは、「ransom」（身代金）と「software」（ソフトウェア）を組み合わせた造語であり、パソコンやサーバー等のシステムをロックすることや、システムに保存されているファイルを暗号化することにより使用不能にするウイルスの総称である。本項では、ランサムウェアによって使用不能にしたシステムやファイルを復旧できるようにすることと引き換えに身代金を要求するサイバー攻撃を「ランサムウェア攻撃」と呼ぶ。

従来のランサムウェア攻撃は、ばらまき型メールや悪意のあるWebサイトからのダウンロード等により、不特定多数のコンピューターをランサムウェアに感染させようとするばらまき型の攻撃であった。しかし、近年のランサムウェア攻撃は、攻撃者が被害企業・組織（以下、被害組織）のネットワークへ密かに侵入し、侵害範囲を拡大しつつ、大量のデータをランサムウェアによって暗号化するといった攻撃へと変化しており、事業継続に大きな影響を与える重大な脅威となっている。本項では、このようなランサムウェア攻撃を「侵入型ランサムウェア攻撃」と呼ぶ。

また、侵入型ランサムウェア攻撃では、データの復旧と引き換えに金銭を要求するだけでなく、暗号化する前にデータを窃取し、身代金を支払わない場合はデータを暴露するといって脅迫する「二重の脅迫」（「二重恐喝」ともいう）が用いられることが多くなっている。

### (1) ランサムウェア攻撃の傾向

ここ数年におけるランサムウェア攻撃の傾向について説明する。

#### (a) 被害件数と増加要因

警察庁の調査結果※11によると、企業・団体等におけるランサムウェア被害の報告件数が2022年上期は114件、下期は116件であり、2020年下期から継続して増え続けている（図1-2-1、その他の調査結果については「1.1.2(4)ランサムウェアによる被害」参照）。

ここ数年でランサムウェア被害が急増している要因として、ランサムウェアをサービスとして提供する「RaaS（Ransomware as a Service）」と呼ばれる攻撃モデルの普及や、攻撃者の組織化・分業化が挙げられる。世界的に多くの被害が確認されている攻撃グループLockBit、Conti、BlackCat等は、より大きな報酬を得ながら効率的にランサムウェア攻撃を行うために、次のような分業体制（RaaSモデル）を敷いているという※12。

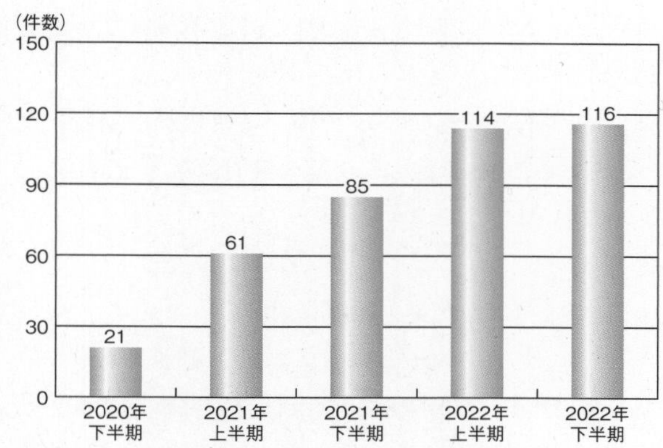


■図1-2-1 企業・団体等のランサムウェア被害の報告件数の推移
（出典）警察庁「令和4年におけるサイバー空間をめぐる脅威の情勢等について※11」を基にIPAが編集

- オペレーター（RaaS提供者）
  被害組織のデータを暗号化するためのランサムウェアを開発し、アフィリエイターへ提供する。オペレーターによっては、攻撃方法や被害組織との交渉方法等をマニュアル化し提供する組織もある。
- アクセスブローカー（IAB：Initial Access Broker）
  被害組織のネットワークへ侵入するために必要なアクセス情報を不正に入手し、アフィリエイターへ提供する。
- アフィリエイター
  提供されたアクセス情報とランサムウェアを用いて、被害組織に対しランサムウェア攻撃を実行する。

このような分業化によって、アフィリエイターはランサムウェア攻撃を構成する要素（ランサムウェアの開発、サーバー等の攻撃基盤の運用、脅迫や交渉等）すべてに関する技術・ノウハウを持たなくても、攻撃による報酬を得ることができるため、アフィリエイターの数が増加し、ランサムウェア攻撃の被害も増えたと考えられる。

また、働き方改革や新型コロナウイルスへの対応に伴う「テレワークの普及」も、ここ数年でランサムウェア被害

が急増したもう一つの要因といえる。警察庁によれば、攻撃者による被害組織のネットワークへの侵入手口は2022年も継続して、テレワーク等に利用されるVPN製品やリモートデスクトップサービスの設定不備、脆弱性の悪用等が多く、全体の80%以上を占めていた※[11]。VPN製品やリモートデスクトップサービスが攻撃者に狙われていることを認識し、企業・組織は対策を講じる必要がある。

#### (b) 被害を受けた企業・組織

セキュリティベンダーの調査によると、被害組織について、製造業や医療等の様々な業種や公共機関で被害が確認されている※[13]。また、警察庁によると、企業・組織の規模も大小を問わず広範に及んでおり、サプライチェーンに残存するセキュリティの脆弱な箇所が狙われ、サプライチェーン全体が影響を受ける被害や、国内企業の海外子会社が狙われるといった被害も確認されている※[11]。これらのことから、企業の業種や規模を問わずサプライチェーン全体でのセキュリティ対策が重要といえる。

#### (c) 身代金要求の手口

警察庁によると、身代金の支払いを促すための脅迫の手口において、二重の脅迫が行われた被害は、手口が確認できている182件のうち65%を占めていた※[11]。

更に、近年のランサムウェア攻撃においては、攻撃者は窃取したデータを暴露するといった「二重の脅迫」だけにとどまらず、被害組織へのDDoS攻撃(「三重の脅迫」とも呼ばれる)※[14]や、被害に遭った事実を被害組織の顧客や利害関係者に連絡する(「四重の脅迫」とも呼ばれる)といった脅迫手法※[15]も確認されているという。

### (2) ランサムウェア攻撃の被害事例

2022年度に公表または報道された国内における侵入型ランサムウェア攻撃の被害事例として、次の二つの事例を紹介する。両事例ともにサプライチェーンに存在する脆弱性が悪用されたことにより、サプライチェーン上の別の企業・組織に被害を及ぼした事例である。なお、紹介する二つの事例は、数多く確認されているランサムウェア攻撃による被害の一部である。その他の被害事例については、IPAが公開している「コンピュータウイルス・不正アクセスの届出事例※[16]」の「2-2. 身代金を要求するサイバー攻撃の被害」を参照していただきたい。

#### (a) 自動車部品メーカーにおける被害事例

トヨタ自動車株式会社（以下、トヨタ自動車）は、取引先が侵入型ランサムウェア攻撃を受けたことから、国内全14工場28ラインの稼働を2022年3月1日に停止すると発表した※[17]。攻撃を受けたのは、トヨタ自動車の部品仕入先である小島プレス工業株式会社（以下、小島プレス工業）であり、小島プレス工業は同日、ウイルス感染被害によるシステム停止事案が発生したことを公表した※[18]。次いで、2022年3月31日、調査報告書にて被害の内容や原因等を公表した※[19]。

同調査報告書や報道によると、2022年2月26日、攻撃者によって、小島プレス工業の子会社が利用するリモート接続機器の脆弱性が悪用され、子会社の社内ネットワークに侵入された。更に、子会社のネットワークから小島プレス工業の社内ネットワークに侵入され、サーバーやパソコンに保管されていたデータが暗号化されたという※[20]。暗号化被害は、給与支払い等の総務部門のシステムや部品の生産に関わる受発注システムにまで及んでいたとされている※[21]。攻撃者によって身代金を要求する内容の脅迫文が残されていたが、要求には応じていないという※[20]。また、調査報告書の公表時点において、攻撃者により、外部へ情報が持ち出された痕跡は確認されていないとしている※[19]。なお、小島プレス工業のシステムの安全が確認されたため、トヨタ自動車は停止していた工場の稼働を翌3月2日から再開した。

本事例の攻撃者は「RobbinHood（ロビンフッド）」と呼ばれる攻撃グループとみられ、国内では過去に被害が確認されていないランサムウェアが使用されたと報じられている※[22]。トヨタ自動車は、攻撃に使用されたランサムウェアの詳細な挙動が不明であるため、入念に対応を検討する必要があると判断し、早期復旧を断念したとしている※[21]。

#### (b) 医療機関における被害事例

大阪市の地方独立行政法人大阪府立病院機構大阪急性期・総合医療センター（以下、同院）は、2022年10月31日、侵入型ランサムウェア攻撃と思われる攻撃により、電子カルテシステムに障害が発生したとことを公表した※[23]。その後、2023年3月28日、調査報告書にて被害の内容や原因等を公表した※[24]。

障害は、同院内のサーバーがランサムウェアに感染したことが原因であった。感染したサーバーには、「すべてのファイルを暗号化した。復号したければビットコインを支払え」という旨の英語の脅迫文が残されており、連絡先のメールアドレスも記されていた。同院では、脅迫文に記載された連絡先への連絡は行わず、交渉に応じない方針とした※25。

残された脅迫文の情報から、攻撃に用いられたランサムウェアは、「Phobos（フォボス）」と呼ばれる攻撃グループが使用する「Elbie（エルビー）」である可能性が高いとしている※24。

同院は被害拡大防止措置として、電子カルテシステム及び関連するネットワークシステムを停止した。それに伴い、緊急以外の手術や外来診療等の通常診療を停止することとなった※26。システム障害後は電子カルテが使えないため、暫定的に紙カルテで対応を行った。電子カルテシステム以外にも、連携していた会計や薬の処方のためのシステムにも影響が及んだという※27。同院内でランサムウェア感染が確認されたサーバーは20台程度であった※24。

政府から派遣された専門チームの調査の結果、攻撃者は、同院が委託していた給食提供業者である社会医療法人生長会のシステムを経由して侵入した可能性が高いと見られている※28。攻撃者は、初めに給食提供事業者のデータセンターにあるVPN製品の脆弱性、または漏えいにより公開されていた認証情報を悪用し、外部から当該データセンターへ侵入したとされている※24。当該VPN製品は、リモートメンテナンス用に利用されており、被害発生当時、必要なソフトウェアの更新が行われていなかったという。

その後、攻撃者は、給食提供業者のサーバーから、同院内の栄養給食管理システムサーバーを侵害したのち、イントラネットに侵入したと見られている。同院では、給食をオーダーするため、同院のイントラネットと給食提供業者のデータセンターをVPNによる閉域網で接続していた※29。また、給食提供業者のサーバーから同院内の栄養給食管理システムサーバーに対して、リモートデスクトップによる接続が常時行われていた（図1-2-2）。

同院では、電子カルテのデータを、日次で差分バックアップ、週次でフルバックアップを取得していた。本事案ではバックアップサーバーも被害に遭ったが、遠隔地で磁気テープによるバックアップも取得しており、10月27日時点でのバックアップが無事だったという※29。同院は、このバックアップを元に段階的に復旧作業を進めた。完全復旧は2023年1月11日となり、攻撃を受けてから2ヵ月以上にわたり影響を受けることとなった。

### (3) 侵入型ランサムウェア攻撃の手口

ここでは、侵入型ランサムウェア攻撃の手口について説明する。侵入型ランサムウェア攻撃は、次の(a)～(e)の五つのステップで行われる。加えて、近年確認されている手口として(f)と(g)の二つを説明する（次ページ図1-2-3）。

#### (a) ネットワークへの初期侵入

侵入型ランサムウェア攻撃は、攻撃者が被害組織のネットワークへ侵入するところから始まる。攻撃者は、被害組織がインターネットへ接続している機器全般を狙い、強度の弱いパスワードや過去に漏えいした認証情報、残存している脆弱性、設定不備等を悪用してネットワー

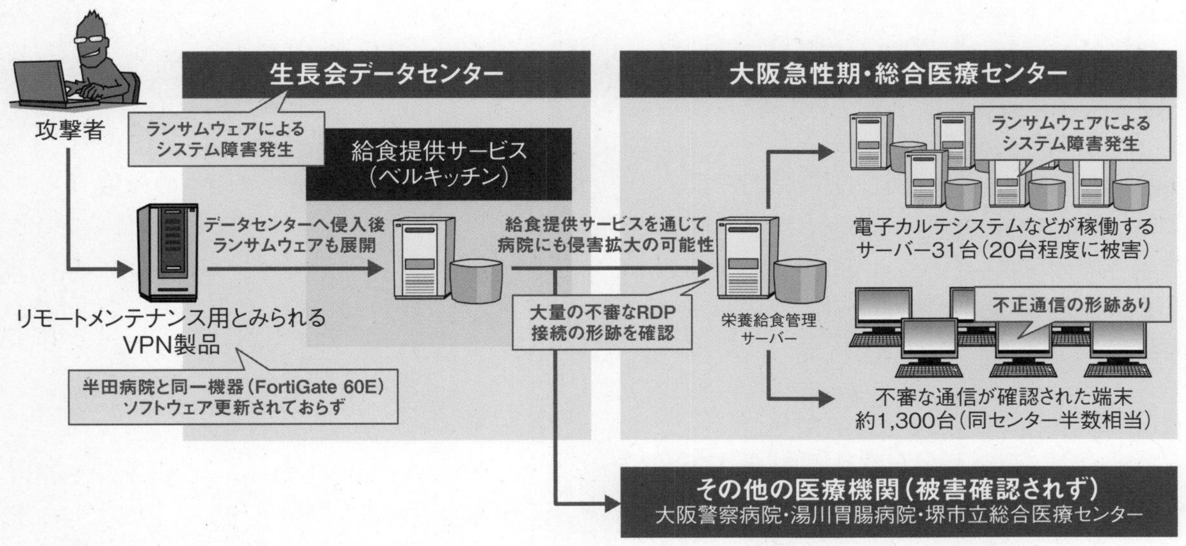


■図1-2-2　大阪急性期・総合医療センターが受けたと見られる攻撃の流れ
（出典）piyolog「ランサムウエア起因による大阪急性期・総合医療センターのシステム障害についてまとめてみた※30」を基にIPAが編集

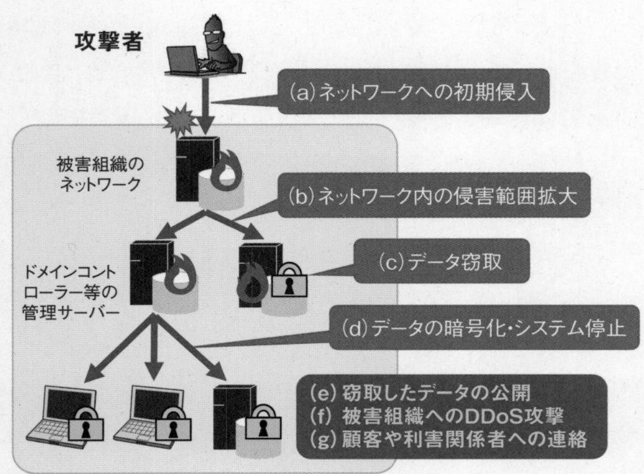


■図 1-2-3　侵入型ランサムウェア攻撃の手口のイメージ
(出典)IPA「【注意喚起】事業継続を脅かす新たなランサムウェア攻撃について[※31]」を基に編集

クに侵入する。その中でも、VPN 製品やリモートデスクトップサービス経由での侵入が多い傾向にある。また、被害組織のパソコンを乗っ取りネットワークへの侵入の足掛かりを作るために、被害組織へ遠隔操作ウイルス等を添付したメールや、遠隔操作ウイルス等をダウンロードさせる URL リンクを記載したメールを送り付けることもある。

### (b)ネットワーク内の侵害範囲拡大

攻撃者は、被害組織のネットワークへの侵入に成功すると、ネットワーク内で侵害範囲の拡大を行う。攻撃者は、まずネットワーク構成の把握や管理者権限の奪取を行い、機微情報等が保存されているパソコンやサーバー、ドメインコントローラー等の管理サーバー、バックアップ用のサーバー等を侵害する。特に、ネットワーク内のユーザーやコンピューターを一元管理することができるドメインコントローラーが侵害されると、管理下のすべてのコンピューターに侵害範囲が拡大する可能性がある[※16]。

### (c)データ窃取

データの窃取は、攻撃者が「二重の脅迫」を狙っている場合に行われる。攻撃者は遠隔操作ウイルスや正規のツール等を使用し、ネットワーク内のデータ探索・収集を行った上で、収集したデータを攻撃者のサーバーやクラウドストレージへアップロードする。

### (d)データの暗号化・システム停止

攻撃者は、身代金を得るために被害組織のデータをランサムウェアによって暗号化し、事業継続に関わる重要なシステムの停止を狙う。バックアップデータによる復旧を妨害するため、バックアップデータも狙って暗号化する可能性がある。また、セキュリティ製品による検知を回避するために Windows OS の標準機能である BitLocker を悪用して暗号化を行う等、OS の正規の機能が悪用されることもある[※16]。

### (e)窃取したデータの公開

窃取したデータの公開は、攻撃者が「二重の脅迫」を狙っている場合に行われる。データの公開方法としては、攻撃者がインターネットやダークウェブ上に設置した、データ公開のための Web サイト（以下、リークサイト[※32]）での公開やオークション形式での販売が挙げられる。攻撃者は窃取したデータをリークサイトで公開する際に、被害組織への身代金支払いの圧力を高めるため、窃取したデータを一度にすべて公開するのではなく、一部だけ公開し、指定した期日までに身代金を支払わないと、徐々に公開するデータの範囲を広げるといった声明を出す場合がある。攻撃者との身代金の交渉には電子メールや特定のチャットサイト等が使用される。

### (f)被害組織への DDoS 攻撃

被害組織への DDoS 攻撃は、攻撃者が「三重の脅迫」を狙っている場合に行われる。攻撃者は、被害組織に対して DDoS 攻撃を行い被害組織が提供するサービスを妨害することで、身代金の支払いに更なる圧力をかけるという[※14]。

### (g)顧客や利害関係者への連絡

顧客や利害関係者への連絡は、攻撃者が「四重の脅迫」を狙っている場合に行われる。攻撃者は、被害組織がランサムウェア被害に遭ったことを被害組織の顧客や利害関係者へ連絡することで、身代金の支払いを促すという[※15]。

## (4)侵入型ランサムウェア攻撃への対策

ここでは侵入型ランサムウェア攻撃への対策について説明する。なお、これらの対策は自組織だけでなく、海外を含む子会社や取引先等、サプライチェーン全体で行うことが重要といえる。

### (a)バックアップの取得と復旧計画

侵入型ランサムウェア攻撃によってデータが暗号化され、システムが停止した場合に備えて、システムの再構築を念頭に置いたバックアップからの復旧計画を事前に策定する。特に、バックアップは取得するだけでなく、リストアのテストを定期的に行う等をして、バックアップからの復旧が可能なことを確認しておくことが重要である。

また、侵入型ランサムウェア攻撃では、バックアップサーバーがオンライン上に存在する場合、バックアップも含めて一斉に暗号化される可能性がある。このため、事業継続に重要なデータやシステムのバックアップは複数取得し、そのうち最低一つは、テープデバイス等に保存してネットワークから隔離された環境に移す等、攻撃者から手の届かないオフライン環境に配置することが望ましい。オンライン環境にバックアップを保存する場合は、一度保存した後は上書きを禁止する仕組み（WORM（Write Once Read Many）機能）でデータを保護することや、組織のネットワークから切り離したクラウド上に保存する方法も有効である。侵入型ランサムウェア攻撃を受けた場合でも、必ず復旧が可能なように複数のバックアップ方式を採用しておくことが重要である。

なお、バックアップからの復旧を事業継続計画（BCP：Business Continuity Plan）で策定している企業・組織でも、侵入型ランサムウェア攻撃等のサイバー攻撃を受けることを想定していない場合があるため、今一度、計画を見直していただきたい。例えば、「1.2.1（2）（b）医療機関における被害事例」では、災害時を想定してBCPを策定していたが、本事例のようなサイバー攻撃を受けることは想定しておらず、備えが不十分だったとしている[※33]。BCPの中で、地震等の自然災害について考慮することに加え、侵入型ランサムウェア攻撃についても必ず考慮していただきたい。

### （b）ネットワークへの侵入対策

侵入型ランサムウェア攻撃は、攻撃者が企業・組織内のネットワークへ侵入するところから始まるため、次のような侵入対策を行うことが重要である。

- 攻撃対象領域（アタックサーフェス）の最小化
  企業・組織の管理する機器が攻撃の対象となる可能性を減らすために、インターネットからのアクセスを可能にしているサーバーやネットワーク機器、プロトコルやサービス等を把握し、最小化することが重要である。また、誤ってインターネット上に公開している機器等がないか確認することや、どの機器をどのような設定で公開しているか等の管理を行うといった対策も重要といえる。
- 脆弱性対策
  脆弱性を悪用した侵入や侵害範囲の拡大を防ぐために、VPN製品を含むネットワーク機器のファームウェア、パソコンやサーバーのOS、利用しているソフトウェア等を常に最新の状態に保つことが重要である。なお、脆弱性の影響を受けないバージョンにバージョンアップした状態であっても、既に攻撃者によって脆弱性が悪用され、設定情報や認証情報等が窃取されている可能性があるため、注意が必要である。また、脆弱性が公開されてから悪用されるまでの期間が短くなっていることから、公開された脆弱性対策情報に迅速に対応できるような体制や計画を整備しておくことも重要といえる。
- アクセス制御と認証の強化
  企業・組織外からアクセス可能な機器等が攻撃者に不正に侵入・操作されないために、特定のIPアドレスからのアクセスを許可または拒否する等、適切なアクセス制御を行うことが重要である。また、推測されにくい強固なパスワードを使用することや認証の試行回数に制限を設けること、多要素認証のような強固な認証方式を使用すること等により、認証を強化することも重要といえる。なお、インシデント発生時に備えて、平時から、必要なアクセスログや認証ログ等を取得・保管することに加え、攻撃を早期発見するためにログを監視・分析することが望ましい。
- 攻撃メール対策
  フィッシングメールやウイルスメール等の攻撃メールによる認証情報の流出やウイルス感染を防ぐために、メールのセキュリティ対策システムで不審メールを検知・隔離する対策が重要である。また、職員のセキュリティリテラシーを高めるための教育や啓発、訓練等の対策を行うことにより、メール利用者の一人ひとりが「身に覚えのないメールの添付ファイルは開かない、怪しいリンクはクリックしない」という意識を持つことも重要といえる。

### （c）侵害範囲拡大への対策

攻撃者によって、社内ネットワークへ侵入された場合を想定して、侵害範囲を最小限に抑えるために、次のような対策が重要である。なお、「（b）ネットワークへの侵入対策」と同様に、「脆弱性対策」「アクセス制御と認証の強化」を行うことも侵害範囲拡大の対策として有効である。

- 必要最小限の権限付与
  攻撃者によって、ネットワーク内のパソコンやサーバー等で利用しているアカウントが乗っ取られた場合、そのアカウントで行える操作権限が攻撃者によって悪用される可能性がある。そのため、攻撃者によってアカウントが乗っ取られる可能性を考慮し、アカウントに付与する操作権限を必要最小限にすることが重要である。また、どのアカウントにどのような権限を付与しているのかを管理することや、権限昇格の脆弱性が悪用されないように脆弱性対策を実施することも重要である。

- パスワードの管理
  ネットワーク内の複数の機器において、一つのパスワードを使いまわしていた場合、攻撃者によって一つの機器の認証が突破されると、そのパスワードを使いまわしているすべての機器の認証も突破され、侵害範囲が拡大する可能性がある。このため、パスワードの使いまわしを行わないことが重要である。また、総当たり攻撃や辞書攻撃に対抗するため、パスワードポリシーを設定し、脆弱なパスワードを設定できないようにするといった対策も重要といえる。
- ネットワーク接続点のセキュリティ強化
  組織内の複数拠点におけるネットワーク接続や他組織とのネットワーク接続において、セキュリティ対策が十分に実施されていないネットワークがある場合、攻撃者によって、脆弱な箇所からまずそのネットワークに侵入され、ネットワーク経由で自拠点の中枢が侵害される可能性がある。そのため、各ネットワークの接続点では、アクセス制限や不正通信の監視等のセキュリティ強化を検討する必要がある。
- ドメインコントローラーのセキュリティ強化
  Active Directory 等により構成したドメインコントローラーは、ネットワーク内のユーザーやコンピューターを一元管理できるため、侵害範囲を拡大する目的で、攻撃者に狙われやすい傾向にある。攻撃者によって、ドメインコントローラーが侵害されると、管理下のすべてのコンピューターに侵害範囲が拡大する可能性があるため、脆弱性対策、強固なパスワードの使用、侵害検知装置の設置・強化等、侵害されないための対策を行うことが重要である。
- セキュリティソフトの導入
  侵入型ランサムウェア攻撃に伴うウイルスを検知・駆除するためにセキュリティソフトを導入することが重要である。なお、新しいウイルスを検知・駆除するためは、セキュリティソフトを最新の状態に保つ必要がある。ただし、侵入型ランサムウェア攻撃に使用されるウイルスは、標的とする組織向けにカスタマイズされている場合もあり、セキュリティソフトでは検知されない可能性もあるため、不審な動作や通信を監視するEDR（Endpoint Detection and Response）等の他の対策と併用することが望ましい。
- 正規プログラム・ツールの悪用への対策
  攻撃者によって、OSの正規プログラムやツール、本来は正当な目的で使用されるフリーソフト等が悪用された場合、セキュリティソフトによって検知することは困難である。そのため、業務上不要なツールの機能に制限を設けることや、使用許可のないフリーソフトをインストールできないようにすることが重要である。また、日頃からサイバー攻撃に関する脅威情報を収集し※34、攻撃者に悪用される可能性がある正規プログラムやツール※35を把握することは、利用制限を設ける際の判断材料にもなるため、可能であれば取り組んでいただきたい。

### (d)データの窃取と公開への対策

侵入型ランサムウェア攻撃によりデータが窃取され、意図せず公開される脅威への対策として、IRM（Information Rights Management）※36を活用し、重要なデータが窃取されても被害を限定的な範囲に留めるといった対策が有効である。また、メール送受信やWeb閲覧等で使用する一般的な業務用のネットワークと機密情報等を取り扱うネットワークを分離するといった対策も有効である。このような対策を行うことにより、攻撃者に業務用のネットワークに侵入されたとしても、機密情報等を取り扱うネットワークには到達されないようにすることができる。ただし、ネットワーク分離は運用コストの増加や利便性の低下等の影響があるため、機密情報等の重要性やリスクを踏まえて実施を検討することが望ましい。

### (e)インシデント対応

侵入型ランサムウェア攻撃の被害に遭った際のインシデント対応はケースバイケースとなるが、標的型攻撃と同様の手口が使用されるため、対応も全体的には標的型攻撃と同様であるといえる（「1.2.2（5）標的型攻撃への対策」参照）。インシデント対応の一般的な進め方について、JPCERT/CCがマニュアル※37を公開しているため、参照していただきたい。また、データ暗号化と身代金要求への対応についてはJPCERT/CCが侵入型ランサムウェア攻撃を受けた際のFAQ※38を公開しているため、こちらも参照していただきたい。なお、実際に被害に遭った場合に備えて、迅速で適切なインシデント対応や応用力を高めるため、経営層を含めたインシデント対応の訓練を定期的に実施することが望ましい。

侵入型ランサムウェア攻撃によるインシデントは、業務の停止や顧客・取引先の情報漏えい等が発生し、自組織内に閉じたインシデントで終わらない傾向がある。そのため、日頃から、経営層を含む顧客や取引先、システムの運用・保守の委託先等との素早い連絡・調整を行うための体制作りが必要である。

## 1.2.2 標的型攻撃

標的型攻撃とは、ある特定の企業・組織や業界等を狙って行われるサイバー攻撃の一種である。フィッシングメールやウイルスメールを不特定多数の相手に無差別に送り付ける攻撃とは異なり、標的型攻撃は、特定の企業・組織や業界が持つ機密情報の窃取やシステム・設備の破壊・停止といった、明確な目的をもって行われる。この目的を達成するため、標的とする企業・組織（以下、標的組織）向けに特別に改変・開発したウイルスを使うことがある[※39]。また、標的型攻撃は長期間継続して行われることが多く、標的組織の内部に長期間潜伏して活動するという特徴も持つ。

IPA では、過去の事例等から、標的型攻撃の流れを5段階に分類している（図 1-2-4）。

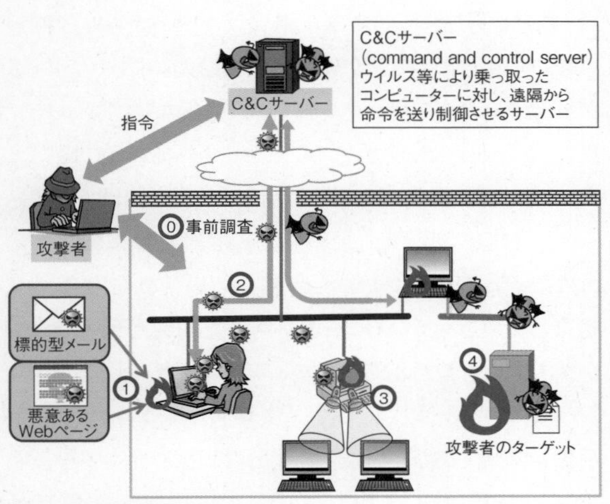


⓪［事前調査段階］
標的組織を攻撃するための情報を収集する。

①［初期潜入段階］
標的型攻撃メールや、Webサイト閲覧を通してウイルスに感染させる。

②［攻撃基盤構築段階］
侵入したパソコン内でバックドアを作成し、外部のC&Cサーバーと通信を行い、新たなウイルスをダウンロードする。

③［システム調査段階］
情報の存在箇所特定や情報の取得を行う。
攻撃者は取得情報を基に新たな攻撃を仕掛ける。

④［攻撃最終目的の遂行段階］
攻撃専用のウイルスをダウンロードして、攻撃を遂行する。

■図 1-2-4　標的型攻撃の流れ
（出典）IPA「標的型攻撃／新しいタイプの攻撃の実態と対策[※40]」を基に編集

以下に、図 1-2-4 の標的型攻撃の流れについて概要を示す。なお、具体的な標的型攻撃のメカニズムについては IPA の「標的型攻撃／新しいタイプの攻撃の実態と対策」「標的型サイバー攻撃の事例分析と対策レポート[※41]」を参照いただきたい。

「事前調査段階」では、標的組織や業界の情報を収集する。公開されている情報を収集するだけでなく、標的組織と他の組織とのメールの盗聴等により必要な情報を収集することもある。

次の「初期潜入段階」では、「事前調査段階」で得られた情報を基に、標的組織の端末へのウイルス感染を試みる。海外拠点や取引先組織といった、サプライチェーン上のセキュリティの弱い組織を狙う手口に加え、VPN 製品や Web サーバー等のインターネットとの境界にある装置の脆弱性を悪用し、侵入する手口もある。標的組織の職員に対し、ウイルスを仕込んだファイルが添付された、あるいはウイルスをダウンロードする URL リンクが記載された標的型攻撃メールや SNS（Social Networking Service）によるメッセージを送り付ける手口も依然として確認されている。

「初期潜入段階」で標的組織の内部に侵入した攻撃者は、「攻撃基盤構築段階」へと移り、標的組織内の端末を遠隔操作するため、遠隔操作ウイルス（RAT：Remote Access Trojan）に感染させることを試みる。この際に、複数の RAT に感染させる場合がある。これは一つの RAT が発見され駆除や通信の遮断といった対応をされても、別の RAT での遠隔操作が継続可能なようにするためである。また、発見されないようにするため、より隠密性の高いウイルス（ファイルレスマルウェア[※42] 等）を使うケースも確認されている。攻撃者は遠隔操作が可能な状態を長期的に持続させるため、このような試みを複数行う。

次の「システム調査段階」では、「攻撃基盤構築段階」で感染させた RAT を使用して、組織内ネットワークの攻撃に使うウイルスやツールを送り込む。ツールは本来、攻撃以外の正規の目的を持つプログラムであるが、攻撃者にとっても有用なものは、悪用されてしまうケースがある。これらのウイルスやツールを用いて、組織内ネットワークの調査、管理者権限の奪取、目的とする情報の探索等を行う。このとき、侵入した端末等にインストールされている標準的なアプリケーションや業務でよく利用されるアプリケーションが悪用されることもある。

「攻撃最終目的の遂行段階」では、攻撃者は、目的とする情報の窃取等を行う。海外の事例では、情報の窃取ではなく、国家間の事情を背景としたシステム破壊を目的とするインフラ攻撃等も確認されている※[43]。

### (1) 国内の標的型攻撃事例

本項では、2022年度に確認された2件の標的型攻撃の事例を紹介する。

#### (a) メールのやり取りをする中で不正なファイルを実行させる攻撃

IPAのJ-CRAT(Cyber Rescue and Advice Team against targeted attack of Japan:サイバーレスキュー隊)は、国内の学術機関のエネルギー政策関係者等を標的とする攻撃(Op.EneLinkと呼称)を観測した※[44]。この攻撃は、標的組織に関係のある実在する組織や関係者を詐称した上で、イベント等の参加、取材、講演依頼等を持ち掛ける流暢かつ丁寧な日本語で書かれたメールから始まる。メールのやり取りの中でURLリンクを提示し、不正なファイルをダウンロード・実行させる。その後も日程調整等のやり取りを継続するが、新型コロナウイルス等を理由に依頼をキャンセルし、被害者に不信感を抱かせないように終了する。この攻撃で用いられるメールは、なりすます対象に似せたドメインを取得し、なりすます対象者を模したメールアドレスから送付されていることが確認されている。また、メールの宛先は組織のメールアドレスだけでなく、職員がプライベートで利用しているメールアドレスも対象となっていた。初期侵入の数日から十数日後には、ウイルスを用いて、端末内のドキュメントファイル等を窃取する動きが見られた。このウイルスは、オンラインストレージサービスの機能を悪用して、端末から窃取したファイルのアップロードと、攻撃者からの命令文を端末にダウンロードする動作を行うものであった。

この攻撃者グループによるものと考えられている一連の攻撃に関して、複数のセキュリティベンダーからも調査結果等が公開されている。NTTセキュリティホールディングス株式会社は、侵入テスト向けのオープンソースソフトウェア(OSS:Open Source Software)を悪用している可能性に言及している※[45]。株式会社マクニカは、Go言語で開発されたウイルスが使われていて解析が困難※[46]であったことを報告している※[47]。トレンドマイクロ株式会社(以下、トレンドマイクロ社)は、攻撃者を「Earth Yako」と呼び、短い期間内で新たなウイルスやその亜種を使用していること、攻撃の対象業種を頻繁に変更・拡大していることを指摘している※[48-1]。加えて、J-CRATでは、標的とする業種やプライベートで利用するメールアドレスを対象とした攻撃手法等、Op.EneLinkと共通点のある「LODEINFO」と呼ばれる諜報用ウイルスを用いた攻撃を観測している。トレンドマイクロ社も、同様の攻撃を観測しており、LODEINFOが断続的なバージョンアップ等、活発な標的型攻撃を行っているとしている※[48-2]。

このような攻撃について、警察庁と内閣サイバーセキュリティセンター(NISC:National center of Incident readiness and Strategy for Cybersecurity)は、注意喚起を行っている※[49]。

#### (b) 境界装置の脆弱性を悪用した攻撃

2022年5月、ネットワーク境界に設置されるロードバランサー装置であるF5, Inc.社製のBIG-IPの脆弱性(CVE-2022-1388)が公表された※[50]。この脆弱性は、APIを使ってBIG-IPを管理するためのプログラムの一つであるiControlRESTコンポーネントにおいて、本来は必要な認証を回避して、リモートから任意のコードを実行できるというものであった。

同年5月ごろ、JPCERT/CCは、この脆弱性を悪用して、国内の組織への侵入を試みた事例を確認したという※[51]。本事例では、この脆弱性が悪用されてBIG-IP機器内部へ侵入され、BIG-IP内のデータが漏えいする被害が確認されている。本脆弱性を悪用する攻撃コードが設置されていた攻撃者のサーバーから、今回の攻撃コードとは別に、TSCookie、Bifrose等のウイルスが発見された。これらウイルスは、標的型攻撃グループ「BlackTech」が使用することで知られているため※[52]、本事例はBlackTechに関連のある活動と推測されている。J-CRATが収集した情報からは、攻撃に使用するためのインフラは活動が活発化する以前から段階的に整備・更新されていることや、当該脆弱性が公開されてからすぐに活動が活発化していることが見られたという。このことからJ-CRATでは、攻撃グループは常に攻撃準備を整えており、脆弱性情報に即応する体制を敷いていると推察している※[44]。

### (2) 標的型攻撃の傾向

日本国内の企業・組織を対象とした標的型攻撃は、2011年に複数の重工業メーカー等が標的となった事例以降、継続的に発生している※[41]。

本項では、初期侵入と攻撃手法の傾向について述べる。まず、初期侵入では2022年度は2021年度と変わらず、標的型攻撃メールやSNSの悪用、ネットワーク境界装置からの侵入、サプライチェーン・海外拠点からの侵入が行われている。「1.2.2 (1) (a) メールのやり取りをする中で不正なファイルを実行させる攻撃」で紹介したように、組織で使うメールアドレスだけではなく、プライベートのメールアドレスにも標的型攻撃メールが届く事例が報告されている。組織が付与しているものと比較して防御が緩むと考えられるプライベートのメールアドレスやSNSアカウントを狙う攻撃は、近年の標的型攻撃の特徴である。

続いて攻撃手法の傾向としては、Go言語で開発されたウイルスの使用が挙げられる。過去にGo言語で開発されたウイルスを使った攻撃は確認されており、2022年度もGo言語で開発されたウイルスを使った標的型攻撃の事例が見られた※53。前項で述べたとおり、Go言語で開発されたウイルスの解析は難度が高い。このため、攻撃者からみれば、ウイルス解析に時間をかけさせ、標的組織側の対処を遅らせることが可能という利点があると考えられる。また、Go言語では、マルチプラットフォーム向けに開発可能であり、感染させる端末の対象を増やすことができる。このような特徴から今後もGo言語で開発されたウイルスを使用する攻撃が継続する可能性がある。

### (3) 標的型攻撃の手口(初期潜入段階)

初期潜入段階における、標的型攻撃で用いられる代表的な手口を以下に示す。

#### (a) 標的型攻撃メール

攻撃者は、標的とする企業・組織・業界でよく用いられる用語を使用し、標的型攻撃メールの信憑性を高めることで、添付ファイルの実行または悪意のあるファイルのダウンロードを行わせるソーシャルエンジニアリングの手口を使う。標的型攻撃メールの信憑性を高めるため、攻撃者は標的組織に関係する組織や官公庁が公表している情報等から、その業界特有の用語や関係者の情報を「事前調査段階」で集め、それを件名、本文、署名、添付ファイル名や内容等に利用し、標的組織の職員が興味を持ち思わずクリックしたくなるメールを使うケースが確認されている。テーマを変えながら何度もメールを送り、粘り強く攻撃を継続していることもある※44。

#### (b) ネットワーク境界装置の脆弱性を悪用した攻撃

外部ネットワークとの境界に設置している装置を狙い、標的組織のネットワークへ侵入を試みる例が公表されている。具体的には、「1.2.2 (1) (b) 境界装置の脆弱性を悪用した攻撃」で紹介した攻撃や、SSL-VPN製品の脆弱性を悪用した攻撃※54等、ネットワーク境界装置を悪用して組織のネットワークへ侵入する手法が報告されている。

#### (c) SNSを悪用した攻撃

JPCERT/CCとNISCから、SNSを悪用した攻撃手法が報告されている※55。標的組織に侵入するため、攻撃者は標的組織と関わりのある他組織の職員のSNSのアカウントをあらかじめ乗っ取り、そのアカウントから、不正なファイルをSNSで送信しウイルスに感染させようとした事例や、標的組織の職員に対してSNSのチャットで接触を行い、複数回やり取りを行った後、最終的にウイルスが含まれる不正なファイルをSNSで送り付ける事例がある。このように攻撃者は、標的組織の職員へ、求人や共通の趣味等、個人への関心を装って接触を図り、信頼関係を構築し、不正なファイルを実行させるよう仕掛ける。

#### (d) サプライチェーン等への攻撃

NISCの事例集※56では、ITソリューション企業の国内グループ拠点のネットワーク・機微情報に不正アクセスされた事例が報告されている。セキュリティベンダーからは、子会社または関連会社の取引先を経由して標的組織へ攻撃を行っていた事例※57が報告されている。これらの事例のように、標的組織のネットワークやシステムを直接狙うのではなく、関連会社や子会社、取引先等、標的組織と関係を持つサプライチェーンを侵入の初期ターゲットとする攻撃の手口がある。これらの組織は、標的組織とシステム的なつながりや業務上の関係を持つ一方、標的組織と比較して、予算規模やセキュリティに対する意識に差があり、セキュリティ対策が不十分な場合がある。攻撃者は、このセキュリティレベルのギャップを狙うために、事前調査の段階で標的組織のサプライチェーン全体を見渡し、セキュリティ対策が脆弱な組織・拠点を侵入の初期ターゲットとしている。

### (4) 標的型攻撃の手口(攻撃基盤構築段階)

初期潜入後、攻撃者が攻撃基盤を構築する段階における具体的な手口の例を紹介する。

#### (a) 感染の永続化

攻撃者は標的組織への初期潜入後、初期潜入した端末の制御を維持するためにウイルス感染の永続化を図る。端末の起動時にRAT等のウイルスが自動的に実行されるように、攻撃者は端末のレジストリの編集やタスクスケジューラーへの登録等を行う。

### (b) 組織内での侵害範囲拡大

攻撃者は最初に感染した端末から別の端末や Active Directory サーバー、他のネットワーク等への侵害範囲拡大を行い、更に重要な情報の窃取を目指す。このため攻撃者自らがコントロール可能な端末上で様々なツールを使って認証情報窃取やネットワークスキャンを行い、端末が接続するネットワーク内にある別の端末の状況を調査し、それら端末への侵害を図り、侵害範囲を拡大する。

### (c) 正規ツールや OSS の悪用

前述の「(a) 感染の永続化」や「(b) 組織内での侵害範囲拡大」の段階では、攻撃者が開発したウイルスが使われることに加えて、通常の業務で使用するソフトウェアや OS の標準機能として利用できるツール、システムの運用管理やシステムの脆弱性有無の調査等の正当な目的を持つツール（正規ツール）を悪用する例が報告されている[※58]。特にリモートアクセスツールやファイル転送ツール、クラウドストレージの同期ツール等のソフトウェアは、通常業務で利用されるため、業務での利用か攻撃者による悪用かの区別がつきにくく、セキュリティソフトでウイルスとして検知することが難しい。

セキュリティ技術者がシステムの脆弱性有無を調査するために使うツールや、システムの運用管理に使うツール等の正規ツールは OSS で提供されていることが多い。OSS は、誰でも容易に入手可能でありソースコードの変更も可能である。これら一部の OSS は、攻撃者に悪用されることがある。一方、セキュリティソフト等では、攻撃者の OSS 悪用を検知・防御するため、検知パターンに登録する等の対応を行っているものがある。このような防御策に対して攻撃者は、ソースコードを改造してセキュリティソフト等で検知されにくくした上で使用することがある。

## (5) 標的型攻撃への対策

標的型攻撃の傾向や手口に記載したとおり、攻撃者は多種多様な手口で、用意周到に準備を行い計画的かつ巧妙に攻撃を行う。また攻撃手法も随時アップデートされている。変化した攻撃手法に対策が有効ではなくなる場合があるので、特定の対策のみに頼るのではなく、システム全体で多数の対策を組み合わせた多層防御が必要である。組織の規模や業種により取り得る対策は異なるが、情報資産を守るためには、あらゆる可能性の考慮に加え、情報資産の重要度と対応に要する費用も考慮して、対策の選別をした上で実施することが重要である。以下に、対策の例を示す。

### (a) 職員の意識向上

職員の意識向上を目的とした対策例を以下に示す。

- 不審メールに対する注意力の向上

  標的型攻撃メールでは、標的組織に関連する人・組織をかたる、組織や業界固有の用語等を用いて自然な文章を装う、標的組織の職員の関心を引く題材を送る、標的組織の職員への依頼事項を投げかけてその後のやり取りを続け油断させる等の受信者を騙す巧妙な手口が使われる。しかし、すべての標的型攻撃メールが見抜けない程完成度の高いものではない。職員自身も日頃から不審メールに対する意識を高め、不用意に開封や返信をしないこと、不審なメールと少しでも疑った場合は組織のシステム管理者に連絡することが求められる。そのため、組織として職員に標的型攻撃を見抜くため教育や注意喚起、標的型攻撃メールを模した訓練を実施することは、標的型攻撃による被害を防ぐのに有効である。

- SNS を悪用した手口の周知

  攻撃者は、SNS で標的組織の職員への接触を図り、悪意ある URL リンクやファイルを送り、それを開くように誘導することで初期潜入経路を開拓する。このようなケースがあることや注意点を職員に周知し、職員の警戒意識を高めることは対策として有効である。

### (b) 組織としての対応体制の強化

組織として攻撃に対応するための体制強化を図る対策例を以下に示す。

- CSIRT 設置と運用

  組織の職員が標的型攻撃メール等の不審なメールを受信した際に、連絡するべき窓口が組織内に存在することは重要である。また、セキュリティ機関やベンダー、利用者（顧客）等の組織外部からの連絡を受けて標的型攻撃の被害に気が付くことも考えられるため、外部からの連絡を受け付ける窓口を設けることも重要である。このような、組織内部と外部との適切な連絡体制の整備やセキュリティインシデントが発生した際の調査・分析、セキュリティの教育・啓発活動の実施等を行う組織体制のことを CSIRT（Computer Security Incident Response Team）と呼ぶ。セキュリティインシデントの未然防止、またはインシデント発生時の迅速な対応を行うために、CSIRT やそれに準ずる体制を組織内に設置することは有効な手段である。

- インシデントの発生を想定した事前準備
  組織内にCSIRTの体制を整えるだけではなく、実際にセキュリティインシデントが発生した際、事業を継続できるように事業継続計画に情報セキュリティの観点を組み込むことは重要である。CSIRT向けの取り組みでは、他組織で発生したインシデントや自組織で起こり得るインシデントを基にシナリオを作成し、インシデントの発生を想定した演習や訓練を行うことが望ましい。演習や訓練を通じて、自組織の対応能力の維持・向上、現在の対応力や体制の問題点の発見・改善を行う。これらは、組織全体の対応力・回復力（サイバーレジリエンス）の強化に有効である。
- 攻撃の手口や対策の把握と情報共有
  標的型攻撃が発生すると、セキュリティベンダーやマスコミ、あるいは被害組織自体から、攻撃手口や対策に関する情報が公表されることがある。また、業界内でのサイバーセキュリティに関する情報共有体制を通じて、他組織で発生した標的型攻撃の情報を得られる場合もある。これらの情報をCSIRTが継続して収集し、対策に活用していくことが重要である。例えば、攻撃者の侵入手口が特定機器の脆弱性を悪用したものであれば、自組織のシステムに該当する機器がないか確認し、該当するものがあれば速やかに脆弱性修正プログラムを適用する。標的型攻撃メールの情報が得られた場合は、社内にその特徴を周知し、メールのフィルタリング設定を行うことで、被害防止につなげることができる。もし、自組織が標的型攻撃を受けた場合には、前述の情報共有体制やIPA等の組織と連携し、攻撃の手口やIoC（Indicator of Compromise：侵害指標）等の情報を積極的に共有してほしい。情報を共有することで、対応方法等のフィードバックを得られる場合がある。また、組織間の情報共有が活発化することで、より多くの攻撃事例や知見が共有される。これにより、他組織だけではなく自組織の攻撃被害の防止につながることも期待できる[※59]。
- 海外拠点・サプライチェーン等を意識したセキュリティ対策の強化
  「1.2.2（3）（d）サプライチェーン等への攻撃」で述べたとおり、セキュリティ対策が不十分な子会社や関連会社、取引先企業、海外拠点を初期侵入の標的にする手口がある。このため、自組織と関わりのある組織全体を意識したセキュリティ対策の強化が求められる。具体的には、子会社や関連会社、海外拠点においても国内拠点と同様にセキュリティポリシーを策定、周知し、またセキュリティリスクの可視化、改善や対策を行うことが望ましい。これらの対策を実施する際は、海外拠点所在地の法制度や労働慣行の違い等も把握して、国内と同一の対策が取れない場合は代替策を考える必要がある。取引先等のサプライチェーンのセキュリティ対策強化の取り組み例としては、取引先の選定時にセキュリティ関連の認証取得状況等のセキュリティへの取り組みを考慮する、取引先とセキュリティに関して担うべき役割と責任範囲を明確化する、セキュリティ対策の共同実施や導入の支援を実施する、第三者によるセキュリティ対策の評価検証を実施する、セキュリティに関する情報共有を行うこと等が挙げられる。「サイバーセキュリティ経営ガイドライン[※60]」にも対策例が記載されているので、参考にしてほしい。
- 脆弱性に対応する仕組みや体制の構築
  OSやアプリケーション、ネットワーク境界装置等システムの脆弱性を悪用する攻撃に対抗するために、自組織が利用している機器の脆弱性情報と一時的な緩和策を含む対策方法をいち早く入手し、自組織に展開できるような体制作りが重要である。IT資産管理システム等を活用することで、自組織のサーバーや端末等に報告されている脆弱性がないかを確認し、脆弱性修正プログラムの適用等の対応を漏れなく行える仕組みを作ることが望ましい。特に「1.2.2（1）（b）境界装置の脆弱性を悪用した攻撃」で紹介したように、ネットワーク境界装置は脆弱性が公表後すぐに悪用される事例が確認されているため、一時的な緩和策を含めすぐに対応できるような体制が望ましい。

#### (c)システムによる対策

システムによる対策例を以下に示す。

- 不審メールを警告する仕組みの導入
  組織のメールシステムでメール受信時に、送信者（From）メールアドレスの偽装や、フリーメールアドレスの利用、悪用されやすい添付ファイルの拡張子やファイルタイプ、メール内のURLリンク先の情報を検査し、フリーメールアドレスから送られてきたメールや添付ファイル等について、必要に応じて受信者に警告することで、不審メールであると気付く機会を与えることが可能である。また、添付ファイル付きメールの受信時やインターネット上のファイルダウンロード時には、ウイルスの検査はもちろん、サンドボックスとよばれる隔離された環境でファイルを動的に解析する仕組みを採用することも有効である。なお、オンラインで提供されるウイルス検査やサンドボックスのサービスの一部には、ファイルをアップロードすることで意図せず情報漏えいにつながる危険性があるため十分な注意が必要である。

加えて、セキュリティインシデント発生に備え、不審メールを確保できる仕組みを導入することが望ましい。不審メールを調査可能にしておくことで、影響範囲等の解析が可能となり、解析結果を組織全体で共有し対策を取ることができる。

- 通常業務で使わないファイルの実行防止・ソフトウェアの利用防止

職員が通常の業務では使わないファイルやソフトウェアについては、あらかじめ、システムやポリシーで実行できないよう制限することが望ましい。具体的には、あらかじめ業務等で必要なソフトウェアや実行可能なファイルの種類を洗い出し、それらの実行のみを許可し、他のものを禁止すること（許可リスト方式）で、ウイルスへの感染を防止する。許可リスト方式による制限の実施が難しい場合は、端末で実行することが望ましくないファイルの種類やソフトウェアを特定し、実行を禁止する（拒否リスト方式）。例えば、悪用されることの多いPowerShellやJavaScript等のスクリプトファイル（拡張子が.ps1や.js等のファイル）のような、業務で使用しないであろうファイルの実行を禁止することが有効である。

- 利用方法の変化に伴うセキュリティ対策の見直し

標的型攻撃においては、働き方の多様化やクラウド利用の浸透等、システムの利用方法の変化に伴い発生する脆弱性を狙われるケースも考えられる。

働き方の多様化により、仕事場を従来の職場に限定せず、職場外での勤務を可能にする勤務形態や、BYOD（Bring Your Own Device：私物端末の業務利用）により、これまでのような組織内ネットワークとインターネットの境界におけるセキュリティ対策だけでは、侵害を防ぐことが難しくなってきている。そのため、パソコンや携帯端末等のエンドポイントにおいて不審な挙動を監視し、攻撃活動の抑え込みを行うEDR製品の導入等も有効な対策である。EDR製品は、すべてのウイルス等に対して万能ではないものの、ファイルレスマルウェアや未知のウイルス等の検知・対策にも有効である可能性がある。また、クラウドの利用等によって、業務情報を自社システム外に保管するケースも増えている。そこでデータの持ち出しや流出の可能性を考慮したセキュリティ対策としてファイルの暗号化やDLP（Data Loss Prevention）等の対策の導入を検討する必要がある。

- 取得するログの種類と保存期間の定期的な見直し

標的型攻撃は巧妙化しており、これまでに記載した対策だけでは防げない可能性もある。標的型攻撃を受けて万が一侵入されてしまった場合、早期に検知するため、各端末や各セキュリティ製品、ネットワーク機器等で取得するログの種類を定期的に見直すことや、ログの監査方法を見直すことも有効である[※61]。また、標的型攻撃は長期にわたる場合もあるため、過去の攻撃の痕跡を調査できるように、ログの保管期間についても定期的に見直しを行うことが望ましい。

## 1.2.3 ビジネスメール詐欺（BEC）

ビジネスメール詐欺（BEC：Business Email Compromise）は、巧妙な騙しの手口を駆使した偽のメールを企業・組織に送り付け、職員を騙して送金取引に関わる資金を詐取する等の金銭被害をもたらすサイバー攻撃である。偽のメールを送るための前段階として、企業の職員や取引先のメールアカウント情報を狙うため、フィッシング攻撃や情報を窃取するウイルスを使用することもある。

本項では、2022年度に公表されたビジネスメール詐欺の状況、事例を紹介し、その巧妙な手口と対策について解説する。

### (1)ビジネスメール詐欺の被害状況

米国連邦捜査局（FBI：Federal Bureau of Investigation）のインターネット犯罪苦情センター（IC3：Internet Crime Complaint Center）が2023年3月に公開した年次報告書[※62]によると、2022年にIC3に報告されたビジネスメール詐欺の被害総額は、前年比約15%増の約27億4,200万ドルとなっている。また、IC3が公開した2015年から2022年までの年次被害総額の推移をグラフで表すと、総額が継続して増加していることから、ビジネスメール詐欺の脅威がより深刻なものになっていることが分かる（次ページ図1-2-5）。

その一方で、2022年度は、前年度に引き続き世界の法執行機関がビジネスメール詐欺の容疑者を逮捕・起訴する事例も多数公開されている。2022年6月から11月にかけて行われた「HAECHI-III」と呼ばれる国際的な取り締りでは、ビジネスメール詐欺ほかサイバー犯罪に関わっていた975人を逮捕し、悪用されていた約2,800件の銀行口座や暗号資産口座を凍結させ、1億3,000万ドル相当の資産を押収したという[※63]。

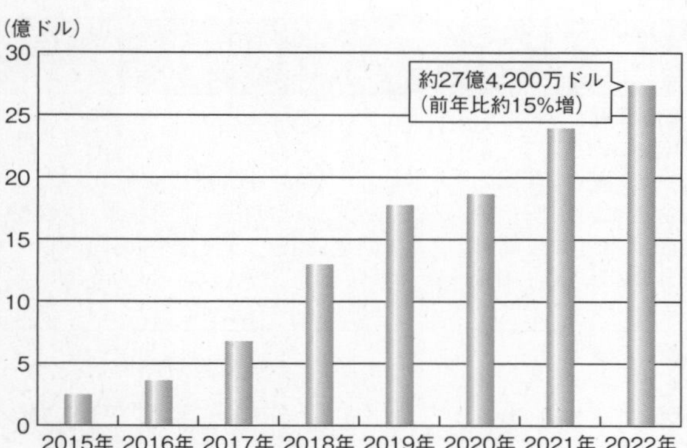


■図 1-2-5　ビジネスメール詐欺の被害総額推移
(出典)IC3 年次報告書※62 を基に IPA が作成

また、法執行機関と民間企業の協力によって容疑者の逮捕につながった事例も公開されている。「Operation Delilah」と呼ばれる国際的な取り組みでは、国際刑事警察機構(ICPO: International Criminal Police Organization、INTERPOL とも呼ばれる)やナイジェリア警察が、Group-IB、Palo Alto Networks, Inc.、トレンドマイクロ社の協力を得て、2015 年から活動している有名なビジネスメール詐欺の容疑者の逮捕に至った※64。「Operation Killer Bee」と呼ばれる取り組みでは、国際刑事警察機構、ナイジェリアの経済金融犯罪委員会、トレンドマイクロ社等の連携によって、日本を含む世界的な詐欺に関わっていた容疑者 3 名の逮捕に至った※65。

### (2) 2022 年度に報道された事例の概要

2022 年度においても国内外で金銭被害に遭った事例が確認されている。国内企業に関連して発生した事例としては、コンサルティングサービスを展開するウィルソン・ラーニング ワールドワイド株式会社のグループ企業が、悪意ある第三者の虚偽のメールによる送金指示に騙され、約 550 万円の詐欺被害を受けたという※66。

国外で発生した事例では、米国の医療保障制度に関連する公的機関及び民間の健康保険企業に対し、病院のメールアドレスを偽装した攻撃者が、病院の担当者になりすまして送金先を偽の銀行口座に切り替えるよう指示し、合計 1,110 万ドル以上を騙し取ったという※67。

### (3) IPA が情報提供を受けた事例の概要

IPA では、実際に試みられたビジネスメール詐欺の事例を基に、2017 年 4 月、2018 年 8 月、2020 年 4 月と三度にわたり注意喚起を行っており、2022 年 9 月からは Web サイト上で「ビジネスメール詐欺(BEC)対策特設ページ※68」(以下、特設ページ)と題して、事例や対策等を紹介している。また、サイバー情報共有イニシアティブ(J-CSIP: Initiative for Cyber Security Information sharing Partnership of Japan)の運用状況レポートでも事例を公開している(J-CSIP の活動については「2.1.3 (5) J-CSIP(サイバー情報共有イニシアティブ)」参照)。

IPA が情報提供を受けたビジネスメール詐欺事例のうち、J-CSIP の運用状況レポートにて 2022 年度に公開した事例、及び手口等が特徴的であるとして特設ページの事例集にて初めて公開した事例の概要を表 1-2-1(次ページ)に示す。なお、このうちの 3 件(表 1-2-1 の項番 3、4、5)については、金銭的被害が確認されている。残り 4 件については、メールの受信者等が不審であることに気付いたため、被害を防ぐことができている。

### (4) IPA が情報提供を受けた事例

ここでは、表 1-2-1(次ページ)の項番 2 について紹介する。なお、攻撃メールに見られる特徴等に関しては、表 1-2-1 の「備考」に記載した各レポートを参照いただきたい。

また、「情報セキュリティ白書 2020※76」の「1.2.2 (4) (b) CEO を詐称する一連の攻撃」で紹介した事例、及び、前述した 2020 年 4 月に IPA が行った注意喚起※77 の「『日本語化』された CEO 詐称の攻撃」で紹介した事例について、引き続き、多くの情報提供を受けたため、それぞれの概要を紹介する。

#### (a) 取引先担当者のメールアカウントを乗っ取って行われた攻撃事例

本事例は、2022 年 4 月、J-CSIP の参加組織の海外関連企業 A 社(請求側)と、その海外取引先企業 B 社(支払側)との間で取引を行っている中、A 社の担当者になりすました攻撃者から、偽の口座への振込を要求するメールが送られたものである。B 社の担当者はこのメールに返信してしまったが、その後に送られてきた攻撃者からの連絡内容を不審に思い関係者に通報を行ったため、金銭的な被害は発生しなかった。

攻撃に関係したメールのやり取りを図 1-2-6(次々ページ)に示す。

この攻撃は、特設ページで紹介しているビジネスメール詐欺の二つのタイプのうち、「タイプ 1: 取引先との請求書の偽装」に該当する※78。

今回の事例では、A 社担当者のメールアカウントが攻撃者によって不正に乗っ取られて偽メールの送信が行われており、詐欺の過程において、次の手口が使われた。

| 項番 | 事例概要 | 被害の有無 | 備考 |
|---|---|---|---|
| 1 | **攻撃者が実在する担当者を騙り、執拗に口座変更を依頼してきた事例**<br>2021 年 5 月、国内企業の米国グループ企業（請求側）の担当者になりすました攻撃者から、当該企業の取引先（支払側）に対し、偽の口座への振込を要求するメールを送り付けるビジネスメール詐欺が試みられた。支払側企業が請求側企業に問い合わせを行ったことで詐欺が発覚したため、支払側企業の担当者は攻撃者からのメールに反応はしなかったが、その後も攻撃者から複数回、偽の口座への振込を要求するメールが送られてきた。 | なし | 「サイバー情報共有イニシアティブ（J-CSIP）運用状況［2022 年 1 月～ 3 月］※69」に記載 |
| 2 | **攻撃者が担当者のメールアカウントを乗っ取って口座変更を依頼した事例**<br>2022 年 4 月、国内企業の海外関連企業（請求側）の担当者のメールアカウントを乗っ取った攻撃者から、当該企業の取引先（支払側）の担当者に対して、偽のメールを送り付けるビジネスメール詐欺が試みられた。 | なし | 「サイバー情報共有イニシアティブ（J-CSIP）運用状況［2022 年 4 月～ 6 月］※70」に記載 |
| 3 | **支払後、一部資金を取り戻すことに成功した事例**<br>2019 年 9 月、国内企業（支払側）と、海外取引先（請求側）との取引において、請求側企業の担当者になりすました攻撃者から、偽の口座への振込を要求するメールが送られ、支払側企業の担当者が送金した。<br>その後、送金された資金は攻撃者によって約半分が引き出されてしまったが、偽口座に残っていた資金については請求側企業や現地警察を交えた対応によって取り戻すことができた。 | あり | 特設ページの「ビジネスメール詐欺（BEC）の詳細事例 1※71」（2022 年 9 月 28 日公開）に記載 |
| 4 | **攻撃者が証明書類を偽造して口座変更を依頼した事例**<br>2021 年 3 月、国内企業（支払側）と海外取引先（請求側）との取引において、請求側企業の担当者になりすました攻撃者から、銀行口座証明書類を偽造した上で、偽の口座への振込を要求するメールが送られ、支払側企業の担当者が送金した。 | あり | 特設ページの「ビジネスメール詐欺（BEC）の詳細事例 2※72」（2022 年 10 月 27 日公開）に記載 |
| 5 | **攻撃者から毎月の支払方法を変えるよう依頼を受け、3ヵ月にわたって偽の口座に送金した事例**<br>2021 年 2 月、国内組織の海外関連企業（支払側）と取引先（請求側）が、毎月、小切手で支払っている取引についてやり取りをしている中で、請求側企業の担当者になりすました攻撃者から、支払方法を変更して偽の口座へ振込を行うよう要求するメールが送られ、支払側企業の担当者が送金した。<br>その後、5 月に入って被害に気付くまでの期間、3 月、4 月にも続けて偽の口座に送金した。 | あり | 特設ページの「ビジネスメール詐欺（BEC）の詳細事例 3※73」（2022 年 11 月 29 日公開）に記載 |
| 6 | **送金後すぐに詐欺である疑いを持って対処したことで、振込処理を停止させることができた事例**<br>2021 年 4 月、国内企業（請求側）と海外取引先（支払側）との取引において、請求側企業の担当者になりすました攻撃者から、偽の口座への振込を要求するメールが送られ、支払側企業の担当者が送金手続きを行った。<br>その直後に、支払側企業の担当者が攻撃者とのやり取りの内容に疑念を抱き、請求側企業に直接電話して事実確認を行い、本件が詐欺であることが発覚した。すぐに請求側企業が送金先銀行に通報を行ったところ、振込が実施される前であったため送金が停止・返金され、金銭的な被害には至らなかった。 | なし | 特設ページの「ビジネスメール詐欺（BEC）の詳細事例 4※74」（2022 年 12 月 26 日公開）に記載 |
| 7 | **攻撃者が支払側と請求側双方の担当者になりすましてビジネスメール詐欺を試みた事例**<br>2021 年 6 月、国内企業（支払側）と海外取引先（請求側）との取引において、攻撃者が支払側と請求側の双方の担当者になりすまして偽のメールを送り付けるビジネスメール詐欺が試みられた。<br>攻撃者は両者間のメールを盗み見た上で請求側企業の担当者になりすまし、支払側企業の担当者に偽の口座への振込を要求するメールを送った。不審に思った支払側企業の担当者が証明書類の提示を求めたところ、攻撃者は支払側企業の担当者になりすまして請求側企業の担当者から証明書類を騙し取り、支払側企業の担当者へ提示した。<br>最終的には、支払側企業の担当者が送信元メールアドレスについて請求側企業の担当者のものと異なっていることに気づき、請求側企業の担当者の正しいメールアドレスに連絡をとったことで詐欺であることが発覚し、金銭的な被害には至らなかった。 | なし | 特設ページの「ビジネスメール詐欺（BEC）の詳細事例 5※75」（2023 年 2 月 9 日公開）に記載 |

■表 1-2-1　IPA が情報提供を受け 2022 年度に公開したビジネスメール詐欺事例の概要

### (ア) 手口 1：正規のメールアカウントを使用し A 社と B 社のやり取りへ介入

海外関連企業 A 社（請求側）と海外取引先 B 社（支払側）との間で、取引に関係したメールのやり取りをしている中で、2022 年 4 月 27 日、A 社担当者になりすました攻撃者から、現在の支払い口座が利用できなくなるという理由で、支払い先の銀行口座の変更を依頼する偽のメールが B 社担当者へ送られた。このとき、攻撃者から送られてきたメールは、何らかの方法で A 社の担当者のメールアカウントが乗っ取られて送付されたものであった。

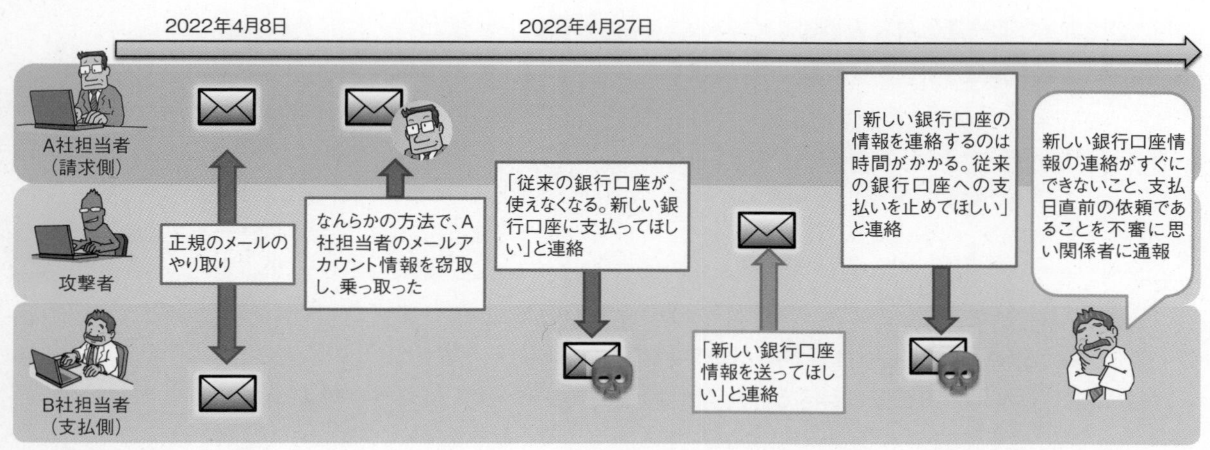


■図 1-2-6　攻撃者とのやり取り
（出典）IPA「サイバー情報共有イニシアティブ（J-CSIP）運用状況［2022 年 4 月～ 6 月］」

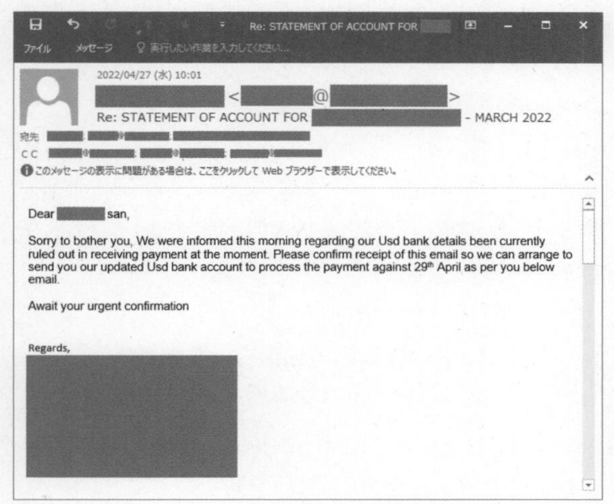

Re: STATEMENT OF ACCOUNT FOR
ファイル　メッセージ　実行したい作業を入力してください...
2022/04/27 (水) 10:01
Re: STATEMENT OF ACCOUNT FOR - MARCH 2022
宛先
CC
このメッセージの表示に問題がある場合は、ここをクリックして Web ブラウザーで表示してください。

Dear san,

Sorry to bother you, We were informed this morning regarding our Usd bank details been currently ruled out in receiving payment at the moment. Please confirm receipt of this email so we can arrange to send you our updated Usd bank account to process the payment against 29th April as per you below email.

Await your urgent confirmation

Regards,

■図 1-2-7　銀行口座の変更を依頼する偽のメール
（出典）IPA「サイバー情報共有イニシアティブ（J-CSIP）運用状況［2022 年 4 月～ 6 月］」

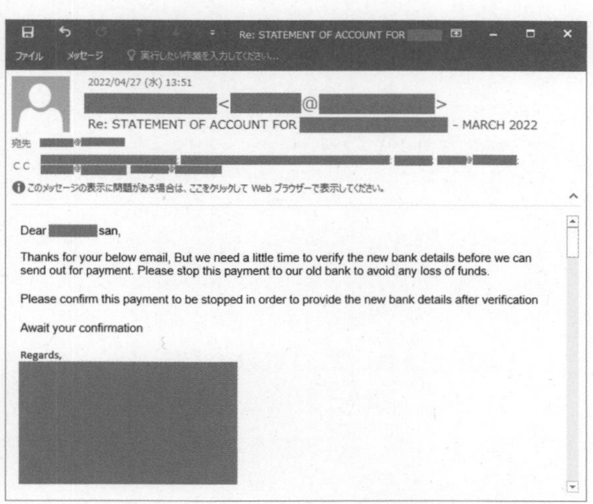

Re: STATEMENT OF ACCOUNT FOR
ファイル　メッセージ　実行したい作業を入力してください...
2022/04/27 (水) 13:51
Re: STATEMENT OF ACCOUNT FOR - MARCH 2022
宛先
CC
このメッセージの表示に問題がある場合は、ここをクリックして Web ブラウザーで表示してください。

Dear san,

Thanks for your below email, But we need a little time to verify the new bank details before we can send out for payment. Please stop this payment to our old bank to avoid any loss of funds.

Please confirm this payment to be stopped in order to provide the new bank details after verification

Await your confirmation

Regards,

■図 1-2-8　従来の口座への支払いを止めるよう依頼する偽のメール
（出典）IPA「サイバー情報共有イニシアティブ（J-CSIP）運用状況［2022 年 4 月～ 6 月］」

攻撃者から送られた一通目のメールを図1-2-7に示す。

B 社担当者は、偽のメールであることに気づかず、新しい銀行口座の情報を送るように返信した。攻撃者はB社担当者からのメールに対し、「新しい口座情報を連絡するには時間がかかるため、従来の口座への支払いを止めてほしい」という旨の内容を送信した。

攻撃者から送られた二通目のメールを図1-2-8に示す。

このメールを受け取ったB 社担当者は、新しい銀行口座の情報がすぐに連絡されなかったことや支払日直前の急な銀行口座の変更であることを不審に思い、関係者へ通報したことで、偽のメールであることが発覚した。

### （イ）手口 2：正規のメールアドレスに似せた偽のメールアドレスの使用

本事例で、攻撃者は A 社担当者のメールアカウントを不正に乗っ取ってメールを送信していたため、送信元（From）のメールアドレスは正規のものであった。しかし、同報先（CC）に指定されていた、A 社関係者のメールアドレスは、正規のメールアドレスに似せた偽のメールアドレスが使われていた。これは、A 社関係者にメールが届き、詐欺が発覚するのを避ける目的であったと考えられる。偽のメールアドレスのドメインは、攻撃メールが送られる前日（2022 年 4 月 26 日）に新規に取得され、図 1-2-9 に示すように、正規のドメイン名の「.」を「-」に変更、末尾に「.com」を追加したものであった。

【本物のメールアドレス】alice @ abc. ●●
【偽物のメールアドレス】alice @ abc- ●● . com
（「.」を「-」に変更、末尾に「.com」を追加）

※実際に悪用されたものとは異なる。

■図 1-2-9　A 社の詐称用ドメインの例（B 社へ送られた偽メールで使われたドメインの例）
（出典）IPA「サイバー情報共有イニシアティブ（J-CSIP）運用状況［2022 年 4 月～ 6 月］」を基に作成

#### (b) CEOを詐称する一連の攻撃の事例

2022年においても、CEO(Chief Executive Officer：最高経営責任者)を詐称するビジネスメール詐欺(以下、CEO詐欺)について継続して情報提供があった。更にIPAでJ-CSIP外の情報を含め独自に調査を行ったところ、複数の類似するメール検体を入手した。

本項では、以下の二つのCEO詐欺について説明する。

#### (ア) 複数組織へ行われたCEOを詐称する一連の攻撃

「複数組織へ行われたCEOを詐称する一連の攻撃」については、2022年に11件、2021年以前も含めると合計約230件のメール情報を入手している。本攻撃は、2019年7月以降継続して観測されており、国内外の複数の組織を対象として行われた痕跡が確認されている。メールの件名や内容は時期によって変化が見られるが、メールのヘッダー情報に類似する点があり、一連の攻撃は同一の攻撃者によるものとIPAでは推測している。また、本攻撃メールについては、米国のセキュリティベンダーが公開したレポート※79と同様の手口であることを確認している。

#### (イ)「日本語化」されたCEO詐欺の攻撃

IPAでは「『日本語化』されたCEO詐欺の攻撃」について、2022年に27件、2021年以前も含めると合計約100件のメール情報を入手している。本攻撃は、2019年11月以降継続して観測されており、国内外の複数の組織を対象として行われた痕跡が確認されている。メールの件名や内容は一部に変化が見られるが、ほぼ同じ内容のメールであり、メールのヘッダー情報や、「SendGrid」「SMTP2GO」「Sendinblue」「Fastmail」「Mailgun」というメールサービスを使用する場合がある、等類似する点があり、一連の攻撃は同一の攻撃者によるものと推測される。

これら二つのCEO詐欺は、特定の組織や業種を狙うものではなく、多くの業種に対して試みられたことが確認されている。このため、業種に関わらず、今後も継続して国内外の組織に対して攻撃が行われる可能性があり、注意が必要である。

### (5) ビジネスメール詐欺の騙しの手口

ビジネスメール詐欺で用いられる騙しの手口は様々である。詳細は「情報セキュリティ白書2020」の「1.2.2 (5) ビジネスメール詐欺の騙しの手口」にて、実際に使われた具体的な手口を紹介しているため、そちらを参照いただきたい。

また、前述の特設ページにて公開しているレポート「ビジネスメール詐欺(BEC)の特徴と対策※80」の「3 ビジネスメール詐欺の代表的な手口の紹介」にも代表的な手口を掲載しているため、そちらも参照いただきたい。

なお、攻撃者は被害者から金銭を詐取するために、手口を多様に組み合わせて巧妙に攻撃を仕掛ける場合があることや、「新型コロナウイルスによる影響のため、通常の取引手続きではない方法で支払ってほしい」等と時流に沿った口実で相手を騙そうとする等、手口を新しくしながら攻撃を行っていることを認識しておく必要がある。

### (6) ビジネスメール詐欺への対策

日頃からビジネスメール詐欺への意識を高め、組織内の送金チェック体制や監視体制、被害に遭ったときの迅速な対応体制を整えておくことが重要である。

また、JPCERT/CCや株式会社マクニカ、PwCの報告書等に加え、IPAの特設ページにも対策や被害に遭ってしまった際の対応について公開しているため、そちらも活用いただきたい※81。

#### (a) ビジネスメール詐欺の周知徹底と情報共有

ビジネスメール詐欺は、企業間のビジネス活動がメールに依存している点を悪用した巧妙な騙しの手口であり、その手口を知らなければ、被害を防止することは困難である。ビジネスメール詐欺におけるなりすましは外部企業との取引だけでなく、グループ企業同士の取引においても発生している。このため、海外関連企業を含む全グループ企業の全職員に対して詐欺の手口について周知徹底し、ビジネスメール詐欺への意識を高めておくことが重要である。特に、最高財務責任者(CFO：Chief Financial Officer)や経理部門等の金銭を取り扱う担当者が、ビジネスメール詐欺の脅威についてよく理解し、送金前に攻撃に気付くことができれば、金銭的な被害を未然に防ぐ可能性が高まる。

また、メールに普段とは異なる言い回しや表現の誤りがあった、突然送信エラーメールを受信するようになった等、不審な兆候が見られた場合、CSIRT等の社内の適切な部門に報告できる体制を整え、その情報を組織内外で共有することも重要である。ビジネスメール詐欺は、自組織だけではなく、取引先にも被害が及ぶことがあり、取引先と情報を共有することにより、サプライチェーン全体でビジネスメール詐欺への耐性を高めることができる。もし、自組織を詐称したビジネスメール詐欺を確認した場合や自組織が被害に遭った場合は、警察や金融機関に相談するとともに、取引先への注意喚起、IPAへの報告等を行うといった体制を整えておくことで、更なる被害拡大を防ぐことが可能となる。

#### (b) 送金処理のチェック体制強化

ビジネスメール詐欺の被害を防止するためには、送金時のチェック体制を強化することが最も重要である。金銭を取り扱う担当者は、通常と異なる対応（役員等からの通常の手順とは異なる支払い依頼や、企業間取引において別の口座への突然の変更依頼、見積価格の修正、支払方法の変更、急なメールアドレス変更等）を求められた場合は、ビジネスメール詐欺を疑い、別の担当者とダブルチェックを行うことや、信頼できる方法で入手した連絡先に、電話やFAX等のメール以外の手段で事実を確認するといった、二重三重のチェックを行う体制とすることが必要である。

#### (c) 攻撃に使われるメールアドレスへの対策

ビジネスメール詐欺において、攻撃者がメールを偽装する方法は様々であるが、返信先に設定されたメールアドレスに注意していれば偽メールであると見破れる可能性があったにも関わらず、返信してしまった事例が多く見られるため、送信前にメールアドレスが正しいかどうか、落ち着いて確認していただきたい。

ビジネスメール詐欺で使われるメール偽装の手口として、フリーメールを悪用する場合や、自組織のドメイン名に似せた詐称用のドメインを取得し、そのドメインのメールアドレスを用いて攻撃を行う場合がある。フリーメールや自組織外のメールアドレスから着信したメールについて、件名や本文にその旨の警告を表示するメールシステムを採用すれば、職員がそれらのメールを見分けやすくなる。なお、このようなメールシステムを利用していても、取引先の企業でフリーメールをビジネスに使っている場合や、攻撃者が取引先等のドメイン名に似せた詐称用のドメインを取得し、そのドメインのメールアドレスを用いる場合等、正しいメールと偽のメールの区別がつきにくい場合があるため、注意が必要である。また、送信元（Fromヘッダー）を正しい送信者のメールアドレスに偽装し、返信先（Reply-Toヘッダー）を攻撃者のメールアドレスにする手口もあり、送信元（Fromヘッダー）と返信先（Reply-Toヘッダー）が異なる際に警告を表示する機能があるメールシステムを導入することも対策として有効である。

#### (d) フィッシング・ウイルス・不正アクセス対策

ビジネスメール詐欺を行う攻撃者は、攻撃に至る前に、何らかの方法でメールのやり取りを盗み見ている場合がある。その方法として、フィッシング攻撃によるメールアカウント情報の詐取、ウイルス感染等によるメールの内容やメールアカウント情報の窃取、メールサーバーへの不正アクセス等がある。そのため、基本的なフィッシング対策・ウイルス対策・不正アクセス対策を徹底していただきたい。

特に、Microsoft 365やGoogle Workspace等のようなクラウドサービスを利用している場合は、多要素認証等を活用し、第三者による不正ログインを防ぐことが重要である。

また、攻撃者によってメールアカウントが乗っ取られ、利用者本人が行っていない転送設定やフォルダの振り分け設定がされている等、不正利用の兆候があった場合には、Microsoft社等より該当アカウントへの対処方法[※82]が公開されているため、そちらを参照いただきたい。

### 1.2.4 DDoS攻撃

DDoS（Distributed Denial of Service）攻撃とは、Webサーバー等の攻撃対象に対して複数の送信元から同時に大量のパケットを送信することで、攻撃対象のリソースに負荷をかけ、サービス運用を妨害する攻撃である。

本項では、2022年度に確認されたDDoS攻撃について事例と対策を解説する。

#### (1) DDoS攻撃の動向

セキュリティベンダーによると、2022年上半期に全世界で確認されたDDoS攻撃は、過去最多となる約602万回で、前年同期比で205%にまで増加した。近年、コロナ禍によるテレワークへの移行に伴い、DDoS攻撃の急増が注目されており、2022年度も引き続きVPN製品やルーターを悪用したボットネットによる攻撃が増加傾向にある。

DDoS攻撃の標的となった業界の割合を見ると、「ゲーム」が最多で全体の40%を占め、続いて「IT及び通信」（15%）、「動画配信サービス」（13%）、「クラウドサービス」（11%）の順で割合が多く、特にゲーム業界では、オンラインゲームに対するDDoS攻撃を悪用した恐喝行為（DDoS Extortion）等が横行しているという[※83]。

また、2022年2月にロシアがウクライナへ軍事侵攻を開始して以降、ウクライナ及び同国に対する支援を表明した国家への報復措置と見られるDDoS攻撃が増加している[※84]。

ここでは、2022年度における、DDoS攻撃に関する主だった事例を紹介する。

**(a)リフレクション攻撃の事例**

通信プロトコルの中には、リクエスト(要求)よりもレスポンス(応答)のデータサイズが大きくなるものがある。

攻撃者がそのような仕様を悪用し、送信元を攻撃対象のIPアドレスに偽装した要求パケットをインターネット上のネットワーク機器へ大量に送信することで、増幅された応答パケットが攻撃対象のIPアドレス宛てに送信される。攻撃対象はサイズの大きいパケットを大量に受信することになり、処理能力が限界に達することで、パフォーマンスの低下や動作の停止を引き起こす。このようなDDoS攻撃を「リフレクション攻撃」と呼ぶ。

リフレクション攻撃では、外部に公開されているUDP(User Datagram Protocol)[※85]を利用して通信を行うサービス(以下、UDPサービス)を悪用した攻撃が、2022年度に引き続き、多く観測されている[※86]。UDPサービスを対象とする攻撃では、UDPの以下の三つの特徴が悪用される。

①UDPの仕様上、要求パケットの送信元IPアドレスを確認しないことから、送信元を偽装してパケットを送信することができる。
②応答パケットの方が、要求パケットよりもサイズが大きくなる増幅効果(Amplification)がある。
③UDPサービスを提供するサーバー(以下、UDPサーバー)に要求パケットを送信することで、要求パケットに指定した送信元IPアドレスへ応答パケットが返される。DDoS攻撃においては、送信元ホストとして偽装された攻撃対象のホストに対し、増幅された応答パケットが反射(Reflection)される。

UDPサービスがDDoS攻撃に悪用されると、①の特徴により、攻撃元の特定が困難となり、②③の特徴を悪用することで、送信するデータ量を数十倍から数百倍に増幅させた攻撃が可能となる。また、攻撃元とインターネット上からアクセス可能なUDPサーバーとの通信は正常であるため、攻撃の兆候を検出して対応を行うには、後述の「1.2.4(3)(b)DDoS攻撃に加担しないための対策」が必要となる。

2022年2月中旬には、PBX(Private Branch Exchange:構内電話交換機)とインターネット間のゲートウェイシステムの構築等に利用される、Mitel Networks Corp.製品(MiCollab及びMiVoice Business Express)の脆弱性(CVE-2022-26143[※87])によって、インターネット上に意図せず公開された当該製品を悪用するDDoS攻撃が発生している。この事例では、5,300万pps(パケット/秒)という記録的な規模の攻撃であった点に加え、潜在的な増幅率が約43億倍であるという点が注目された[※88]。

UDPサービスを悪用したリフレクション攻撃では、2022年第4四半期において、Memcached(分散型メモリーキャッシュシステム)を悪用した攻撃が前四半期比1,338%増と最も高い増加率で観測され、次いでSNMP(Simple Network Management Protocol)を悪用した攻撃が前四半期比709%増で観測されたという[※86]。

リフレクション攻撃はその頻度や規模の拡大とともに、新たな手法やパケットの増幅率も年々増加しているため、今後も引き続き注意が必要である。

**(b)ロシアのウクライナ侵攻時に国内で確認されたDDoS攻撃**

2022年9月6日、親ロシア派を標榜するハクティビスト集団[※89]「Killnet」が日本の政府機関や民間企業に対するDDoS攻撃を示唆するコメントや動画をTelegram上に投稿した[※90]。

投稿があった後、ツールを使用したと推測されるDDoS攻撃が行われ、Killnetとの直接の関連性は不明であるものの[※91]、同時期に電子政府の総合窓口(e-Gov)や地方税ポータルシステム(eLTAX)等、国内の複数のサイトが一時的にアクセスできなくなる等の障害が発生した。一連の攻撃は、国連総会におけるロシアのウクライナ侵攻を非難する決議への日本の賛成や、北方領土の「ビザなし交流」に関する日ロ政府間協定をロシアが破棄したことに対し、日本政府が抗議の意を表明したこと等への反発が発端と考えられるという[※92]。

### (2) DDoS攻撃を行うボットネットの拡大

DDoS攻撃には、ボットネットと呼ばれる攻撃用ネットワークが使用される場合がある。ボットネットは、攻撃者が乗っ取った多数のコンピューター、ネットワーク機器、IoT機器等と、それらに対して遠隔で指令を送信するためのC&C(Command and Control)サーバー[※93]で構成されている。攻撃者がC&Cサーバーを介して、ボットネットに攻撃指令を送信することで、ボットネットを構成する機器(ボット)が一斉に攻撃を行う。ボットの大半は組織や家庭で利用されているもので、サービスやソフトウェアの脆弱性を悪用されたり、ウイルスに感染した結果、制御を奪われた機器である。

攻撃者は、より多くの機器を乗っ取るため、最新の悪用手法等を取り入れてボットネットのアップデートを行い、様々な攻撃対象に対して攻撃を繰り返しながらボットネットを拡大させ、大規模なDDoS攻撃等を実行する。

2022年6月、クラウド上の仮想マシンやサーバーを悪用してDDoS攻撃を仕掛ける「Mantis」と呼ばれるボットネットが新たに観測された。Cloudflare,Inc.は、ボットネットとしては少数の5,000個のボットによる、2,600万rps（リクエスト／秒）という過去最大規模のDDoS攻撃を確認している。Mantisは、クラウド上の仮想マシンやサーバーでボットネットを構成することで、過去に猛威を振るったIoT機器を悪用するMirai[※94]やMēris[※95]とは比較にならない程、大きな攻撃能力を潜在的に保有すると見られている[※96]。

このようなボットネットは、ツールとして、DDoS代行サービスを通じて有償で貸し出されることがある。拡大したボットネットがDDoS代行サービスに使用され、攻撃者がそれを購入することで比較的手軽に悪用できることが、大規模なDDoS攻撃が発生しやすくなる要因となっている。

### (3) DDoS攻撃への対策

DDoS攻撃への対策では、DDoS攻撃の被害に遭った場合の対策に加えて、管理または所有する機器が乗っ取られ、DDoS攻撃に加担することを防ぐための対策も求められる。これらの対策について解説する。

#### (a) DDoS攻撃の被害に遭った場合の対策

DDoS攻撃によって送られてくる通信データを遮断し、サービスを提供するサーバーやネットワークのリソースを保護する対策が必要である。正常なアクセスとDDoS攻撃によるアクセスを、どのように切り分けるかが対策のポイントとなる。以下に、具体的な対処方法を挙げる。

- アクセスログや通信ログ等を確認し、攻撃が特定のIPアドレスから行われていると判断できる場合は、当該IPアドレスからのアクセスを遮断する。
- 国内からのアクセスを主に想定しているサイトでは、海外のIPアドレスからのアクセスを一時的に遮断することを検討する。
- 攻撃者が攻撃元のIPアドレスや攻撃方法を定期的に変更してくる場合があるため、継続して監視を行い、攻撃方法に合わせた対策を実施する。
- 攻撃の頻度や、攻撃対象サイトの重要性によっては、インターネットサービスプロバイダー（ISP：Internet Service Provider、以下ISP事業者）等が提供するDDoS攻撃対策サービスやセキュリティベンダー等が提供するDDoS攻撃対策製品の利用を検討する。
- 組織内で対処しきれない程、大規模な攻撃や執拗な攻撃を受けている場合は、ISP事業者との対策協議等の連携や警察等への通報を実施する。

#### (b) DDoS攻撃に加担しないための対策

自組織や個人で使用する機器がDDoS攻撃に悪用されないように、セキュリティソフトを導入したり、適切な設定をしたりする対策が必要である。また企業においては、自組織の機器を悪用された場合に、それを早期に検知できるように通信の監視を行うような対策も推奨する。以下に、具体的な対処方法を挙げる。

- ネットワーク機器やIoT機器のOSやファームウェアを最新の状態に保ち、脆弱性の悪用により制御を奪われることを防ぐ。
- パスワードが初期設定のままの機器が存在しないか確認し、存在した場合は適切なパスワードに変更する。パスワードが初期設定のままの機器は、攻撃者により容易に侵入され、制御を奪われてしまう可能性がある。
- 外部と接続しているネットワーク機器やIoT機器をとおして組織内の他の機器に対して感染拡大を試みるウイルスも確認されているため、インターネットに直接接続していない機器においても脆弱性対策等を行う。
- 組織内で稼働しているプリンター等の機器や、屋外に設置してリモートで管理しているWebカメラや気象センサー等の機器を洗い出し、DDoS攻撃に悪用される可能性があるサービスやソフトウェアが適切に運用されていることを確認する。具体的には、これらのサービスやソフトウェアが稼働する機器に関して、OSを始め、各サービス等が脆弱性を含むバージョンで稼働していないことや、DDoS攻撃に悪用される設定になっていないことを確認する。また、それらのサービスを組織内のみで利用している場合でも、意図せずインターネット上に公開していないかを確認する。
- 組織内の機器の外向きの通信を監視し、異常な通信を確認した場合は、自組織で管理している機器が攻撃に悪用されている可能性がある。そういった機器は、ウイルス感染等が生じていないか調査し、対処を行う。自組織での対処が困難な場合は関係当局やセキュリティベンダー等への相談を検討する。

## 1.2.5 ソフトウェアの脆弱性を悪用した攻撃

2022年度も、引き続きVPN製品の脆弱性を狙った攻撃が多く報告された。また、多くの利用者がいるMicrosoft製品や、影響範囲の広い開発フレームワークに関する脆弱性を狙った攻撃も報告された。本項では、これらの脆弱性を悪用した攻撃の状況と対策について解説する。

### (1) VPN製品の脆弱性を対象とした攻撃

VPNは、専用のネットワーク回線を仮想的に構築することで、物理的に離れている拠点のネットワーク間を、あたかも同一のネットワークであるかのように接続する技術である。拠点のネットワークと離れた場所にあるパソコン等を安全に接続するために、VPNは使用される。

新たな脆弱性の発見と、脆弱性が解消されていないVPN製品を狙った攻撃は2022年度も続いた。2022年10月に発生した大阪急性期・総合医療センターの事例では、給食提供業者のVPN製品のソフトウェアのバージョンが古く、脆弱性が残存し、侵入経路となった可能性があることが報じられた※29(「1.2.1(2)(b)医療機関における被害事例」参照)。社会的に影響の大きいインシデントが依然として発生しており、警戒する必要がある。

#### (a) VPN製品の脆弱性を狙った攻撃事例

Fortinet, Inc.は2022年12月12日に自社のFortiOS SSL-VPNに関して、ヒープベースのバッファーオーバーフローの脆弱性(CVE-2022-42475※97)について公表し、脆弱性が解消されているバージョンへソフトウェアをアップデートすることを求めた。この脆弱性が悪用されると、認証されていない遠隔の攻撃者により、細工したリクエストを送信され、任意のコードやコマンドを実行される可能性がある。

同社がこの脆弱性を悪用して作成されたウイルスや攻撃を分析した結果、脆弱性を悪用するためにはFortiOSと基盤となるシステムに関する深い知識が必要であることから、高度な技術を持つ攻撃者によって、政府または政府関係機関を標的とした攻撃活動が行われている可能性があるとしている※54。

また、2022年10月10日、同社は、自社製FortiOS、FortiProxy、FortiSwitchManagerに関して、認証バイパスの脆弱性(CVE-2022-40684※98)についても公表し、脆弱性が解消されているバージョンへソフトウェアをアップデートすることを求めた。この脆弱性は、Web管理インターフェースに存在する。攻撃者が細工したHTTPあるいはHTTPSリクエストを送信することで、Web管理インターフェースの認証をバイパスし、結果として攻撃者により任意の操作が行われる可能性がある。

同月13日、米国のセキュリティベンダーは、この脆弱性の攻撃コード(PoC※99)を公開した※100。同月14日、Fortinet, Inc.は脆弱性を悪用した攻撃を観測していると公表し、具体的な攻撃方法として、ターゲットとなるデバイスから設定ファイルを不正にダウンロードするほか、「fortigate-tech-support」と呼ばれる悪意ある管理者アカウントを追加する事例を報告した※101。

#### (b) VPN製品の脆弱性を狙った攻撃への対策

近年のテレワークの普及等によりVPNの必要性が高まっていることから、古いVPN製品を利用せざるを得ない状況も考えられる。その際は、ベンダーからサポートを受けられる状態であることを確認し、必要な修正プログラムを適用して既知の脆弱性を解消してから利用することが望ましい。

VPN製品に対する攻撃は、組織内部への更なる攻撃の起点となる可能性があるため、包括的な対策が必要となる。脆弱性対応の実施手順の整備に加え、侵害されている痕跡の有無の確認や攻撃を受けてしまった場合の対応を定めておくことを推奨する。

なお、利用しているソフトウェア等に脆弱性が発見されると攻撃者に狙われ、被害が発生してしまう可能性がある。新たな脆弱性が公開された際は、VPN製品に限らず、迅速な対応が求められる。そのためには、事前の準備が重要である。自らが保有または利用するシステムについて、構成管理を適切に行い、システムを構成するソフトウェア等の脆弱性に関する情報収集を日々行う必要がある。また、事前に対策の実施手順を整えておき、脆弱性の対応を遅滞なく着実に実施することが重要である。対策の実施手順として、以下に示す内容をあらかじめ定めておくことを推奨する。

- 利用しているソフトウェア等の脆弱性情報の収集方法
- 脆弱性が確認された場合の対応方法
- 脆弱性の緊急度や深刻度に応じた対応の優先度
- 他部署やベンダー等への連絡の要否基準

### (2) Microsoft製品の脆弱性を対象とした攻撃

2022年度も、Microsoft製品の脆弱性を狙った攻撃が多数報告されている。本項では、Microsoft Support Diagnostic Tool(MSDT)の脆弱性を狙った事例を紹介する。

### (a) Microsoft 製品の脆弱性を狙った攻撃事例

MSDT は、Microsoft 社が開発し、Windows に標準搭載されているサポート診断ツールである。ここでは、2022 年 5 月に公表された「Follina」と呼ばれる脆弱性(CVE-2022-30190[※102])を悪用した攻撃について解説する。

この攻撃では、Word 等の Office 文書ファイルにおけるリモートテンプレート機能の脆弱性が悪用されている。細工された文書ファイルを開くと、リモートテンプレート機能により攻撃者が用意した HTML ファイルが読み込まれ、MSDT URL プロトコルを使用して MSDT が呼び出されることで任意のコードが実行される（図 1-2-10）。マクロを使用していないことから、マクロが無効化されている場合でも攻撃が可能となる。

① 悪意あるユーザーが、細工されたOffice文書ファイルをユーザーに送る

② ユーザーが文書ファイルを開くと、リモートテンプレート機能により攻撃者が用意したHTMLファイルが読み込まれる

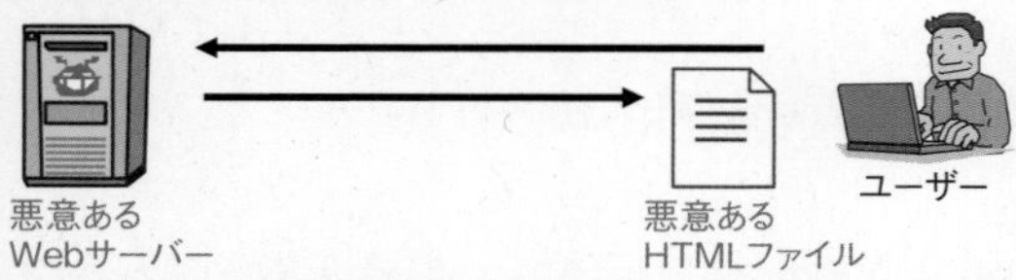


③ MSDT URLプロトコルを使用してMicrosoft Support Diagnostic Tool（MSDT）が呼び出され、PowerShellが実行される

■図 1-2-10　Follina の脆弱性を悪用した攻撃イメージ

2022 年 4 月、この脆弱性を悪用した文書ファイルが VirusTotal 上にアップロードされていたことが確認されている[※103]。同年 6 月には、この脆弱性を悪用し、特定の政府関係機関を標的とした攻撃活動が展開されている可能性があることが報告された[※104]。

### (b) Microsoft 製品の脆弱性を狙った攻撃への対策

脆弱性を狙った攻撃による被害を防ぐため、Microsoft 社から修正プログラムが公開されたら、利用者は速やかにアップデートを実施することが求められる。修正プログラムが公表される前であっても、回避策が存在する場合は、悪用される可能性を踏まえて、回避策の実施を検討することが望ましい。

また、事前に対策の実施手順を整えておくことを推奨する（「1.2.5 (1) (b) VPN 製品の脆弱性を狙った攻撃への対策」参照）。

## (3) 開発フレームワークの脆弱性を悪用した攻撃

開発フレームワークに脆弱性が見つかった場合、作成されたアプリケーションにまで影響が及ぶ場合があり、影響範囲の調査や対策がより複雑になる可能性がある。ここでは、Spring Framework の脆弱性を悪用した攻撃について解説する。

### (a) 開発フレームワークの脆弱性を狙った攻撃事例

Spring Framework は、Java 言語で開発を行う際に利用可能な開発フレームワークである。開発フレームワークは、アプリケーションを開発する場合に必要となる部品や、実装上のルール等を提供するもので、ソフトウェア開発における生産性や保守性の向上を目的としたものである。

VMware, Inc. は 2022 年 3 月 29 日、Spring Framework の Spring Cloud Function における任意のコードが実行される脆弱性（CVE-2022-22963[※105]）について公表した。この脆弱性は、Spring Cloud Function のルーティング機能を悪用したものである[※106]。細工したヘッダーを HTTP リクエストに追加することで、Spring Expression Language（SpEL[※107]）を介したコードの実行が可能となる。

また、同社は 2022 年 3 月 31 日、Spring Framework における任意のコードが実行される脆弱性（CVE-2022-22965[※108]）についても公表した。この脆弱性は 2021 年 12 月に報じられた Apache Log4j における「Log4Shell」と呼ばれる脆弱性（CVE-2021-44228[※109]）を想起させることから、「Spring4Shell」とも呼ばれている。この脆弱性は、データバインディングで使用されるクラス内において、特定のオブジェクトを安全に処理しないことに起因している[※110]。その結果、攻撃者により意図せずクラスローダーを呼び出され、システム内で任意の Java コードが実行される可能性がある。VMware, Inc. によれば、この脆弱性を悪用する攻撃を成功させるためには以下の複数の条件が必要であるとしている。

- JDK 9 以上を使用している。
- Apache Tomcat をサーブレットコンテナとして使用し

ている。

- WAR 形式でデプロイ※111 されている。
- プログラムが spring-webmvc あるいは spring-webflux に依存している。

本フレームワークで開発されたアプリケーションの構成によっては、認証されていない攻撃者によって遠隔から悪用される可能性がある※112。2022 年 4 月には、この脆弱性を悪用し、サーバーに暗号資産（仮想通貨）の採掘を行うコインマイナーを不正にインストールしようとする攻撃※113 や、Mirai を不正にインストールしようとする攻撃が観測された※114。

#### (b) 開発フレームワークの脆弱性を狙った攻撃への対策

このような攻撃による被害を防ぐため、利用する開発フレームワークは常に最新のバージョンにしておくことが望ましい。脆弱性によっては、アップデートによる対応が難しい場合でも脆弱性による影響を低減させる回避策が提示されている場合があり、必要に応じて対策を実施することが推奨される。開発フレームワークを直接使用していない場合でも、使用している製品内で開発フレームワークが使用されている場合は、脆弱性の影響を受ける可能性がある※115。どのようなフレームワーク、ライブラリ、コンポーネントを使用しているのか、平時からソフトウェア部品表（SBOM：Software Bill Of Materials）※116 等を活用し、利用しているソフトウェアを管理することが望ましい。

また、事前に対策の実施手順を整えておくことを推奨する（「1.2.5（1）（b）VPN 製品の脆弱性を狙った攻撃への対策」参照）。

## 1.2.6 ばらまき型メールによる攻撃

特定の組織や個人ではなく、不特定多数の一般利用者を狙った、ウイルス感染を目的としたメールを本項では「ばらまき型メール」と呼ぶ。2015 年 10 月ごろより、国内で日本語のばらまき型メールによる攻撃が多く観測されるようになった※117。

2022 年度においても、件名やメール本文が受信者とは関係のないメール、実在の組織をかたったメール、一見すると業務に関係のありそうな件名や本文のメール、正規のメールへの返信を装ったメール等、様々なばらまき型メールを確認している。ばらまき型メールでウイルスに感染させる手口としては、添付ファイルを用いる手法を確認している。添付ファイルには、マクロ付きの Office 文書ファイルやショートカットファイル、これらのファイルを圧縮した ZIP 形式のファイル、OneNote 形式のファイルが使われることを確認している。添付ファイルによってウイルスに感染すると、感染した端末の情報窃取や遠隔操作、ランサムウェアへの感染等につながる場合もあるため※118、注意が必要である。

2019 ～ 2021 年に日本国内で多くの被害が発生した「Emotet」と呼ばれるウイルスへの感染を狙うばらまき型メールが、2022 年度も継続して IPA でも観測された。2022 年度に観測された時期は、2022 年 1 ～ 7 月中旬ごろ、11 月上旬ごろ、2023 年 3 月であり、再開と休止を繰り返していた。また、図 1-2-11（次ページ）に示すとおり、IPA の「情報セキュリティ安心相談窓口」でも、観測された時期に合わせて Emotet に関する相談件数が増減していた。

Emotet 以外のウイルスに感染させるばらまき型メールについても、2022 年度をとおして観測されている。本項では、主に 2022 年度に国内で観測された日本語のばらまき型メールで使用されたメール偽装の手口やウイルス感染の手口について解説する。

### (1) 正規のメールと誤認させる手口

攻撃者が、ばらまき型メールの受信者に正規のメールと誤認識させるために使う手口について解説する。

#### (a) 正規のメールへの返信、転送を装う手口

IPA では、正規のメールへの返信、転送を装うばらまき型メール（以下、正規のメールへの返信等を装うメール）を観測している。このばらまき型メールでは、攻撃対象者が過去にメールのやり取りをしたことのある、実在する相手の氏名、メールアドレス、メールの内容等が流用され、その相手からの返信、転送のメールを装っている。

IPA では 2018 年 11 月からこのようなメールを観測しており※119、主に次の方法によってメールが送信されるという特徴が見られた。

- ウイルスに感染した端末から窃取したメールやアドレス帳に保存された情報を基に、メール送信用のボットネットから、別の相手に対して正規のメールへの返信等を装うメールを送信する方法※120
- ウイルスに感染した端末から窃取したメールアカウントの認証情報を悪用し、正規のメールアカウントから正規のメールへの返信等を装うメールを送信する方法※120

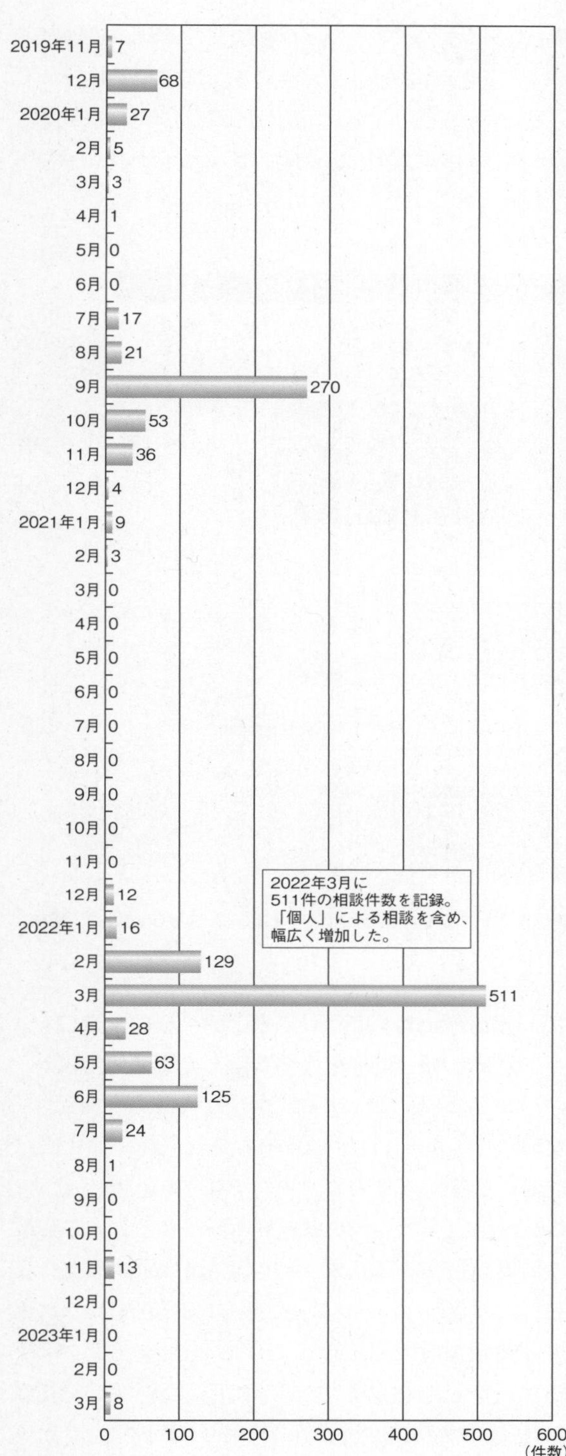


■図 1-2-11　Emotet に関する月別相談件数推移（2019 年 11 月～2023 年 3 月）

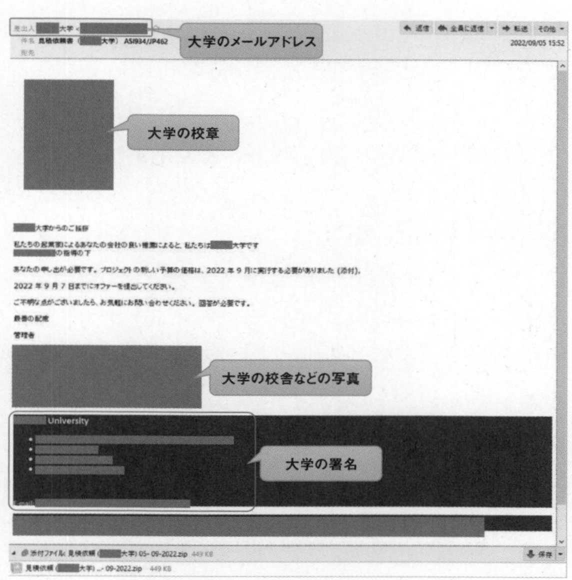


■図 1-2-12　国内の大学をかたったばらまき型メール

### (b) 実在の組織をかたる手口

実在する組織をかたるばらまき型メールも観測されている。

図 1-2-12 のように、実在する組織をかたり、あたかもその組織からの連絡であるかのように送信元や本文、署名を偽造したメールが送信される。この手口も継続して使われているため、引き続き注意が必要である。

## (2) ウイルスに感染させる手口

攻撃者がばらまき型メールを用いてウイルスに感染させる手口を解説する。

### (a) マクロ付きの Office 文書ファイルを使用する手口

この手口では、Word、Excel、PowerPoint といった Office 文書ファイルに含まれている悪意あるマクロが動作することでウイルスに感染させる。攻撃に使用されたマクロ付きの Word、Excel ファイルには、Microsoft 社や Office 等のロゴとともに、「文書ファイルを閲覧するには操作が必要である」という趣旨の記述と「Enable Editing」（編集を有効にする）ボタンと「Enable Content」（コンテンツの有効化）ボタンのクリックを促す指示が書かれているものがあることを確認している。

2022 年 11 月には、図 1-2-13 に示すとおり、Excel ファイルを指定されたフォルダにコピーしてから開くように指示する新たな手口が確認された。ファイルのコピー先として指定されたフォルダは、Excel のデフォルト設定で信頼できる場所として設定されており、このフォルダ内に置かれ

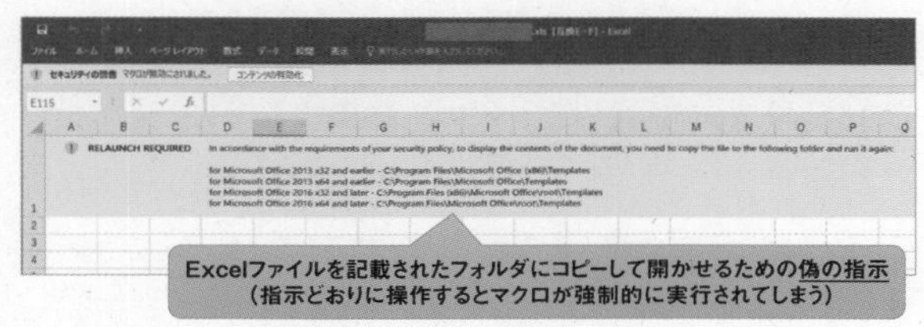


■図 1-2-13　偽の指示が書かれている Excel ファイル

たマクロ付きのOffice文書ファイルは、開くとユーザーの確認なしにマクロが実行されてしまう※121。

#### (b)パスワード付きのZIPファイルを使用する手口

パスワード付きのZIPファイルが添付され、そのパスワードがメール本文に記載されているばらまき型メールを確認している。ZIPファイルを解凍すると、マクロ付きのOffice文書ファイルやショートカットファイルが出力される。添付ファイルが暗号化されていることから、メールの配送経路上のセキュリティ製品や、セキュリティサービス、セキュリティソフトによる検知や検疫をすり抜け、受信者のもとに攻撃メールが届いてしまう確率が高い。この手口自体は2019年12月ごろから使われているが、2022年度も継続的に使われており、引き続き注意が必要である。

#### (c)ショートカットファイルを使用する手口

この手口では、メールに添付されたショートカットファイル、もしくはZIPファイルに含まれているショートカットファイルを開くと、ウイルスに感染する※122。ショートカットファイルには、特定のURLからウイルスをダウンロードし、感染させるスクリプトが記述されている。この手口はばらまき型メールに限らず、様々な攻撃で使われており、新しい手口ではないが、ショートカットファイルのアイコンが文書ファイルのように偽装されている場合があることや、Windowsの標準設定では拡張子が表示されないといった特徴から、ファイル偽装に気づきにくい点に注意が必要である。

#### (d)ファイルサイズを意図的に大きくしたWordファイルを使用する手口

この手口では、1MB未満のZIPファイルがメールに添付されて送付されてくるが、ZIPファイルを展開すると500MBを超えるWordファイルになる※123。Wordファイル自体は「(a)マクロ付きのOffice文書ファイルを使用する手口」と同じで悪意あるマクロが埋め込まれたものだが、ZIPファイルを展開した後のファイルのサイズを大きくすることで、セキュリティソフト等の検知回避を企図していると考えられる※124。

#### (e)OneNote形式のファイルを使用する手口

この手口では、悪意のあるスクリプトが埋め込まれたOneNote形式のファイルが、メールに添付されて送られてくる。図1-2-14のように、ユーザーがファイルを開き、書かれている偽の指示に従って「View」ボタン(ボタンに模した画像)をダブルクリックすると、ファイルの開封を確認する警告ウィンドウが表示される。ここで「OK」ボタンをクリックすると、「View」ボタン(画像)の裏に隠されている悪意のあるスクリプトが実行され、ウイルスに感染する※125。

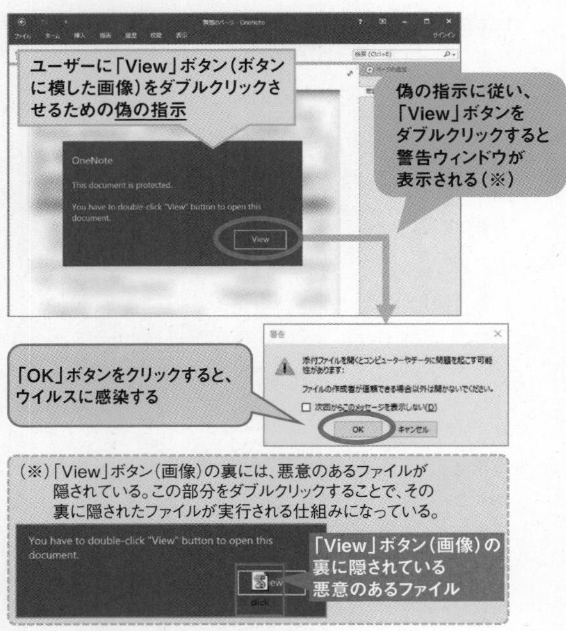


■図1-2-14　OneNote形式のファイルを開いてからウイルスに感染するまでの流れ

### (3) Microsoft Office文書ファイルのマクロデフォルト無効化を発端とした新たな手口

2022年2月にMicrosoft社より、マクロを使用する攻撃に対処するため、インターネットからダウンロードしたOffice文書ファイル内のマクロをデフォルトで無効化することが発表された※126。ばらまき型メールにおいても、この影響と考えられる攻撃手口の変化が観測されている。海外のセキュリティベンダーの観測によると、マクロを使用する攻撃が2021年10月から2022年6月の間に66%減少し、一方でマクロを使用しない手口(ISO、RAR等のファイルや、ショートカットファイルを使用した攻撃)は175%増加していたという※127。

今後、日本語のばらまき型メールでもマクロを使用しない手口が増える可能性もあるので注意が必要である。以下に代表的な手口を示す。

#### (a)ディスクイメージファイルを使用する手口

この手口では、悪意のあるファイルが格納されたディスクイメージファイル(ISOファイル等)がメールに添付されて送られてくる。ディスクイメージファイルには非表示設定の悪意のあるファイル（DLLファイル等）と、それを読み込むためのコマンドが書かれたショートカットファイル等が格納されている。ユーザーがディスクイメージファイルをマウントし、ショートカットファイルを開くとウイルスに感染する。

Windowsには、ディスクイメージファイル内のファイルに、Mark of the Web（MOTW）と呼ばれる、インターネット経由で入手したことを示す属性が伝達されない脆弱性（CVE-2022-41091）が存在していた※128。この手口では、その脆弱性を悪用し、MOTWを用いたWindowsのセキュリティ機能を回避する目的があるとされている※129。MOTWが付与されたファイルを開くと、ユーザーに処理の続行等を確認するための警告メッセージが表示される。しかし、MOTWがないと、警告メッセージは表示されず、それが悪意のあるファイルだった場合、ウイルス感染にもつながるため、注意が必要である。

#### (b) HTMLファイルを使用する手口

この手口では、悪意のあるファイル（ZIPファイル等）が埋め込まれたHTMLファイルがメールに添付されて送られてくる。ユーザーがHTMLファイルを開くと、埋め込まれている悪意のあるファイルがローカルに生成される。この手口は、HTML Smugglingと呼ばれており、インターネットやメールから受信するファイルの制限や検知の回避を目的に使用される※129。仮にZIPファイルが添付されたメールを配送されないように制限していても、ZIPファイルがHTMLファイルに埋め込まれていれば制限を回避されてしまう可能性がある。セキュリティ対策を回避する手口として注意が必要である。

### (4) ばらまき型メールへの対策

ばらまき型メールの攻撃者は、ウイルスに感染させる確率を上げるために様々な工夫を凝らし、新たな手口を取り入れて攻撃している。そのため利用者はセキュリティソフトの活用、スパムメール対策、メール受信者自身による防御等の対策を実施し、多層的な防御を行うことが重要である。

#### (a) 一般利用者における対策

次に示す対策は、ばらまき型メール以外の攻撃に対しても有効であり、徹底することを推奨する。

- セキュリティソフトを導入する
  メール受信者がウイルスメールであると判断できずに添付ファイル等を開いてしまったとしても、セキュリティソフトが検知・検疫し、被害を免れる可能性がある。セキュリティソフトは導入するだけでなく、常に最新の状態に保つことも重要である。
- 不用意にメールや添付ファイル内の指示に従わない
  身に覚えのないメールの添付ファイルを開かないことや、本文中のURLリンクにアクセスしないことが重要である。また、受信したメールに疑問や不審を抱いた場合は、送信元となっている企業や組織の公式サイトでばらまき型メールに関する注意喚起が公開されていないかを確認するほか、問い合わせ窓口から当該メールの送付有無を問い合わせる。受信メールの真偽が分からない段階では、メールへの返信、添付ファイルの開封、本文や添付ファイル中に書かれた指示に従った操作、URLへのアクセスは避けるべきである。また、添付ファイルを開いたときに、警告ウィンドウが表示された場合、その警告の意味が分からないのであれば、操作を中断し、システム管理部門等に報告・相談することを推奨する。また、個人であれば、信頼できる相手等に相談することを推奨する。
- OSやソフトウェアのバージョンを常に最新に保つ
  適宜、修正プログラムを適用し、既知の脆弱性を解消しておくことで、脆弱性を悪用した攻撃が成功する確率を下げることができる。
- Office文書ファイルを開いたときに不用意に保護ビューの解除やマクロの有効化を行わない
  Office文書ファイルを開いたとき、マクロやセキュリティに関する警告が表示された場合は、不用意に「編集を有効にする」ボタンや「コンテンツの有効化」ボタンをクリックしない。また、Word、Excel、PowerPoint等の設定でマクロ機能が無効化されていない場合、業務等でマクロを使用しなければ無効化する、といった対策も有効である。

#### (b) 企業・組織における対策

企業・組織におけるばらまき型メールに対する対策は、「1.2.2 (5) 標的型攻撃への対策」で述べている内容と基本的には同じである。

加えて、組織的な対策として、不審なメールを受信した際の報告窓口を設けることや、利用者に対してウイルス感染を想定した訓練と教育を行うとよい。

システム的な対策では、不審なメールを解析する仕組みを確立する、適切な修正プログラムを適用する、特定のファイル形式について実行許可・禁止の設定を行う、使用しない特定のファイル形式のファイルが添付されたメールは受信を拒否する、使用しないクラウドサービスへのアクセスを禁止するといった対策が重要である。

また、公開されているばらまき型メールに関する注意喚起情報を組織内で共有し、同様の攻撃による被害を受けないようにすることも重要である。なお、企業や大学、個人等からも、ばらまき型メールに関する注意喚起が出されているため、これらの情報を収集し、活用することが望ましい。

## 1.2.7 個人を狙うSMS・SNS・メールを悪用した手口

フィッシングサイトへ誘導するメールの手口は、20年近く前から日本人を狙った日本語のものが出現している※130。当初は金融機関をかたるものが多かったが、フィッシング対策協議会の2022年12月の月次報告では、通販会社をかたるものが多くなっている※131。

サービスの利用停止や、料金の未払い等の文面から偽のサイトに誘導して、サービスのアカウント情報やクレジットカード情報を入力させる等を行う場合が多い。最近は、プリペイドカードの発行番号を入力させチャージ金額を不正使用するものも現れている。

従来フィッシングサイトへの誘導は、主にメールで行われて来たが、SMSやSNSを悪用したものも増えてきている。個人がインターネットを利用する際の端末は、スマートフォンが6割を超え、SNSの個人利用率が8割近く※132になっていることも背景として考えられる。

2022年度にIPAの「情報セキュリティ安心相談窓口」に寄せられたSMSを悪用した手口の相談件数は、2021年度に比べ増加し、新たに国税庁等公的機関をかたるものが出現した。SNSでは「有名企業のXX周年記念で記念品が当たる」とかたり、友達とのリンク先の共有を受け取りの条件とするという、攻撃の拡散を意図した手口が出現した。

### (1) SMSを悪用した手口

2022年も、偽の内容のSMS（以下、偽SMS）の手口に関する相談は継続して寄せられた。通信事業者をかたる偽SMSは減少する一方、宅配便業者をかたる偽SMSが増加し、新たに国税庁等公的機関をかたる偽SMSが出現した（図1-2-15）。

IPAは「安心相談窓口だより」に、新たに観測された手口の説明を追加し、2022年10月に注意喚起を行った※133。

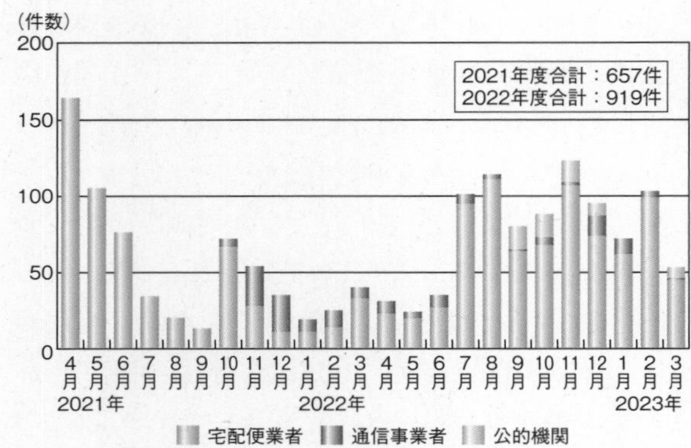


■図1-2-15　偽SMSに関する月別相談件数推移（2021〜2022年度）

#### (a) 国税庁を装う偽SMS

2022年8月ごろより、国税庁をかたる「未払いの税金がある」等の文面が記載された偽SMS（図1-2-16）から、URLをタップさせようとする手口の相談があり、同年9月ごろより増加した。相談件数は少ないが、公的機関をかたるものとして、警察庁をかたる偽SMSも出現した。

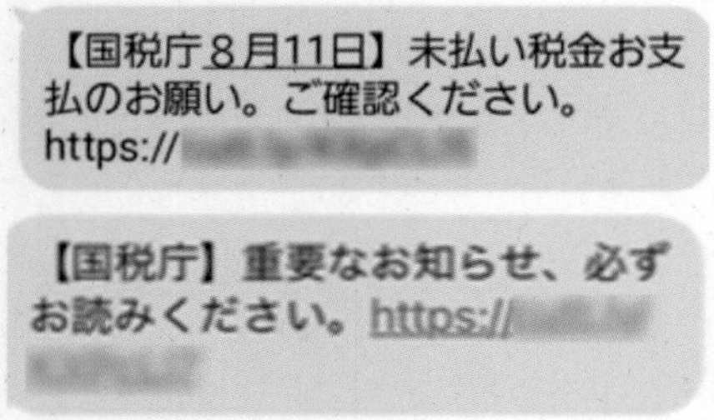

【国税庁8月11日】未払い税金お支払のお願い。ご確認ください。
https://

【国税庁】重要なお知らせ、必ずお読みください。https://

■図1-2-16　国税庁をかたる偽SMSの例

#### (ア) 手口

この手口では、「未払いの税金がある」「重要なお知らせ」という国税庁を装った偽SMSを送り付け、SMS内のリンクから偽サイトへ誘導する。iPhoneやiPad等のiOS端末（以下、iPhone）とAndroid端末（以下、Android）で共通して、偽SMSのURLをタップさせ、プリペイドカードの発行番号を入力させるフィッシングサイトに誘導する手口が確認されている。また、Androidにおいては、偽SMSのURLをタップさせ、不正なアプリをインストールさせる手口も確認されている。

①フィッシングサイトに誘導する手口

URLをタップさせ、国税庁になりすましたフィッシングサイトへ誘導し、メールアドレス、電話番号、氏名等の個人情報を入力させる（次ページ図1-2-17）。プリペイドカードの発行番号や額面を入力させ、更に券面の写真を撮影して送信させる手口も出現した。

②不正なアプリをインストールさせる手口

AndroidにおいてはSMSのURLをタップさせ、「シ

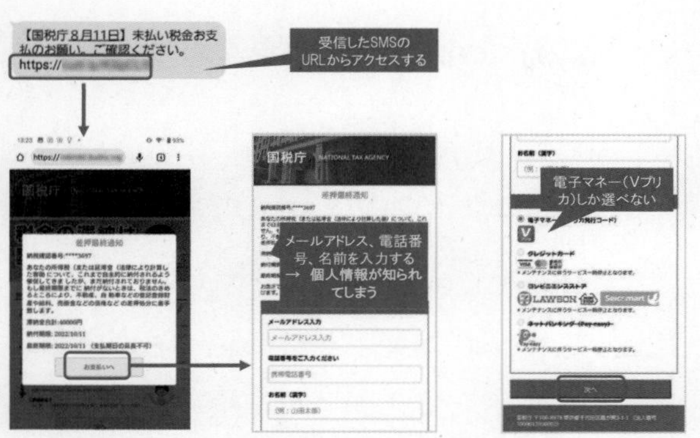


■図 1-2-17 フィッシングサイトに誘導する例（Android の画面）

ステム警告」という画面により「XXXセキュリティ」というアプリのインストールを促す場合がある（図 1-2-18）。これは不正なアプリのファイルをダウンロードさせようとするものである。

ファイルをダウンロードしただけでは被害にはつながらないが、ファイルをタップし、不正なアプリをインストールすると、被害につながる。

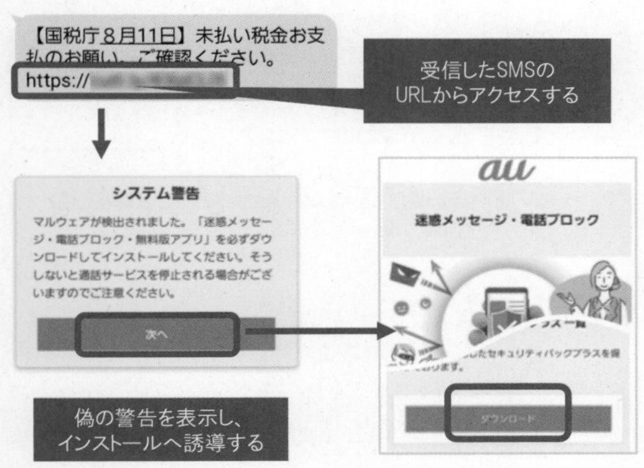


■図 1-2-18 セキュリティアプリのインストールに誘導する例

不正なアプリのインストールが終わった後、正規のセキュリティアプリの削除操作に誘導される場合がある（図 1-2-19）。

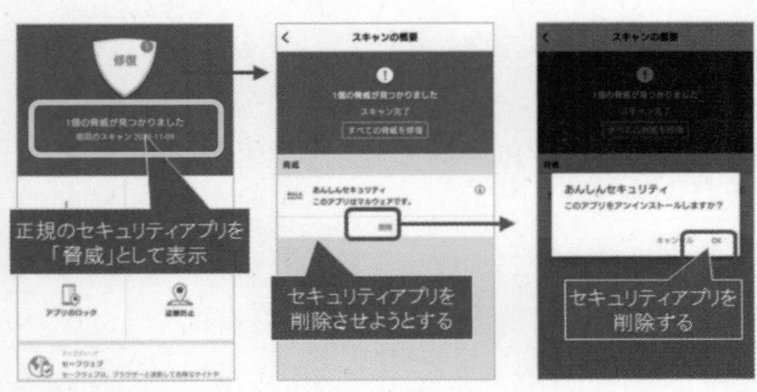


■図 1-2-19 セキュリティアプリ（あんしんセキュリティ）を削除させる例

**（イ）被害**

遭遇した手口によって、被害が異なる。

①フィッシングサイトに誘導する手口

被害として以下が確認されている。

- フィッシングサイトで入力したメールアドレス、電話番号、氏名等の個人情報が詐取された。
- プリペイドカードの発行番号や券面の写真を撮影して送信したため、プリペイドカードにチャージしていた金額が詐取された。

②不正なアプリをインストールさせる手口

被害として以下が確認されている。

- Android が攻撃の踏み台にされ、不特定多数の人へ、偽 SMS を勝手に送信された。
- スマートフォンから、アドレス帳の内容、SMS 等を窃取され、以下のように悪用された。
  - 通信事業者が提供するキャリア決済サービスにおいて、身に覚えのない請求が発生した。
  - フリーマーケットサービス、後払い決済サービス、その他のアカウントサービス等のアカウントを勝手に作成され、不正使用された。
- セキュリティアプリが削除され、セキュリティ対策が機能しなくなった。

**（ウ）対処**

遭遇した手口によって、対処が異なる。

①フィッシングサイトに誘導する手口への対処

- プリペイドカードの発行番号を入力した場合
  必要に応じてカードの発行元もしくは最寄りの消費生活センターに相談する[※134]。
- 個人情報を入力した場合
  更なる被害につながる不審なメールや SMS が届いたりする可能性がある。相手があたかも自身のことを知っているかのような文面を作成することも可能であるため、詐欺等の手口に十分注意する。

②不正なアプリをインストールさせる手口への対処

不正なアプリをインストールした場合の対処は、「情報セキュリティ白書 2020」の「1.2.6（1）（a）（イ）対処」を参照いただきたい。なお、正規のセキュリティアプリを削除してしまった場合は、セキュリティアプリの再インストールが必要である。また、セキュリティアプリの初期設定が必要な場合がある。

**（b）宅配便業者を装う偽 SMS**

本件に関する相談は、2017 年から確認されている。

この手口は、当初佐川急便株式会社をかたるものであったが、その後、業者名のない偽 SMS が出現した。2021 年 11 月ごろからは日本郵便株式会社をかたる偽 SMS が増加したが、2022 年 7 月からは、業者名のない偽 SMS（図 1-2-20）の相談が増加し、同年 11 月ごろからはほとんどの相談が、業者名のないものとなった（図 1-2-21）。

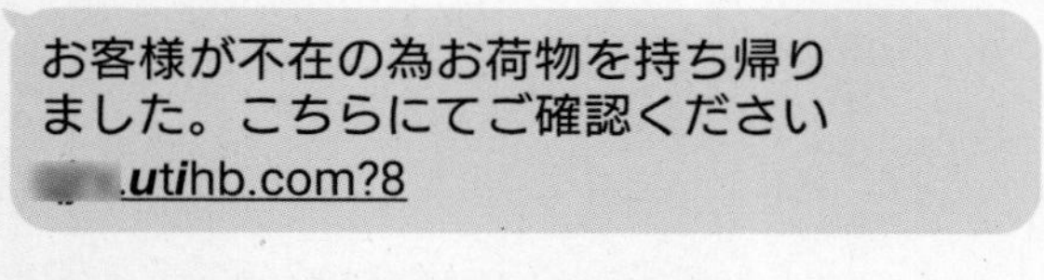

お客様が不在の為お荷物を持ち帰りました。こちらにてご確認ください
.utihb.com?8

■図 1-2-20　宅配便業者をかたる偽 SMS の例

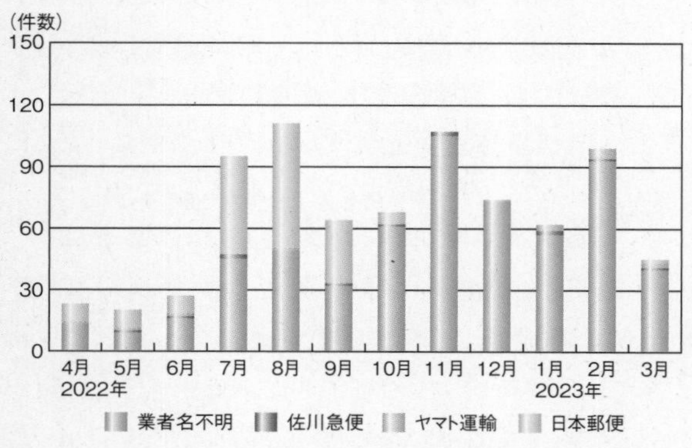


■図 1-2-21　宅配便業者をかたる SMS の月別相談件数推移（2022 年度）

URL をタップさせ、Android に不正なアプリをインストールさせる手口や、iPhone でフィッシングサイトに誘導する手口については変化が少ないため、「情報セキュリティ白書 2021[※135]」の「1.2.7（3）（a）宅配便の不在通知を装う SMS」を参照いただきたい。

### (c) 世の中の関心に乗じる偽 SMS の手口

2022 年も、新型コロナウイルスの感染拡大が断続的に続き、経済や社会に様々な影響が生じた。それに乗じるものとして、2022 年 12 月ごろより、「新型コロナ特例復興給付金を受け取れる」という内容の偽 SMS を送信する手口が出現した。

#### (ア) 手口

給付金が受け取れるかのような文面の偽 SMS（図 1-2-22）を送りつけ、URL をタップさせようとする。

URL をタップすると、Web メールのような画面が表示され、メッセージを確認するように促される。タップすると、至急連絡するように促され、入力して送信すると、メール BOX に新着があり、「受け取りの順番が自分で止まっている」と記載されたページが現れる（図 1-2-23）。給付金の受け取りのために振込手数料が必要で、Apple ギフトを購入して、番号と振込先をこのサイトの送信フォームで連絡するように書かれている。送信フォームで Apple ギフトの番号を送信すると、チャージしている金額が詐取される。

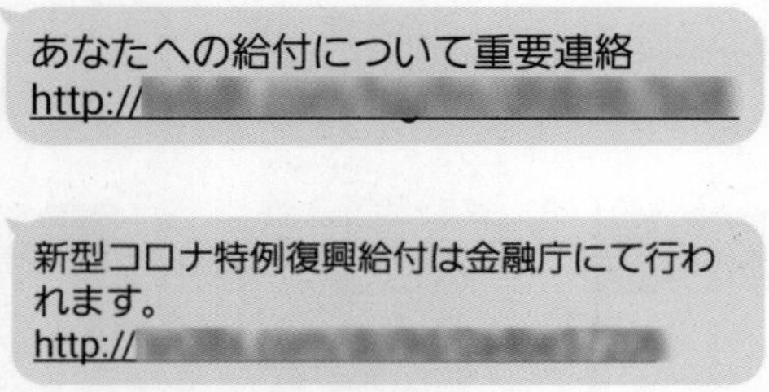

あなたへの給付について重要連絡
http://

新型コロナ特例復興給付は金融庁にて行われます。
http://

■図 1-2-22　新型コロナ特例復興給付金の給付をかたる SMS の例

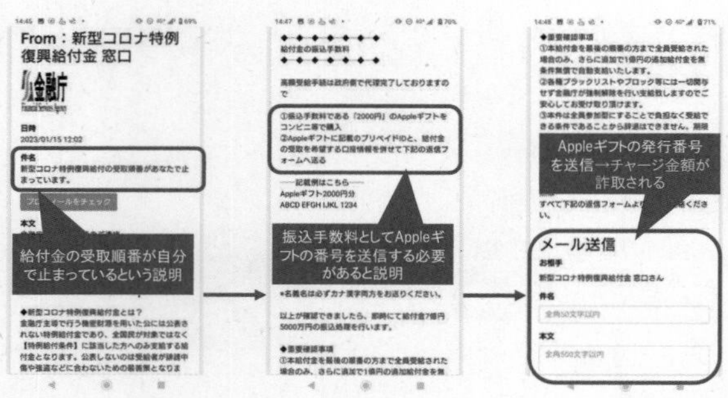


■図 1-2-23　給付金の受け取りのため、Apple ギフトの番号を送信させるサイトの表示例

#### (イ) 対処

URL をタップして指示に従い、プリペイドカードの発行番号を入力した場合は、必要に応じてカードの発行元もしくは最寄りの消費生活センターに相談する[※136]。

### (d) SMS を悪用した手口への対策

各通信事業者が SMS を悪用したフィッシングへの対策を開始している。株式会社 NTT ドコモは、2022 年 3 月から、危険と判断したサイトの URL 等が含まれる SMS を自動で拒否する設定の自動適用を開始した[※137]。ソフトバンク株式会社は 2022 年 6 月から「迷惑 SMS 対策」機能の提供を開始した[※138]。KDDI 株式会社は、2023 年 2 月に「迷惑 SMS ブロック」機能の提供を開始した[※139]。各社の提供する機能を利用して対策を行っていただきたい。

各社の機能の説明ページでも案内されているが、すべてのフィッシング SMS を拒否できるわけではない。URL の文字を通常の英字ではなく、数学用英字や、数学用英字・太字斜体を使う（次ページ図 1-2-24）等して、ブロックや拒否する対策の機能を回避していると考えられるものが現れている。



■図 1-2-24　URL の文字を変更している例

国税庁は、SMS による案内を送信していないと説明している[※140]。宅配便業者は、SMS で連絡することはないとサイトで案内している場合が多い。不審な SMS を受信した場合は、公式サイト等の確かな情報源を使って確認していただきたい。特に SMS に記載されている URL には注意が必要である。また、送信元情報の表示は偽装されている場合もある。

### (2) SNS を悪用し偽サイトの URL の拡散を狙う手口

2022 年 12 月ごろより、LINE の友達から「企業のXX周年記念」をかたった偽の企業サイトの URL が送られてきた（図 1-2-25）という相談が寄せられるようになった。かたられている各社から注意喚起が行われている[※141]。

■図 1-2-25　LINEの友達から送られてくる偽の企業サイトのURLの例

#### (a) 手口

かたられる企業が異なっても手口は似通っている。現在確認されている手口を例に説明する。URL をタップすると、偽の企業サイトのアンケート回答画面が表示される。アンケートに 4 問答えると、記念品 5 万円が当たるチャンスの画面が表示されて、当たりの箱を選択させられる。2 回で当選する場合が多い（図 1-2-26）。

記念品を受け取るために、LINE のアプリでこのリンク先の URL を五つのグループまたは 20 人の友達と共有するように誘導する。「送信先を選択」と表示され、青いバーが 100%になるまで選択を促す（図 1-2-27）。

送信先を選択した友達に図 1-2-25 のようなリンク先の URL が送られるため、被害が拡大する可能性が高まる。なお、送信先を選択しなくても、「送信先を選択」の表示を繰り返すことで青いバーが最終的に 100%となるので、共有したかどうかを攻撃者は確認できていないものと思われる。

■図 1-2-26　偽の企業サイトで記念品が当選する例

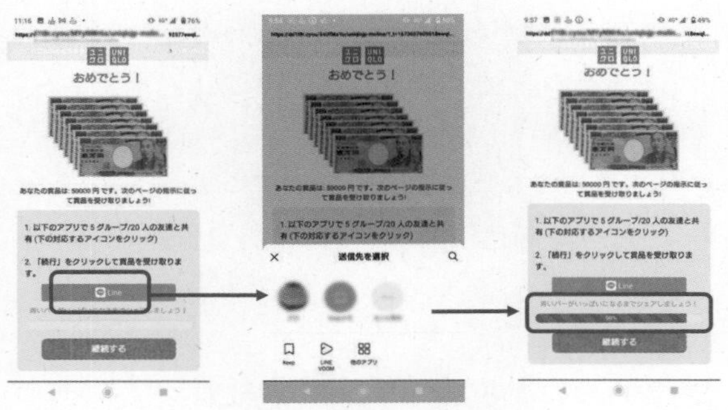


■図 1-2-27　偽の記念品当選からリンク先情報を友達と共有させる例

青いバーが 100%になるまで情報共有先を選択して次に進むと、当初記念品は 5 万円の触れ込みだったが、アンケートで iPhone がプレゼントでもらえると、すり替わった表示になる。アンケートに答えていくと、先程と同様に、プレゼントが当たるチャンスの画面が出て、当たりの箱を選ぶ画面となる。2 回で当選する場合が多い。

この後、送料が 1 円かかるという名目で、名前やメールアドレス、電話番号を入力させ、クレジットカード情報を入力させる（次ページ図 1-2-28）。

#### (b) 被害

被害として以下が確認されている。

- フィッシングサイトで入力したメールアドレス、電話番号、氏名等の個人情報が詐取された。
- クレジットカード情報が詐取された。

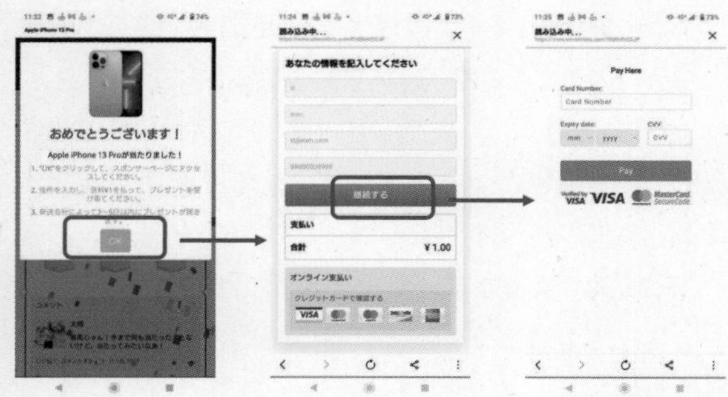


■図 1-2-28　偽の iPhone 当選からクレジットカード情報の入力を促す例

### (c) 対処

URL を友達に共有したかどうかや、入力してしまった内容によって、対処が異なる。

- 偽の企業サイトの URL を友達と共有した場合
  偽物のサイトであることを友達に連絡し、サイトにアクセスしないように注意喚起する。
- 個人情報を入力した場合
  更なる被害につながる不審なメールや SMS が届いたりする可能性がある。相手があたかも自身のことを知っているかのような文面を作成することも可能であるため、詐欺等の手口に十分注意する。
- クレジットカード情報を入力した場合
  カードの発行元もしくは最寄りの消費生活センターに相談する。

## (3) メールによるフィッシングの手口

攻撃者はフィッシングサイトに誘導するため、QR コードを使うことでセキュリティ警告を出しにくくしたり、世の中の関心を利用した内容にメールを変えたりと、手口を進化させている。

### (a) QR コードで偽サイトへ誘導する手口

QR コードで支払いを行ったり、Web サイトを表示したりすることが一般的になってきたこともあり、騙しの手口にも QR コードを悪用したものが出現している。

### (ア) 手口

フィッシングメールでは、ETC 関連サービスや、Amazon をかたるメールに、サイトへのアクセス先を QR コードで表示する手口が出現した（図 1-2-29）。不正な URL が平文でメールに表示されている場合は、メールサービスやメールソフト等で警告が表示される場合があるが、QR コードのみでは警告を表示できない場合があり、また、受信者は QR コードを見ただけでは、サイトの

■ETC 利用照会サービスをかたるフィッシングの例

ETC 総合情報ポータルサイト

ETCサービスをご利用のお客様へ：

インフォメーションMAIL

平素よりＥＴＣ利用照会サービスをご利用いただき、誠にありがとうございます

今日、ETCに支払情報が変更されたことが発見しました

本人操作確認するため為、一時使用制限をしております

お早めに当社までご連絡くださいませ、ご容赦のほど宜しくお願い致します。お忙しい中お邪魔して申し訳ませんでした

本人認証の手続きが完了してから、ＥＴＣサービス制限が解除。

Webページが乗っ取られないようにするためにご本人認証下記携帯電話でQRコードをスキャンする確認ください

>>> <<<<

の部分のリンク
<https://www.etc.co-●●●●.●●●●.com.cn/>など

弊社は、インターネット上の不正行為の防止·抑制の観点からサイトとしての信頼性·正当性を高めるため、

·ご案内している内容について、お持ちのカードによっては一部利用できない場合があります。

＊こちらのメールは送信専用メールアドレスから配信されております。

こちらのメールに返信いただいても、返答できませんのでご了承ください。

【配信元】

発行者ETC利用照会ザービス事務局East Nippon Expressway Company Limited,Metropolitan Expressway Company Limited

メール文面の例

■Amazon をかたるフィッシングの例

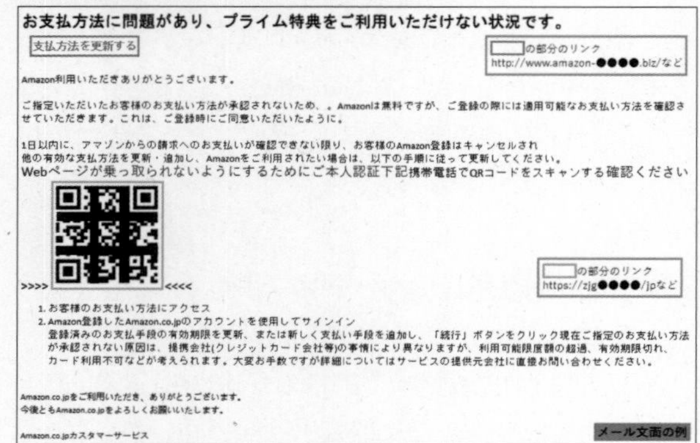
お支払方法に問題があり、プライム特典をご利用いただけない状況です。

支払方法を更新する

の部分のリンク
http://www.amazon-●●●●.biz/など

Amazon利用いただきありがとうございます。

ご指定いただいたお客様のお支払い方法が承認されないため、。Amazonは無料ですが、ご登録の際には適用可能なお支払い方法を確認させていただきます。これは、ご登録時にご同意いただいたように。

1日以内に、アマゾンからの請求へのお支払いが確認できない限り、お客様のAmazon登録はキャンセルされ
他の有効な支払方法を更新・追加し、Amazonをご利用されたい場合は、以下の手順に従って更新してください。
Webページが乗っ取られないようにするためにご本人認証下記携帯電話でQRコードをスキャンする確認ください

>>>> <<<<

の部分のリンク
https://zjg●●●●/jpなど

1. お客様のお支払い方法にアクセス
2. Amazon登録したAmazon.co.jpのアカウントを使用してサインイン
   登録済みのお支払手段の有効期限を更新、または新しく支払い手段を追加し、「続行」ボタンをクリック現在ご指定のお支払い方法が承認されない原因は、提携会社(クレジットカード会社等)の事情により異なりますが、利用可能限度額の超過、有効期限切れ、カード利用不可などが考えられます。大変お手数ですが詳細についてはサービスの提供元会社に直接お問い合わせください。

Amazon.co.jpをご利用いただき、ありがとうございます。
今後ともAmazon.co.jpをよろしくお願いいたします。

Amazon.co.jpカスタマーサービス

メール文面の例

■図 1-2-29　QR コードが記載されたフィッシングメールの例
（出典）フィッシング対策協議会「ETC 利用照会サービスをかたるフィッシング（2022/11/15）※142」「Amazon をかたるフィッシング（2023/01/05）※143」

URL が分からないことを狙っているものと思われる。

### (イ) 対処

入力してしまった内容によって、対処が異なる。

- 偽の ETC 関連サービスサイトでメールアドレスまたは携帯電話番号、パスワードを入力した場合
  メールアカウントや携帯電話番号でログインするサービスで使用しているパスワードを変更する。多要素認証のサービスが提供されていれば設定することを推奨する。
- 偽の Amazon サイトで ID やパスワードを入力した場合
  ログインパスワードを変更する。念のため「注文履歴」を確認して不正使用がないか、「アカウント設定」や「支払い&住所」が変更されていないか確認する。
- フィッシングサイトに入力したパスワードと同じものを他のサービスでも使用している場合
  アカウントに不正ログインされる恐れがあるため、そち

らのパスワードの変更も推奨する。

#### (b) 世の中の関心に乗じる手口

「1.2.7 (1) SMS を悪用した手口」で、給付金に関する偽 SMS の手口を説明したが、メールの手口では予防接種に関する「コロナワクチンナビ」をかたるものや、日本赤十字社の新型コロナウイルス感染症の活動報告をかたり寄付金を募るもの等が報告された※144。

「コロナワクチンナビ」をかたるものは、2021 年同様に引き続き報告されている※145。手口や対処については、「情報セキュリティ白書 2022※146」の「1.2.7 (3) 世の中の関心に乗じる手口」を参照いただきたい。

### (4) SMS・SNS・メールを悪用した手口への対策

フィッシングの手口は、古くから悪用されているメール以外にも手段が増え、内容も変化し続けているが、基本の対策は変わらないと考えられる。

- 不審と感じたメールや SMS、SNS 情報の真偽は、公式サイト等の確かな情報源で確かめる。
- 判断に迷ったら、一度立ち止まり、身に覚えのない内容のメールや SMS の相手ではなく、信頼できる相手に相談する。友人からの SNS であっても、内容に URL が含まれる場合は、タップする前に友人に送信した意図を確かめる。

なお、SMS や SNS の騙しの手口では、不審なメッセージを受信した本人の被害だけでなく、他人や友達に被害の連鎖を拡げてしまいがちなことに注意が必要である。

## 1.2.8 個人を狙う様々な騙しと悪用の手口

本項では、「1.2.7 個人を狙う SMS・SNS・メールを悪用した手口」に続いて、個人を狙う騙しの手口として、Web ブラウザーを悪用した手口、遠隔操作アプリを悪用した副業詐欺及び偽 EC サイトについて説明し、その対策について述べる。

前者については、インターネット閲覧中に「パソコンがウイルスに感染した」等の偽のセキュリティ警告を突然表示させ、慌てた利用者に偽のサポートセンターに電話をかけさせた上で、サポート料金と称して高額な金銭を騙し取る手口の被害が拡大した。2022 年度は、IPA の「情報セキュリティ安心相談窓口」に寄せられた本手口の相談件数が、過去最高を記録した。後者については、買い物や働き方の変化を踏まえた手口の被害が増加した。消費生活センターによると、少しでもお得な買い物をしたいと思っている被害者を、格安商品を並べた EC サイトに誘い込む、偽 EC サイトの相談件数が約 2 倍に増加した※147。加えて、通常は考えられない好条件の副業を SNS 等で宣伝して被害者を誘い込み、遠隔操作アプリを悪用して高額な副業マニュアルの購入やサポート契約を行わせる副業詐欺の手口が出現した。

### (1) 依然として続く Web ブラウザーを悪用した手口

パソコンでインターネットを閲覧中に突然別の警告画面に切り替わったり、スマートフォンに警告がポップアップ表示されたりする、「偽のセキュリティ警告」の手口に遭遇することがある。パソコンとスマートフォンで手口が異なるため、それぞれの詳細を以下に示す。

#### (a) 偽のセキュリティ警告（パソコン）

この手口では、パソコンに偽のセキュリティ警告を表示させて、慌てた被害者に偽のサポート窓口に電話をかけさせる。その上で、サポート料金と称して高額の金銭を騙し取る※148。そのため、「サポート詐欺」とも呼ばれている。

手口に大きな変化はない一方で、2022 年度に IPA の「情報セキュリティ安心相談窓口」に寄せられた相談件数は 2,759 件となり、過去 4 年間で最高となった（図 1-2-30）。

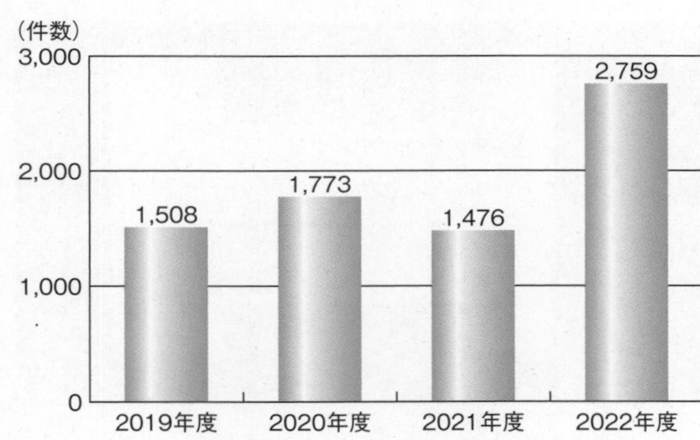


■図 1-2-30　偽のセキュリティ警告（パソコン）に関する相談件数の推移（2019〜2022 年度）

世界に目を向けると、FBI によれば、2022 年に「Call Center Fraud（コールセンター詐欺）」の一つである「Tech and Customer Support（技術・顧客サポート詐欺）」として申告を受けた件数が合計 3 万 2,538 件、被害総額が 8 億 655 万ドルに上ったという※149。また、セキュリティベンダーによると、2022 年第 3 四半期にこの攻撃を受けたユーザーの割合が最も高いのが日本で、その後にドイツ、米国、カナダが続いている※150。

偽のセキュリティ警告は、Web 広告配信の仕組みを悪用して表示されている。例えば、訪問したサイトに偶然表示された罠の広告をクリックすると中間サイトに接続され、最終的に偽のセキュリティ警告を表示するサイトにリダイレクトされる事例を確認している。その際に、中間サイトで Web ブラウザーの言語設定等をチェックして、言語別の偽セキュリティ警告サイトにリダイレクトしていると考えられる。そのため、日本語表示に設定した端末からアクセスすると、図 1-2-31 のように日本語の偽のセキュリティ警告を表示するサイトにリダイレクトすると考えられる。この仕組みによって、複数の国々でこの手口による被害が発生している。

### (ア)手口

具体的な手口について順を追って解説する。

①偽のセキュリティ警告で恐怖を煽る

主にパソコンで Web サイトを閲覧中に、ブラウザー画面に突然セキュリティ警告が表示される。画面を埋めつくすように次々と表示される警告の中には、「検出された脅威：トロイの木馬スパイウェア」「パスワード、オンライン ID、財務情報、個人情報、画像、またはドキュメントを盗む可能性のある望ましくない可能性のあるアドウェアがこのデバイスで検出されました」等の警告文が書かれている（図 1-2-31）。これらはすべて偽である。

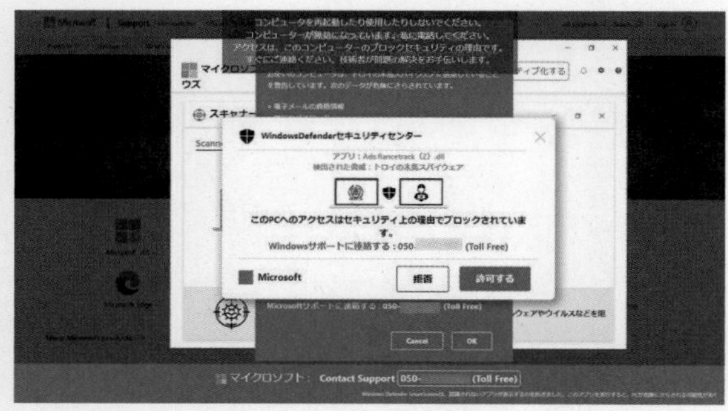


■図 1-2-31　次々と表示される警告画面の例

②巧妙な細工で焦らせる

偽のセキュリティ警告はブラウザーをフルスクリーンで表示して、ウィンドウの閉じるボタンを操作できないように細工している場合がある。加えてスピーカーからも、「IP アドレスが不正に使用された、再起動を行うとデータや個人情報の損失につながる、今すぐお電話ください」等のアナウンス音声が延々と流れ続ける場合がある。パソコンが正常に操作できないという焦りと、ウイルスに感染してしまったのではないかとう恐怖から、正常な判断力を奪おうとしていると考えられる。

③実在する企業の名前をかたり信用させる

偽のセキュリティ警告画面には、Microsoft 社等の実在する企業のサポートセンターと称する電話番号が表示してあり、この番号に電話するように誘導する（図 1-2-32）。被害者を焦らせた上で、著名な企業名をかたることによって、「ここに電話すれば解決してもらえる」と思わせようとしていると考えられる。

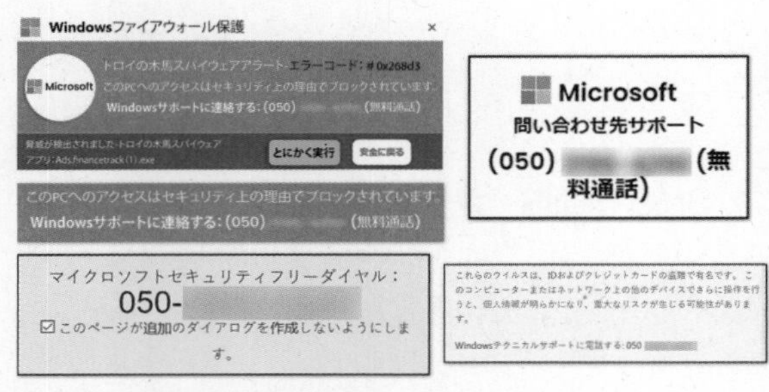


■図 1-2-32　実在する企業名をかたる警告画面の例

④遠隔操作ソフトウェアを悪用して虚偽の説明を行う

被害者が電話をしてしまうと、片言の日本語を話す外国人のオペレーターにつながる。オペレーターは、キー操作等を指示して、遠隔操作ソフトウェアのダウンロードを行わせる。このソフトウェアは市販のもので、AnyDesk、LogMeIn、TeamViewer、UltraViewer 等の無償版を使用させる。遠隔操作ソフトウェアを使用して被害者のパソコンにリモート接続し、イベントビューアーで動作に支障がないエラー表示を見せる等して、パソコンがウイルス感染しているという虚偽の説明を行う（図 1-2-33）。

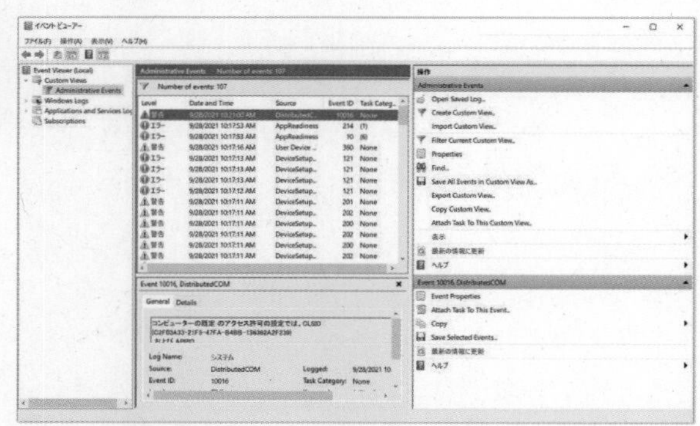

■図 1-2-33　動作に支障がないエラーをウイルスのせいであると虚偽説明する際のイベントビューアーの画面例

⑤電子マネー等を使った支払いを求める

被害者に虚偽の説明を信じさせると、3 ～ 10 万円のサポートプランを示す。料金の支払いには、クレジットカードではなく、「Google Play ギフトカード」等のプリペイドカードを悪用する。近くのコンビニに行って、こうしたプリペイドカードを買うように指示する。

そして、カード裏面の番号を電話で伝えさせる、もしくはパソコンに入力させて金銭を騙し取る。その際に、被害者が番号の0(数字のゼロ)とO(アルファベットのオー)を間違って伝えたためカードが無効になった等と主張し、再度コンビニに行かせる場合もある。IPA では、このようにコンビニを何往復もさせられ、最終的に100万円を超える高額の金銭を騙し取られた被害の相談を受けている。

コンビニ各社が加盟する一般社団法人日本フランチャイズチェーン協会では、詐欺の被害に遭いやすい高齢者が電子マネーを購入する際に声掛けをする取り組みを行っている[※151]。この取り組みの結果、2021年は、1万1,661店舗で高額な電子マネーの購入を防止できたとしている[※152]。この数字には、偽のセキュリティ警告の手口による被害を防いだものが含まれると考えられ、こうした取り組みが更に広がることが望まれる。

### (イ)対処

パソコンの警告画面については、Web ブラウザーを閉じるだけで問題はない。通常の操作で画面を閉じることができない場合、Windows であればタスクマネージャーから Web ブラウザーを終了する。

パソコンに遠隔操作ソフトウェアをインストールさせられた場合は、Windows の「システムの復元」機能を使用して、当該ソフトウェアをインストールする前の状態にシステムを戻すことを推奨する。遠隔操作の及ぼす影響について判断できないため、システムの復元ができない場合は、パソコンの初期化を推奨する。

### (b)偽のセキュリティ警告(スマートフォン)

スマートフォンで Web サイトを閲覧中に「ウイルスに感染している」等の根拠のない警告画面を表示して騙す手口の相談が継続して寄せられている(図 1-2-34)。

相談件数は減少しているものの、偽のセキュリティ警告から Android や iPhone の公式アプリストアに誘導して、有償アプリの自動継続課金[※153]に誘導する相談が続いているため、IPA は「安心相談窓口だより」で、2022年10月に注意喚起を行った[※154]。

手口の変化は少なく、インターネット閲覧中に偽のセキュリティ警告から誘導される事例が多い。以下では、Android の場合の手口、対処を中心に説明する。

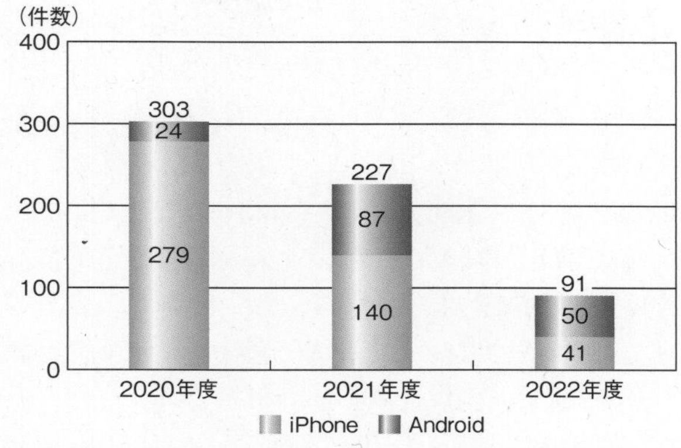


■図 1-2-34 偽のセキュリティ警告(スマートフォン)に関する相談件数の推移

### (ア)手口

この手口では、「スマホでウイルスが検出されました」「今すぐウイルスを除去」というように、偽のセキュリティ警告画面をポップアップ表示して公式ストア上のアプリを入手するよう誘導する(図 1-2-35)。

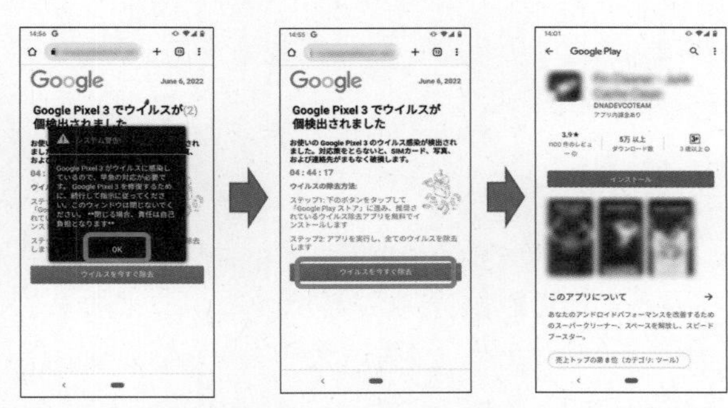


■図 1-2-35 偽のセキュリティ警告から公式ストアのアプリへ誘導する流れの例(Android の場合)

この手口の目的は、偽のセキュリティ警告によってインストールさせたアプリの自動継続課金に誘導することであると考えられる。Android の場合、自動継続課金は、誘導されたアプリをインストールして起動した後、自動継続課金の登録画面で認証のために Google アカウントのパスワードを入力すると登録が完了する。利用開始当初は無料でも、最終的に意図しない料金が発生することになる。

誘導先のアプリは複数確認されている。何らかのセキュリティに関する機能を持つアプリであると説明されるものもあるが、スマートフォンの動作を改善させるという説明のクリーナーアプリや VPN のためのアプリのインストール等に誘導されることが多くなっている。

**(イ)対処**

偽のセキュリティ警告が表示された場合は、Webブラウザーのタブを閉じることで対処できる。

アプリをインストールしてしまった場合は、不要であればアンインストールをする。アンインストールだけでは自動継続課金は解約されないので、自動継続課金を登録した場合は取り消す必要がある。Androidの場合は定期購入の解約、iPhoneの場合はサブスクリプションの解約を実施する。

### (c)Webブラウザー通知機能の悪用

2020年後半から、2021年にかけて、パソコンやスマートフォンで、「『コンピュータが危険にさらされている』『携帯をクリーンアップしてください』等の警告が繰り返し表示された」という相談が急増した。

この表示は、Webブラウザーの通知機能を悪用して偽の警告として表示したもので、表示された警告のリンクやボタンをクリックすると、不審なセキュリティソフトの購入や、不審なスマートフォンアプリのインストールに誘導される場合がある※155。「1.2.8(1)(a)偽のセキュリティ警告(パソコン)」で示した偽のセキュリティ警告と同様に、050から始まる偽のサポートセンターの電話番号が表示される場合もある。

**(ア)手口**

Webブラウザーの通知機能は、よく訪問するサイトから何らかの通知等を受け取る機能である。この機能を悪用して偽のセキュリティ警告のプッシュ通知を表示させ、不審サイトに誘導する。この手口は、以下の流れとなる場合が多い。

① Webブラウザーの通知を許可するように誘導する

通知を受け取るためには、被害者がWebサイトからの通知を「許可」する必要がある。そのため、悪意のサイトを訪れた被害者を騙して通知を「許可」させようとする。

パソコンの場合は、Webブラウザーに reCAPTCHAv2※156 認証を装った画面を表示して、「許可」ボタンを押させようとする(図1-2-36)。スマートフォンの場合、通知を許可するか否かを求めるポップアップが表示される。

②偽の通知が表示される

「許可」を押してしまうと、「パソコンがウイルス感染した」等の偽のセキュリティ警告がデスクトップの右下から現れるようになる(図1-2-37)。スマートフォンの場合は、

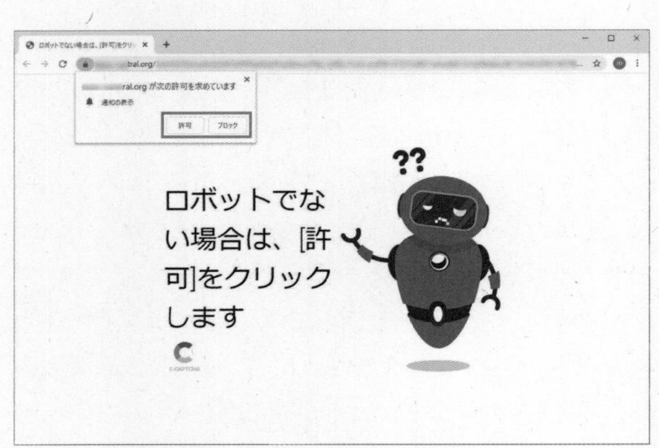


■図 1-2-36　reCAPTCHAv2認証を装った「許可」ボタンへの誘導事例(パソコンの場合)

■図 1-2-37　パソコンのデスクトップ右下に出現する通知表示事例

「スマートフォンをクリーンアップしてください」等の通知が表示される。

これらの表示は、アプリやパソコン・スマートフォンを再起動しても出続ける。

なお、iPhoneではWebブラウザーの通知機能を提供していないため、この手口による被害が発生することはない。

**(イ)対処**

Webブラウザーに登録した通知許可を削除することで、通知表示を止めることができる。各Webブラウザー操作方法の詳細は、「安心相談窓口だより※155」や、パソコン・スマートフォンメーカーのサポート情報、各Webブラウザーのヘルプページを参照いただきたい。

偽の通知に従って操作を行ってしまった場合は、行った操作や誘導された不審サイトの手口に応じて、以下の対処を行う。

- 偽の通知に記載された番号に電話をしてしまった場合
  「1.2.8(1)(a)偽のセキュリティ警告(パソコン)」に記載した対処を行う。
- スマートフォンで不審アプリのインストールに誘導された場合
  「1.2.8(1)(b)偽のセキュリティ警告(スマートフォン)」に記載した対処を行う。

### (2) 遠隔操作アプリを悪用した副業詐欺

多様な働き方を促進する社会の流れやテレワーク等による柔軟な働き方の普及に伴い、副業が注目を集めている。こうした中、国民生活センターや消費者庁から、高額な副業マニュアルの契約をさせられた被害に関する注意喚起が行われている※157。

中には、契約のために必要な資金を同時に複数の消費者金融から借り入れることを指示する悪質な例も現れている※158。こうした業者は、被害者のスマートフォンに遠隔操作アプリをインストールさせ、消費者金融に借り入れ申請等を行わせている。現時点では、遠隔操作アプリとしてAnyDeskが悪用されていることを確認している。「情報セキュリティ安心相談窓口」でも、2022年5月以降、金銭的な被害に至らなかった場合を含めて、遠隔操作アプリをインストールさせられたという相談を27件受けている。

以下では、遠隔操作アプリを悪用した副業詐欺の手口について説明する。

#### (a) 手口

具体的な手口について順を追って解説する。

① SNSを使用した宣伝で誘導

SNSの広告やダイレクトメッセージを使用して事業者のURLに誘導する。

②高額なサポートプランに勧誘

副業紹介業者は、宣伝に興味を持った被害者を、業者の公式LINEアカウントに友達登録するように誘導する。そして、友達登録した被害者に、副業マニュアル購入等の高額なサポートプランの契約を強引に勧誘する。

③複数の消費者金融からの借り入れを指示

被害者が契約に必要な資金を持っていない場合、消費者金融業者から借り入れを行うように指示する。その際に、借り入れ金額が一つの消費者金融業者からの限度額を超える場合は、同時に複数の消費者金融業者から借り入れを行うように指示する。

副業紹介業者は、被害者に消費者金融からの借り入れを行わせる際に、遠隔操作アプリを公式アプリストアからインストールさせて、遠隔操作アプリの画面共有機能を使用して、被害者のスマートフォンの画面を見ながら借り入れの方法等を指示していると考えられる（図1-2-38）。

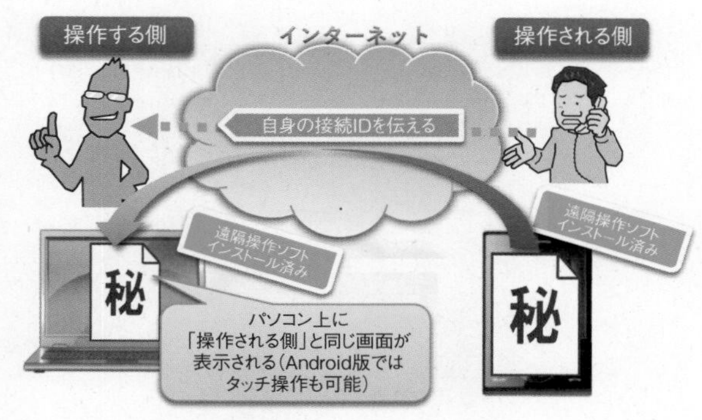


■図1-2-38　遠隔操作の概要

#### (b) 対処

スマートフォンに遠隔操作アプリをインストールさせられた場合、他のアプリと同様にアンインストールが可能である。ただし、副業紹介業者からの返金等を求めたい場合は、アンインストールは行わずに消費生活センターや警察に相談することを推奨する。その際は、端末内に残されたアクセス履歴等の証拠を保全するために、端末の電源をオフ状態にしておくことが望ましい。

#### (c) 対策

遠隔操作アプリの悪用に騙されないためには、遠隔操作のリスクについて知る必要がある。

AnyDeskでは、最初にアプリを起動した際に、遠隔操作を許可することによって「第三者があなたと同じ操作をできるようになる」ことを表示して、このリスクを「認識して承認」する画面が表示される。しかしながら、業者に操作をせかされてしまうと、被害者はこうしたリスクを認識できずに遠隔操作を許可している可能性がある。

第三者の言葉を鵜呑みにして遠隔操作アプリをスマートフォンにインストールしてしまうことは、見知らぬ訪問者を家に招き入れる行為と同じようなものであることを認識して、遠隔操作を他人に安易に許可しないことが重要である。

### (3) 偽ECサイト

ネットで検索して見つけた、格安商品を扱うECサイトで購入した商品が届かない、もしくは偽物が届いたという被害が発生している。被害の原因は悪質な偽のECサイトである。

国民生活センターによると、偽ECサイトに関して消費生活センターに寄せられた2022年4～12月の相談件数は、2021年同期間の約2倍に増加している（次ページ図1-2-39）。

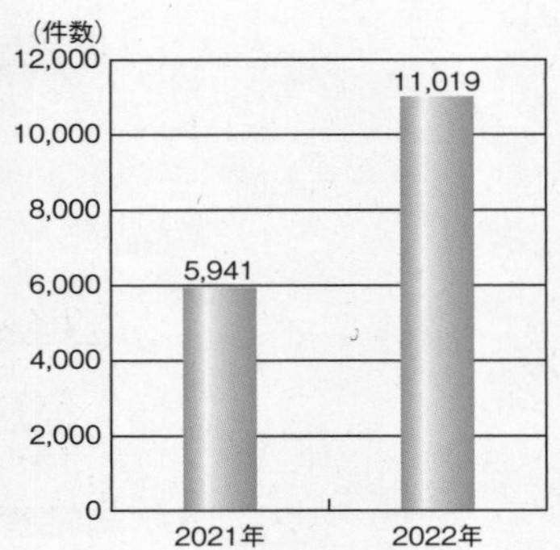


■図 1-2-39　偽 EC サイトに関する消費生活センターへの相談件数の推移（2022 年 4 ～ 12 月と、2021 年同期間の比較）
（出典）独立行政法人国民生活センター「その通販サイト本物ですか!?“偽サイト”に警戒を!!ー最近の“偽サイト”の見分け方を知って、危険を回避しましょう!ー※147」を基に IPA が編集

**(a) 手口**

以下の手口で被害者を偽 EC サイトに誘導する。

- 検索エンジンの検索結果を不正に操作
  一般財団法人日本サイバー犯罪対策センター（JC3：Japan Cybercrime Control Center）によると、偽 EC サイトは、Web 検索の機能を悪用して被害者を悪質なショッピングサイトに誘い込んでいる※159。具体的には、ほしい商品を探すために、商品名をキーワードにして Web 検索した際に、偽 EC サイトが検索結果の上位に表示されるように検索結果を不正に操作している。そのために、SEO ポイズニングと呼ばれる手法を用いている※160。
- 広告からの誘導
  検索結果の上部に表示される検索連動型広告や SNS の広告から偽 EC サイトに誘導する例も確認されている※159。

**(b) 対処**

「不審な EC サイトでショッピングを行ったが商品が届かない」「サイト運営者との連絡が取れなくなった」等、購入や支払いに関するトラブルが発生した際は、最寄りの警察または消費生活センターに相談していただきたい。

配送のためにサイトに入力した住所・氏名・電話番号・メールドレスが悪用される可能性も否定できないため、個人情報の悪用が懸念される際の対処は、フィッシングの被害に遭った場合と同様である。

- 名前や住所が記載された内容の、フィッシングメール、偽メール等の不審メールまたは SMS に注意する。
- 不審な郵便物や身に覚えがない代引きの荷物は受け取らない。
- それ以外の被害が発生した場合は、都度適切な窓口に相談する。

**(c) 対策**

偽 EC サイトには、以下に示す不自然な点、もしくは虚偽の記述が見受けられることが多い。

- 日本語の字体、文章表現がおかしい。
- 販売価格が大幅に割引されている。
- 事業者への連絡方法が、問い合わせフォームやフリーメールだけである。
- 事業者の住所の記載がない、記載されていても虚偽もしくは無関係な住所である、等

注文を行う前に、誘導された EC サイトにこうした点がないかを、今一度立ち止まって確認する必要がある。

### (4) 騙しの手口に対する対策

「1.2.7 個人を狙う SMS・SNS・メールを悪用した手口」と本項に示した個人を狙う手口に共通する点は、様々な騙しのテクニックを使っていることである。こうした手口は、個人を狙う「サイバー攻撃」と言うよりは、人の心理的な弱点に付け込み、被害者を騙すための道具として既存のインターネットサービスやアプリを悪用する「ネット詐欺」と呼ぶ方がふさわしい。これらのネット詐欺への対策として最も重要なのは、手口を知り、騙されないようにすることである。

加えて、異常な動作と正常な動作を見分ける知識を持つことができると、より多くのシーンで騙しか否かを見抜くことができる。例えば、異常な動作である「突然表示されるけたたましいセキュリティ警告」は騙しであると知っているだけでなく、自らが使用している OS やセキュリティソフト等が正常に動作しているときにどのように警告を表示するかを知っていれば、偽のセキュリティ警告と同様の手口に騙される可能性を下げることができる。

このように、「普段と異なる状況等」に遭遇した場合は、これは正しいものなのかを今一度立ち止まって考え、少しでも不審に思った場合は、詳しい人や適切な窓口に相談することで被害に遭うリスクを減らすことができる。そのために米国の APWG（Anti-Phishing Working Group）と NCSA（National Cyber Security Alliance）が共同で提唱している「STOP. THINK. CONNECT.（立ち止まって理解する、何が起こるか考える、安心してインターネットを楽しむ）※161」を認識して実践していただきたい。

## 1.2.9 情報漏えいによる被害

2022年度も、多数の情報漏えい被害が発生している。

本項では、外部からの不正アクセス、操作ミス等の過失、内部者の故意による持ち出し等の内部不正、不適切な情報の取り扱い等を主な要因とする情報漏えい被害について述べる。

### (1) 2022年の情報漏えい件数

2023年1月に株式会社東京商工リサーチ（以下、東京商工リサーチ社）が公開した上場企業の個人情報漏えい・紛失事故の調査結果※162-1によると、2022年に個人情報の漏えい・紛失事故を公表した上場企業は150社（2021年は120社）、事故件数は165件※162-2（2021年は137件）、漏えいした個人情報は592万7,057人分（2021年は574万9,773人分）に達した。漏えい・紛失事故を公表した社数、事故件数はともに、東京商工リサーチ社が調査を開始した2012年以降の最多を2年連続で更新した。

### (2) 不正アクセスによる情報漏えい

不正アクセスの手口は年々巧妙化しており、システムの脆弱性を悪用したものや、サプライチェーンを含む対策が不十分な取引先や委託先、システムへの侵入等、様々な原因から不正アクセスが発生している。過去には金銭的被害も確認された事例があり、一層深刻な事態となっている。

#### (a) 不正アクセスによる情報流出事例

2022年9月に公表された株式会社ニトリホールディングスの事例※163では、同社アプリの会員情報の認証システムが不正アクセスを受け、約13万2,000アカウント分の個人情報が流出した。流出したと見られているのは、アプリやECサイト等で会員登録をした利用者の氏名、住所、生年月日、クレジットカードの番号の一部等で、同社によれば別のサイトから漏れたパスワードとIDを用いる「リスト型攻撃」によって個人情報が漏えいした可能性があるという。

2022年10月に公表された、入力フォーム支援サービスを提供する株式会社ショーケースの事例※164では、同社が提供する「フォームアシスト」「サイト・パーソナライザ」「スマートフォン・コンバータ」において、第三者による不正アクセスでソースコードが書き換えられ、サービス利用企業のWebサイトで入力された情報が外部へ流出した可能性があると発表した。同社によれば、「フォームアシスト」のソースコードに不審な記述があるという指摘を利用企業から受けて調査したところ、システムの脆弱性を突いた第三者の不正アクセスによりソースコードが書き換えられ、一部利用企業のWebサイト等で入力された情報が外部へ流出した恐れがあるという。なお、情報漏えいの被害把握や原因究明を行うフォレンジック調査を実施したところ、情報が流出した可能性のある利用企業は限定的だったとしていたが、同社サービスを利用していた通販関連企業での被害が相次ぎ、株式会社ユーキャンは「生涯学習のユーキャン」サイトが第三者による不正アクセスを受け、顧客のクレジットカード情報200件が漏えいした恐れがあると発表した※165。また、株式会社エービーシー・マートはカード情報2,298件が漏えいした恐れがあると発表した※166。株式会社カクヤスはカード情報8,094件が漏えいしたことが確定したと発表した※167。いずれのケースも、カード情報入力画面で顧客が入力した、カード番号、有効期限、セキュリティコード等が漏えいしている。

2022年8月に情報流出が公表されたTwitter, Inc.（以下、Twitter社）の事例※168では、大量のTwitterアカウント情報を取得したと主張する投稿が、後述するとおり3回にわたってハッカーフォーラムに投稿されていたことを報道機関が複数回にわたって報じた。Twitter APIには、第三者が他人のアカウント情報を取得できる脆弱性が2021年6月から2022年1月に修正されるまで存在していた。この脆弱性を使用して情報を取得したとして、2022年7月に約540万件のアカウント情報を3万ドルで販売するという投稿がハッカーフォーラムに投稿された※169。また、2022年12月には、約4億件を20万ドルで独占販売または6万ドルで複数販売するという投稿がされた※170。2023年1月には、2億件を超えるアカウント情報を公開したという投稿があったことが報道された※171。

#### (b) 不正アクセスによる情報流出への対策・対処

不正アクセスへの事前対策については、「1.2.2 (5) 標的型攻撃への対策」を参照いただきたい。不正アクセスを認識した場合、情報流出の有無の調査に時間を要することが多い。情報漏えいは企業・組織の信頼を失墜させる可能性があり、流出の事実が確認できるまでは公表を避けたいと考える企業もある。しかし、不正アクセスが検知された段階で公表することにより、類似の攻撃によるインシデントの未然防止や早期検知に貢献できる。また流出が確認された場合は、情報の悪用による二次被害を防げる可能性がある。そのため、企業・組織は早期に公表、あるいは関連機関への報告を行い、調査を継続して経過を伝えることが重要である。情報流出の有無について調査でも判明しない場合は、不正アクセス対策を強化するとともに、定期的に流出した情報が悪用されていないかを確認することが必要である。

なお、2020 年 6 月に公布され、2022 年 4 月より全面施行された「個人情報の保護に関する法律等の一部を改正する法律」では、情報が漏えいした場合の個人情報保護委員会等への報告や本人への通知が、一定条件のもとで義務化された[※172]。個人情報については、必要以上に保有しないことも重要である。

### (c) クラウドの設定不備による情報流出事例

2022 年 10 月に報道された株式会社 JTB の事例[※173]では、地域の観光資源を活用した看板商品を生み出す自治体や民間企業の取り組みを観光庁が補助する事業を受託した事務局で、最大 1 万 1,483 人分の個人情報等が流出した。事業に採択された約 700 事業者の情報をクラウドサービスで管理していたが、全事業者がアクセスできる状態に誤って設定していた。申請した事業者の担当者の名前や組織名、電話番号等が書かれた書類について、他の事業者もダウンロードできる状態になっており、個人情報が含まれていない書類の 3 回を含む計 18 回のダウンロードが確認され、同社が削除を依頼したという。

### (d) クラウドの設定不備による情報流出への対策・対処

ここ数年、クラウドサービスを利用する事業者において、設定不備による情報漏えいが増加している。外部に公開すべきでないサーバーを設定不備で公開してしまい情報漏えいにつながるケースや、不正アクセスの原因となるケースが多く、社会的影響が無視できなくなっている。その他のクラウドの設定不備によるインシデントについては「3.3.2 クラウドサービスのインシデント事例」、対策については「3.3.3 (1) クラウドサービスのセキュリティの課題と対策」を参照いただきたい。

### (e) 委託先のシステムが不正アクセスされたことによる漏えい事例

2023 年 1 月に公表されたアフラック生命保険株式会社とチューリッヒ保険株式会社の 2 社の事例[※174]では、2 社が委託していた米国の事業者が不正アクセスを受けてそれぞれ約 132 万人と約 75 万人の氏名（姓のみ）、年齢（生年月日）、性別等の顧客情報が海外サイトに掲載された。2 社とも外部委託先の事業者のサーバーが不正アクセスを受けた可能性があると説明している。また 2 社は同じ米国の事業者へ委託を行っていたことが報じられている[※175]。

アフラック生命保険株式会社はダイレクトメールに記載された QR コードより視聴できる動画の配信業務を上記と同じ米国事業者に委託していた。

### (f) 委託先のシステムへの不正アクセス対策・対処

複数の企業・組織が利用するシステムやサービスに対する不正アクセスは、影響範囲が広く、システムやサービスの提供事業者は、不正アクセス対策と流出した情報を特定する調査に時間を要することが多い。利用各社は当該事業者から情報流出の可能性について報告を受けた場合、すぐに、二次被害を防ぐための対応と当該システムやサービスの利用継続の可否を検討しなければならない。情報流出被害がなかった委託元企業・組織も、システムやサービスの運用停止、改修等の影響を受ける可能性がある。システムやサービスの委託にあたっては日頃から委託している情報の種類、量、保管状態等を確認し、この情報が流出あるいは利用できない状態となった場合の対応策についても検討しておくことが望ましい。

## (3) 過失による情報漏えい

認定個人情報保護団体である一般財団法人日本情報経済社会推進協会（JIPDEC）が 2022 年 10 月 7 日に公表した「2021 年度『個人情報の取扱いにおける事故報告集計結果』[※176]」によると、個人情報の取り扱いにおける事故等について、2021 年度は 1,045 社のプライバシーマーク取得事業者から 3,048 件の事故報告があった。2020 年度と比較すると、事故報告事業者数、事故報告件数ともに増加している（図 1-2-40）。2021 年度

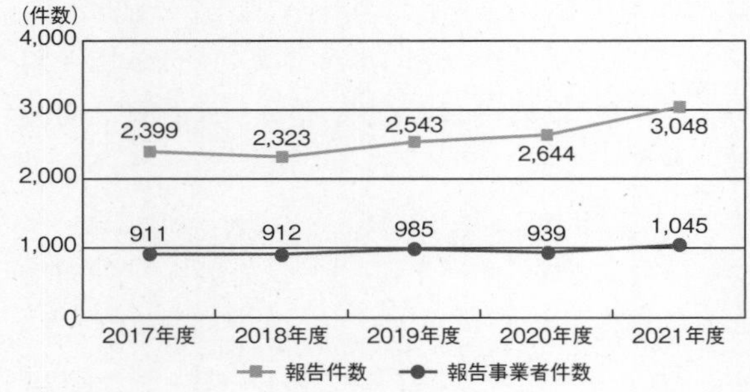


■図 1-2-40　事故報告の状況（2017〜2021 年度）
（出典）JIPDEC「2021 年度『個人情報の取扱いにおける事故報告集計結果』」を基に IPA が編集

末時点のプライバシーマーク取得事業者数に占める事故報告事業者の割合は6.2%で、2020年度の5.6%から増加しているという。

事故原因は「誤送付」が最多の1,938件で63.6%を占め、「その他漏えい」が570件で18.7%、「紛失」が380件で12.5%と続いた(図1-2-41、図1-2-42)。「誤送付」の内訳は、「メール誤送信」が最多の1,128件で37.0%を占め、「宛名間違い等」が353件で11.6%、「封入ミス」が333件で10.9%と続いた。「メール誤送信」は2020年度の764件と比較し、約1.5倍に増加している。

「その他漏えい」(570件)の内訳は、「プログラム/システム設計・作業ミス(システムのバグを含む)」が最多の250件で43.9%を占め、「関係者事務処理・作業ミス等」が150件で26.3%、「不正アクセス・不正ログイン」が125件で21.9%、「口頭での漏えい」が38件で6.7%、「ウイルス感染」が7件で1.2%となり、約7割の漏えいが過失に起因するものであった。

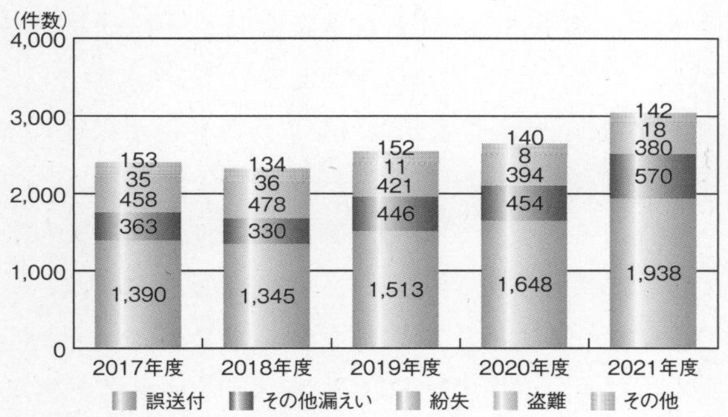


■図1-2-41 原因別に見た事故報告件数の状況(2017～2021年度)
(出典)JIPDEC「2021年度『個人情報の取扱いにおける事故報告集計結果』」を基にIPAが編集

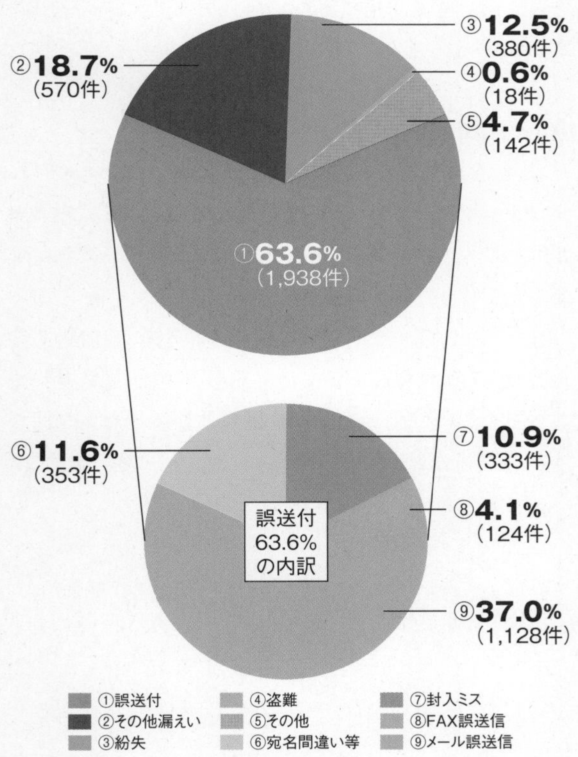


■図1-2-42 「誤送付」の内訳(2021年度)
(出典)JIPDEC「2021年度『個人情報の取扱いにおける事故報告集計結果』」を基にIPAが編集

### (a) 過失による情報漏えい事例

2022年6月23日に公表された尼崎市の事例[※177]では、業務委託先企業であるBIPROGY株式会社の関係会社社員が全市民46万人余りの個人情報を含むUSBメモリーを紛失した。紛失したUSBメモリーには同市全市民の住民基本台帳情報、住民税に係る税情報、非課税世帯等臨時特別給付金の対象世帯情報(2021年度分、2022年度分)、生活保護受給世帯口座情報、児童手当受給世帯口座情報等が含まれていた。

同社によると、関係会社社員が酒に酔って帰宅する途中に路上で寝てしまい、USBメモリーの入った鞄がなくなったことに気付いたことで表面化したという。6月24日に紛失した鞄ごとUSBメモリーが発見され、パスワードが変更された形跡はない、と同社は発表した[※178]。

同月28日、金子総務大臣は、地方自治体に対して情報セキュリティ対策を徹底するよう求める考えを示した[※179]。同年7月1日には、業務委託先企業が第三者委員会を[※180]、尼崎市が紛失事案調査委員会を設置したことを公表した[※181]。同年11月28日に、同調査委員会から本事案による市民の個人情報の漏えいは確認されなかったとの報告[※182]がなされた。

2022年6月に公表された杏林大学医学部付属病院の事例[※183]では、同院の医師が患者の個人情報入りUSBメモリーを紛失した。診療上のデータを院外に持ち出すのは禁止されていたが、データの判読に長時間を要することから、当該医師は院外にUSBメモリーを持ち出した。医師は帰宅後、患者27人の氏名やID番号、終夜睡眠ポリグラフ検査データ、睡眠時の状態を記録した動画が入ったUSBメモリーを紛失していることに気付いたという。紛失したUSBメモリーはパスワードロック等がされていなかったが、「この動画は赤外線を通して撮影しているため個人の特定は難しいと判断している」と説明した。また、終夜睡眠ポリグラフ検査データを診るには、市販されていない医療検査用の専門ソフトを必要とした。該当する患者には個別に文書で状況報告と謝罪をしたが、紛失11日後の時点でUSBメモリーは発見されていないという。

### (b) 過失による情報漏えいへの対策

情報の取り扱いに人が介在する状況においては、過失による情報漏えい被害を完全に防ぐことは難しい。事故事例に基づく教育等で担当者の意識向上を図ることに加え、重要な情報の取り扱いルールを設け、運用を徹底する、適宜見直す等で、過失の発生機会をできる限りなくす体制づくりが望まれる。うっかりミスを減らすために、ダブルチェック等の対策が取られることも多いが、新型コロナウイルス対策、あるいは省人化・自動化のため、1人で業務することも増えており、業務フローの見直しも含めたリスク低減策が必要である。また、業務を委託している場合は、ルール順守状況の点検や成果物の確認等を委託元の責任として実施することも大切である。

## (4) 内部不正による情報漏えい

2022年は大きく報道された内部不正の事例が目立つ年であった。営業秘密を不正に持ち出し、持ち出した先の会社で代表取締役社長になっていた人物が逮捕、起訴されるという、社会的にも反響の大きな事件に発展した。

### (a) 内部不正による情報漏えい事例

2022年9月に公表された、神戸の化学メーカーである株式会社MORESCOにおける事例[※184]では、元従業員が退職の際に、同社のダイカスト油剤等に関する営業秘密を不正に持ち出したことが、退職後の社内調査により判明した。同社は警察に相談し、捜査に全面的に協力していたが、2022年9月に元従業員が不正競争防止法違反の容疑で兵庫県警に逮捕され公表に至った。

「かっぱ寿司」を運営するカッパ・クリエイト株式会社の事例[※185]では、2022年9月、カッパ・クリエイト株式会社元代表取締役社長が不正競争防止法違反罪で逮捕・起訴された。同時に法人としてのカッパ・クリエイト株式会社も同罪で起訴されている。不正に持ち出された競合他社「はま寿司」の営業秘密を、同社の業務で使用した等とされている。

どちらの事例も逮捕者が出ただけでなく、後者は上場企業の社長が逮捕されるという事態となった。

### (b) 内部不正による情報漏えいへの対策

IPAでは、2022年4月に「組織における内部不正防止ガイドライン」第5版[※186]を公開した。内部不正による情報セキュリティ事故を防止するための幅広い対策を掲載しているため、参照いただきたい（「2.8.1 内部不正防止対策の動向」参照）。

## (5) 不適切な情報の取り扱い

紙媒体を含めた情報の不適切な管理による漏えいも継続している。

### (a) 不適切な情報の取り扱い事例

2022年9月に公表された株式会社イトーヨーカ堂の事例[※187]では、自転車購入者1,056人分の氏名や住所、電話番号を記載した書類「自転車防犯登録カード」「自転車お客様カード申込書」を紛失した。

顧客からの要請で書類を確認したところ見当たらなかったことから紛失が判明した。情報の悪用は確認されておらず、同社が聞き取り調査をしたところ、2017年に閉店した上大岡店で管理していた書類を横浜別所店に引き継いだ後、2019年10月までに誤って廃棄した可能性が高いとの結論に至るにとどまった。

同社は紛失を謝罪した上で、「再度全従業員に指導を徹底し、再発防止に努めてまいります」とコメントを出している。

### (b) 不適切な情報の取り扱いへの対策

個人情報や営業秘密情報等の取り扱いについては、法改正やガイドラインの整備が進んでおり、組織内ルールへの取り込みや周知徹底のために職員への教育等を継続して行う必要がある。

また「1.2.9 (5) (a) 不適切な情報の取り扱い事例」で見たとおり、紙媒体については、管理不備が見逃されやすいと考えられる。デジタル記録媒体か紙媒体かを問わず、管理の徹底が重要である。

COLUMN

## 便利な技術は悪用される

IT 技術やインターネット技術が進歩することにより、人々の生活は豊かで便利なものになっています。しかし、いつの時代でも、進歩によって生み出された便利な技術が本来の適切な使用方法とは異なった悪事に使用されてしまうという事態が度々発生しています。

IPA 情報セキュリティ安心相談窓口では、最近、ネット詐欺の手口において遠隔操作ソフト(アプリ)を悪用されたという相談が増加傾向にあります。

本来、遠隔操作ソフトは、インターネット経由で遠隔地にあるパソコンやスマートフォンを監視、操作する等の目的で利用されるものです。例えば、パソコンメーカーや通信事業者がパソコンやスマートフォンのユーザーサポートを行うために、遠隔操作ソフトを利用することがあります。パソコンやスマートフォンの操作に不慣れで、口で状況を説明するのが難しい人には大変便利な技術といえます。

しかし 2022 年 7 月以降、「副業サイトに登録をしたら電話が入り、高額なサポートプランの登録を勧められた。お金がないと言ったらスマートフォンの遠隔操作アプリをインストールするよう指示され、事業者にスマートフォンを遠隔操作され、複数の消費者金融から借り入れさせられてしまった。サポート内容が電話で聞いたものと違っており全く稼げなかった。」という相談が寄せられています[i]。

また、従来から相談の多い「サポート詐欺」の手口では、パソコンに偽のセキュリティ警告を表示させて、被害者に偽のサポート窓口に電話をかけさせ、その上で、遠隔操作ソフトを使い、偽のサポートサービスを提供し、高額の金銭を騙し取ろうとします[ii]。その金銭を支払わせるためにインターネットバンキングの画面を開かせ、振り込みによる支払いへと遠隔操作で誘導します。また、遠隔操作で振込み金額に勝手に末尾に「0」を加えて桁を増やしたという報道もありました[iii]。

第三者の言葉を鵜呑みにして自分のパソコンやスマートフォンの遠隔操作をさせることは、見知らぬ訪問者を家に招き入れる行為と同じようなものであることを認識して、遠隔操作を他人に安易に許可しないことが重要です[iv]。

せっかくの便利な技術が悪用されず、人々の生活に役立つ形で発展していくために、その技術を利用したソフトやサービスを提供する企業は悪用されにくい工夫をすること、必要に応じて業界は注意喚起や普及啓発等を行うことが望まれます。またそれを使用するユーザー側も、便利な技術には悪用されるリスクがあることを理解して、使用する際は慎重に使い始める等の心構えが必要です。

i　独立行政法人国民生活センター：20 歳代が狙われている!?遠隔操作アプリを悪用して借金をさせる副業や投資の勧誘に注意 https://www.kokusen.go.jp/news/data/n-20230607_1.html〔2023/6/13 確認〕
ii　IPA：安心相談窓口だより　偽のセキュリティ警告に表示された番号に電話をかけないで! https://www.ipa.go.jp/security/anshin/attention/2021/mgdayori20211116.html〔2023/5/15 確認〕
iii　朝日新聞デジタル：490 円→ 49 万円　勝手にゼロが増える振り込め詐欺、新手の手口か https://www.asahi.com/articles/ASR356QFBR31PIHB00V.html〔2023/5/15 確認〕
iv　IPA：安心相談窓口だより　遠隔操作ソフト（アプリ）が悪用される手口に気をつけて! https://www.ipa.go.jp/security/anshin/attention/2023/mgdayori20230411.html〔2023/5/15 確認〕

# 1.3 情報システムの脆弱性の動向

本節では、ソフトウェア製品の脆弱性の動向や、ソフトウェア製品及び Web アプリケーションの脆弱性対策について概説する。

## 1.3.1 JVN iPediaの登録情報から見る脆弱性の傾向

IPA は、脆弱性対策情報データベース「JVN iPedia※[188]」に、国内外のソフトウェア製品の脆弱性対策情報を収集し、蓄積している。このデータベースに登録されている脆弱性対策情報から、ソフトウェアに関する脆弱性の特徴を統計的に確認することができる。本項では、2022 年 12 月までに登録された JVN iPedia の脆弱性対策情報の傾向を分析する。

### (1) JVN iPedia への登録状況

JVN iPedia は、国内外で利用されているソフトウェア製品の脆弱性対策情報を、以下の三つの公開情報から収集・蓄積しており、2007 年 4 月 25 日から公開している。

- 脆弱性対策情報ポータルサイト JVN※[189] で公表した脆弱性対策情報
- 国内のソフトウェア開発者が公開した脆弱性対策情報
- 米国国立標準技術研究所（NIST：National Institute of Standards and Technology）の脆弱性データベース「NVD※[190]」で公開された脆弱性対策情報

#### (a) JVN iPedia の登録件数の推移

JVN iPedia に登録されている情報を、製品ベンダーや情報セキュリティ関連企業が脆弱性情報を公表した年別※[191] にまとめると、2012 年以降は NVD から収集した脆弱性対策情報の登録件数がおおむね増加傾向となっており、2018 年以降は 1 万 5,000 件を超えている（図 1-3-1）。なお、2022 年の登録件数の合計は 12 月末時点で 1,936 件であるが、脆弱性対策情報の公開から JVN iPedia への登録までタイムラグがあるため、2022 年の登録数も最終的には 2021 年と同程度になる見込みである。2017 年以降、NVD に公開される脆弱性の件数が大幅に増加した理由としては、脆弱性を登録するための共通識別子である CVE（Common Vulnerabilities and Exposures）※[192] の採番機関（CNA：CVE Numbering Authority）※[193] が増加したことが一因として挙げられる。The MITRE Corporation（以下、MITRE 社）※[194] によると、2016 年 12 月に 47 組織※[195] だった CNA は、2022 年 12 月には 263 組織※[196] と約 5.6 倍となった。2022 年だけでも 54 組織※[197] が新たに CNA となっている。この増加した CNA によって、多くの脆弱性に CVE が付与され、NVD に公開される脆弱性の件数増加につながった可能性がある。

一方、JVN から収集した脆弱性情報のうち、JVN が 2022 年に公表したものは 411 件で、2021 年の 1,071 件から大幅な減少となっている。ただし、NVD から収集した脆弱性対策情報と同様に情報の公開から JVN iPedia への登録までのタイムラグが生じる場合があるため、最終的には 2021 年と同程度になる見込みである。また、国内製品開発者から公表された脆弱性対策情報は、近年十数件から 20 件の登録があったが、2022 年は 7 件と減少した。なお、国内製品開発者から公表された脆弱性対策情報は通常、登録のタイムラグがないため、今後の大きな増加はない見込みである。

JVN iPedia は、発見された脆弱性の種類を識別するための共通脆弱性タイプ一覧 CWE（Common

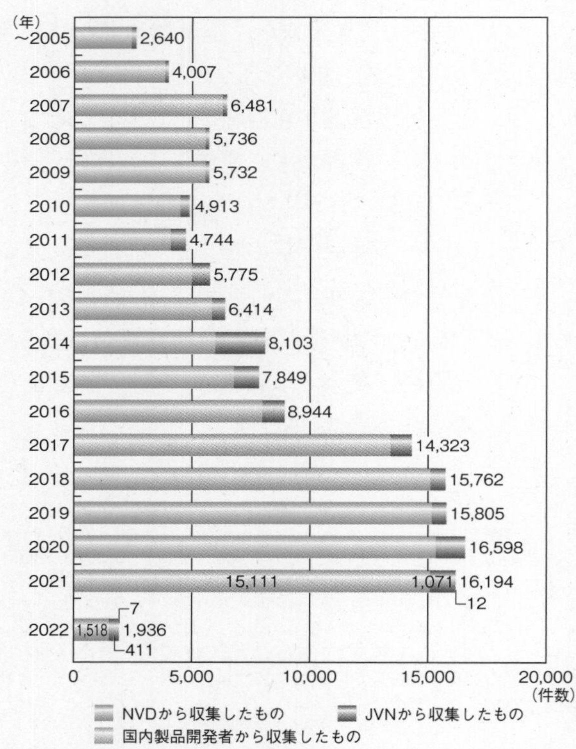


■図 1-3-1　JVN iPedia における脆弱性対策情報の公表年別件数
（出典）JVN iPedia の登録情報を基に IPA が作成

Weakness Enumeration)※198 を脆弱性対策情報に付与して登録を行っている。2022年に登録したCWEの割合は上位10種が全体の26.2%を占めており、その内訳を見ると「不適切な権限管理」が7.5%と最も高く、「競合状態」が2.9%、「解放済みメモリの使用」が2.8%、「境界外読み取り」が2.6%と続いている(図1-3-2)。

最も件数の多かった「不適切な権限管理」に分類される脆弱性を悪用されると、管理者権限を取得され、システムを不正に操作される恐れがある。

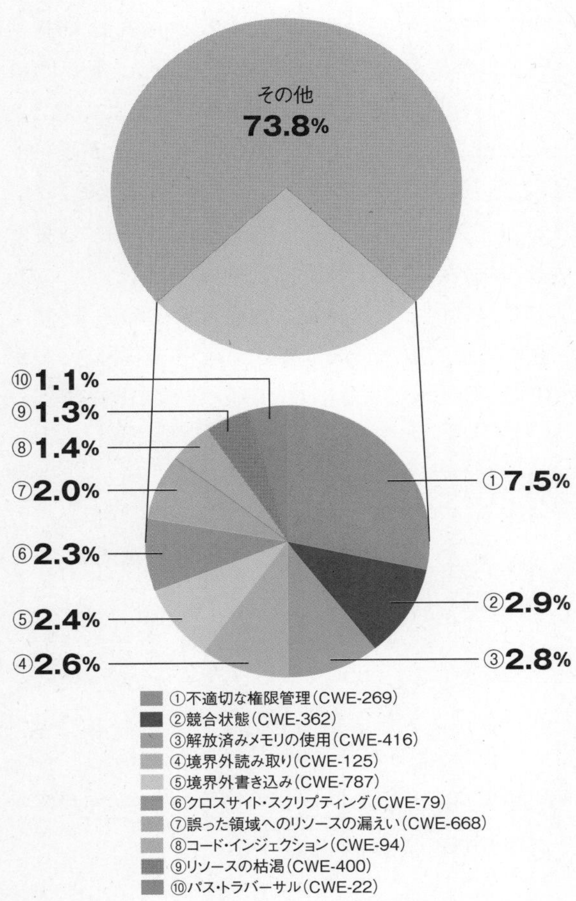


■図1-3-2　JVN iPediaにおける脆弱性対策情報のCWE別割合(2022年、n=1,905)
(出典)JVN iPediaの登録情報を基にIPAが作成

2020年以降のCWE別割合を年別に見ると、今回1位、2位となった「不適切な権限管理」及び「競合状態」は増加傾向となった一方で、2020年、2021年において上位であった「クロスサイト・スクリプティング」及び「境界外書き込み」は大幅な減少傾向となっている(図1-3-3)。これは、近年NVDから公開される脆弱性対策情報が増加したことを受け、JVN iPediaがMicrosoft社製品やOracle社製品、Apache HTTP Server等広く使われ利用者への影響が大きい製品の脆弱性対策情報の登録を優先する運用としたことが影響していると考えられる。具体的には、優先的に登録した特定の製品の脆弱性対策情報の中で多く採番されたCWEが上位となり、2021年以前の登録の傾向と差異が出た可能性がある。また、11位以下をまとめた「その他」の割合を見ると2021年の66.2%から更に増加し2022年は73.8%となっている。この増加の一因として、JVN iPediaの情報の収集元であるNVDが近年CWEを細分化して採番する傾向にあることが挙げられる。これまで上位10種のCWEに分類されていた脆弱性の一部がそれ以外のより適切なCWEに分類されるようになり、上位10種以外の「その他」にあたるCWEの採番が増えたと考えられる。

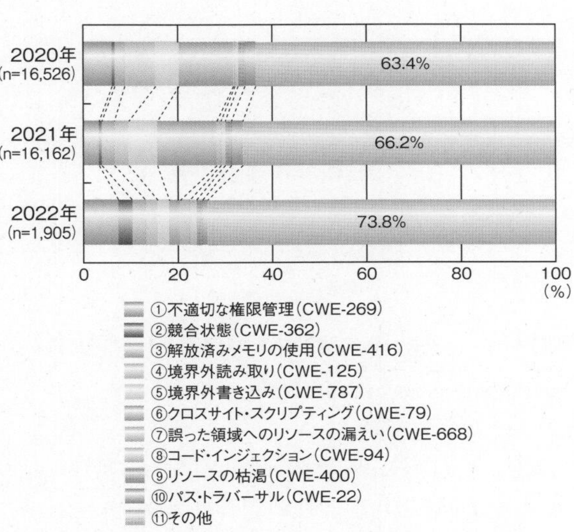


■図1-3-3　JVN iPediaにおける脆弱性対策情報のCWE別割合(2020～2022年)
(出典)JVN iPediaの登録情報を基にIPAが作成

### (b)JVN iPediaの登録情報の深刻度

JVN iPediaは、オープンで汎用的な脆弱性評価手法であるCVSS(Common Vulnerability Scoring System:共通脆弱性評価システム)※199 を用いて、脆弱性の深刻度を公開している。なお、JVN iPediaではCVSS v2及びCVSS v3の二つのバージョンの情報を公開しているが、本項と「1.3.1 (2) Internet Explorerのサポート終了について」ではCVSS v2を基に統計処理を行っている。

深刻度には、CVSS v2の基本評価基準(BM:Base Metrics)を基に評価した基本値によるレベルⅠ、レベルⅡ、レベルⅢの3段階があり、数値が大きい程深刻度が高い。

深刻度のレベルごとに想定される影響は以下である。

- 深刻度 レベルⅢ(危険):基本値7.0～10.0
  リモートからシステムを完全に制御されたり、大部分

第1章 情報セキュリティインシデント・脆弱性の現状と対策

の情報が漏えいしたりする等の影響が想定される。

- 深刻度 レベルⅡ(警告)：基本値 4.0 ～ 6.9
  一部の情報が漏えいしたり、サービス停止につながったりする等の影響が想定される。
- 深刻度 レベルⅠ(注意)：基本値 0.0 ～ 3.9
  深刻度レベルⅡ相当の影響があるが、攻撃するには複雑な条件を必要とする。

2022 年に登録された脆弱性対策情報を深刻度のレベルで分類すると、「レベルⅢ(危険)」が 24.3%、「レベルⅡ(警告)」が 65.7%、「レベルⅠ(注意)」が 10.0% となっており、一部の情報漏えいやサービス停止につながるレベルⅡ以上の脆弱性が全体の 9 割を占めている(図 1-3-4)。

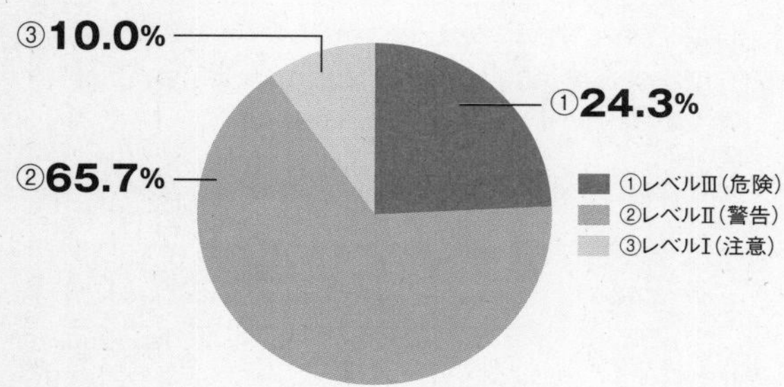


■図 1-3-4　JVN iPedia における脆弱性対策情報のレベル別割合(2022 年、n=1,147 ※200)
(出典)JVN iPedia の登録情報を基に IPA が作成

2020 年以降の深刻度のレベル別割合を年別に見ると、レベルⅡ以上の脆弱性の割合は 2020 年が 84.4%、2021 年が 83.6% と若干減少したが、2022 年は 90.0% と増加した。最も深刻度が高いレベルⅢに該当する脆弱性の割合に注目すると、2022 年は 24.3% と 2021 年の 19.7% から 4.6% 増加している (図 1-3-5)。これは、比較的レベルⅢに分類されることが多い「不適切な権限管理」の脆弱性の割合が増加したことや、全体の 73.8% を占める「その他」の脆弱性のうちレベルⅢに分類されるものの割合が増加したことが一因と考えられる。

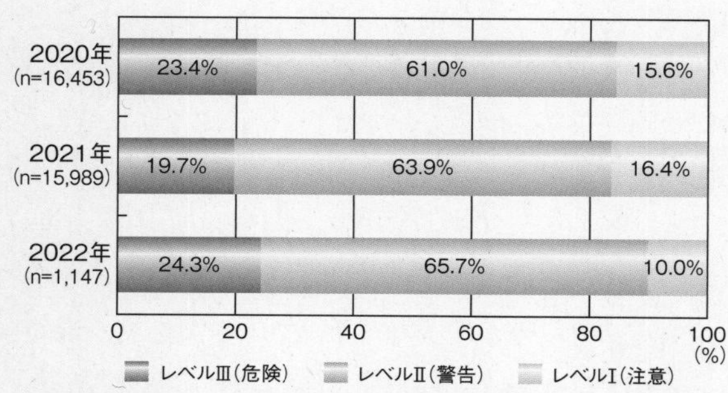


■図 1-3-5　JVN iPedia における脆弱性対策情報のレベル別割合(2020 ～ 2022 年)
(出典)JVN iPedia の登録情報を基に IPA が作成

製品開発者は、ソフトウェアの企画・設計・製造段階からセキュアコーディング※201 を含めた情報セキュリティ対策を講じる等、脆弱性による被害を未然に防ぐための対応が必要となる。また、製品の利用者にも、日頃から新たに公開される脆弱性対策情報に注意を払い、脆弱性が公開された場合には製品を最新バージョンにアップデートする等の対応が求められる。

### (2) Internet Explorer のサポート終了について

2022 年 6 月 16 日(日本時間)に Microsoft 社より提供されていた Web ブラウザーである Internet Explorer のサポートが終了した※202。サポート終了後には Internet Explorer を利用しようとすると、Microsoft 社が提供する Microsoft Edge に切り替えるよう促す表示がされた。

JVN iPedia には Internet Explorer に関する脆弱性が 2022 年 12 月末時点で 2,045 件登録されている。全体の深刻度 (CVSS v2) の割合は最も高い「レベルⅢ(危険)」が 76.6%、次に高い「レベルⅡ (警告)」が 20.7%、「レベルⅠ(注意)」が 2.5% であった(図 1-3-6)。

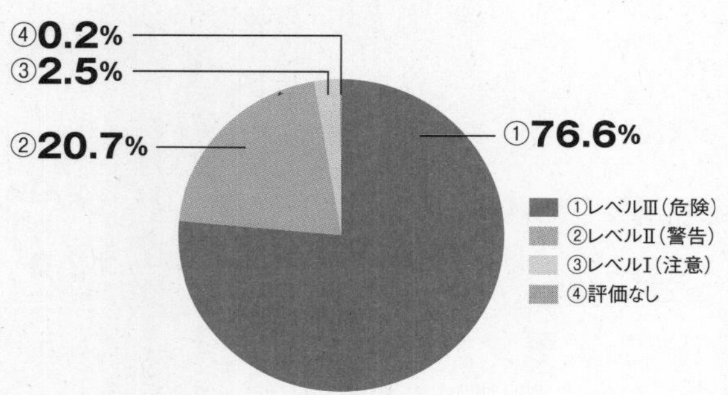


■図 1-3-6　2022 年までに JVN iPedia へ登録された Internet Explorer の脆弱性の深刻度別割合(CVSS v2、n=2,049)
(出典)JVN iPedia の登録情報を基に IPA が作成

注目すべき被害事例として、今回の Internet Explorer のサポート終了を契機に他の Web ブラウザーを利用していたにも関わらず、Internet Explorer をアンインストールしていなかったため、意図せず Internet Explorer に関連する、サポート終了後に発見された脆弱性が悪用される事例が発生している。2022 年 11 月に Microsoft 社が公表した Internet Explorer の JScript エンジン「jscript9.dll」におけるリモートコード実行の脆弱性「CVE-2022-41128」によるもので、このセキュリティ更新プログラムが公開される前の 10 月末時点で国家の関与が疑われる攻撃グループによって、ゼロデイ攻撃に悪用されていた※203。脆弱性を悪用する Word ファイルがオンライン上にアップロードされており、閲覧者がWordファイルを開いた後にマクロの実行許可を与えた場合、Internet Explorerを介してリモートでコードが実行される恐れがあった。なお、この脆弱性はMicrosoft社の11月のセキュリティ更新プログラムによりWindows OSを修正したことにより解消されている。

今回の被害事例のように、使用を止めてもアンインストールせず、そのまま機器に残しておくと、残存する脆弱性を悪用されてしまう場合がある。サポートが切れたソフトウェアはセキュリティ更新プログラムの配信が基本的に行われないため、アンインストール等の適切な対応が求められる。なお、今回の脆弱性CVE-2022-41128を受けてMicrosoft社からセキュリティ更新プログラムが公開されたが、これはあくまでも根本原因であったWindows OSの脆弱性に対するものであった。そのため、もし今回の根本原因がInternet Explorer側にあった場合はサポート終了しているためセキュリティ更新プログラムが公開されない可能性が高かったものと思われる。

Internet Explorerのサポート終了に伴いMicrosoft社は、後継としてWindows 10から標準搭載されているMicrosoft EdgeにWebブラウザーを切り替えるようアナウンスしている。2029年までの期間限定ではあるものの、Internet Explorerと互換機能を持った「IEモード」が搭載されており、Internet ExplorerでしかIE動作しないWebサイト等を閲覧している場合は、モードを切り替えて利用することもできる。そのため、必要に応じて「IEモード」を活用し、普段利用しているWebサイト等が正しく閲覧できることを検証の上、早期にMicrosoft Edgeへの移行を検討してほしい。更に、移行後はMicrosoft Edgeにおいても脆弱性が公開される可能性があるため、Microsoft社が公開するセキュリティ更新プログラムを定期的に適用することを推奨する。

### (3) 標的型攻撃に悪用されたMicrosoft Exchange Serverの脆弱性について

2022年11月のMicrosoft社のセキュリティ更新プログラムの公開と同時に、標的型攻撃に悪用された脆弱性が公表された。今回悪用されたのはMicrosoft社が提供するメールシステムであるMicrosoft Exchange Serverの脆弱性CVE-2022-41040※204及びCVE-2022-41082※205-1であり、これら二つを組み合わせることで権限を不正に奪い、リモートから任意のコードを実行させることが可能であった。その攻撃手法は「ProxyNotShell」と呼ばれている。悪用されたCVE-2022-41040は権限管理に関する脆弱性で、CVE-2022-41082はリモートでコードが実行される脆弱性である。マイクロソフト社によれば、どちらもCVSS v3※205-2は8.8とされ、深刻度が2番目に高い「重要」(CVSS v3基本値7.0～8.9)となる脆弱性であった。

セキュリティ更新プログラムの公開後、ProxyNotShellを悪用した攻撃は減少に転じたが、2022年11月後半よりCVE-2022-41080※206及びCVE-2022-41082の二つを組み合わせて悪用する、ProxyNotShellの緩和策を回避する新たな攻撃が確認された。CVE-2022-41080はCVE-2022-41040に似た権限昇格の脆弱性である。今回の攻撃はExchange Serverに付随する「Outlook Web Access(OWA)」というシステムを介し、権限を不正に奪い、リモートでコードを実行するもので、この攻撃手法は、「OWASSRF」と呼ばれている※207。CVE-2022-41080はCVE-2022-41040及びCVE-2022-41082と同じく2022年11月のセキュリティ更新プログラムで修正された脆弱性であったが、攻撃者はアップデートを行っていないユーザーを標的として攻撃を仕掛けていた。

以下は2022年にJVN iPediaに登録されたExchange Serverに関する脆弱性の深刻度の割合である(図1-3-7)。

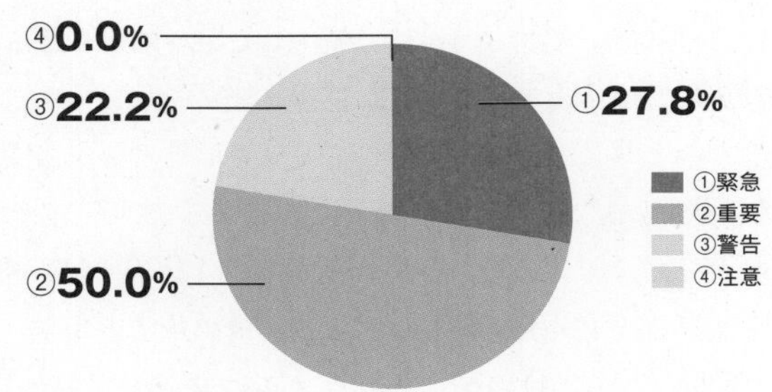


■図1-3-7 2022年にJVN iPediaへ登録されたExchange Serverの深刻度割合(CVSS v3、n=18)
(出典)JVN iPediaの登録情報を基にIPAが作成

2022年に登録されたExchange Serverの件数は18件であり、そのうち深刻度の最も高い「緊急」(CVSS v3基本値9.0～10.0)が27.8%、次に高い「重要」(CVSS v3基本値7.0～8.9)が50.0%となっており、脆弱性が確認された場合、早急に脆弱性の対応が必要な状況にあった。

今回解説したProxyNotShellの攻撃手法はゼロデイの脆弱性を悪用したもので、事前の対策は難しいものであった。しかし、対策情報の確認やセキュリティ更新プログラム公開後にアップデートを行うことでその後の被害を防ぐことができた。一方、OWASSRFは定期的なアップデートを行っていれば防ぐことができるものであった。ゼロデイ攻撃の有無に関わらず被害に遭わないために、Microsoft 社等のベンダーからセキュリティ更新プログラムが公開されたら早急にアップデートすることを推奨する。なお、何らかの理由でアップデートが行えない場合は回避策や緩和策といった代替案を考慮したシステム運用規則を整備しておくことが重要である。

### (4) 今後の展望

JVN iPedia へ登録された脆弱性対策情報の累計件数は、2022 年 12 月末時点で 15 万件を超えている。2018 年以降は毎年 1 万 5,000 件前後の脆弱性対策情報が登録されており、2023 年以降も同程度の件数が登録されていくものと考えられる。

2021 年から 2022 年にかけて、医療機関へのサイバー攻撃が複数確認された。例えば、2022 年 10 月、大阪市の病院にて電子カルテ等が暗号化によって閲覧できなくなるランサムウェア攻撃による被害が発生した※208。病院が契約する給食センターの VPN 製品の脆弱性が悪用され、病院とネットワークがつながっていたため、病院内のネットワークに悪意ある第三者が侵入した(「1.2.1(2)(b)医療機関における被害事例」参照)。

今回の被害が発生した背景・要因として、医療機関においては脆弱性への対応が難しいことが挙げられる。本事案で原因となった VPN 製品の脆弱性について、2022 年 1 月 31 日～ 2 月 28 日に実施された一般社団法人医療 ISAC のアンケート調査※209 によると、四病院団体協議会に加盟している調査対象の 1,144 病院のうち VPN 製品を利用しているのが 4 割、その中で 3 割程の病院が VPN 製品の脆弱性に未対応であると回答していた。また、2021 年 10 月に発生した徳島県つるぎ町立半田病院の事案に関して 2022 年 6 月に公表された調査報告書では、医療現場では利用しているシステムにおいてソフトウェアの予期せぬ不具合を避けようと OS 等のアップデートを行わず、脆弱性が残存すると考えられるアップデートされていない OS をそのまま使用していたことが指摘されている※210。

このような状況から、攻撃者にとって病院は攻撃が成功しやすい対象とみなされ、今後も医療機関を標的にするために関連する情報収集が行われる恐れがある。それとともに、セキュリティの研究者も医療関係機器やソフトウェアに対して調査・研究を行い、脆弱性が発見される可能性がある。その結果、それら脆弱性情報の公開が増え、2023 年以降 JVN iPedia にも多数登録されるのではないかと考える。

前述の医療機関だけでなく、それ以外の業種、分野においても、アップデートによるソフトウェアの不具合を懸念し、脆弱性に対して適切な対応が行われていないケースや、サポートが切れた古いソフトウェアを使い続けているケースがあると考える。自組織でも同様の被害が発生する恐れがあるということを認識し、情報収集の手段の一つとして JVN iPedia を活用いただきたい。

## 1.3.2 早期警戒パートナーシップの届出状況から見る脆弱性の動向

ソフトウェア製品や Web アプリケーション(以下、Web サイト)※211 の脆弱性を悪用した攻撃による情報漏えい、及び Web サイト改ざん等の被害は、2022 年も引き続き発生している。

2022 年に脆弱性を悪用された被害事例として、Web サイトのシステムに脆弱性があり、その脆弱性が悪用された結果、クレジットカード情報が約 11 万件漏えいし、不正利用された可能性があるという発表がされた※212。このような情報漏えいを含め、脆弱性を悪用した攻撃による被害を抑制する仕組みとして、脆弱性に関する情報を発見者に届出してもらい、修正を促すため製品開発者や Web サイト運営者に連絡する情報セキュリティ早期警戒パートナーシップ制度がある。

「情報セキュリティ早期警戒パートナーシップ※213」(以下、パートナーシップ)は、IPA と JPCERT/CC が運営し、脆弱性関連情報の届出※214 を受け付けているが、2022 年に届出された件数は、ソフトウェア製品が 351 件、Web サイトが 364 件、合計 715 件であった(図 1-3-8)。

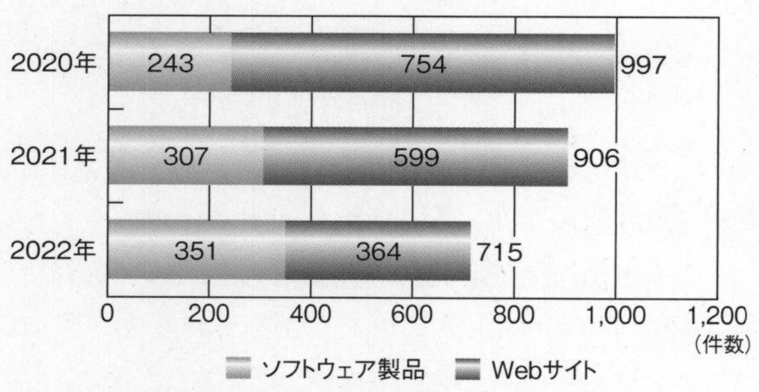


■図 1-3-8 脆弱性関連情報の種類別届出状況(2020 ～ 2022 年)
(出典)パートナーシップの届出状況を基に IPA が作成

2022 年のソフトウェア製品及び Web サイトの総届出件数(715 件)と、2021 年の件数(906 件)を比較すると、約 21% 減少している。なお、2022 年のソフトウェア製品と Web サイト個々の件数を 2021 年の件数と比較すると、ソフトウェア製品の届出は約 14% 増加、Web サイトの届出は約39%減少した。

パートナーシップ開始時点（2004年7月8日）から2022年12月末時点での届出件数を累計すると、ソフトウェア製品は5,357件、Webサイトは1万2,488件、合計は1万7,845件に上る。これらの届出のうちIPAでの取り扱いが終了[※215]した届出件数は、ソフトウェア製品3,157件（58.9%）、Webサイト1万799件（86.5%）である（図1-3-9）。

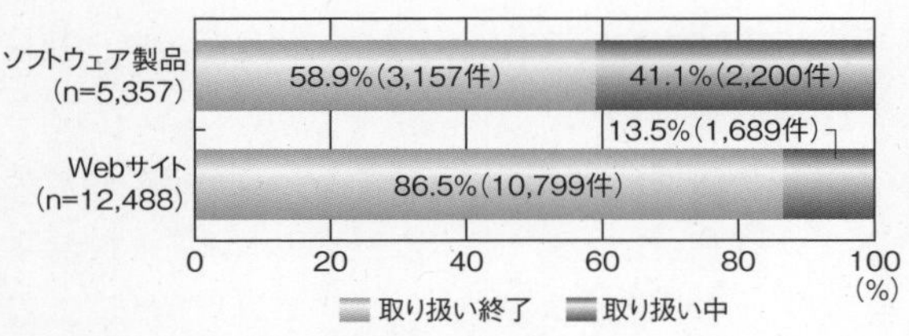


■図1-3-9　脆弱性関連情報の種類別取り扱い終了状況（2022年12月末時点での累計）
（出典）パートナーシップの届出状況を基にIPAが作成

## (1)ソフトウェア製品の脆弱性

2022年のソフトウェア製品の脆弱性の状況を、パートナーシップへの届出件数や製品開発者による対策の取り組み状況等から解説する。

### (a)2022年のパートナーシップの届出受付動向

図1-3-10は、2018年から2022年までの5年間のソフトウェア製品の届出受付数（不受理を除く）を示している。届出受付数は、2019年は前年より減少し212件だったが、2020年から増加に転じ、2022年は346件と過去5年間で一番多くなった。2022年のソフトウェア製品の届出のうち、製品開発者による自社製品に関する届出は、346件中21件であった。

図1-3-11は、5年間の製品種類別の届出受付数の割合を示している。2022年に割合が増加したものは「その他」を除くと「スマートフォン向けアプリ」「ルーター」「アプリケーション開発・実行環境」で、それぞれ前年の9.5%から14.2%、9.8%から11.0%、3.0%から3.8%に増加した。「ウェブアプリケーションソフト[※216]」「スマートフォン向けアプリ」「ルーター」の割合は、直近5年間で常に上位3位を占めている。

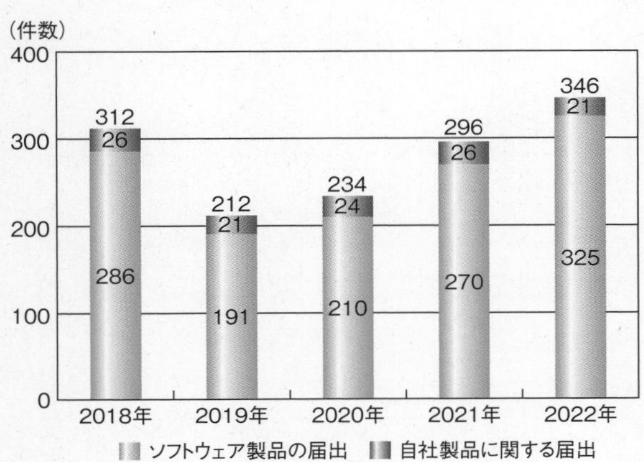


■図1-3-10　ソフトウェア製品の不受理を除いた届出受付数（2018～2022年）
（出典）パートナーシップの届出状況を基にIPAが作成

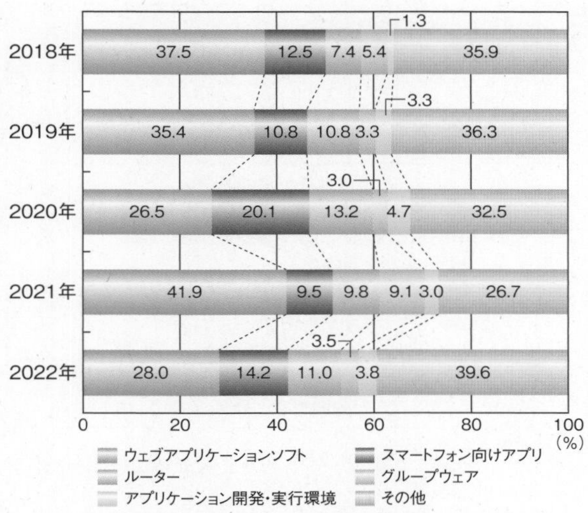


■図1-3-11　製品種類別のソフトウェア製品の届出受付数の割合（2018～2022年）
（出典）パートナーシップの届出状況を基にIPAが作成

### (b)2022年のJVN公表の動向

パートナーシップに届出のあった脆弱性対策情報のうち2022年にJVN公表に至った件数は、136件であった。

図1-3-12は、届出のうち2018年から2022年までの5年間のJVN公表数を示している。2018年と比べて2019年ではJVN公表数は減少し、2020年、2021年と増加傾向にあったが、2022年は再度減少し、2020年と同程度の件数であった。また2022年に公表した自社製品に関する届出は20件であった。

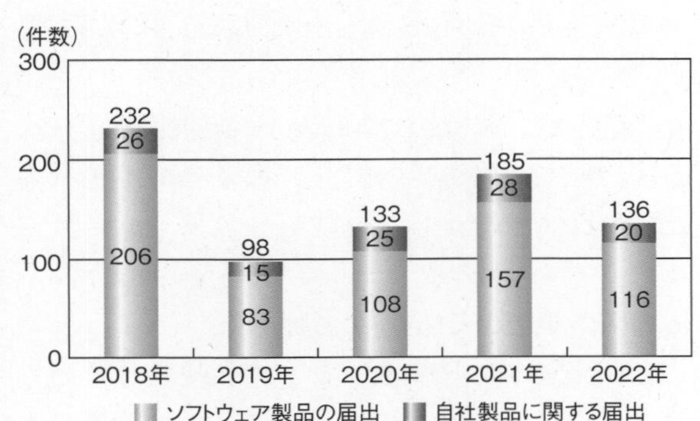


■図1-3-12　届出されたソフトウェア製品のうちJVN公表した件数（2018～2022年）
（出典）パートナーシップの届出状況を基にIPAが作成

JVN 公表の際に、製品利用者が脆弱性対策を実施する優先度を判断するのに重要な補足情報（当該脆弱性を使った攻撃が確認されている等）がある場合は、より迅速な脆弱性対策ができるよう、トップページの新着リスト及び脆弱性レポートの両方に「緊急」である旨を掲載している。2022 年に「緊急」としたJVN 公表は 3 件あった（表 1-3-1）。

| 項番 | JVN 番号 | 件名 | CVSSv3 基本値 | 攻撃の有無 |
|---|---|---|---|---|
| 1 | JVN#74592196 | bingo!CMS における認証回避の脆弱性 | 7.5 | 有 |
| 2 | JVN#36454862 | Trend Micro Apex One および Trend Micro Apex One SaaS における複数の脆弱性 | 8.2 | 有 |
| 3 | JVN#96561229 | FUJITSU Network IPCOMの運用管理インタフェースにおける複数の脆弱性 | 9.8 | 不明 |

■表 1-3-1　2022 年に「緊急」として JVN 公表した脆弱性対策情報（公表順）
（出典）JVN を基に IPA が作成

表 1-3-1 の中、最も影響が大きいものは JVN#96561229※217 であり、CVSS v3 基本値が 9.8 であった。これは、富士通株式会社の統合ネットワークアプライアンス FUJITSU Network IPCOM の運用管理インターフェースに、複数の脆弱性が存在しているもので、製品開発者が製品利用者へ広く周知するためにパートナーシップに届出し、JVN 公表に至った。複数の脆弱性とは、Webコンソールにおける OS コマンドインジェクション、及びコマンドラインインターフェースにおけるバッファーオーバーフローである。これらの脆弱性の想定される影響としては、遠隔の第三者によって、任意の OS コマンドを実行される、機微な情報を窃取または改ざんされる、サービス運用妨害（DoS：Denial of Service）攻撃を受ける等であった。

「緊急」として掲載されている脆弱性情報については、早急に自組織への影響を確認し、影響がある場合は対策を検討いただきたい。

### (c) 製品開発者の CNA への参加

IPA とともにパートナーシップを運営している JPCERT/CC は、パートナーシップに届出された脆弱性を JVN 公表する際に、脆弱性の共通識別子である CVE※218 を採番している。この CVE を採番できる組織のことを、採番機関（CNA※219）という。CVE を運用している MITRE 社から認定を受けることで、CNA として CVE を採番できる。CNA の認定は、脆弱性の調整活動を行う中立的な組織だけでなく、製品開発者も受けることができる。

CNA として認定を受けるためには、脆弱性開示ポリシーを自組織サイトにおいて公表していること、セキュリティアドバイザリ掲載場所として URL 等が準備されていることといった一定の基準を満たす必要がある※220。

JPCERT/CC は、CNA の招致、トレーニング、管理等を実施する Root CNA（以下、Root）として 2018 年に MITRE 社から認定されており、その配下に複数の CNA が存在している。JPCERT/CC は、製品開発者が CNA として活動することを推奨※221 しており、2021 年までに 5 社が JPCERT/CC を Root とする CNA として登録されていたが、2022 年には新たに株式会社日立製作所とキヤノン株式会社の 2 社が CNA となり、Root の JPCERT/CC を含め 8 社となった。

2023 年 3 月末現在、JPCERT/CC を Root としない 2 組織を含め、日本では 10 組織の CNA が活動しており、国別にみると、米国（149 組織）、中国（18 組織）、ドイツ（14 組織）に次いで 4 番目となっている※222。

製品開発者が CNA として活動することで、自社製品の脆弱性に対し、自ら CVE を採番でき、迅速な脆弱性対策の公表が可能になると考えられる。今後も CNA となる製品開発者が増えることが期待される。

### (2) Web サイトの脆弱性

2022 年にパートナーシップで受け付けた Web サイトの届出（不受理 1 件を除く）は、363 件であった。

図 1-3-13 は、2018 年から 2022 年までの Web サイトの届出件数（不受理を除く）を示している。前年を大きく上回った 2019 年の届出件数をピークに、届出件数は減少傾向にある。

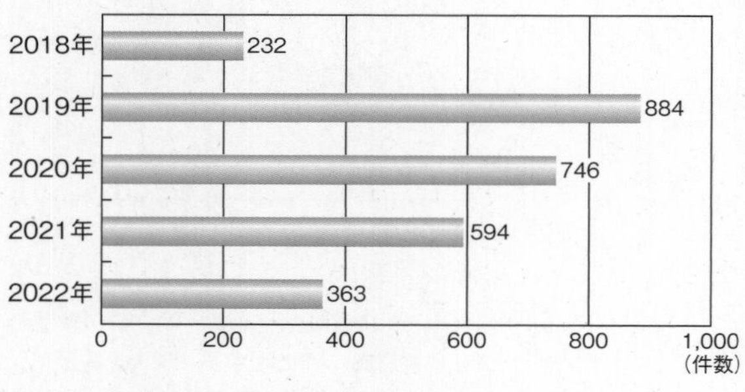


■図 1-3-13　Web サイトの不受理を除いた届出受付数（2018 ～ 2022 年）
（出典）パートナーシップの届出状況を基に IPA が作成

### (a) パートナーシップから見る 2022 年の届出の傾向

図 1-3-14 は、2020 年から 2022 年までに受け付けた届出（不受理を除く）における脆弱性の種類別内訳を示している。2022 年も 2020 年、2021 年と同様に「クロスサイト・スクリプティング」と「SQL インジェクション」の届出件数が多い傾向にある。

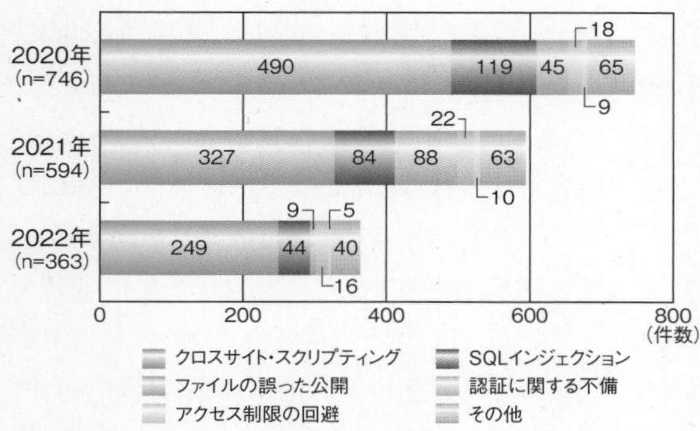


■図 1-3-14　Web サイトの届出における脆弱性内訳（2020～2022 年）
（出典）パートナーシップの届出状況を基に IPA が作成

### (b) Web サイト運営者による脆弱性対応期間の傾向

パートナーシップでは、届出された脆弱性情報を Web サイト運営者へ通知し、Web サイトの脆弱性対応が完了した際には、IPA に修正完了を報告するよう依頼している。

図 1-3-15 は、2020 年から 2022 年において、IPA にて修正が完了したと判断した届出について、脆弱性種別の内訳を示している。なお本件数は、当該年に届出された中で修正完了と判断した件数ではなく、届出された年は問わず、当該年において修正完了と判断した件数である。届出件数は、2021 年の 594 件から 2022 年の 363 件と大幅に減少している（図 1-3-14）一方で、修正完了件数は 2021 年と 2022 年ともに 200 件を超えている（図 1-3-15）。

パートナーシップのガイドライン[※223]では、Web サイト運営者が IPA より脆弱性情報の通知を受け、修正完了報告を行うまでの期間の目処を 3ヵ月以内と規定している。

脆弱性情報を Web サイト運営者へ通知し、修正完了と判断した日までの経過日数（以下、対応期間）について、修正が完了した件数が多い「クロスサイト・スクリプティング」の対応期間の割合を図 1-3-16 に示す。また、「SQL インジェクション」の対応期間の割合を図 1-3-17 に示す。

2022 年の「クロスサイト・スクリプティング」の対応期間は、修正完了件数（144 件）に対し、30 日以内に脆弱

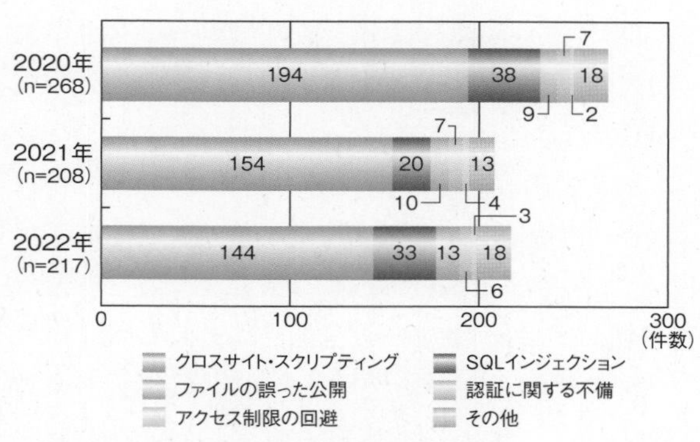


■図 1-3-15　修正完了と判断した件数（2020 ～ 2022 年）
（出典）パートナーシップの届出状況を基に IPA が作成

性対応を完了した割合は 79.9%（115 件）、90 日以内（図中の赤点線枠内）に脆弱性対応を完了した割合は 93.1%（134 件）であった（図 1-3-16）。

2022 年の「SQL インジェクション」の対応期間は、修正完了件数（33 件）に対し、30 日以内に完了した割合

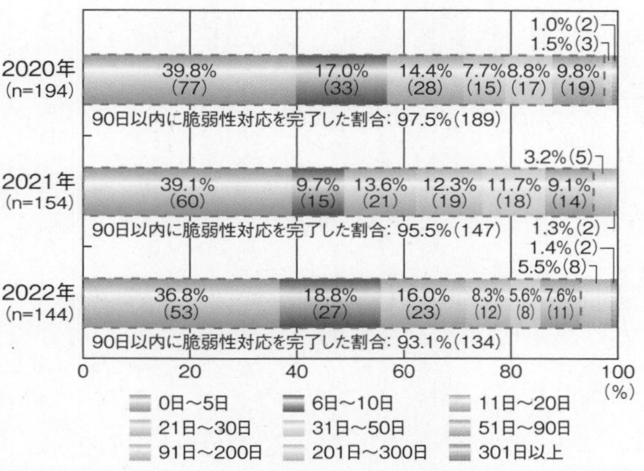


■図 1-3-16　クロスサイト・スクリプティングにおける脆弱性対応期間の割合（2020 ～ 2022 年）
（出典）パートナーシップの届出状況を基に IPA が作成

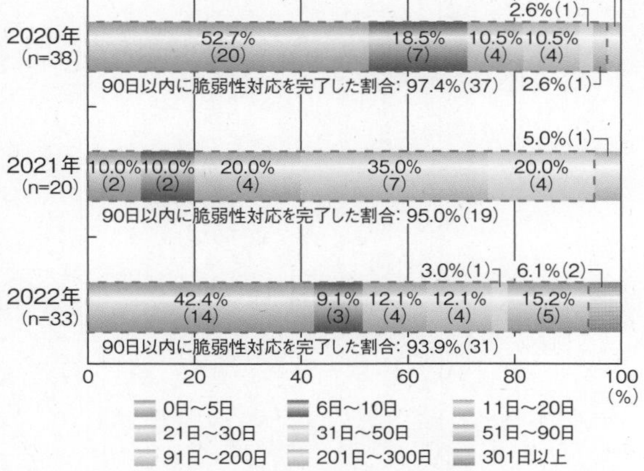

■図 1-3-17　SQL インジェクションにおける脆弱性対応期間の割合（2020 ～ 2022 年）
（出典）パートナーシップの届出状況を基に IPA が作成

が75.8%(25件)、90日以内に完了した割合が93.9%(31件)であった(前ページ図1-3-17)。なお、2021年の0日〜5日の対応期間の割合は、2020年、2022年と比べて大幅に低くなっている。これは新型コロナウイルスによる緊急事態宣言での勤務形態の変更や自宅療養者増加等を原因とした業務逼迫により、通常業務を優先し、脆弱性対応が後手に回った可能性が考えられる。ただし、2021年の「SQLインジェクション」の修正完了件数は20件であり、2020年の38件、2022年の33件と比べ少なかったことから顕著な差異が発生した可能性もある。

「クロスサイト・スクリプティング」「SQLインジェクション」ともに2020年、2021年、2022年は、90日以内に脆弱性対応を完了している割合が90%を超えており、高い状態が継続している。

### (c) Webサイト運営者に求められる対策

図1-3-16(前ページ)、図1-3-17(前ページ)のとおり、90日以内に脆弱性対応を完了した割合が高く、Webサイト運営者が危機感を持ち迅速に対応したと推測される。一方で脆弱性の修正がされないまま対応が長期に渡っている組織もある。IPAが状況を確認したところ「来年のシステム改修時に対応する」との回答もあった。

Webサイトの脆弱性対応に当たっては、費用、体制、時間等のリソースが必要となる。Webサイトを新規に構築、更新する際には予算、スケジュール等をあらかじめ立てて対応できるが、脆弱性対応は、脆弱性の発見、インシデントの発生等により想定外のタイミングで必要となることが多い。

このため、脆弱性対応の必要性を理解し、あらかじめ脆弱性対応やインシデント対応時の方針を定めておくことが重要である。IPAでは、「安全なウェブサイト運営にむけて※224」「ウェブサイト運営者のための脆弱性対応ガイド※225」「セキュリティ担当者のための脆弱性対応ガイド※226」等の資料を公表しているので、脆弱性対応の方針検討に活用いただきたい。

COLUMN

## CODE BLUEが挑戦してきた、日本のサイバーセキュリティの多様性とエコシステム

サイバーセキュリティ国際会議 CODE BLUE　発起人　篠田 佳奈

2022 年で「CODE BLUE」の開催は 10 回目となり、世界トップクラスの、日本発のサイバーセキュリティ国際カンファレンスを作り上げていく中で、様々な多様性を含んだものに育っていきました。

まず、カンファレンスの審査に国際的な多様性を持たせることは、最初から意識していた点で、レビューボードは国内外の方々にお願いしました。日本の国境は海の上にありますから、会議名が表すとおり、「CODE(技術)」を使って「BLUE(海)」を超えること、すなわち、外から入れることにも、内から発信していくことにも、一貫して変わらず努力しています。言語のバリアフリー化ですべての内容を日本語と英語で提供し、海外の方にも分かるようにしてきました。英語を母国語としない講師が彼らの母国語で講演できるように通訳を用意するなど、国際ステージとして国内外の人に認められる舞台づくりを心がけてきました。講演内容もテクニカルのみならず、法律・政策、サイバー犯罪等を混ぜ、様々な分野の交流も試みてきました。専門化したイベントが増える中、「弁護士を混ぜるのは良いアイデアではないよ」と冷たい目で見る人もいましたが、多くの方から新しく学んだ喜びを伝えていただきました。

CBNOC (CODE BLUE Network Operation Center) というネットワークインフラ整備班を設けたのもその一つです。CBNOC は文字どおり CODE BLUE の通信インフラを担う役割ですが、裏の目的としてセキュリティ業界とネットワーク業界の間にある目に見えない溝を埋めてもらうことがあります。例えば、APNIC (Asia Pacific Network Information Centre)に参加した物理学専攻の女子学生が成人して CBNOC に来てくれたり、セキュリティに強い若者が CBNOC を縁としてネットワーク系企業に就職したり、今ではネットワーク系の集まりに参加すると「CBNOC でした!」と駆け寄ってくる若者が増えました。

若者を積極的に巻き込む施策として、25 歳以下の優秀な若者への講演枠「U25」や、優秀な発表者への研究奨励金の提供、学生スタッフの雇用があります。研究奨励金は、学校に目当てのコースがなくても自分で勉強ができる人等にも良いシステムではないかなと思います。

学生スタッフは、毎年定員の数倍もの応募がある人気のポストで、1 日働けば 1 日聴講できるシステムです。学生スタッフは自分達がこれから入る業界を知り、企業を知り、同年代の友を知り、時に講師やスタッフともつながります。最初は 1 名から始まった学生スタッフですが、最大で 60 名の時もありました。業界に入った学生スタッフが協賛企業の社員となって帰ってきたりすることも増えました。良いエコシステムとして育ってきていると思います。

こうして、ゆっくりとでも、CODE BLUE を介して、それまで交わりがなかった人達が交わり、影響を与え合うことで、必ず社会に良い価値を生んでくれることと信じています。

まだまだ挑戦したい試みはあります。これからもみなさんのご意見をうかがいながら、カラフルに CODE BLUE を成長させ、社会の役に立てていきたいと思います。

※ 1　https://www.ic3.gov/Media/PDF/AnnualReport/2022_IC3Report.pdf〔2023/5/11 確認〕
※ 2　https://apwg.org/trendsreports/〔2023/5/11 確認〕
※ 3　https://www.ibm.com/jp-ja/security/services/ibm-x-force-incident-response-and-intelligence〔2023/5/11 確認〕
※ 4　Mandiant 社：Get Your Copy of M-Trends 2023 Today https://www.mandiant.com/m-trends〔2023/5/11 確認〕
※ 5　https://mandiant.widen.net/s/rphjwkvzgp/rpt-mtrends-2021-3〔2023/7/3 確認〕
※ 6　https://mandiant.widen.net/s/bjhnhps2mt/m-trends-2022-report〔2023/7/3 確認〕
※ 7　Microsoft 社：An overview of Russia's cyberattack activity in Ukraine　https://query.prod.cms.rt.microsoft.com/cms/api/am/binary/RE4Vwwd〔2023/5/19 確認〕
※ 8　「マルウェア」等の用語を混在して使用すると、読者を混乱させる可能性があるため、本白書では特に断りのない限り、または文献引用上の正確性を期す必要のない限り、総称して「ウイルス」と表現する。
※ 9　CERT-UA：https://cert.gov.ua/article/18101〔2023/5/19 確認〕
上記の Web ページのタイトルはウクライナ語のため省略している。
※ 10-1 https://www.ic3.gov/Media/PDF/AnnualReport/2021_IC3Report.pdf〔2023/5/11 確認〕
※ 10-2 X Corp.：An incident impacting some accounts and private information on Twitter　https://privacy.twitter.com/en/blog/2022/an-issue-affecting-some-anonymous-accounts〔2023/5/11 確認〕
※ 10-3 REUTERS：Twitter hacked, 200 million user email addresses leaked, researcher says　https://www.reuters.com/technology/twitter-hacked-200-million-user-email-addresses-leaked-researcher-says-2023-01-05/〔2023/5/11 確認〕
※ 10-4 Bleeping Computer：Twitter claims leaked data of 200M users not stolen from its systems　https://www.bleepingcomputer.com/news/security/twitter-claims-leaked-data-of-200m-users-not-stolen-from-its-systems/〔2023/5/26 確認〕
BBC：Twitter says leaked emails not hacked from its systems https://www.bbc.com/news/technology-64243369〔2023/5/26 確認〕
※ 10-5 Singtel Optus Pty Limited：Optus notifies customers of cyberattack compromising customer information　https://www.optus.com.au/about/media-centre/media-releases/2022/09/optus-notifies-customers-of-cyberattack〔2023/5/19 確認〕
※ 10-6 RREUTERS：Singtel assesses potential cost of Optus Australian data breach　https://www.reuters.com/technology/singtel-assesses-potential-cost-optus-australian-data-breach-2022-10-03/〔2023/5/19 確認〕
※ 10-7 REUTERS：Medibank says hacker accessed data of 9.7 million customers, refuses to pay ransom　https://www.reuters.com/business/healthcare-pharmaceuticals/medibank-says-hacker-accessed-data-97-mln-customers-refuses-pay-ransom-2022-11-06/〔2023/5/11 確認〕
※ 10-8 MBSD 社のご厚意により本白書向けに集計・提供頂いた情報を掲載している。
※ 10-9 https://www.jpcert.or.jp/pr/2023/IR_Report2022Q4.pdf〔2023/5/16 確認〕
※ 10-10 https://www.antiphishing.jp/report/monthly/〔2023/5/16 確認〕
※ 10-11 https://www.npa.go.jp/publications/statistics/cybersecurity/data/R04_cyber_jousei.pdf〔2023/5/16 確認〕
※ 10-12 https://www.npa.go.jp/publications/statistics/cybersecurity/data/R03_cyber_jousei.pdf〔2023/5/16 確認〕
※ 10-13 JPCERT/CC：JPCERT/CC インシデント報告対応レポート 2022 年 1 月 1 日～ 2022 年 3 月 31 日　https://www.jpcert.or.jp/pr/2022/IR_Report2021Q4.pdf〔2023/6/15 確認〕
※ 10-14 JPCERT/CC：JPCERT/CC インシデント報告対応レポート 2021 年 1 月 1 日～ 2021 年 3 月 31 日　https://www.jpcert.or.jp/pr/2021/IR_Report20210415.pdf〔2023/6/15 確認〕
※ 10-15 フィッシング対策協議会：緊急情報　https://www.antiphishing.jp/news/alert/〔2023/5/16 確認〕
※ 10-16 フィッシング対策協議会:国税庁をかたるフィッシング（2022/08/15）　https://www.antiphishing.jp/news/alert/nta_20220815.html〔2023/5/16 確認〕
フィッシング対策協議会：国税庁をかたるフィッシング（2022/08/23） https://www.antiphishing.jp/news/alert/nta_20220823.html〔2023/5/16 確認〕
フィッシング対策協議会：国税庁をかたるフィッシング（2022/09/20） https://www.antiphishing.jp/news/alert/nta_20220920.html〔2023/5/16 確認〕
フィッシング対策協議会：国税庁をかたるフィッシング（2023/05/15） https://www.antiphishing.jp/news/alert/nta_20230515.html〔2023/5/30 確認〕
※ 10-17 安心相談窓口だより　国税庁をかたる偽ショートメッセージサービス（SMS）や偽メールに注意　https://www.ipa.go.jp/security/anshin/attention/2022/mgdayori20221031.html〔2023/5/16 確認〕
※ 10-18 フィッシング対策協議会：2022/09 フィッシング報告状況 https://www.antiphishing.jp/report/monthly/202209.html〔2023/5/16 確認〕
※ 10-19 フィッシング対策協議会：2022/09 フィッシング報告状況 https://www.antiphishing.jp/report/monthly/202209.html〔2023/5/16 確認〕
フィッシング対策協議会：2022/10 フィッシング報告状況　https://www.antiphishing.jp/report/monthly/202210.html〔2023/5/16 確認〕
フィッシング対策協議会：2023/01 フィッシング報告状況　https://www.antiphishing.jp/report/monthly/202301.html〔2023/5/16 確認〕
フィッシング対策協議会：2023/02 フィッシング報告状況　https://www.antiphishing.jp/report/monthly/202302.html〔2023/5/16 確認〕
※ 11　警察庁：令和4年におけるサイバー空間をめぐる脅威の情勢等について　https://www.npa.go.jp/publications/statistics/cybersecurity/data/R04_cyber_jousei.pdf〔2023/4/19 確認〕
※ 12　トレンドマイクロ社：2022 年脅威動向をふりかえる～広がり続けるアタックサーフェス、企業が取り組むべき最優先事項は何か～　https://www.trendmicro.com/ja_jp/jp-security/22/l/securitytrend-20221212-01.html〔2023/4/19 確認〕
ダイヤモンド・オンライン：ランサムウェア攻撃の被害が増加している背景は何か。デロイトが企業経営者に「攻撃者目線」での対策を主張している理由　https://diamond.jp/articles/-/312168〔2023/4/19 確認〕
サイバーリーズン合同会社：彼を知り己を知れば百戦殆からず ～ランサムウェアの歴史、組織、攻撃手法とその実態を徹底攻略～　https://www.cybereason.co.jp/blog/ransomware/9101/〔2023/4/19 確認〕
※ 13　トレンドマイクロ社：Smart Protection Network から見る世界と日本の最新サイバー脅威動向　https://www.trendmicro.com/ja_jp/jp-security/22/g/securitytrend-20220719-03.html〔2023/4/19 確認〕
※ 14　パロアルトネットワークス株式会社：LockBit 2.0: ランサムウェア・アズ・ア・サービス（RaaS）のオペレーションとその対策　https://unit42.paloaltonetworks.jp/lockbit-2-ransomware/〔2023/4/19 確認〕
※ 15　トレンドマイクロ社：「ランサムウェア攻撃 グローバル実態調査 2022 年版」を発表　https://www.trendmicro.com/ja_jp/about/press-release/2022/pr-20220907-01.html〔2023/4/19 確認〕
※ 16　IPA：コンピュータウイルス・不正アクセスの届出事例［2022 年上半期（1月～6月）］　https://www.ipa.go.jp/security/todokede/crack-virus/ug65p9000000nnpa-att/000100440.pdf〔2023/4/19 確認〕
IPA：コンピュータウイルス・不正アクセスの届出事例［2022 年下半期（7月～ 12 月）］　https://www.ipa.go.jp/security/todokede/crack-virus/ug65p9000000nnpa-att/000108764.pdf〔2023/4/19 確認〕
※ 17　NHK 政治マガジン：トヨタ国内全工場停止 サイバー攻撃の可能性 https://www.nhk.or.jp/politics/articles/lastweek/78407.html〔2023/5/11 確認〕
※ 18　小島プレス工業：ウィルス感染被害によるシステム停止事案発生のお知らせ　https://www.kojima-tns.co.jp/wp-content/uploads/2022/08/ウィルス感染被害によるシステム停止事案発生のお知らせ-2.pdf〔2023/4/19 確認〕
※ 19　小島プレス工業：小島プレス工業株式会社 システム停止事案調査報告書（第 1 報）　https://www.kojima-tns.co.jp/wp-content/uploads/2022/03/20220331_システム障害調査報告書（第 1 報）.pdf〔2023/4/19 確認〕
※ 20　NHK NEWS WEB:小島プレス工業「子会社のリモート接続機器に"ぜい弱性"」　https://www3.nhk.or.jp/news/html/20220401/k10013563241000.html：〔2023/2/10 確認〕
※ 21　読売新聞オンライン：トヨタ関連6万社のうち、1社のセキュリティー破られ…「賭けはできない」全工場停止　https://www.yomiuri.co.jp/national/20220614-OYT1T50054/〔2023/4/19 確認〕
※ 22　読売新聞オンライン：【独自】トヨタ工場の停止、ハッカー集団「ロビンフッド」関与…未確認ウイルスのため即復旧を断念　https://www.yomiuri.co.jp/national/20220613-OYT1T50213/〔2023/4/19 確認〕
※ 23　大阪急性期・総合医療センター：「電子カルテシステム」の障害発生について　https://www.gh.opho.jp/pdf/info20221031.pdf/〔2023/4/19 確認〕
※ 24　大阪急性期・総合医療センター：情報セキュリティインシデント調査委員会報告書について https://www.gh.opho.jp/important/785.html〔2023/4/19 確認〕
※ 25　読売新聞オンライン:大阪の病院で電子カルテシステムに障害、「ラ

ンサムウェア」によるサイバー攻撃か https://www.yomiuri.co.jp/national/20221031-OYT1T50162/〔2023/4/19 確認〕
※ 26 朝日新聞デジタル：大阪の医療センターにサイバー攻撃 手術延期、外来診療できない状態 https://www.asahi.com/articles/ASQB075DWQB00XIE022.html〔2023/4/19 確認〕
※ 27 NHK NEWS WEB：大阪急性期・総合医療センター サイバー攻撃で診療影響続く https://www3.nhk.or.jp/kansai-news/20221101/2000067859.html〔2023/2/10 確認〕
※ 28 NHK NEWS WEB：サイバー攻撃受けた病院 給食業者経由でウイルス侵入か 大阪 https://www3.nhk.or.jp/kansai-news/20221107/2000068042.html〔2023/2/10 確認〕
朝日新聞デジタル：病院へのサイバー攻撃、リモート操作許し被害拡大か 3病院にも影響 https://www.asahi.com/articles/ASQDR67BWQDQULZU00J.html〔2023/4/19 確認〕
※ 29 Security NEXT：給食委託先経由で侵入された可能性 - 大阪急性期・総合医療センター https://www.security-next.com/141214/2〔2023/4/19 確認〕
※ 30 https://piyolog.hatenadiary.jp/entry/2022/11/01/013707〔2023/4/19 確認〕
※ 31 IPA：【注意喚起】事業継続を脅かす新たなランサムウェア攻撃について https://www.ipa.go.jp/archive/security/security-alert/2020/ransom.html〔2023/4/19 確認〕
※ 32 Zscaler, Inc.：2022 年版 ThreatLabz ランサムウェアレポート https://www.zscaler.jp/resources/industry-reports/2022-threatlabz-ransomware-report.pdf〔2023/4/19 確認〕
※ 33 読売新聞オンライン：サイバー攻撃受けた大阪の病院、災害用BCPは作成していたが…「訓練とは全く違った」 https://www.yomiuri.co.jp/national/20221211-OYT1T50104/〔2023/4/19 確認〕
※ 34 サイバーリーズン合同会社：脅威ハンティング：LOLBin から企業の最重要資産まで https://www.cybereason.co.jp/blog/cyberattack/7964/〔2023/4/19 確認〕
※ 35 日経クロステック：検知困難な「LOL 攻撃」の実態 https://xtech.nikkei.com/atcl/nxt/mag/nnw/18/111900071/051800031/〔2023/4/19 確認〕
トレンドマイクロ社：ランサムウェア攻撃で悪用された正規ツールを解説 https://www.trendmicro.com/ja_jp/research/21/i/describing-legitimate-tools-exploited-for-ransomware-attacks.html〔2023/4/19 確認〕
※ 36 IRM（Information Rights Management）：業務で使用する文書ファイル等を暗号化し、閲覧や編集等を制限する仕組み。
※ 37 JPCERT/CC：インシデントハンドリングマニュアル https://www.jpcert.or.jp/csirt_material/files/manual_ver1.0_20211130.pdf〔2023/4/19 確認〕
※ 38 JPCERT/CC：侵入型ランサムウェア攻撃を受けたら読む FAQ https://www.jpcert.or.jp/magazine/security/ransom-faq.html〔2023/4/19 確認〕
※ 39 IPA：サイバー情報共有イニシアティブ（J-CSIP）運用状況［2022 年 7 月～ 9 月］ https://www.ipa.go.jp/security/j-csip/ug65p9000000nkvm-att/000103970.pdf〔2023/4/19 確認〕
※ 40 https://www.ipa.go.jp/security/j-csip/ug65p9000000nkvm-att/000024542.pdf〔2023/4/19 確認〕
※ 41 IPA：標的型サイバー攻撃の事例分析と対策レポート https://www.ipa.go.jp/security/j-csip/ug65p9000000nkvm-att/000024536.pdf〔2023/4/19 確認〕
※ 42 ファイルレスマルウェア：ウイルス本体をディスクドライブ上に直接格納せず、悪意あるコードを PowerShell 等のツールに読み込ませることで、メモリ上で実行・動作するタイプのウイルスのこと。
※ 43 Cybersecurity and Infrastructure Security Agency（CISA）：CISA, FBI, NSA, and International Partners Issue Advisory on Demonstrated Threats and Capabilities of Russian State-Sponsored and Cyber Criminal Actors https://www.cisa.gov/news/2022/04/20/cisa-fbi-nsa-and-international-partners-issue-advisory-demonstrated-threats-and〔2023/4/19 確認〕
トレンドマイクロ社：ウクライナ侵攻とサイバー攻撃 ～日本企業が行うべき対策～ https://www.trendmicro.com/ja_jp/jp-security/22/e/securitytrend-20220516-01.html〔2023/4/19 確認〕
※ 44 IPA：サイバーレスキュー隊（J-CRAT）活動状況［2022 年度上半期］ https://www.ipa.go.jp/security/j-crat/ug65p9000000nks8-att/000106897.pdf〔2023/4/19 確認〕
※ 45 NTT セキュリティホールディングス株式会社：Operation RestyLink: 日本企業を狙った標的型攻撃キャンペーン https://insight-jp.nttsecurity.com/post/102ho8o/operation-restylink〔2023/4/19 確認〕
※ 46 Go 言語製のウイルスは、C/C++ 言語製のウイルスと比べてまだ一般的ではない。Go 言語では、関数量が膨大であるという特徴を持つため解析に時間がかかるとされる。
株式会社 FFRI セキュリティ：進化する Go 言語製マルウェアとどう戦うか?：解析能力向上に向けての実践的テクニック https://jsac.jpcert.or.jp/archive/2023/pdf/JSAC2023_2_1_kuwabara_jp.pdf〔2023/4/19 確認〕
※ 47 株式会社マクニカ：ショートカットと ISO ファイルを悪用する攻撃キャンペーン https://security.macnica.co.jp/blog/2022/05/iso.html〔2023/4/19 確認〕
※ 48-1 トレンドマイクロ社：日本を含む東アジアを狙った「Earth Yako」による標的型攻撃キャンペーンの詳解 https://www.trendmicro.com/ja_jp/research/23/a/targeted-attack-campaign-earth-yako.html〔2023/4/19 確認〕
※ 48-2 トレンドマイクロ社：標的型攻撃のターゲットは組織内から組織外の個人へ～サプライチェーンを形成する標的型攻撃～ https://www.trendmicro.com/ja_jp/jp-security/23/f/expertview-20230626-03.html〔2023/7/3 確認〕
※ 49 警察庁、NISC：学術関係者・シンクタンク研究員等を標的としたサイバー攻撃について（注意喚起） https://www.nisc.go.jp/pdf/press/20221130NISC_press.pdf〔2023/4/19 確認〕
NISC：標的型サイバー攻撃、不審メールにご注意ください! https://www.nisc.go.jp/pdf/press/20221130NISC_gaiyou.pdf〔2023/4/19 確認〕
※ 50 NIST：CVE-2022-1388 Detail https://nvd.nist.gov/vuln/detail/CVE-2022-1388〔2023/4/19 確認〕
F5, Inc.：Final - K23605346: BIG-IP iControl REST vulnerability CVE-2022-1388 https://support.f5.com/csp/article/K23605346〔2023/4/19 確認〕
※ 51 JPCERT/CC：攻撃グループ BlackTech による F5 BIG-IP の脆弱性（CVE-2022-1388）を悪用した攻撃 https://blogs.jpcert.or.jp/ja/2022/09/bigip-exploit.html〔2023/4/19 確認〕
※ 52 NTT セキュリティ・ジャパン株式会社：BlackTech 標的型攻撃解析レポート https://jp.security.ntt/resources/BlackTech_2021.pdf〔2023/4/19 確認〕
※ 53 JPCERT/CC：攻撃グループ Lazarus が使用するマルウェア YamaBot https://blogs.jpcert.or.jp/ja/2022/06/yamabot.html〔2023/4/19 確認〕
株式会社マクニカ：ショートカットと ISO ファイルを悪用する攻撃キャンペーン https://security.macnica.co.jp/blog/2022/05/iso.html〔2023/4/19 確認〕
※ 54 Fortinet, Inc.：Analysis of FG-IR-22-398 – FortiOS - heap-based buffer overflow in SSLVPNd https://www.fortinet.com/blog/psirt-blogs/analysis-of-fg-ir-22-398-fortios-heap-based-buffer-overflow-in-sslvpnd〔2023/4/19 確認〕
※ 55 JPCERT/CC：JPCERT/CC 活動四半期レポート 2022 年 1 月 1 日 ～ 2022 年 3 月 31 日 https://www.jpcert.or.jp/pr/2022/PR_Report2021Q4.pdf〔2023/4/19 確認〕
JPCERT/CC：JPCERT/CC インシデント報告対応レポート 2022 年 10 月 1 日 ～ 2022 年 12 月 31 日 https://www.jpcert.or.jp/pr/2023/IR_Report2022Q3.pdf〔2023/4/19 確認〕
NISC：北朝鮮当局の下部組織とされるラザルスと呼称されるサイバー攻撃グループによる暗号資産関連事業者等を標的としたサイバー攻撃について（注意喚起） https://www.nisc.go.jp/pdf/press/20221014NISC_press.pdf〔2023/4/19 確認〕
※ 56 NISC：サイバー攻撃を受けた組織における対応事例集（実事例における学びと気づきに関する調査研究） https://www.nisc.go.jp/pdf/policy/inquiry/kokai_jireishu.pdf〔2023/4/19 確認〕
※ 57 株式会社ラック：日本組織を狙った新たな標的型攻撃（Operation MINAZUKI）https://www.lac.co.jp/lacwatch/report/20220630_003037.html〔2023/4/19 確認〕
※ 58 JPCERT/CC：攻撃グループ Lazarus が侵入したネットワーク内で使用するツール https://blogs.jpcert.or.jp/ja/2021/01/Lazarus_tools.html〔2023/4/19 確認〕
トレンドマイクロ社：Python 製ペネトレーションテストツール「Impacket」、「Responder」の悪用手口を分析 https://www.trendmicro.com/ja_jp/research/22/i/analyzing-penetration-testing-tools-that-threat-actors-use-to-br.html〔2023/4/19 確認〕
Palo Alto Networks, Inc.：ペンテストツール Brute Ratel C4: 脅威アクターによるレッドチームツール悪用 https://unit42.paloaltonetworks.jp/brute-ratel-c4-tool/〔2023/4/19 確認〕
※ 59 サイバー攻撃被害に係る情報の共有・公表ガイダンス検討会：サイバー攻撃被害に係る情報の共有・公表ガイダンス https://www.meti.go.jp/press/2022/03/20230308006/20230308006-2.pdf〔2023/4/19 確認〕
※ 60 経済産業省・独立行政法人情報処理推進機構：サイバーセキュリティ経営ガイドライン Ver 3.0 https://www.meti.go.jp/policy/netsecurity/downloadfiles/guide_v3.0.pdf〔2023/4/19 確認〕

※ 61 JPCERT/CC：高度サイバー攻撃への対処におけるログの活用と分析方法 1.2 版 https://www.jpcert.or.jp/research/APT-loganalysis_Report_20220510.pdf〔2023/4/19 確認〕
JPCERT/CC：ログを活用した高度サイバー攻撃の早期発見と分析（プレゼンテーション資料） https://www.jpcert.or.jp/research/APT-loganalysis_Presen_20151117.pdf〔2023/4/19 確認〕
※ 62 被害金額については、2015 ～ 2022 年の年次報告書（IC3：Annual Reports https://www.ic3.gov/Home/AnnualReports〔2023/4/19 確認〕）を参照した。
※ 63 INTERPOL：Cyber-enabled financial crime: USD 130 million intercepted in global INTERPOL police operation https://www.interpol.int/en/News-and-Events/News/2022/Cyber-enabled-financial-crime-USD-130-million-intercepted-in-global-INTERPOL-police-operation〔2023/4/19 確認〕
※ 64 INTERPOL：Suspected head of cybercrime gang arrested in Nigeria https://www.interpol.int/News-and-Events/News/2022/Suspected-head-of-cybercrime-gang-arrested-in-Nigeria〔2023/4/19 確認〕
Group-IB：Operation Delilah: Group-IB helps INTERPOL nab suspected leader of transnational phishing ring https://www.group-ib.com/media-center/press-releases/interpol-gib-delilah/〔2023/4/19 確認〕
Palo Alto Networks, Inc.：オペレーションデリラ：Unit 42、国際刑事警察機構（INTERPOL）に協力しナイジェリア系ビジネスメール詐欺アクターを特定 https://unit42.paloaltonetworks.jp/operation-delilah-business-email-compromise-actor/〔2023/4/19 確認〕
※ 65 トレンドマイクロ社：ナイジェリアの BEC グループ逮捕でインターポール、ナイジェリア EFCC、トレンドマイクロが連携〔2023/4/19 確認〕 https://www.trendmicro.com/ja_jp/research/22/f/trend-micro-partners-with-interpol-and-nigeria-efcc-for-operation.html〔2023/4/19 確認〕
※ 66 ウィルソン・ラーニング ワールドワイド株式会社：当社子会社における資金流出事案の発生並びに特別損失の計上に関するお知らせ https://ssl4.eir-parts.net/doc/9610/tdnet/2203725/00.pdf〔2023/4/19 確認〕
※ 67 Bleeping Computer：US charges BEC suspects with targeting federal health care programs https://www.bleepingcomputer.com/news/security/us-charges-bec-suspects-with-targeting-federal-health-care-programs/〔2023/4/19 確認〕
※ 68 https://www.ipa.go.jp/security/bec/about.html〔2023/4/19 確認〕
※ 69 https://www.ipa.go.jp/security/j-csip/ug65p9000000nkvm-att/000098129.pdf〔2023/4/19 確認〕
※ 70 https://www.ipa.go.jp/security/j-csip/ug65p9000000nkvm-att/000100056.pdf〔2023/4/19 確認〕
※ 71 https://www.ipa.go.jp/security/bec/hjuojm0000003c8r-att/000102394.pdf〔2023/4/19 確認〕
※ 72 https://www.ipa.go.jp/security/bec/hjuojm0000003c8r-att/000103087.pdf〔2023/4/19 確認〕
※ 73 https://www.ipa.go.jp/security/bec/hjuojm0000003c8r-att/000104237.pdf〔2023/4/19 確認〕
※ 74 https://www.ipa.go.jp/security/bec/hjuojm0000003c8r-att/000106449.pdf〔2023/4/19 確認〕
※ 75 https://www.ipa.go.jp/security/bec/hjuojm0000003c8r-att/000107272.pdf〔2023/4/19 確認〕
※ 76 https://www.ipa.go.jp/publish/wp-security/sec-2020.html〔2023/4/19 確認〕
※ 77 IPA：ビジネスメール詐欺「BEC」に関する事例と注意喚起（第三報） https://www.ipa.go.jp/archive/files/000081866.pdf〔2023/4/19 確認〕
※ 78 IPA：ビジネスメール詐欺（BEC）対策特設ページ ビジネスメール詐欺のパターンとは https://www.ipa.go.jp/security/bec/bec_pattern.html〔2023/4/19 確認〕
※ 79 Agari：Cosmic Lynx: A Russian Threat Hits the BEC Scene https://www.agari.com/email-security-blog/cosmic-lynx-russian-bec/〔2023/4/19 確認〕
※ 80 https://www.ipa.go.jp/security/bec/hjuojm00000037nn-att/000102392.pdf〔2023/4/19 確認〕
※ 81 JPCERT/CC：ビジネスメール詐欺の実態調査報告 https://www.jpcert.or.jp/research/BEC-survey.html〔2023/4/19 確認〕
株式会社マクニカ：ビジネスメール詐欺の実態と対策アプローチ 第 1 版 https://www.macnica.net/security/report_02.html〔2023/4/19 確認〕
PwC：Business-Email-Compromise-Guide (BEC) https://github.com/PwC-IR/Business-Email-Compromise-Guide/blob/main/PwC-Business_Email_Compromise-Guide.pdf〔2023/4/19 確認〕
※ 82 Microsoft 社：侵害された電子メールアカウントへの対応 https://docs.microsoft.com/ja-jp/microsoft-365/security/office-365-security/responding-to-a-compromised-email-account?view=o365-worldwide〔2023/4/19 確認〕
Microsoft 社：Microsoft 365 アカウントが侵害されているかどうかを確認する方法 https://docs.microsoft.com/ja-jp/office365/troubleshoot/sign-in/determine-account-is-compromised〔2023/4/19 確認〕
Mandiant：Obscured by Clouds: Insights into Office 365 Attacks and How Mandiant Managed Defense Investigates https://www.mandiant.com/resources/blog/insights-into-office-365-attacks-and-how-managed-defense-investigates〔2023/4/19 確認〕
Google LLC：ハッキングまたは不正使用された Google アカウントを保護する https://support.google.com/accounts/answer/6294825?hl=ja〔2023/4/19 確認〕
※ 83 NSFOCUS：H1 2022 Global DDoS Attack Landscape Report https://nsfocusglobal.com/company-overview/resources/h1-2022-global-ddos-attack-landscape/〔2023/4/19 確認〕
※ 84 piyolog：2022 年 2 月に発生したウクライナへの DDoS 攻撃についてまとめてみた https://piyolog.hatenadiary.jp/entry/2022/02/16/233637〔2023/4/19 確認〕
Security NEXT：対ウクライナ DDoS 攻撃の余波を観測 - JPCERT/CC https://www.security-next.com/136085〔2023/4/19 確認〕
※ 85 UDP（User Datagram Protocol）：インターネットで標準的に使われているプロトコルの一種。接続のチェックが不要なコネクションレスなサービスに利用される。
※ 86 Cloudflare, Inc.：2022 年第 4 四半期の Cloudflare DDoS 脅威レポート https://blog.cloudflare.com/ja-jp/ddos-threat-report-2022-q4-ja-jp/〔2023/4/19 確認〕
※ 87 Mitel Networks Corp.：Mitel Product Security Advisory 22-0001 MiCollab, MiVoice Business Express Access Control Vulnerability https://www.mitel.com/en-ca/support/security-advisories/mitel-product-security-advisory-22-0001〔2023/4/19 確認〕
※ 88 Akamai Technologies：Akamai Blog ¦ CVE-2022-26143: TP240PhoneHome Reflection/Amplification DDoS Attack Vector https://www.akamai.com/blog/security/phone-home-ddos-attack-vector〔2023/4/19 確認〕
TECH+：43 億倍という記録的な潜在増幅率持つ新しい DDoS ベクトルの悪用確認 https://news.mynavi.jp/techplus/article/20220311-2289948/〔2023/4/19 確認〕
※ 89 ハクティビスト集団：社会的・政治的な主張を目的としたハッキング活動を行う集団。
※ 90 piyolog：Killnet による国内サイトへの攻撃示唆についてまとめてみた https://piyolog.hatenadiary.jp/entry/2022/09/07/025039〔2023/4/19 確認〕
※ 91 Security NEXT：「e-Gov」の障害原因が明らかに - 攻撃元など非公表 https://www.security-next.com/139731〔2023/4/19 確認〕
※ 92 TechTarget ジャパン：親ロシア派ハッカー集団「Killnet」が派手に攻撃するのは“あれ”狙い？ https://techtarget.itmedia.co.jp/tt/news/2210/21/news02.html〔2023/4/19 確認〕
SOMPO リスクマネジメント株式会社：ロシアよりのハッカー集団「Killnet（キルネット）」が日本のウェブサイトを攻撃 https://www.sompocybersecurity.com/column/column/a300〔2023/4/19 確認〕
サイカルジャーナル：「キルネット」とは何者か？ https://www3.nhk.or.jp/news/special/sci_cul/2022/09/special/2022-09-cyber/〔2023/4/19 確認〕
※ 93 C&C（Command and Control）サーバー：ウイルス等により乗っ取ったコンピューター等に対し、遠隔から命令を送り制御させるサーバー。
※ 94 Mirai：IoT 機器に感染してボットネットを構成し、サイバー攻撃に悪用するウイルス。2016 年に史上最大規模の DDoS 攻撃を引き起こした。ソースコードが公開されていたため、様々な亜種が出現している。
※ 95 Mēris：IoT 機器に感染してボットネットを構成し、サイバー攻撃に悪用するウイルス。2021 年に Mirai の攻撃トラフィックの約 3 倍に相当する 1,720 万 rps（リクエスト／秒）という大規模な DDoS 攻撃が確認されている。
※ 96 Cloudflare, Inc.：Cloudflare が 1 秒あたり 2600 万件のリクエストを送信する DDoS 攻撃を軽減 https://blog.cloudflare.com/ja-jp/26m-rps-ddos-ja-jp/〔2023/4/19 確認〕
Cloudflare, Inc.：DNS および DDoS の脅威 https://www.cloudflare.com/static/a67661e4cd7bc35cf54bb1827e4630a6/Whitepaper_DNS-and-the-Threat-of-DDoS_Japanese_20230103.pdf〔2023/4/19 確認〕
Cloudflare, Inc.：Mantis - the most powerful botnet to date

https://blog.cloudflare.com/mantis-botnet/〔2023/4/19 確認〕
※ 97 Fortinet, Inc.：FortiOS - heap-based buffer overflow in sslvpnd https://www.fortiguard.com/psirt/FG-IR-22-398〔2023/4/19 確認〕
※ 98 Fortinet, Inc.：FortiOS / FortiProxy / FortiSwitchManager - Authentication bypass on administrative interface https://www.fortiguard.com/psirt/FG-IR-22-377〔2023/4/19 確認〕
※ 99 PoC（Proof of Concept）：発見された脆弱性を実証するために公開されたプログラムコード。IoT 機器を狙うサイバー攻撃において、不正侵入やウイルス感染を試みる悪意のプログラムの一部として悪用されることがある。
※ 100 Horizon3 AI, Inc.:FortiOS, FortiProxy, and FortiSwitchManager Authentication Bypass Technical Deep Dive (CVE-2022-40684) https://www.horizon3.ai/fortios-fortiproxy-and-fortiswitchmanager-authentication-bypass-technical-deep-dive-cve-2022-40684/〔2023/4/19 確認〕
※ 101 Fortinet, Inc.：CVE-2022-40684 に関するアップデート https://www.fortinet.com/jp/blog/psirt-blogs/update-regarding-cve-2022-40684〔2023/4/19 確認〕
※ 102 Microsoft 社：Microsoft Windows Support Diagnostic Tool（MSDT）のリモートでコードが実行される脆弱性 https://msrc.microsoft.com/update-guide/ja-JP/vulnerability/CVE-2022-30190〔2023/4/19 確認〕
※ 103 piyolog：Microsoft サポート診断ツールの脆弱性（CVE-2022-30190）についてまとめてみた https://piyolog.hatenadiary.jp/entry/2022/06/02/010119〔2023/4/19 確認〕
※ 104 Threatpost：Microsoft Releases Workaround for 'One-Click' 0Day Under Active Attack https://threatpost.com/microsoft-workaround-0day-attack/179776/〔2023/4/19 確認〕
Proofpoint, Inc.：https://twitter.com/threatinsight/status/1531688214993555457〔2023/4/19 確認〕
※ 105 VMware, Inc.：CVE-2022-22963: Remote code execution in Spring Cloud Function by malicious Spring Expression https://tanzu.vmware.com/security/cve-2022-22963〔2023/4/19 確認〕
※ 106 VMware, Inc.：Impact of Spring4Shell CVE-2022-22965 and CVE-2022-22963 on VMware Blockchain (88203) https://kb.vmware.com/s/article/88203〔2023/4/19 確認〕
※ 107 VMware, Inc.：6. Spring Expression Language (SpEL) https://docs.spring.io/spring-framework/docs/3.0.x/reference/expressions.html〔2023/4/19 確認〕
※ 108 VMware, Inc.：CVE-2022-22965: Spring Framework RCE via Data Binding on JDK 9+ https://spring.io/security/cve-2022-22965〔2023/4/19 確認〕
※ 109 The Apache Software Foundation：Apache Log4j Security Vulnerabilities https://logging.apache.org/log4j/2.x/security.html〔2023/4/19 確認〕
※ 110 JVN：JVNVU#94675398 Spring Framework における不適切なデータバインディング処理による任意コード実行の脆弱性 https://jvn.jp/vu/JVNVU94675398/〔2023/4/19 確認〕
※ 111 デプロイ：配置する、展開するといった意味の英単語であり、ここではアプリケーション等を実行可能な状態にすることを指す。
※ 112 VMware, Inc.：How to hunt for Spring4Shell and Java Spring Vulnerabilities https://blogs.vmware.com/security/2022/04/how-to-hunt-for-spring4shell-and-java-spring-vulnerabilities.html〔2023/4/19 確認〕
※ 113 トレンドマイクロ社：Spring4Shell（CVE-2022-22965）を悪用したコインマイナーの攻撃を観測 https://www.trendmicro.com/ja_jp/research/22/e/spring4shell-exploited-to-deploy-cryptocurrency-miners0.html〔2023/4/19 確認〕
※ 114 トレンドマイクロ社：Spring4Shell（CVE-2022-22965）を悪用したボットネット「Mirai」の攻撃を観測 https://www.trendmicro.com/ja_jp/research/22/d/Mirai-exploits-Spring4Shell.html〔2023/4/19 確認〕
※ 115 株式会社東陽テクニカ：【重要】Spring Framework 脆弱性（CVE-2022-22965）の影響について https://www.toyo.co.jp/onetech_blog/articles/detail/id=36106〔2023/4/19 確認〕
※ 116 ソフトウェア部品表（SBOM：Software Bill Of Materials）：ソフトウェアに含まれるコンポーネントをデータベース化し、一覧で管理する手法の一つ。
PwC：SBOM 普及の本格化～ソフトウェアサプライチェーンの構造的な課題と解決策～ https://www.pwc.com/jp/ja/knowledge/column/awareness-cyber-security/vulnerability-management-sbom1.html〔2023/4/19 確認〕
※ 117 IPA：サイバー情報共有イニシアティブ（J-CSIP）運用状況［2015 年 10 月～ 12 月］ https://www.ipa.go.jp/security/j-csip/ug65p9000000nkvm-att/000050428.pdf〔2023/4/19 確認〕
※ 118 Cynet：Orion Threat Alert:Qakbot TTPs Arsenal and the Black Basta Ransomware https://www.cynet.com/blog/orion-threat-alert-qakbot-ttps-arsenal-and-the-black-basta-ransomware/〔2023/4/19 確認〕
※ 119 IPA：サイバー情報共有イニシアティブ（J-CSIP）運用状況［2018 年 10 月 ～ 12 月］ https://www.ipa.go.jp/security/j-csip/ug65p9000000nkvm-att/000071273.pdf〔2023/4/19 確認〕
※ 120 JPCERT/CC：マルウェア Emotet の感染再拡大に関する注意喚起 https://www.jpcert.or.jp/at/2022/at220006.html〔2023/4/19 確認〕
※ 121 IPA：Excel ファイル内に書かれている偽の指示の変更について（2022 年 11 月 4 日） https://www.ipa.go.jp/security/emotet/situation/emotet-situation-13.html〔2023/6/30 確認〕
※ 122 ショートカットファイルを悪用した攻撃（2022 年 4 月 26 日） https://www.ipa.go.jp/security/emotet/situation/emotet-situation-11.html〔2023/6/30 確認〕
※ 123 株式会社マクニカ：2023 年 3 月に活動を再開した「Emotet」マルウェアの検知について https://www.macnica.co.jp/public-relations/news/2023/143204/〔2023/4/19 確認〕
※ 124 IPA：Emotet の攻撃活動再開について（2023 年 3 月 9 日） https://www.ipa.go.jp/security/emotet/situation/emotet-situation-14.html〔2023/6/30 確認〕
※ 125 IPA：Microsoft OneNote 形式のファイルを悪用した攻撃（2023 年 3 月 17 日） https://www.ipa.go.jp/security/emotet/situation/emotet-situation-15.html〔2023/6/30 確認〕
※ 126 Microsoft 社：Helping users stay safe: Blocking internet macros by default in Office https://techcommunity.microsoft.com/t5/microsoft-365-blog/helping-users-stay-safe-blocking-internet-macros-by-default-in/ba-p/3071805〔2023/4/19 確認〕
※ 127 日本プルーフポイント株式会社：攻撃者はマクロ無効化にどう適用するのか？ https://www.proofpoint.com/jp/blog/threat-insight/how-threat-actors-are-adapting-post-macro-world〔2023/4/19 確認〕
※ 128 Microsoft 社：Windows Mark Of The Web セキュリティ機能のバイパスの脆弱性 https://msrc.microsoft.com/update-guide/ja-JP/vulnerability/CVE-2022-41091〔2023/4/19 確認〕
※ 129 Fortinet, Inc.：Delivery of Malware: A Look at Phishing Campaigns in Q3 2022 https://www.fortinet.com/blog/threat-research/delivery-of-malware-phishing-campaigns-in-q3-2022〔2023/4/19 確認〕
※ 130 JPCERT/CC：インターネットセキュリティの歴史 第 25 回「VISA やイーバンク銀行を騙る日本語フィッシングメール」 https://www.jpcert.or.jp/tips/2009/wr090301.html〔2023/4/19 確認〕
※ 131 フィッシング対策協議会：2022/12 フィッシング報告状況 https://www.antiphishing.jp/report/monthly/202212.html〔2023/4/19 確認〕
※ 132 総務省：令和3年通信利用動向調査の結果 https://www.soumu.go.jp/johotsusintokei/statistics/data/220527_1.pdf〔2023/4/19 確認〕
※ 133 IPA：国税庁をかたる偽ショートメッセージサービス（SMS）や偽メールに注意 https://www.ipa.go.jp/security/anshin/attention/2022/mgdayori20221031.html 〔2023/4/19 確認〕
※ 134 ライフカード株式会社：【お客様への注意喚起】国税庁を騙る未払い請求の案内について https://vpc.lifecard.co.jp/news/20220816.html〔2023/4/19 確認〕
※ 135 https://www.ipa.go.jp/publish/wp-security/sec-2021.html〔2023/4/19 確認〕
※ 136 Apple Inc.：ギフトカード詐欺について https://support.apple.com/ja-jp/gift-card-scams〔2023/4/19 確認〕
※ 137 株式会社 NTT ドコモ：SMS 拒否設定 https://www.docomo.ne.jp/info/spam_mail/sms/〔2023/4/19 確認〕
※ 138 ソフトバンク株式会社：迷惑 SMS 対策機能（無料）を提供開始 https://www.softbank.jp/mobile/info/personal/news/service/20220602a/〔2023/4/19 確認〕
※ 139 KDDI 株式会社：迷惑 SMS ブロック https://www.au.com/mobile/service/sms/filter/〔2023/4/19 確認〕
※ 140 国税庁：不審なショートメッセージやメールにご注意ください https://www.nta.go.jp/data/040721_03jouhou.pdf〔2023/4/19 確認〕
※ 141 株式会社ローソン：「ローソン 83 周年記念ギフト」となりすました偽装 LINE にご注意ください https://www.lawson.co.jp/info/20221206_snsinfo.html〔2023/4/19 確認〕
株式会社ユニクロ：「ユニクロ 38 周年記念買物手当」とユニクロになりすました偽 LINE メッセージにご注意ください https://faq.uniqlo.com/articles/FAQ/100008430/〔2023/4/19 確認〕
※ 142 https://www.antiphishing.jp/news/alert/etcQR_20221115.html〔2023/4/19 確認〕

※ 143 https://www.antiphishing.jp/news/alert/amazonQR_20230105.html〔2023/4/19 確認〕
※ 144 フィッシング対策協議会：日本赤十字社をかたるフィッシング（2022/09/20） https://www.antiphishing.jp/news/alert/jrc_20220920.html〔2023/4/19 確認〕
※ 145 フィッシング対策協議会：厚生労働省（コロナワクチンナビ）をかたるフィッシング（2022/04/13） https://www.antiphishing.jp/news/alert/mhlw_20220413.html〔2023/4/19 確認〕
※ 146 https://www.ipa.go.jp/publish/wp-security/sec-2022.html〔2023/4/19 確認〕
※ 147 独立行政法人国民生活センター：その通販サイト本物ですか!? "偽サイト"に警戒を!!―最近の"偽サイト"の見分け方を知って、危険を回避しましょう!― https://www.kokusen.go.jp/news/data/n-20230130_1.html〔2023/4/19 確認〕
※ 148 IPA：安心相談窓口だより 偽のセキュリティ警告に表示された番号に電話をかけないで! https://www.ipa.go.jp/security/anshin/attention/2021/mgdayori20211116.html〔2023/4/19 確認〕
※ 149 FBI：Internet Crime Report 2022 https://www.ic3.gov/Media/PDF/AnnualReport/2022_IC3Report.pdf〔2023/4/19 確認〕
※ 150 Avast：Avast Q3/2022 Threat Report - Technical support scams https://decoded.avast.io/threatresearch/avast-q3-2022-threat-report/〔2023/4/19 確認〕
※ 151 一般社団法人日本フランチャイズチェーン協会：SS 広場 https://ss.jfa-fc.or.jp/〔2023/4/19 確認〕
※ 152 一般社団法人日本フランチャイズチェーン協会：コンビニエンスストアセーフティステーション活動アンケートリポート 2021 年度版 https://ss.jfa-fc.or.jp/folder/top/img/n_20220517112157yb2tsksvrmwk35gq.pdf〔2023/4/19 確認〕
※ 153 自動継続課金：ここでは「一定の利用期間ごとに定額を支払う料金方式、かつ、利用契約が自動更新される方式」を指す。なお、「一定の利用期間ごとに定額を支払う料金方式」は、Android では「定期購入」、iPhone では「サブスクリプション」と呼ばれる。
※ 154 IPA：スマートフォンの偽セキュリティ警告から自動継続課金アプリのインストールへ誘導する手口にあらためて注意 https://www.ipa.go.jp/security/anshin/attention/2022/mgdayori20221025.html〔2023/4/19 確認〕
※ 155 IPA：安心相談窓口だより ブラウザの通知機能から不審サイトに誘導する手口に注意 https://www.ipa.go.jp/security/anshin/attention/2021/mgdayori20210309.html〔2023/4/19 確認〕
※ 156 reCAPTCHAv2：reCAPTCHA とは、アクセスしているのが機械でなく人間であることの判別をするための認証機能。reCAPTCHA v2 は Google が提供する CAPTCHA（キャプチャ）認証システムの名称。
※ 157 独立行政法人国民生活センター：簡単に高額収入を得られるという副業や投資の儲け話に注意!―インターネット等で取引される情報商材のトラブルが急増― https://www.kokusen.go.jp/news/data/n-20180802_1.html〔2023/4/19 確認〕
消費者庁：「スマホで簡単 月収 100 万円」、「定型文を送信した分だけ報酬発生」などとうたう副業のマニュアルを購入させ、ライブ配信希望者のエージェントになるためとして高額なサポートプランを契約させる事業者に関する注意喚起 https://www.caa.go.jp/notice/assets/consumer_policy_cms103_221117_0001.pdf〔2023/4/19 確認〕
※ 158 東京都消費生活総合センター - 『遠隔操作アプリ』を悪用して借金をさせる手口が増えています！ https://www.shouhiseikatu.metro.tokyo.lg.jp/sodan/kinkyu/20230303.html〔2023/4/19 確認〕
※ 159 JC3：偽ショッピングサイトに注意 https://www.jc3.or.jp/threats/topics/article-462.html〔2023/4/19 確認〕
※ 160 トレンドマイクロ社：SEO ポイズニングによる偽ショッピングサイトへの誘導を行う PHP マルウェアの解析 https://www.trendmicro.com/ja_jp/research/22/j/seo-poisoning.html〔2023/4/19 確認〕
※ 161 STOP. THINK. CONNECT.：米国 APWG と NCSA が共同で開始したインターネットを安全に使うための消費者向けセキュリティ普及啓発キャンペーン。日本では、安全なインターネット社会に貢献したいメンバーが業界を問わず広く参画して活動が行われている。
STOP. THINK. CONNECT.：https://stopthinkconnect.jp/〔2023/4/19 確認〕
※ 162-1 東京商工リサーチ社：個人情報漏えい・紛失事故 2 年連続最多を更新 件数は 165 件、流出・紛失情報は 592 万人分 ～ 2022 年「上場企業の個人情報漏えい・紛失事故」調査 ～ http://www.tsr-net.co.jp/data/detail/1197322_1527.html〔2023/4/25 確認〕
※ 162-2 事故件数は「事故を公表した企業による発表件数」を集計したもので、「1.2.9（3）過失による情報漏えい」に掲載した JIPDEC が集計した届け出義務を負うプライバシーマーク取得企業の事故報告件数とは、集計方法が異なる。
※ 163 日本経済新聞：ニトリ、13 万件の個人情報流出か 不正アクセス被害で https://www.nikkei.com/article/DGXZQOUC2175K0R20C22A9000000/〔2023/4/19 確認〕
※ 164 株式会社ショーケース：不正アクセスに関するお知らせとお詫び https://www.showcase-tv.com/pressrelease/202210-fa-info/〔2023/4/19 確認〕
通販新聞社：ショーケース 入力支援サービスに不具合、カード情報流出、ユーキャンなど被害 https://www.tsuhanshimbun.com/products/article_detail.php?product_id=6502〔2023/4/19 確認〕
※ 165 株式会社ユーキャン：弊社が運営する「生涯学習のユーキャン」サイトにおける個人情報漏洩に関するお詫びとお知らせ https://www.u-can.co.jp/info/release.html〔2023/4/19 確認〕
※ 166 株式会社エービーシーマート：弊社が運営する「ABC-MART 公式オンラインストア」における個人情報漏えいの可能性に関するお詫びとお知らせ https://www.abc-mart.net/shop/pages/info-2022.aspx〔2023/4/19 確認〕
※ 167 株式会社カクヤス：【重要】クレジットカード情報漏洩に関するお詫びとお知らせについて https://www.kakuyasu.co.jp/corporate/topics/20221101.pdf〔2023/4/19 確認〕
※ 168 NHK NEWS WEB：ツイッター 利用者約 2 億 3000 万人分の個人情報 流出か https://www3.nhk.or.jp/news/html/20230106/k10013943361000.html〔2023/1/24 確認〕
※ 169 Bleeping Computer：Twitter confirms zero-day used to expose data of 5.4 million accounts https://www.bleepingcomputer.com/news/security/twitter-confirms-zero-day-used-to-expose-data-of-54-million-accounts/〔2023/4/19 確認〕
※ 170 Bleeping Computer：Hacker claims to be selling Twitter data of 400 million users https://www.bleepingcomputer.com/news/security/hacker-claims-to-be-selling-twitter-data-of-400-million-users/〔2023/4/19 確認〕
※ 171 Bleeping Computer：200 million Twitter users' email addresses allegedly leaked online https://www.bleepingcomputer.com/news/security/200-million-twitter-users-email-addresses-allegedly-leaked-online/〔2023/4/19 確認〕
※ 172 「情報セキュリティ白書 2022」（https://www.ipa.go.jp/publish/wp-security/sec-2022.html〔2023/4/19 確認〕）の「2.8.1 個人情報保護法改正」（p.150）を参照。
※ 173 朝日新聞デジタル：JTB、事業者の 1 万人超の個人情報を流出 観光庁の事業で https://www.asahi.com/articles/ASQBT6DG8QBTULFA01C.html〔2023/4/19 確認〕
※ 174 毎日新聞：アフラック生命とチューリッヒ保険で情報漏えい 同じ米企業に委託 https://mainichi.jp/articles/20230110/k00/00m/040/240000c〔2023/4/19 確認〕
※ 175 朝日新聞デジタル：200 万人以上の個人情報が流出 アフラック生命とチューリッヒ保険 https://www.asahi.com/articles/ASR1B6V3KR1BULFA01Q.html〔2023/4/19 確認〕
※ 176 https://privacymark.jp/news/other/2022/1007.html〔2023/4/19 確認〕
※ 177 NHK NEWS WEB：尼崎市 紛失の USB メモリー見つかる 全市民 46 万人余の個人情報 https://www3.nhk.or.jp/news/html/20220624/k10013686601000.html〔2023/4/19 確認〕
※ 178 朝日新聞デジタル：尼崎の紛失 USB、スマホ位置情報で発見 パスワード変更の形跡なし https://www.asahi.com/articles/ASQ6S6JJBQ6SPTIL03F.html〔2023/4/19 確認〕
※ 179 NHK NEWS WEB：USB メモリー紛失受け"情報セキュリティー対策徹底を" 総務相 https://www3.nhk.or.jp/news/html/20220628/k10013692041000.html〔2023/4/19 確認〕
※ 180 BIPROGY 株式会社：USB メモリー紛失事案に関する第三者委員会の設置について https://www.biprogy.com/pdf/news/nr_220701.pdf〔2023/4/19 確認〕
※ 181 尼崎市：個人情報を含む USB メモリーの紛失事案について https://www.city.amagasaki.hyogo.jp/kurashi/seikatusien/1027475/1030947.html〔2023/4/19 確認〕
※ 182 尼崎市 USB メモリー紛失事案調査委員会：尼崎市 USB メモリー紛失事案に関する調査報告書 https://www.city.amagasaki.hyogo.jp/_res/projects/default_project/_page_/001/030/947/houkokusyo.pdf〔2023/4/19 確認〕
※ 183 杏林大学医学部付属病院：個人情報を含む USB メモリーの紛失について https://www.kyorin-u.ac.jp/hospital/introduction/info/news_detail/5999/〔2023/4/19 確認〕
ITmedia NEWS：また USB 紛失 患者の個人情報入り、杏林大病院 院外持ち出し禁止のはずが https://www.itmedia.co.jp/news/articles/2207/01/news116.html〔2023/4/19 確認〕
※ 184 株式会社 MORESCO：元従業員の逮捕について https://www.moresco.co.jp/news/20220915_3368.php〔2023/1/23 確認〕
※ 185 日本経済新聞：狙われる「営業秘密」 「かっぱ寿司」起訴 https://www.nikkei.com/article/DGKKZO65364290R21C22A0

CM0000/〔2023/4/19 確認〕
※ 186 https://www.ipa.go.jp/security/guide/insider.html 〔2023/4/19 確認〕
※ 187 日本経済新聞：イトーヨーカ堂、個人情報 1056 人分紛失　氏名や電話番号 https://www.nikkei.com/article/DGXZQOUC214840R20C22A9000000/〔2023/4/19 確認〕
※ 188 IPA：JVN iPedia 脆弱性対策情報データベース https://jvndb.jvn.jp/〔2023/4/19 確認〕
※ 189 JPCERT/CC、IPA：Japan Vulnerability Notes（JVN） https://jvn.jp/〔2023/4/19 確認〕
※ 190 NIST：National Vulnerability Database（NVD） https://nvd.nist.gov/〔2023/4/19 確認〕
※ 191 公表年は、ベンダーがアドバイザリを公開した年、他組織や情報セキュリティポータルサイト等の登録／公開した年、発見者が一般向けに報告した年等、脆弱性対策情報が一般に公表された年を指す。なお、JVN iPedia で脆弱性対策情報を公開した年は「登録年」としている。
※ 192 IPA：共通脆弱性識別子 CVE 概説 https://www.ipa.go.jp/security/vuln/scap/cve.html〔2023/4/19 確認〕
※ 193 MITRE 社：CVE Numbering Authorities（CNA） https://www.cve.org/ProgramOrganization/CNAs〔2023/4/25 確認〕
※ 194 MITRE 社：正式名称は The MITRE Corporation。米国政府向けの技術支援や研究開発を行う非営利組織。80 を超える主要な脆弱性情報サイトと連携して、脆弱性情報の収集と、重複のない CVE の採番を行っている。
※ 195 MITRE 社：CVE Adds 7 New CVE Numbering Authorities (CNAs) https://cve.mitre.org/news/archives/2016/news.html〔2023/4/19 確認〕
※ 196 MITRE 社：Tribe29 Added as CVE Numbering Authority (CNA) https://www.cve.org/Media/News/item/news/2022/12/28/Tribe29-Added-as-CVE-Numbering〔2023/4/19 確認〕
※ 197 2021 年 12 月 21 日時点の CAN の数は 209 組織であった。MITRE 社：VulDB Added as CVE Numbering Authority (CNA) https://www.cve.org/Media/News/Item/news/2021/12/21/VulDB-Added-as-CVE-Numbering〔2023/4/19 確認〕
※ 198 IPA：共通脆弱性タイプ一覧 CWE 概説 https://www.ipa.go.jp/security/vuln/scap/cwe.html〔2023/4/19 確認〕
※ 199 IPA：共通脆弱性評価システム CVSS 概説 https://www.ipa.go.jp/security/vuln/scap/cvss.html〔2023/4/19 確認〕
※ 200 図 1-3-4 の数値が図 1-3-1 や図 1-3-3 と異なっているのは、CWE や CVSS v2 の登録がない脆弱性もあるためである。
※ 201 JPCERT/CC：セキュアコーディング https://www.jpcert.or.jp/securecoding/〔2023/4/19 確認〕
※ 202 Microsoft 社：Internet Explorer は Microsoft Edge へ - Windows 10 の Internet Explorer 11 デスクトップアプリは 2022 年 6 月 15 日にサポート終了 https://blogs.windows.com/japan/2021/05/19/the-future-of-internet-explorer-on-windows-10-is-in-microsoft-edge/〔2023/4/19 確認〕
※ 203 窓の杜：Google が IE のゼロデイ脆弱性を突いて韓国のユーザーを狙った北朝鮮発の攻撃を解説 https://forest.watch.impress.co.jp/docs/news/1462309.html〔2023/4/19 確認〕
※ 204 IPA：Microsoft Exchange Server における権限管理に関する脆弱性 https://jvndb.jvn.jp/ja/contents/2022/JVNDB-2022-002439.html〔2023/4/19 確認〕
※ 205-1 IPA：Microsoft Exchange Server における脆弱性 https://jvndb.jvn.jp/ja/contents/2022/JVNDB-2022-002438.html〔2023/4/19 確認〕
※ 205-2 マイクロソフト社が CVSSv3 の評価のみを公開しているため、CVSSv3 で記述している。なお、CVSSv3 の深刻度は、「緊急」（基本値 9.0 ～ 10.0）、「重要」（基本値 7.0 ～ 8.9）、「警告」（基本値 4.0 ～ 6.9）、「注意」（基本値 0.1 ～ 3.9）、「なし」（基本値 0）である。
※ 206 IPA：Microsoft Exchange Server における権限を昇格される脆弱性 https://jvndb.jvn.jp/ja/contents/2022/JVNDB-2022-002733.html〔2023/4/19 確認〕
※ 207 Security NEXT：新手の攻撃手法「OWASSRF」-「ProxyNotShell」軽減策をバイパス https://www.security-next.com/142582〔2023/4/19 確認〕
※ 208 Security NEXT：給食委託先経由で侵入された可能性 - 大阪急性期・総合医療センター https://www.security-next.com/141214〔2023/4/19 確認〕
※ 209 一般社団法人医療 ISAC：四病院団体協議会の加盟病院を対象としたセキュリティアンケートの調査結果を公開 https://m-isac.jp/2022/04/02/report01-3/〔2023/4/19 確認〕
※ 210 つるぎ町立半田病院コンピュータウイルス感染事案有識者会議：徳島県つるぎ町立半田病院 コンピュータウイルス感染事案 有識者会議調査報告書 https://www.handa-hospital.jp/topics/2022/0616/report_01.pdf〔2023/4/19 確認〕
※ 211 「1.3.2 早期警戒パートナーシップの届出状況から見る脆弱性の動向」では、「ソフトウェア製品」と「Web アプリケーション」は、早期警戒パートナーシップにおける対象の区分を意味するものであり、特に断りのない限り、または文献引用上の正確性を期す必要のない限り、「Web アプリケーション」の省略形として「Web サイト」を使用する。
※ 212 ソースネクスト株式会社：当サイトへの不正アクセスによる個人情報漏えいに関するお詫びとお知らせ https://www.sourcenext.com/support/i/2023/0214_info/?i=gtnews〔2023/4/19 確認〕
※ 213 IPA：情報セキュリティ早期警戒パートナーシップの紹介 https://www.ipa.go.jp/security/guide/vuln/ug65p90000019by0-att/000059695.pdf〔2023/4/19 確認〕
※ 214 IPA：脆弱性関連情報の届出受付 https://www.ipa.go.jp/security/todokede/vuln/uketsuke.html〔2023/4/19 確認〕
※ 215 ソフトウェア製品の取り扱い終了は、「不受理」「脆弱性でない」「脆弱性対策情報公表済み」「公表せずに製品開発者が利用者ごとに個別で対策を実施済み」のいずれかであることを指す。Web アプリケーションの取り扱い終了は、「不受理」「脆弱性でない」「連絡不可能」「修正完了」「IPA による注意喚起実施済み」のいずれかであることを指す。
※ 216 「1.3.2 早期警戒パートナーシップの届出状況から見る脆弱性の動向」では、「ウェブアプリケーションソフト」は、Web サイト構築関連のソフトウェアを指す。これは、IPA の「四半期ごとのソフトウェア等の脆弱性関連情報に関する届出状況」（https://www.ipa.go.jp/security/reports/vuln/software/index.html〔2023/4/19 確認〕）で使用している「ソフトウェア製品の製品種類」の一つである。
※ 217 JVN：JVN#96561229 FUJITSU Network IPCOM の運用管理インタフェースにおける複数の脆弱性 https://jvn.jp/jp/JVN96561229/index.html〔2023/4/19 確認〕
※ 218 MITRE 社:Overview https://www.cve.org/About/Overview〔2023/4/19 確認〕
※ 219 JPCERT/CC：CNA (CVE Numbering Authority) https://www.jpcert.or.jp/vh/cna.html〔2023/4/19 確認〕
MITRE 社:Partner https://www.cve.org/PartnerInformation/Partner〔2023/4/19 確認〕
※ 220 MITRE 社：Becoming a CVE Numbering Authority (CNA) https://cve.mitre.org/cve/cna/Becoming_a_CNA_ja.pptx〔2023/4/19 確認〕
※ 221 JPCERT/CC：JPCERT/CC 活動四半期レポート 2022 年 10 月 1 日～ 2022 年 12 月 31 日 https://www.jpcert.or.jp/pr/2023/PR_Report2022Q3.pdf〔2023/4/19 確認〕
※ 222 MITRE 社：CVE Numbering Authorities (CNAs) https://www.cve.org/ProgramOrganization/CNAs〔2023/3/31 確認〕
※ 223 IPA：情報セキュリティ早期警戒パートナーシップガイドライン https://www.ipa.go.jp/security/todokede/vuln/ug65p90000019gda-att/000098799.pdf〔2023/4/19 確認〕
※ 224 https://www.ipa.go.jp/security/todokede/vuln/ug65p90000019gda-att/000089537.pdf〔2023/4/19 確認〕
※ 225 https://www.ipa.go.jp/security/todokede/vuln/ug65p90000019gda-att/000058492.pdf〔2023/4/19 確認〕
※ 226 https://www.ipa.go.jp/security/todokede/vuln/ug65p90000019gda-att/000058493.pdf〔2023/4/19 確認〕

# 第2章
# 情報セキュリティを支える基盤の動向

2022年度は、国内では、新型コロナウイルス感染症対策の効果により、制限が緩和され徐々に経済活動は戻ってきた。DXの推進が進み、クラウドサービスやAI等新しいIT基盤が企業・組織を支えており、それらを守るセキュリティ対策の強化は経営課題となっている。デジタル庁も2022年9月に発足から1年経過し、政府の情報インフラ整備を進めている。国外では、2022年2月に発生したロシアによるウクライナ侵攻が多くの国々を巻き込んだ武力とサイバーのハイブリッド戦となり、国際情勢は緊張状態にある。

本章では、情報セキュリティを支える基盤の動向として、国内外の主な政策、人材育成、国際標準化、各種認証制度、組織・個人における情報セキュリティの取り組みの実態等について解説する。

## 2.1 国内の情報セキュリティ政策の状況

本節では、政府が推進する情報セキュリティ政策の状況を述べる。

### 2.1.1 政府全体の政策動向

政府全体のサイバーセキュリティに関する政策は、3年ごとに改訂されている「サイバーセキュリティ戦略※1」に基づいている。更に、具体的な施策については各年度の年次計画として策定される。本項では、2022年度の年次計画「サイバーセキュリティ2022※2」（以下、年次計画）に基づく主な取り組みについて述べる。

#### (1) 経済社会の活力の向上及び持続的発展

年次計画では、サイバー攻撃被害のリスクが高まる一方、サイバーセキュリティリスクに対する経営者の意識が低位にとどまっていることから、コーポレートガバナンスにおけるサイバーセキュリティの重要性に対する認識を高めるための取り組みが必要であるとしている。これを受け、経済産業省は2023年3月「サイバーセキュリティ経営ガイドライン※3」の改訂を実施した（「2.1.3 (1) (b) WG2（経営・人材・国際）」参照）。また、内閣官房、経済産業省において、プラス・セキュリティ知識拡充に向けて人材育成プログラムの経営層に対する普及や、サプライチェーン・サイバーセキュリティ・コンソーシアム（SC3：Supply-Chain Cybersecurity Consortium）等で整備した情報発信コンテンツの周知・プロモーションを実施した（「2.4.2 (2) 中小企業向け情報セキュリティ対策支援施策」参照）。

中小企業のサイバーセキュリティに対する意識も依然として低位にとどまっており、今後中小企業にも広くクラウドサービスの普及が想定される中で、設定不備等により情報資産が流出するリスクへの対処が必要であるとしている。これを受け、地域・中小企業の対策強化の取り組みとして、総務省は実践的サイバー防御演習（CYDER: Cyber Defense Exercise with Recurrence）を地方で実施（「2.1.4 (3) (b) CYDERの実施」参照）し、経済産業省は全国の地域セキュリティ・コミュニティ（通称、地域SECUNITY）に対して活動事例紹介や共通課題の解決策検討等を行うワークショップを実施した（「2.4.2 (2) 中小企業向け情報セキュリティ対策支援施策」参照）。また、サイバーセキュリティインシデントによりサプライチェーンが分断され、物資やサービスの安定供給に支障が生じないよう、経済産業省ではIT導入補助金によりお助け隊サービスの利用を支援している（「2.4.2 (3) (d) サイバーセキュリティお助け隊サービス制度」参照）。更に、クラウドサービスの利用者・提供者双方の設定ミスによる情報漏えい等を防ぐため、総務省は2022年10月、「クラウドサービス利用・提供における適切な設定のためのガイドライン」及び「ASP・SaaSの安全・信頼性に係る情報開示指針（ASP・SaaS編）第3版」を公表した※4。

サプライチェーンは複雑化し、サイバーとフィジカル、業界、国境等の「境界」を越えて広がりを見せており、信頼性を確保するための取り組みが必要であるとしている。サプライチェーン等の信頼性確保のための基盤づくりとして、経済産業省では情報セキュリティサービス審査登録制度に「機器検証サービス」を追加し、機器メーカーが検証を実施する際に信頼性のある検証事業者を確認できる仕組みとして、2023 年度から運用開始する（「2.1.3 (4) 情報セキュリティサービス審査登録制度」参照）。また、製品の信頼性を向上させるための仕組みとして、諸外国の政府機関で取り組まれている製品に対するラベリング制度の検討も行っている※5。

「誰も取り残さないデジタル／セキュリティ・リテラシーの向上と定着」の取り組みとしては、2022 年 6 月閣議決定した「デジタル社会の実現に向けた重点計画※6」に示された「皆で支え合うデジタル共生社会」の実現に向け、総務省では高齢者等に向けたデジタル活用支援を推進した※7。

### (2) 国民が安全で安心して暮らせるデジタル社会の実現

年次計画では、サイバー空間に係るあらゆる主体の自助・共助・公助からなるサイバーセキュリティ対策の実施、及びサイバー攻撃の複雑化・巧妙化やインシデントの影響範囲拡大等のリスクが顕在化している状況を踏まえた包括的なサイバー防衛機能の強化や、国全体のリスク低減とレジリエンス向上の取り組みの重要性が示されている。

上記を踏まえて、内閣サイバーセキュリティセンター（NISC：National center of Incident readiness and Strategy for Cybersecurity）が、ナショナルサートの総合調整役として担う、①政策対応、②対処調整、③情報収集・対処、④情報集約・分析の各機能を具備するために、2022 年 6 月に体制を見直した※8（図 2-1-1）。

また、サイバー事案への対処能力の強化を図るため、警察法等を改正し、2022 年 4 月、警察庁にサイバー警察局を新設するとともに、関東管区警察局にサイバー特別捜査隊を新設した（「2.1.5 (1) (a) 警察における組織基盤の更なる強化」参照）。更に警察庁、総務省、経済産業省、NISC 及び一般社団法人 JPCERT コーディネーションセンター（JPCERT/CC：Japan Computer Emergency Response Team Coordination Center）が事務局となり、2022 年 4 月「サイバー攻撃被害に係る情報の共有・公表ガイダンス検討会」の開催を決定し、2023 年 3 月「サイバー攻撃被害に係る情報の共有・公表ガイダンス」を公表した※9。本ガイダンスは、サイバー攻撃被害を受けた組織のセキュリティ担当部門、法務・リスク管理部門等を主な想定読者とし、被害組織を保護しながら、いかに速やかな情報共有や目的に沿ったスムーズな被害公表を行うか、実務上のポイントを FAQ 形式でまとめている。被害組織の担当部門が情報共有／被害公表の参考とするだけでなく、情報共有／被害公表に関わる関係者間の共通理解促進のために活用されることが期待される。

年次計画では、経済社会基盤を支える各主体における取り組みとして、各政府機関は、統一的な基準に基

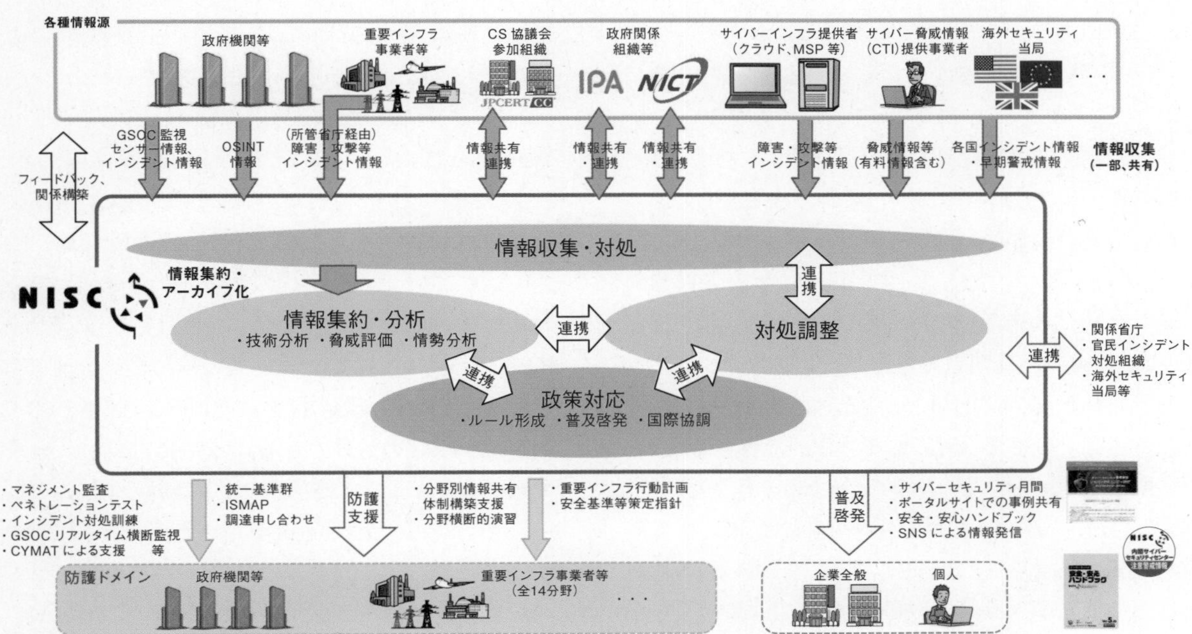


■図 2-1-1　ナショナルサートとしての NISC の活動
（出典）NISC「ナショナルサート機能の強化について※8」を基に IPA が編集

づくサイバーセキュリティ対策を実施することとしている。NISCは2021年7月に、「政府機関等のサイバーセキュリティ対策のための統一基準（令和3年度版）※10」を公開した。これにより、クラウドサービスの利用拡大を見据えた対策や、境界型防御だけでは十分なセキュリティを担保できなくなっている状況を踏まえて、ゼロトラストアーキテクチャ導入の検討等が追加された。

経済・社会を支える重要インフラ等について、政府は各主体の取り組みを促し、支援を行うとしている。これに基づき、NISCは2022年6月「重要インフラのサイバーセキュリティに係る行動計画※11」「『重要インフラのサイバーセキュリティに係る行動計画』の概要※12」を公開した。更に同行動計画を踏まえて、各重要インフラ分野に共通して求められるサイバーセキュリティの確保に向けた取り組みをまとめた「重要インフラにおける情報セキュリティ確保に係る安全基準等策定指針（第5版）※13」の見直しが検討された。組織統治に関する章を新設し、サイバーセキュリティの取り組みを組織統治の一部という観点から記載するとともに、サプライチェーンを含めたサイバーリスクマネジメントの活用や危機管理に係る事項等が追記された※14。また、リスクアセスメントに係る主要なプロセスを整理した「重要インフラにおける機能保証の考え方に基づくリスクアセスメント手引書※15」を、リスクマネジメントプロセス全体について記載する「重要インフラのサイバーセキュリティ部門におけるリスクマネジメント等手引書（案）※16」に改定する検討も行われた。これらの指針、手引書に基づく重要インフラのセキュリティ対策強化が期待される。

その他の省庁でのセキュリティ対策強化の取り組みについて述べる。

文部科学省では、2017年10月以降、教育委員会・学校が情報セキュリティポリシーの作成や見直しの際に参考として利用する「教育情報セキュリティポリシーに関するガイドライン※17」について、GIGAスクール構想や2021年12月のデジタル庁「デジタル社会の実現に向けた重点計画」にて示された各地方公共団体におけるクラウド利用を念頭とする方針等に基づき、数度の改訂を実施してきた。2022年3月に改訂された「教育情報セキュリティポリシーに関するガイドライン（令和4年3月）※18」では、今後の教育情報ネットワーク構成として、校務系と学習系のネットワーク分離を必要としない「アクセス制御による対策を講じたシステム構成」と、これまでの「ネットワーク分離による対策を講じたシステム構成」とを明確に区分した。

厚生労働省では、「医療情報システムの安全管理に関するガイドライン※19」を発行し、医療機関に対して対策の実施を推進してきた。しかし、2021年のつるぎ町立半田病院、2022年の大阪急性期・総合医療センターのように医療機関が狙われたサイバー攻撃が発生し、地域医療体制に影響が出た（大阪急性期・総合医療センターの事案については「1.2.1（2）（b）医療機関における被害事例」参照）。厚生労働省では、医療機関に対し、同種のサイバー攻撃に備えるよう2021年6月※20に加えて、2022年11月にも注意喚起を行った※21。更に、医療機関のサイバーセキュリティ対策の実効性を高めるために、医療機関の管理者が遵守すべき事項として、サイバーセキュリティ対策を位置付けるため医療法施行規則の一部を改正する省令を公布し2023年4月1日から施行した※22。医療機関では「医療情報システムの安全管理に関するガイドライン」を参照し、サイバー攻撃対策を含めたセキュリティ対策全般について適切な対応を行うことが求められる。

### (3) 国際社会の平和・安定及び我が国の安全保障への寄与

我が国の安全保障環境は厳しさを増し、オープンで自由なサイバー空間を確保するために国際社会との連携を強化する重要性が認識されている。年次計画では、サイバー空間の安全・安心の確保のため、「自由・公正かつ安全なサイバー空間」の確保、サイバー攻撃に対する防御力・抑止力・状況把握力の強化、国際協力・連携を一層推進するとしている。

NISCは2022年10月4～5日、サイバーセキュリティ分野における我が国とASEAN（Association of South East Asian Nations：東南アジア諸国連合）諸国との国際的な連携・取り組みを強化することを目的に「第15回日・ASEANサイバーセキュリティ政策会議」を開催した。政策会議では一年間の各国のサイバーセキュリティ政策について意見交換を行ったほか、重要インフラ防護に関する事例の共有、共同意識啓発、能力構築、産学官連携、サイバー演習等の協力活動の確認・評価を行い、今後の更なる協力活動の在り方についても議論した。その結果、日・ASEANの各種の協力活動の進展が確認されるとともに、今後も継続的に協力活動を行うことについて合意した。

2022年5月に開催された日米豪印（QUAD：Quadrilateral Security Dialogue）首脳会合共同声明※23において、QUAD各国、インド太平洋地域及びそれ以外の地域のインターネットユーザーがサイバー脅威を防御できるよう普及啓発について言及された。これを受け2023年2月1月から3月18日まで行われた「2023年サイバーセキュリティ月間※[24]」は「QUADサイバー・チャレンジ※[25]」の一環と位置付けられ様々な取り組みが行われた。

### (4) 横断的施策

横断的施策として、各政府機関は「研究開発の推進」「人材の確保、育成、活躍促進」「全員参加による協働、普及啓発」に取り組んできた。その活動のいくつかについて述べる。

戦略的イノベーション創造プログラム（SIP：Cross-ministerial Strategic Innovation Promotion Program）は、科学技術イノベーション総合戦略及び日本再興戦略（2013年6月閣議決定）に基づいて創設された。2018年から実施してきた第2期活動では12の課題に取り組み※[26]、2023年3月の「SIP/PRISMシンポジウム2022」において活動成果の報告が行われた※[27]。

攻撃把握・分析・共有基盤組織であるCYNEX（Cybersecurity Nexus）の強化に関しては、2023年度以降の本格稼働フェーズに向けて、引き続きコミュニティの深化・信頼醸成やシステムの強化を進めた（「2.1.4 (3) (a) CYNEXの推進」参照）。

経済産業省は、SC3産学官連携WGと連携した「プラス・セキュリティ」に関する共通言語の整理等を行うとともに、サイバーセキュリティ分野も含めたデジタルスキル標準を策定し公開した（「2.3.1 (1) デジタル田園都市国家構想におけるデジタル人材の育成・確保」参照）。

NISCが2019年1月、「全員参加による協働」に向けた具体的なアクションプランとして「サイバーセキュリティ意識・行動強化プログラム」を策定して約3年が経過した。その間、コロナ禍やデジタル改革の推進によりサイバー空間の拡大や利用方法が多様化していることも踏まえて、「サイバーセキュリティ戦略」に基づいた当該プログラムの見直しを行い、2022年10月、改訂版の「サイバーセキュリティ意識・行動強化プログラム※[28]」を公表した。

### (5) 経済安全保障推進法の制定

国際情勢の複雑化、社会経済構造の変化等により、安全保障の裾野が経済分野に急速に拡大する中、国家・国民の安全を経済面から確保するための取り組みを強化・推進することが重要であるとして、2021年10月、岸田内閣において、経済安全保障担当大臣が置かれ、同年11月内閣官房に経済安全保障法制準備室が設置された。経済安全保障法制に関する有識者会議で議論が重ねられた結果を踏まえて、政府は「経済施策を一体的に講ずることによる安全保障の確保の推進に関する法律案」を第208回国会に提出した。同法案は、2022年5月11日に成立し、同月18日に公布された※[29]。同法では、まず取り組むべき分野として①重要物資や原材料のサプライチェーンの強靱化、②基幹インフラ機能の安全性・信頼性の確保、③官民が連携して重要技術を育成・支援する枠組み、④特許非公開化による機微な発明の流出防止の4分野が示され、公布から2年以内に段階的に施行される。この4分野のうちの②基幹インフラ機能の安全性・信頼性確保については、基幹インフラの設備導入や維持管理を行う際に国の事前審査を受ける制度が検討されている。この対象にはシステム、サーバー、ネットワーク機器等が含まれており、不正なソフトウェアの埋め込みや、脆弱性の放置等への対策が求められる。

2022年12月、国民の生存に必要不可欠な、または広く国民生活・経済活動が依拠している重要な物資が「特定重要物資」として指定された。指定された11の物資※[30]の中には、「インターネットその他の高度情報通信ネットワークを通じて電子計算機（入出力装置を含む。）を他人の情報処理の用に供するシステムに用いるプログラム」が含まれている※[31]。経済産業省は2023年1月、「インターネットその他の高度情報通信ネットワークを通じて電子計算機（入出力装置を含む。）を他人の情報処理の用に供するシステムに用いるプログラムに係る安定供給確保を図るための取組方針※[32]」を公表した。本取組方針では、経済産業大臣は特定重要物資に関する認定供給事業者※[33]の事業規模や事業内容に配慮し、「サイバーセキュリティ経営ガイドライン」または「中小企業の情報セキュリティ対策ガイドライン※[34]」等を活用させる等、必要に応じ、サプライチェーンにおけるサイバーセキュリティの確保を勧奨する等の対応を行うとしている。

### (6) 安全保障関連3文書の改訂

日本政府は、2022年12月16日、「国家安全保障戦略」「国家防衛戦略」「防衛力整備計画」のいわゆる安保3文書を閣議決定した※[35]。「国家安全保障戦略」は、2013年に策定されて以来、初めて改定されたものである。

「国家防衛戦略」は、従来の「防衛計画の大綱」に代るものとして、今後の日本防衛の基本方針や防衛力の在り方について広く指針を示すものとなっている。また、「防衛力整備計画」は、従来の「中期防衛力整備計画」に代えて、おおむね10年後までを見据えた防衛力強化のための計画となっている。

「国家安全保障戦略」では国家としてのサイバーセキュリティについて、不正行為からサイバー空間を守り、その自由で安全な利用を確保するとともに、国家の関与が疑われるサイバー攻撃等から我が国の重要な社会システムを防護するため、サイバー空間の防護及びサイバー攻撃への対応能力の一層の強化を図るとしている。また、平素から官民の連携を強化するとともに、セキュリティ人材層の強化等についても総合的に検討を行い、必要な措置を講ずる。そして技術・運用両面における国際協力の強化のための施策を講じ、サイバー防衛協力を推進するとしている。

## 2.1.2 デジタル庁の政策

デジタル庁は、デジタル社会形成の司令塔として、未来志向のDX（デジタル・トランスフォーメーション）を推進し、デジタル時代の官民のインフラを作り上げることを目指している。具体的には、DXを推進するために、デジタル庁や他の政府機関で整備・運用される政府情報システムに必要なセキュリティ対策の実現に向け、ガイドラインや技術レポートを作成し、これらを参考にしつつ、実際の政府情報システムの整備・運用におけるセキュリティ対策を支援している。

### (1) 情報システムの整備及び管理の基本的な方針

「情報システムの整備及び管理の基本的な方針※36」は、デジタル庁設置法に基づき、「デジタル社会の実現に向けた重点計画」等で示す「我が国が目指すデジタル社会」に向け、国の行政機関、地方公共団体その他の公共機関及び公共分野の民間事業者の関係者が効果的に協業できるように、情報システムの整備及び管理の基本的な方針を定めた文書である。

デジタル庁では、図2-1-2に示す四つの領域に注力し課題を解消するとともに、国・地方公共団体・独立行政法人等の関係者が効果的に協働できるようにする。この中でセキュリティは、良いサービスを作るための「標準」の一つと位置付けて、実施していく。

この方針の中で、情報セキュリティに関しては、「政府情報システムの管理等に係るサイバーセキュリティについての基本的な方針」という別添があり、取り組むべき対策を示している。以下にその基本的な方針を示す。

#### (a) 共通機能等を前提とした常時診断・対応型のセキュリティアーキテクチャの実装の推進

各政府機関等は、デジタル庁で整備する共通機能を用いた複数コンポーネントが連携して業務を実現することとなる。このため従来の「境界型のセキュリティ対策」に加え、ゼロトラストアーキテクチャの考え方に基づきセキュリティを確保していく必要がある。また、ゼロトラストアーキテクチャの導入により、サーバー等へのアクセス制御については、ロールベースアクセス制御から属性情報に基づいた動的なアクセス制御である属性ベースアクセス制

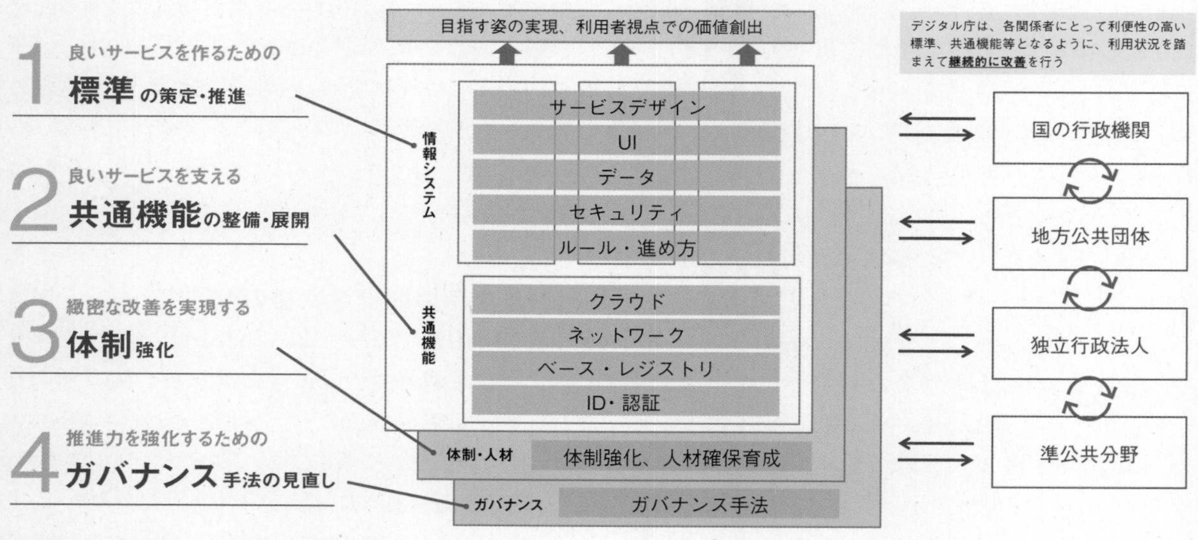

■図2-1-2 デジタル庁の四つの重点注力分野
（出典）デジタル庁「情報システムの整備及び管理の基本的な方針<エグゼクティブサマリー>※37」

御の実現を目指す必要がある。

また、ゼロトラストアーキテクチャの推進のために、業務のリスク分析を行い、その結果に応じた企画・設計段階からのセキュリティ確保（セキュリティ・バイ・デザイン）を実施し、運用を通じてセキュリティ対策を見直し継続的に改善するDevSecOpsも推進する。

#### (b) サイバーレジリエンスを高めるためのセキュリティ対策の導入

複雑化・巧妙化したサイバー攻撃を完全に防御することは困難であるとの前提のもと、サイバー攻撃を早期に検知・対応・復旧するレジリエンスを高めることが重要である。そのためNISCの「政府機関等のサイバーセキュリティ対策のための統一基準群※38」（以下、政府統一基準群）に基づくセキュリティマネジメントに加え、サイバーレジリエンスを高めるためのサイバーセキュリティフレームワークを補完的に導入し、インシデントの被害を最小化し、迅速に回復させる仕組みを導入する。そのために脆弱性に関するセキュリティ診断、安定的・継続的な稼働の確保等の観点による検証やバックドアの有無の検証等に取り組む。更に、デジタル庁が整備・運用するシステムを中心とした安定的・継続的な稼働の確保等の観点からシステム監査を実施することとし、その実施体制をデジタル庁とIPAが共同して構築している。

#### (c) セキュリティポリシー及びセキュリティ対策の構造化及び追跡性の確保

セキュリティポリシーの遵守すべき項目やセキュリティ対策を構成要素化し、項目と対策の関係性の構造化を行うことで、セキュリティポリシーの遵守すべき項目から実施されているセキュリティ対策を追跡可能にする。また、情報システムの運用状況を監視することにより、セキュリティポリシーの遵守状況をリアルタイムかつ容易に把握することを目指す。

### (2) デジタル社会推進標準ガイドライン群のセキュリティに関するドキュメント

デジタル社会を実現するためには、「共通ルール」のもとで関係者が協働し、価値を生み出すことが重要である。

「デジタル社会推進標準ガイドライン※39」群は、サービス・業務改革並びにこれらに伴う政府情報システムの整備及び管理についての手続き・手順や、各種技術標準等に関する共通ルールや参考ドキュメントをまとめたものである。

「政府情報システムの管理等に係るサイバーセキュリティについての基本的な方針」を実現するために、NISCの政府統一基準群で示されるセキュリティ対策の基本的な考え方と実践のポイントを踏まえ、以下の八つの政府統一基準群の具体化に関連した技術ガイダンスを策定している。これらの文書は、政府情報システムの整備及び管理する際に参考とする文書として位置付けている。

#### (a) 政府情報システムにおけるセキュリティ・バイ・デザインガイドライン

情報システムにおいて効率的にセキュリティを確保するため、企画から運用まで一貫したセキュリティ対策を実施する「セキュリティ・バイ・デザイン」の必要性が高まっている。「政府情報システムにおけるセキュリティ・バイ・デザインガイドライン※40」では、システムライフサイクルにおけるセキュリティ対策を俯瞰的にとらえるため、各工程での実施内容を図2-1-3（次ページ）のように記載するとともに関係者の役割についても定義している。

#### (b) ゼロトラストアーキテクチャ適用方針

政府機関では業務環境の変化に伴い、イントラネットの外側で情報システムを利用するケースが増大している。このような従来の境界型のセキュリティモデルとは前提が異なる環境で情報セキュリティを確保するためには、境界型のセキュリティから大幅に拡張した考え方が求められる。「ゼロトラストアーキテクチャ適用方針※41」は、拡張の実態となる「ゼロトラストアーキテクチャ」の適用方針を説明している。

図2-1-4（次ページ）にゼロトラストアーキテクチャ概念図を示す。

#### (c) 常時リスク診断・対処（CRSA）システムアーキテクチャ

ゼロトラストの環境下において安定かつ安全なサービス提供を実現するためには、政府全体のサイバーセキュリティリスクを早期に検知し、これを低減することが必要となる。「常時リスク診断・対処（CRSA）システムアーキテクチャ※42」は、この活動を継続的に実施するための、情報収集・分析を目的としたプラットフォームのアーキテクチャについて説明している。

#### (d) 政府情報システムにおける脆弱性診断導入ガイドライン

政府機関では従来、情報セキュリティリスクの低減を

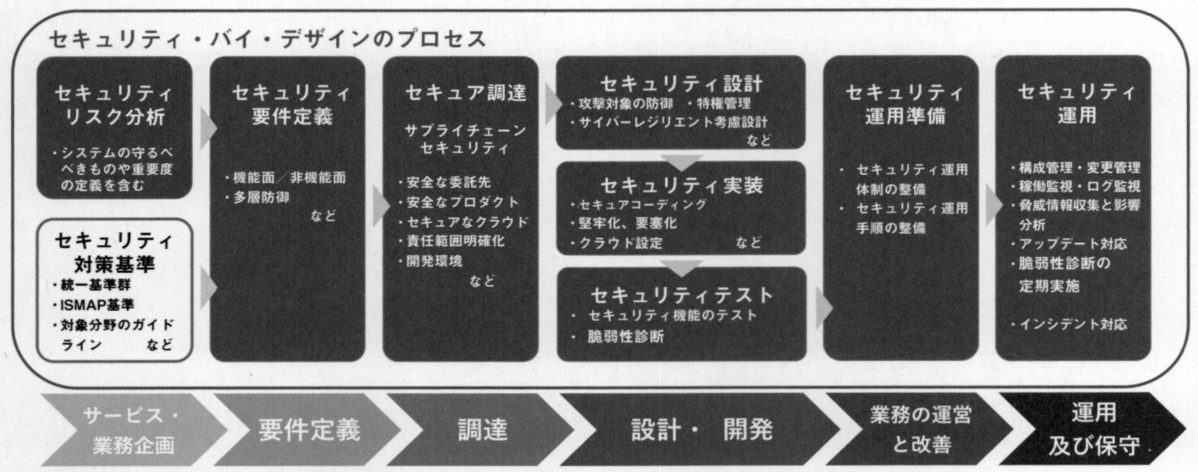


■図 2-1-3　セキュリティ・バイ・デザインの概要
(提供)デジタル庁

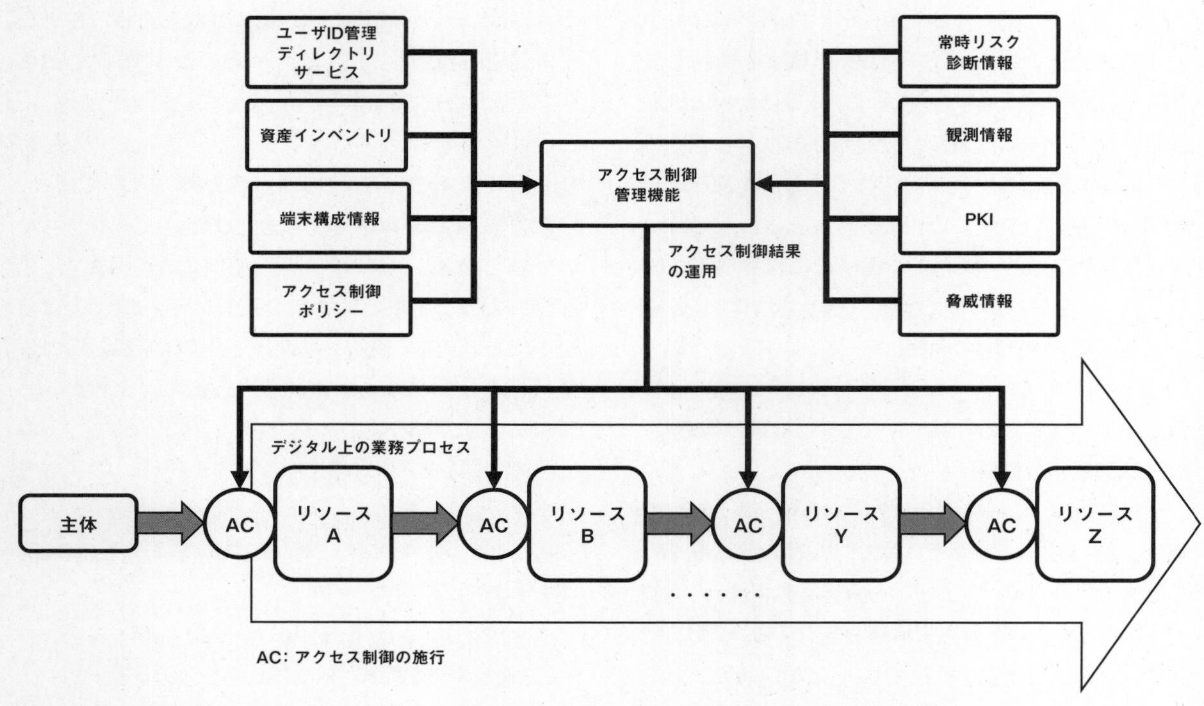


■図 2-1-4　ゼロトラストアーキテクチャ概念図
(出典)デジタル庁「ゼロトラストアーキテクチャ適用方針」

目的として脆弱性診断を活用してきたが、導入方法に係る明確な基準や指針は十分整備されていない。「政府情報システムにおける脆弱性診断導入ガイドライン[※43]」は、政府情報システムの関係者が最適な脆弱性診断を選定、調達できるようにするための基準及び指針を提供している。

#### (e) 政府情報システムにおけるセキュリティリスク分析ガイドライン

情報システムにおいてセキュリティを効果的に確保するには、リスクを把握し確実にコントロールすることが重要である。セキュリティリスク分析には様々な手法が存在する。「政府情報システムにおけるセキュリティリスク分析ガイドライン[※44]」ではリスク分析の難解さを避け、実行しやすく有効性が高いと考えるベースラインと事業被害ベースの組み合わせアプローチのリスク分析について、具体的な手順を説明している。

**(f) 政府情報システムにおけるサイバーセキュリティフレームワーク導入に関する技術レポート**

過激化、複雑化するサイバー攻撃を速やかに検知し、対応することで被害を極小化し、正常状態に迅速に復旧するためのサイバーレジリエンスの必要性が高まっている。包括的なサイバーセキュリティ態勢を構築するためのツールとしてNIST（National Institute of Standards and Technology）サイバーセキュリティフレームワーク※45が、マネジメント力の向上に各国で活用されている。「政府情報システムにおけるサイバーセキュリティフレームワーク導入に関する技術レポート※46」では、サイバーセキュリティフレームワークの概要と導入プロセスについて説明している。

**(g) セキュリティ統制のカタログ化に関する技術レポート**

セキュリティ統制のカタログ化とは、個々のセキュリティ統制に対し一意な識別子を付与し、機械可読な形式で分類することを指す。

識別子を用いることで、統制の要素間でのトレーサビリティを確保し、構造的に把握することが可能となる。また機械可読形式で表現することで、システム設定自動化等を促進でき、システムセキュリティ評価の効率、適時性、正確性、及び一貫性を向上させることが可能となる。「セキュリティ統制のカタログ化に関する技術レポート※47」では、その概要について説明している。

**(h) ゼロトラストアーキテクチャ適用における属性ベースアクセス制御に関する技術レポート**

変化する業務環境やリスクに対して、アクセス制御は最小権限の原則を継続的に実現しなければならない。不正アクセスから業務環境を保護するには、識別子（ID）や役割（ロール）といった個別の情報だけでは、アクセス制御においては十分ではない。ゼロトラストアーキテクチャにおいてリスクに合わせた防御を実現するためには、多面的な複数の情報を組み合わせるABAC（Attribute-Based Access Control：属性ベースアクセス制御）が効果的である。「ゼロトラストアーキテクチャ適用方針における属性ベースアクセス制御に関する技術レポート※48」では、ABACの概要を説明している。

### (3) 常時リスク診断・対処（CRSA）実証事業

「デジタル社会の実現に向けた重点計画」において、デジタル庁及びNISCが、情報資産管理手法やシステムの挙動やソフトウェアの状況をリアルタイムに監査・監視する常時診断・対応型のセキュリティアーキテクチャ等の実装に向けた検討及び実証事業を進めることとしている。デジタル庁は、実証事業として、この常時リスク診断・対処（CRSA：Continuous Risk Scoring & Action）プログラム※49を行っている。

CRSAは、組織の情報セキュリティポリシー等で求められる情報セキュリティに関する統制目標（コントロール）と情報システムの実際の状態とのギャップやリスクを可視化し、そのギャップの是正の対応を継続的に実施することを意味する。

CRSAでは、IT資産（デバイス、ソフトウェア、サービス等）、ユーザー、セキュリティインシデント、データ保護状態を管理対象として想定している。リスクを可視化する対象として、まずIT資産の管理やソフトウェアの脆弱性対応状況の可視化から実装する。可視化の管理対象は、順次追加する（次ページ図2-1-5）。

情報システムの実際の状態とギャップやリスクの可視化は、具体的には、リスクスコアで表現する。例えば、脆弱性に関するリスクスコアは、脆弱性が残存している、または脆弱性が発見されてから運用担当者が放置している日数が経過するとリスクスコアが大きくなっていく。

このようなリスクスコアの把握やCRSAのフレームワークの適用により以下のような効果があると考えられる。

- 政府統一基準群等に準拠したコントロールからの逸脱の把握と迅速な是正
- インシデント発生時のトリアージ等の効果的な対応
- セキュリティ対策実施状況のリアルタイムなデータによる効率的な報告
- 脅威やインシデントに対する政府横断的な脆弱箇所の迅速な発見・対応
- ゼロトラストアーキテクチャの運用環境の適切な維持

今後、政府内におけるCRSAの本格導入が検討される。

## 2.1.3 経済産業省の政策

経済産業省は、サイバー空間、フィジカル空間を統合したサプライチェーン全体にわたるセキュリティ対策の強化に向け、制度、標準化、経営、人材、ビジネス等、様々な観点から施策を検討・実施している。

●常時リスク診断・対処

・**リスク診断**
必要なコントロールと実際の状態の
ギャップやリスクを可視化

・**対処**
可視化されたギャップやリスクへ
是正の対応

・**常時**
ギャップやリスクを可視化し、
是正の対応を継続的に実施

●管理対象

・**IT資産（デバイス、ソフトウェア、サービス等）、ユーザ、セキュリティインシデント、データ保護状態**を管理対象と想定。

・実装される管理対象は、順次追加している。

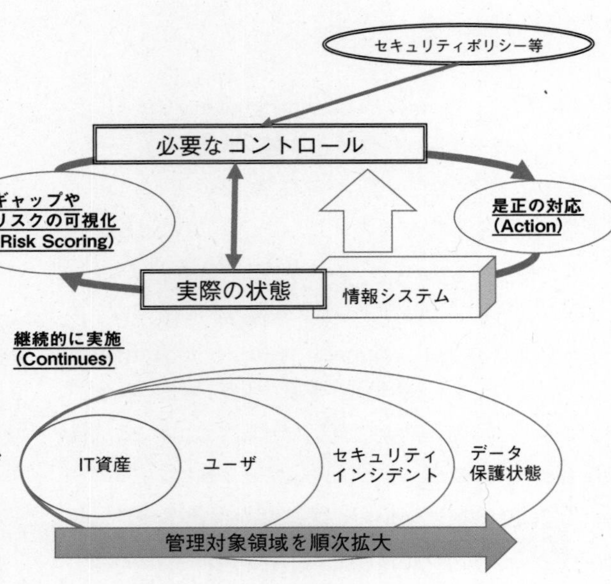


■図 2-1-5　常時リスク診断・対処（CRSA）の概要
（提供）デジタル庁

### (1) 産業サイバーセキュリティ研究会

2017年12月、経済産業省は我が国の産業界が直面するサイバーセキュリティの課題を洗い出し、関連政策を推進するため、産業界を代表する経営者、インターネット関連の学識経験者等から構成される「産業サイバーセキュリティ研究会」を設置した。図2-1-6に同研究会の構成を示す。

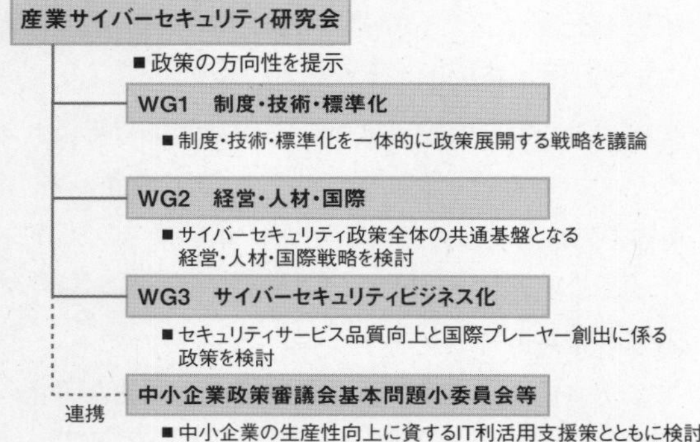


■図 2-1-6　産業サイバーセキュリティ研究会の構成
（出典）経済産業省「産業分野におけるサイバーセキュリティ政策※50」

同研究会では2022年4月11日に第7回会合※51を開催し、「産業サイバーセキュリティ強化へ向けたアクションプラン※52」（2018年5月発表）で示されたサプライチェーン、経営、人材、ビジネスの4パッケージを持続的に発展させるため、以下の二つの課題にチャレンジするとした。

- Cyber New Normalにおける6つの処方箋
  ①サイバー・フィジカル・セキュリティ対策フレームワーク（CPSF：the Cyber/Physical Security Framework）※53の具体化
  ②ソフトウェアの脆弱性対応強化（脆弱性情報の共有、SBOM（Software Bill of Materials）※54）
  ③医療分野での対応（SBOM、サイバーセキュリティお助け隊）
  ④「開発のための投資」から「検証のための投資」へのシフト
  ⑤サプライチェーンセキュリティ確保のための産業界一丸となった対応
  ⑥Like-mindedの関係強化（国際情勢）
- 国としての対処能力の強化
  - サイバーインシデントに係る事故調査機能の構築
  - サイバー攻撃被害に係る情報の共有・公表のあり方検討

以下では、本研究会で合意された取り組み方針に基づいた各WG（Working Group）の2022年度の活動について述べる。

#### (a) WG1（制度・技術・標準化）

WG1では、「サプライチェーンサイバーセキュリティ強化パッケージ」の活動を主に実施しており、産業サイバーセキュリティに関する制度・技術・標準化を一体として政策に展開する戦略を議論している。CPSFを標準モデルとして、産業分野別サブワーキンググループ（SWG）と分野横断SWGが設置されている（次ページ図2-1-7）。

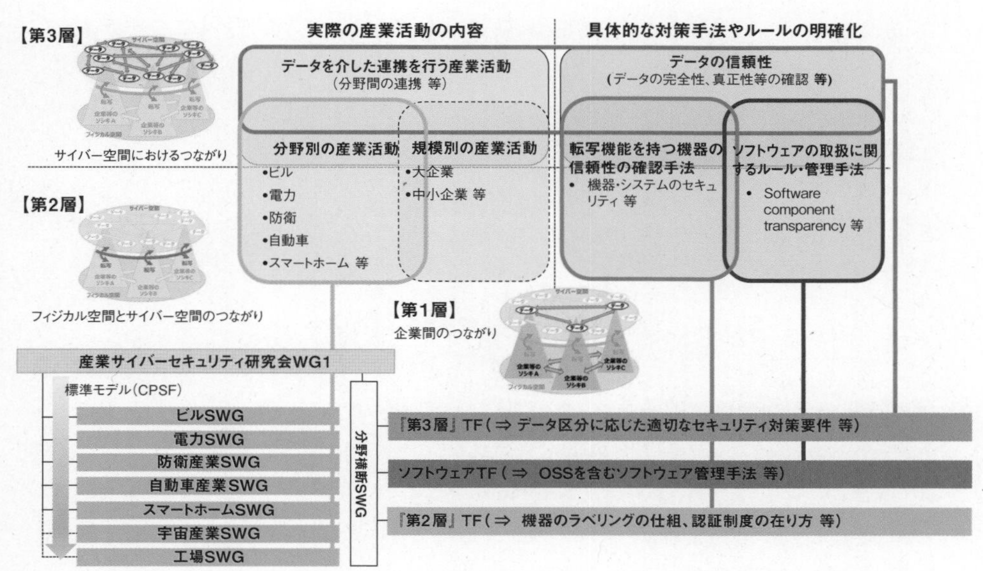


■図 2-1-7　タスクフォースの構成
(出典)経済産業省「サブワーキンググループ、タスクフォース等の検討状況※55」を基にIPAが編集

産業分野別SWGは、ビル、電力、防衛産業、自動車産業、スマートホーム、宇宙産業、工場の七つの産業分野で活動している。ビルSWGは、2019年6月20に公表した「ビルシステムにおけるサイバー・フィジカル・セキュリティ対策ガイドライン第1版※56-1」を改訂し、サイバー攻撃を受けた際のインシデントレスポンスの取り組みの概要及び詳細な対策を追加する形で、2023年4月20日に第2版※56-2を公開した。電力SWGは、2023年2月20日に第15回会合※57を開催し、電力分野におけるサイバーセキュリティ施策の取り組み状況と、セキュリティリスク点検ツール(サイバーセキュリティ対策状況可視化ツール(案))について議論した。宇宙産業SWGは、2022年7月21日に「民間宇宙システムにおけるサイバーセキュリティ対策ガイドライン Ver1.0※58」を公開した。工場SWGは、2022年11月16日に「工場システムにおけるサイバー・フィジカル・セキュリティ対策ガイドライン Ver1.0※59-1」を公開し、2023年3月31日にはアップデート版であるVer1.1及び英訳版※59-2を公開した。

分野横断SWGは、2021年度に引き続きCPSFの実装を促進するべく、「第2層:フィジカル空間とサイバー空間のつながり」の信頼性確保に向けたセキュリティ対策検討タスクフォース(『第2層』TF)及び「第3層：サイバー空間におけるつながり」の信頼性確保に向けたセキュリティ対策検討タスクフォース(『第3層』TF)に焦点を絞った層別タスクフォース(TF)や、オープンソースソフトウェア(OSS：Open Source Software)等のソフトウェアの活用・脆弱性管理手法を検討するサイバー・フィジカル・セキュリティ確保に向けたソフトウェア管理手法等検討タスクフォース(ソフトウェアTF)で議論を進めた。

第2層TFは、2023年2月17日に第7回会合※60を開催し、「IoTセキュリティ・セーフティ・フレームワーク※61」(以下、IoT-SSF)の適用実証※62、及びIoT-SSFの有効性検証の結果が報告され、IoT-SSF及び「IoTセキュリティ・セーフティ・フレームワーク Version 1.0 実践に向けたユースケース集※63」の改善点が抽出された。

ソフトウェアTFは、2023年2月28日に第9回会合※64を開催し、医療機器分野、自動車分野、及びソフトウェア分野におけるSBOM導入実証の結果を踏まえて、初級者向けSBOM導入の手引、SBOM対応モデル、SBOM取引モデルについて議論した。

### (b) WG2(経営・人材・国際)

「サイバーセキュリティ経営強化パッケージ」と「サイバーセキュリティ人材育成・活躍促進パッケージ」の活動を主に実践するWG2では、サイバーセキュリティ対策への経営者の参画と人材育成、中小企業の対策、国際連携に関する政策を議論している。各種取り組みはCPSFを軸として整備している(次ページ図2-1-8)。

経営者の参画に関しては、「サイバーセキュリティ経営ガイドライン改訂に関する研究会」を開催し、CPSFコンセプトの反映、サプライチェーンの脅威の再整理等の検討を行い、2023年3月に「サイバーセキュリティ経営ガイドライン Ver3.0」を公開した※66。また、IPAを通じて2023年3月に同ガイドラインの「付録A-2」のチェック項

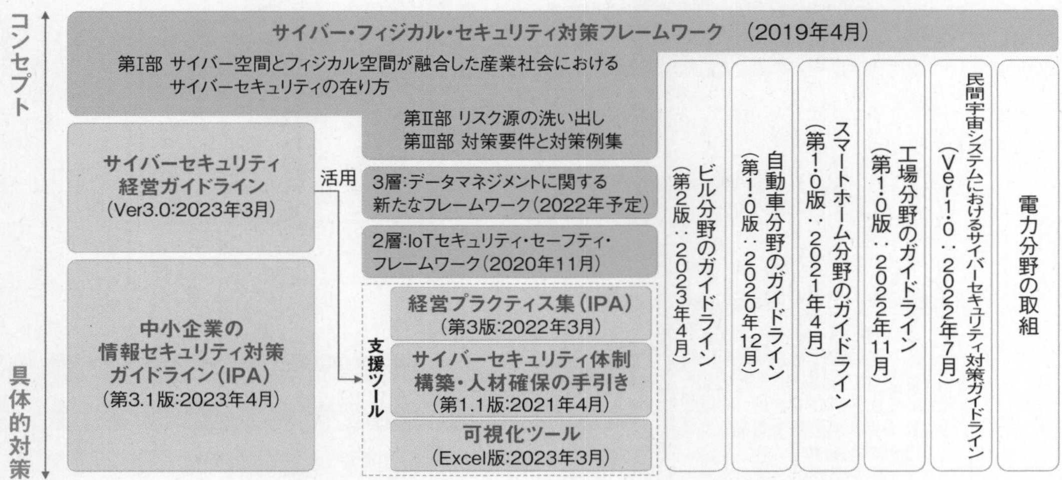


■図 2-1-8　CPSF を軸とした各種取り組みの大まかな関係
（出典）経済産業省「事務局説明資料[※65]」（第 8 回 産業サイバーセキュリティ研究会 ワーキンググループ 2（経営・人材・国際）資料 3）を基に IPA が編集

目に準拠した「サイバーセキュリティ経営可視化ツール Ver2.0」を同時に公開した[※67]（「2.4.1（5）サイバーセキュリティ対策の実践状況」参照）。

サプライチェーン上の中小企業に加え、中小医療機関等における対策強化として、「サイバーセキュリティお助け隊」の活用拡大を検討している。

地域のセキュリティ支援に関しては、「地域セキュリティコミュニティ【地域 SECUNITY】[※68] 形成・運営のためのプラクティス集第 2 版」「地域 SECUNITY マップ」「地域 SECUNITY リスト」及び「講師派遣制度等の問い合わせリスト」を公開した[※69]。地域 SECUNITY 形成促進 WG[※70-1] では、2022 年 10 月 19 日に第 3 回ワークショップを開催し、地域におけるセキュリティ対策活動等について情報共有を実施した。

### （c）WG3（サイバーセキュリティビジネス化）

「セキュリティビジネスエコシステム創造パッケージ」の活動を主に実践する WG3 では、セキュリティ製品・サービスの品質向上とサイバーセキュリティビジネスの国際プレイヤー創出に関わる政策として、サイバーセキュリティ製品の有効性を検証する検証基盤の整備を進めている。

検証方式のうちセキュリティ製品の有効性検証（緑検証）及び実環境における試行検証（青検証）では、制度を普及するために、対象製品の公募要領、及び募集チャネル、製品開発者のインセンティブ向上策、ビジネスマッチング機会の増強策等の諸施策の検討を実施した[※70-2]。

ハイレベル検証（赤検証）では、「情報セキュリティサービス基準」に新たに「機器検証サービス」を追加[※71] し、情報セキュリティサービス審査登録制度に基づき、検証事業者の登録及び公開を通じて、機器メーカーが信頼できる検証事業者を確認する仕組みを構築した。2023 年度より運用を開始する（「2.1.3（4）情報セキュリティサービス審査登録制度」参照）。また、検証事業の普及を見込み、検証事業者と検証依頼者間の適切な契約のために、脆弱性診断や機器検証に関する内容を含んだモデル契約書の検討を実施した。

中小企業向け検証（開発段階検証）では、中小企業が開発する IoT 機器を産業向け、一般消費者向けに分類し、中小企業の開発段階の製品検証[※72] により得られた知見を検証事業者や製品ベンダー向けに手引きやガイドとして整備している。

検証基盤とは独立した「IoT 製品に対するセキュリティ適合性評価制度構築に向けた検討会」では、2023 年 2 月 6 日に第 2 回会合[※73] を開催し、対象とする製品範囲、用いる適合性評価基準、活用する適合性評価スキーム等について議論した。

コラボレーション・プラットフォームでは、2022 年 4 ～ 8 月に第 23 回[※74] として「非財務情報（サイバーセキュリティ対策）の企業開示に向けて」と「2022 年度サプライチェーン調査を実施する視点」をテーマに全 8 回の有識者による意見交換会を実施した。また、2022 年 12 月 20 日に第 24 回[※75] を開催し、IPA 事業「サイバーセキュリティ検証基盤」で有効性検証を実施した 2 製品についてビジネスマッチングの場の提供と意見交換を実施した。

### (2) その他の検討会の活動

他の検討会等における活動について述べる。

#### (a) クレジットカード決済システムのセキュリティ対策強化検討会

EC サイトを中心に年々増加するクレジットカード不正利用被害の増加を受け、経済産業省商取引監督課が事務局を務める形で有識者を含めた対策議論を行った。2023 年 1 月 20 日には、クレジットカード決済システムのセキュリティ対策強化に向けた三つの取り組み（漏えい防止、不正利用防止、犯罪抑止・広報周知）をまとめた「クレジットカード決済システムのセキュリティ対策強化検討会 報告書[※76]」を取りまとめた。

#### (b) サイバー攻撃に係る情報の共有・公表ガイダンス検討会

同検討会は 2022 年 5 月から開催され、経済産業省は関係省庁等との共同事務局として参画した。2023 年 3 月、同検討会は、サイバー攻撃被害に係る情報を共有・公表する際の参考となる「サイバー攻撃被害に係る情報の共有・公表ガイダンス」を公表した（「2.1.1 (2) 国民が安全で安心して暮らせるデジタル社会の実現」参照）。

### (3) 技術情報管理認証制度

経済産業省は「産業競争力強化法等の一部を改正する法律」に基づき、2018 年 9 月から「技術情報管理認証制度」を開始している[※77]。これは、事業者の技術等の情報管理について、国が示す認証基準に適合していることを、事業所管大臣及び経済産業大臣が認定した認証機関が認証を付与する制度である。認証機関に対する支援措置として、独立行政法人中小企業基盤整備機構や IPA からの情報提供支援があり、2023 年 3 月現在 8 事業者が認定を受けている。認証を取得しようとする企業・団体等に対しては、経済産業省が専門家を派遣して認証取得に向けた情報セキュリティ体制構築の無償支援を行う事業を行っており、2022 年度は 2022 年 6 月～ 2023 年 3 月の期間に実施した[※78]。また 2022 年度は、「技術等情報漏えい防止措置の実施の促進に関する指針」及び「技術等情報漏えい防止措置認証業務の実施の方法」の二つの告示について、意見公募を実施の上、改正した。また、「技術等情報漏えい防止措置の実施の促進に関する指針」で作成することとした、技術情報管理認証制度の基準に基づく事業者向けの自己チェックリストを経済産業省の Web サイトで公開した。引き続き機密性の高い技術情報等を保持する中小企業や業界団体等の制度活用が期待される。

### (4) 情報セキュリティサービス審査登録制度

情報セキュリティサービスを安心して活用できる環境を醸成するべく、経済産業省は「情報セキュリティサービス基準」（以下、本サービス基準）及び「情報セキュリティサービスに関する審査登録機関基準」を策定し、2018 年 2 月に公表した[※79]。2023 年 3 月 30 日には、両基準に基づく情報セキュリティサービス審査登録制度の一層の普及を図るべく、本サービス基準の第 3 版を公開し、併せて、見直し需要の高い項目を記載した「情報セキュリティサービスにおける技術及び品質の確保に資する取組の例示」の第 2 版を公開した[※80]。

情報セキュリティサービス審査登録制度は、本サービス基準に照らして、情報セキュリティサービスについて一定の品質の維持・向上が図られているか否かを第三者が客観的に判断し、結果を公開することで、利用者が必要なセキュリティサービスを容易に選定できるようにする枠組みである。

IPA はこの枠組みに基づき、2018 年 7 月から、審査登録機関[※81]による審査の結果、本サービス基準に適合すると認められ、当該機関の登録台帳に登録され、かつ IPA に誓約書を提出した事業者の情報セキュリティサービスを「情報セキュリティサービス基準適合サービスリスト」（以下、本リスト）として公開している[※82]。

本リストは、NISC の「政府機関等の対策基準策定のためのガイドライン（令和 3 年度版）[※83]」において、以下のケースにおける外部委託先選定に活用できるように参照されている。

- 監査業務の外部委託先選定
- 脆弱性診断の外部委託先選定
- インシデントレスポンス業務の外部委託先選定
- セキュリティ監視業務の外部委託先選定

2021 年 2 月からは、本リスト利用者がサービスを選定する際の参考となるように、サービスのホームページへのリンク、サービスの概要、主たる対象顧客の分野・業種、対象とする地域の情報を本リストに追加し、提供している。

本サービス基準では、情報セキュリティサービスを以下の四つに分類している。これらのサービス登録数は堅調に推移しており、2023 年 3 月に 269 件に達した（次ページ図 2-1-9）。

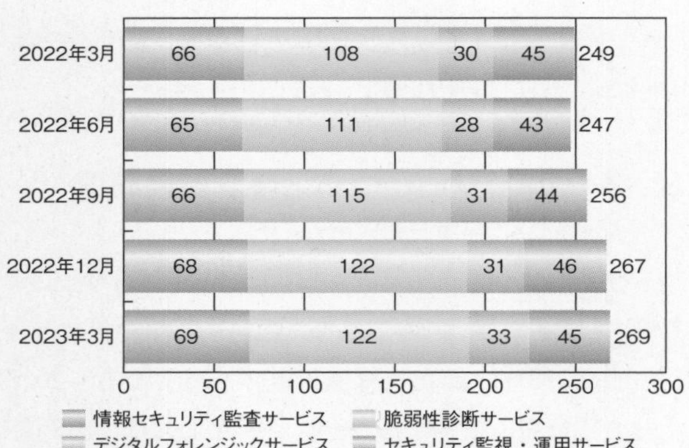


■図 2-1-9　情報セキュリティサービス登録数の推移

- 情報セキュリティ監査サービス
- 脆弱性診断サービス
- デジタルフォレンジックサービス
- セキュリティ監視・運用サービス

なお、五つ目のサービス分類として、「機器検証サービス」に係る審査基準の追加が検討されており、2023年1月16日～2月18日にパブリックコメントが行われた。

2023年3月30日には、新たに「機器検証サービス」を追加した「情報セキュリティサービス基準 第3版」、及び同サービスを追加した「情報セキュリティサービスにおける技術及び品質確保に資する取組の例示 第2版」が公表され、4月1日から施行された※84。

また、「政府情報システムのためのセキュリティ評価制度（ISMAP）」において、評価を実施する監査機関として登録申請する場合、本リストに「情報セキュリティ監査サービス」として登録されていることが要求事項の一つになっている（「2.7.3 政府情報システムのためのセキュリティ評価制度（ISMAP）」参照）。

本リストの活用がより一層進むことで、情報セキュリティサービスの品質向上に加え、情報セキュリティサービス市場の活性化にもつながることが期待される。

### (5) J-CSIP（サイバー情報共有イニシアティブ）

経済産業省の協力のもと、IPAでは2011年10月から、官民連携による標的型攻撃への対策を目的として、J-CSIP（Initiative for Cyber Security Information Sharing Partnership of Japan：サイバー情報共有イニシアティブ）を運用している。

J-CSIPは、日本の基幹産業を担う企業を中心に、サイバー攻撃等に関する情報を相互に共有し、サイバー攻撃の防御とその被害の低減を目指している。2023年3月末現在、IPAを情報の中継・集約点（情報ハブ）として15の業界から292の企業や業界団体（以下、組織）がJ-CSIPに参加している。

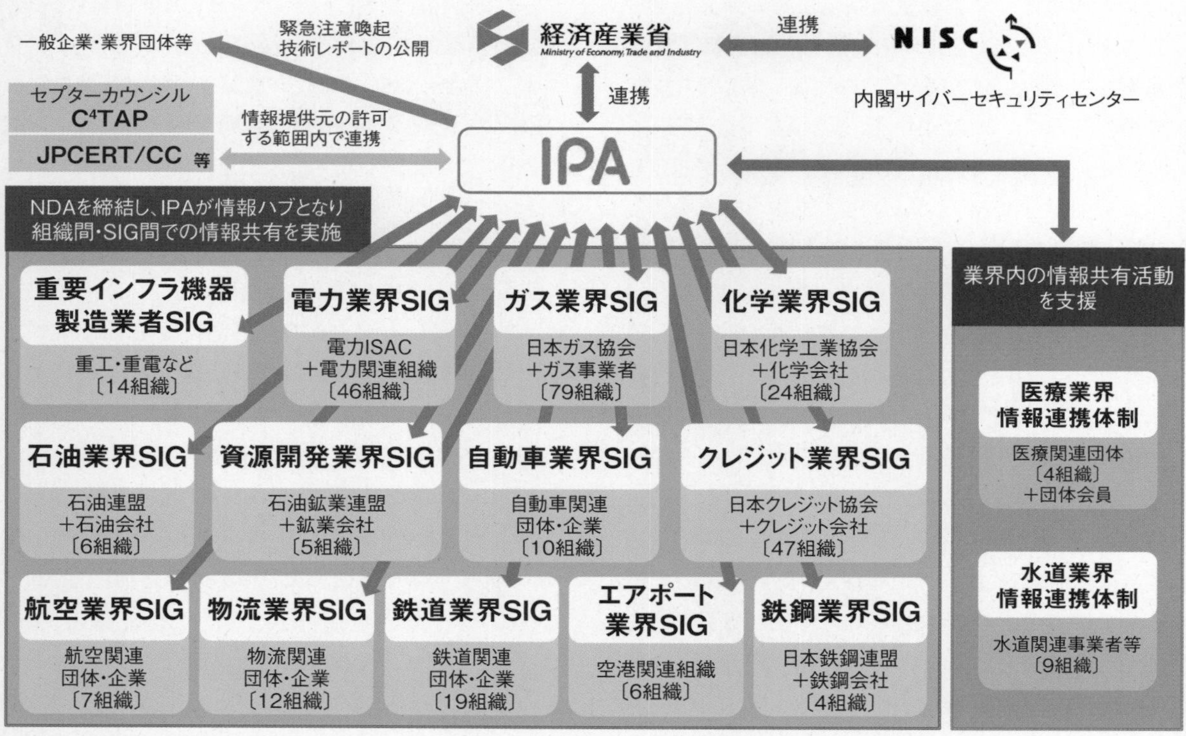


■図 2-1-10　J-CSIP の体制全体図
（出典）IPA「サイバー情報共有イニシアティブ（J-CSIP）運用状況［2023年1月～3月］」※87

参加の形態としては、IPAと各組織との間で個別にNDA（Non-Disclosure Agreement：秘密保持契約）を締結して情報共有を行う業界単位のグループ（SIG：Special Interest Group※85）と、規約を基に業界の情報共有活動を支援するための枠組みである「情報連携体制」が存在する（前ページ図2-1-10）。

また、J-CSIPはIPAを通じて、経済産業省やセプターカウンシル※86のC4TAP、JPCERT/CC等とも連携している。

J-CSIPでは、IPAと参加組織との間でサイバー攻撃に関する手口や被害の情報、標的型攻撃メール等に関する情報共有を行っている。なお、J-CSIPの中で共有される情報は、提供元が明らかにならないよう、情報提供者の固有の情報を除去するルールがある。

参加組織から提供された、不審なメール、ウイルス※88、攻撃の痕跡等の件数（参加組織からの情報提供件数）、提供を受けた情報のうち標的型攻撃に関するメールやウイルスと見なした件数（標的型攻撃件数）、及びそれらを基にJ-CSIP内で情報共有を行った件数（情報共有件数）を表2-1-1に示す。年度により件数の増減はあるものの、継続して情報提供や共有が行われていることが分かる。

| | 2019年度 | 2020年度 | 2021年度 | 2022年度 |
|---|---|---|---|---|
| 参加組織からの情報提供件数 | 2,303 | 6,202 | 843 | 241 |
| 標的型攻撃件数（メール、検体等） | 401 | 125 | 35 | 13 |
| 情報共有件数 | 225 | 147 | 118 | 120 |

■表2-1-1　J-CSIPの運用実績

2022年度は2021年と比較して情報提供件数が減少している。2022年度、情報提供が減少している要因としては、「Emotet」の活動休止による攻撃メール減少に加え、J-CSIP参加組織の調査対応力向上が進む等、正規メールや広くばらまかれているフィッシングメール等を、各組織で対処し、提供要否の判断が可能となったことが影響していると考えられる。

J-CSIPでは、無作為に送信される不審メールやウイルスメール（ばらまき型メール）については、一般的に脅威の度合いが低いと考えられることから、原則として情報の提供依頼や共有の対象とはしていない。しかし、Emotetについては、無作為に近い攻撃でありながらも、窃取した正規メールの文面の流用、パスワード付きZIPファイルやMicrosoft OneNote形式のファイルの悪用といった手口が駆使され、多数の企業・組織にとって深刻な脅威と見なせる状況が続いている（ばらまき型メールの手口については「1.2.6 ばらまき型メールによる攻撃」参照）。このことから、特に攻撃手口等に大きな変化が確認できた際は、情報共有の対象とし、各組織に対応を促した※87。ばらまき型メールと見なせる攻撃であっても、かつて標的型攻撃で使われていたような巧妙な手口が取り入れられている傾向があり、状況に応じ、今後も情報共有を図っていく必要があると思われる。

ビジネスメール詐欺に関しては、2021年度までと同様、複数の情報提供を受けた。実被害に至る前に偽のメールであることに気付けた事例もあれば、攻撃者の口座へ送金してしまった事例もあった。企業間の取り引きのメールに介入したり、CEO（Chief Executive Officer：最高経営責任者）になりすましたりする等、基本的な騙しの手口は変わらない（「1.2.3 ビジネスメール詐欺（BEC）」参照）。ただし細かい点では、送金先の変更を依頼する際、新型コロナウイルス感染症（以下、新型コロナウイルス）の影響であると嘘をつく等、時流に沿った騙しの手口の変化が見られた。これらの詳しい情報をJ-CSIP内で共有するとともに、情報提供元の許可が得られた範囲で、事例の一般公開も行った。

このほか、廃棄予定のVoIPゲートウェイ装置から組織内ネットワークに侵入された事例や、セキュリティ製品による検疫を避けるためにURLを細工したフィッシングメール等の情報提供があり、それぞれ共有を行った。

全体的には、2016年度まで観測されていた、諜報活動が目的と思われる、日本国内の特定の業界や組織に向けて多数のメールが送信されるような標的型攻撃は減少傾向にある。これは、攻撃者がより慎重に、目立たないように攻撃を行うようになったためと考えられる。また、発端が標的型攻撃メールであるのか、別の方法であるのか特定できないが、長期にわたって組織内ネットワークへ侵入されていたという情報提供が2022年度にもあった。密かに攻撃を行う攻撃者に一層の注意が必要である（標的型攻撃については「1.2.2 標的型攻撃」参照）。

情報共有活動は、攻撃の痕跡や手口の情報を基に、防御側で連携して対抗するための重要な施策の一つであり、IPAは引き続きJ-CSIPの運用を継続していく。

### (6) J-CRAT（サイバーレスキュー隊）

経済産業省の協力のもと、IPAは2014年7月にJ-CRAT（Cyber Rescue and Advice Team against targeted attack of Japan：サイバーレスキュー隊）を発

足させた。J-CRAT の目的を以下に示す。

- 攻撃に気付いた組織における被害拡大抑止と再発防止
- 標的型攻撃による諜報活動等の連鎖の遮断

J-CRAT では、常時「標的型サイバー攻撃特別相談窓口」(以下、窓口)の運営と「公開情報の分析・収集」の二つの活動を実施している。

窓口では、主に公的機関等の組織から、標的型攻撃メールに関する情報提供や相談を受け付けている。「公開情報の分析・収集」では、日々公開されるインターネット上の情報等から、各種ウイルス情報等を収集している。これまでの活動実績から、地政学や国際政治、国際経済や科学技術等に関する動向との関連が明らかになったため、それらの情報収集を幅広く行っている。

標的型攻撃の被害に遭っている、または遭っている可能性が高い組織のうち、特に公的機関や業界団体、重要インフラ関連企業や取引先等サプライチェーンを構成する組織に対して、被害実態の確認と認知の支援、被害緩和の暫定対応に関する助言を「サイバーレスキュー活動」として実施している※89。また、窓口における対応の結果、必要があると判断した組織に対して、攻撃の期間・内容、感染範囲、想定被害等をヒアリングし、早急な対策着手が行えるよう、民間セキュリティ事業者と対策を講じるまで助言を行っている(図 2-1-11)。

相談を受けた案件のうち、緊急を要する事案に対しては、「レスキュー支援」を行い、更に当該組織での対応が必要な場合は、隊員を派遣する「オンサイト支援」を行っている。それぞれの支援件数を表 2-1-2 に示す。2022 年度の活動実績を 2021 年度と比較すると、「相談件数」は 12% 減少しているものの、内訳を見ると「レスキュー支援件数」は 73.4% 増加、そのうち「オンサイト支援件数」は 377.8% 増加している。

| | 2019 年度 | 2020 年度 | 2021 年度 | 2022 年度 |
|---|---|---|---|---|
| 相談件数 | 392 件 | 406 件 | 375 件 | 330 件 |
| レスキュー支援件数 | 139 件 | 102 件 | 94 件 | 163 件 |
| オンサイト支援件数 | 31 件 | 20 件 | 9 件 | 43 件 |

※一つの事案に対しての複数回のオンサイト対応を要した場合も、1 件として集計

■表 2-1-2　J-CRAT の活動実績

J-CRAT では、定期的に活動状況を公開するほか、情報収集活動や支援活動から得られた結果を技術レポートとして随時公開している。これらの取り組み等を通じ、被害組織のセキュリティインシデントに対する速やかな対応力向上や、平時における標的型攻撃への対策力向上に資する活動を行っている。また、活動を通じて組織のセキュリティ人材の育成、標的型攻撃の連鎖の解明、及び攻撃の連鎖を遮断することによる被害の低

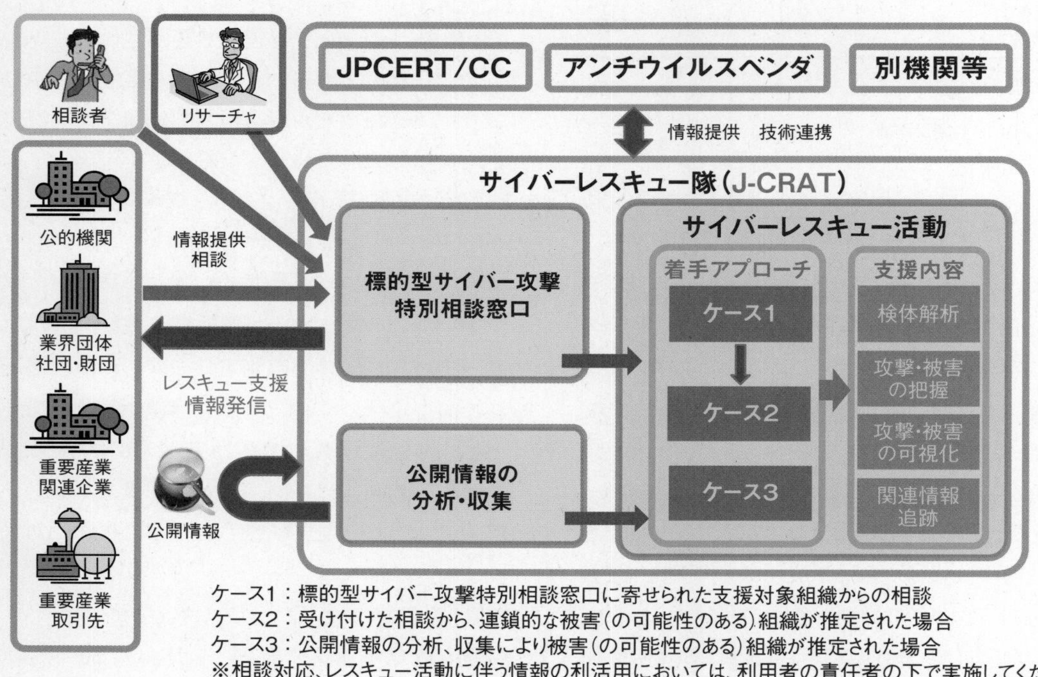


■図 2-1-11　J-CRAT の活動の全体像とスキーム
(出典)IPA「サイバーレスキュー隊 J-CRAT(ジェイ・クラート)※89」を基に編集

減を推進していく。

## 2.1.4 総務省の政策

総務省は2022年8月12日に「ICTサイバーセキュリティ総合対策2022[※90]」(以下、総合対策2022)を公表した。総合対策2022では、前年7月に公表された「ICTサイバーセキュリティ総合対策2021[※91]」(以下、総合対策2021)の策定後に生じた国際情勢の緊迫化を含め、サイバー攻撃リスクの拡大等、状況変化を踏まえた議論を経て必要な改定が行われた。また、同省は自らの役割を、社会経済活動を支える情報通信ネットワークの安全確保、及びサイバー空間を利用するすべての国民のサイバーセキュリティの向上を図ることとしている。その理由として、以下を挙げている。

- サイバー空間はあらゆる主体が利用する公共空間になりつつある。
- 情報通信ネットワークは社会に不可欠な存在になり、デジタル化を支える基盤で、重要性は一段と高まっている。
- サイバー攻撃等により、情報通信ネットワークの機能に支障が生じると、国民の生活や我が国の経済社会に甚大な影響が発生する恐れがある。

総合対策2022では、こうしたサイバーセキュリティにおける総務省の役割とサイバーセキュリティを巡る最近の動向を踏まえ、今後取り組む施策が示された。総合対策2022を基にそれらの施策について述べる。

### (1)「ICTサイバーセキュリティ総合対策2022」の概要

総合対策2021策定後、総合対策2022に至るまで、サイバーセキュリティに関する政策動向が主に三つあった。一つ目は2021年9月に閣議決定された「サイバーセキュリティ戦略」である。同戦略では「Cybersecurity for All～誰も取り残さないサイバーセキュリティ～」をコンセプトに、サイバーセキュリティ基本法の目的達成のための三つの施策が示されており、「自由、公正かつ安全なサイバー空間」の確保を基本原則としている。二つ目は2021年9月のデジタル庁の設置、三つ目は2022年5月の経済安全保障推進法の成立である。また、サイバーセキュリティ全般を巡る動向としては、以下の3点があった。

- 東京2020オリンピック・パラリンピック競技大会
- サイバー攻撃リスクの拡大
- 情報通信ネットワークの重要性の更なる高まり

こうした状況変化や認識を踏まえ、「情報通信ネットワークの安全性・信頼性の確保」「サイバー攻撃への自律的な対処能力の向上」「国際連携の推進」及び「普及啓発の推進」の4点の施策の柱が掲げられた。

### (2)情報通信ネットワークの安全性・信頼性の確保

総合対策2022で「情報通信ネットワークの安全性・信頼性の確保」のための具体的施策として挙げられた「電気通信事業者による積極的サイバーセキュリティ対策の推進」と「IoTにおけるサイバーセキュリティの確保」について述べる。

#### (a)電気通信事業者による積極的サイバーセキュリティ対策の推進

「電気通信事業者による積極的サイバーセキュリティ対策の推進」は、サイバー攻撃の送信元となるウイルスに感染した機器等の情報を共有するための制度を整備し、電気通信事業者による利用者への注意喚起、攻撃通信のブロック等を可能にする情報共有基盤を構築する[※92]ものである。本施策の実証事業は2023年度も継続することが適当であり、通信の秘密に配慮しつつ、より迅速な電気通信事業者によるサイバー攻撃対策を実現するため、制度改正の必要性も含め検討を行うことが適当としている。

#### (b)IoTにおけるサイバーセキュリティの確保

総務省の所管する国立研究開発法人情報通信研究機構(NICT:National Institute of Information and Communications Technology)では、インターネットサービスプロバイダー(ISP:Internet Service Provider、以下ISP事業者)と連携し、パスワード設定等に不備のあるIoT機器の調査及び利用者への注意喚起等の取り組みを5年間(2024年3月31日まで)の時限措置として2019年2月より実施している。このプロジェクトを「NOTICE(National Operation Towards IoT Clean Environment)[※93]」という。NOTICEでは日本国内のインターネット上のIoT機器に対して容易に推測可能なIDとパスワードを実際に入力することで、サイバー攻撃に悪用される恐れのある機器を調査している。当初、Telnet及びSSHに対する調査に限られていたが、2022年3月からHTTP及びHTTPSについても調査を開始した。更に、パスワード設定不備以外に関する対処として、リフレクション攻撃に悪用される恐れのあるIoT機器への対処のための調査も開始した（リフレクション攻撃については「1.2.4（1）（a）リフレクション攻撃の事例」参照）。

2022年12月までにNOTICEに参加手続きが完了しているISP事業者は74社である。当該ISP事業者の約1.12億IPアドレスに対して調査を実施し[※94]、2022年1～12月の累計で3万9,122件の対象を検知してISP事業者に注意喚起を通知済みであるという（図2-1-12）。

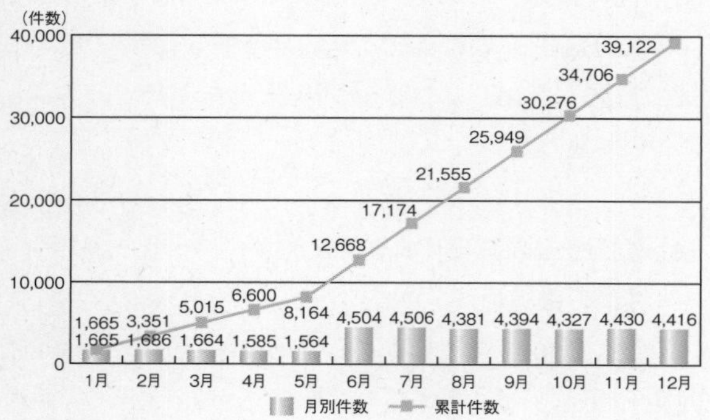


■図2-1-12　NOTICEの検出によりISP事業者に通知済みの注意喚起件数（2022年）
（出典）NOTICEの実施状況[※95]を基にIPAが作成

加えて、NICTでは2019年6月より、「NICTER（Network Incident analysis Center for Tactical Emergency Response）[※96]」で検知された既にウイルスに感染しているIoT機器の利用者へ注意喚起を行うプロジェクトも行っている。2022年1～12月の注意喚起件数（ISP事業者へ通知した1日平均の検知対象件数）の最少は1月の198件、最多は6月の2,489件であった（図2-1-13）。

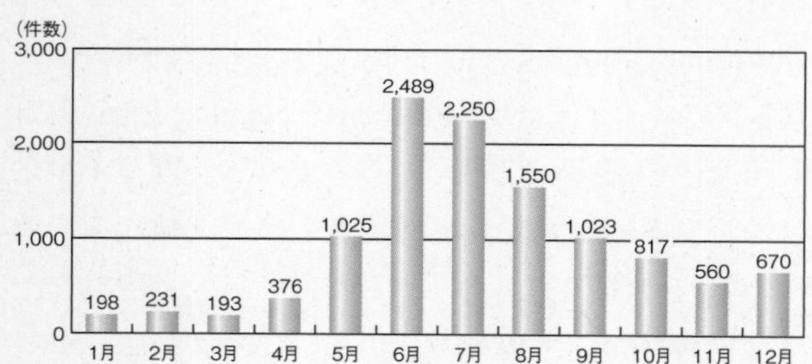


■図2-1-13　NICTERの検知によりISP事業者に通知した対象件数（1日平均、2022年）
（出典）NOTICEの実施状況[※95]を基にIPAが作成

このようにIoT機器を狙ったサイバー攻撃が依然として多い現状を踏まえ総合対策2022では、ISP事業者からの注意喚起の方法について必要な事項を指摘している。一つ目は利用者に対して電子メールだけでなく、郵送、電話、訪問等の手段を用いた継続的な注意喚起の実施、二つ目はIoT機器を設置、運用する事業者やマンション向けインターネット事業者等に対する積極的な注意喚起の実施である。また、IoT機器製造事業者との連携やIoT機器利用者への一般的な周知広報等を活用して、パスワード設定、ファームウェアの更新等についてのきめ細かな注意喚起を促進することや、ソフトウェアの脆弱性等が残存するIoT機器の特定による直接的な注意喚起手法の検討を進めることが適当であると指摘している。

また、NOTICEが2024年3月末に実施期限を迎えることを踏まえ、注意喚起対象件数の増減要因に関する詳細分析や調査対象ポートの拡大等、調査の詳細化、高度化の検討と並行し、更なるIoT機器等の脆弱性調査及び注意喚起等について、制度や国による予算支援の検討が必要であるとしている。

### （3）サイバー攻撃への自律的な対処能力の向上

NICTは2023年2月に「NICTER観測レポート2022[※97]」を発表した。それによると、大規模サイバー攻撃観測網（ダークネット観測網）の過去10年間の年間総観測パケット数の直近3年は年間5,000億パケットを超過し、高止まりしている（図2-1-14）。この深刻な状況に対処するため、いくつかの施策を実施している。

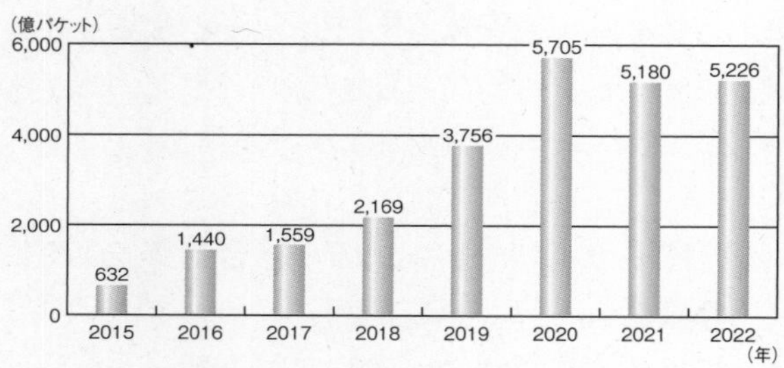


■図2-1-14　NICTERダークネット観測における年間総観測パケット数（2015～2022年）
（出典）NICT「NICTER観測レポート2022」を基にIPAが作成

#### （a）CYNEXの推進

NICTは2021年4月1日、日本のサイバーセキュリティの対応力向上を目指し、「CYNEX（Cybersecurity Nexus）[※98]」を設置した。NICTのサイバーセキュリティ研究所で得られた研究開発成果とNICTが2017年4月に設置したナショナルサイバートレーニングセンターにおける人材育成ノウハウ、更に民間企業及び教育機関といった外部機関の支援により、産学官の結節点（Nexus）として発足したものである。

CYNEXの設置により国内のサイバーセキュリティ情報の収集・蓄積・分析、人材育成の加速、及びセキュリティ技術を過度に海外に依存する状況の回避、脱却を目指している。CYNEXでは、次の四つのプロジェクトが同時進行している。

- データ収集と解析
- セキュリティ・オペレーションを担うSOC※99人材の育成と情報発信
- 日本製セキュリティ製品の能力検証
- サイバーセキュリティ演習基盤のオープン化による人材育成支援（「2.3.3(1)(i)CYROP」参照）

2022年度は試験運用を開始し、CYNEXの更なる高度化に取り組み、サイバーセキュリティ関連の製品開発や人材育成等を進める大学、企業等に事業連携の声かけを行い、55組織が参画することとなった。

CYNEXには次のような役割が期待されている。

- 産学官の組織が利用したいと思える環境への改善・整備
- 利用するすべての組織の拠り所となるコミュニティの形成
- 産学官の参画組織がサイバー攻撃の情報収集・分析等に関し、より深い関係性と信頼性を築ける運営

また、総合対策2022ではCYNEX等の利用者が自身で構築しているネットワーク内の機器から未知のウイルス等をCYNEX等で察知、収集できれば、迅速な対処につながる重要かつ有効な手段になり得るとしている。これらの情報をリアルタイムかつ横断的に集約し、分析結果を当該利用者に通知しつつ、国内ベンダー等がIoT機器やセキュリティ製品の開発に活かせるような国内循環型のセキュリティ情報フレームワークを検討する必要があるという。

#### (b) CYDERの実施

実践的サイバー防御演習（CYDER：Cyber Defense Exercise with Recurrence）は、2013年に総務省の実証実験として開始された。その後、2017年4月、NICTにナショナルサイバートレーニングセンターが設置され、開催規模を大幅に拡充して実施し、現在に至っている。演習プログラムには集合演習とオンライン演習がある。前者は会場で実施し、グループでの検討課題があり、講師やチューターの即時サポートが受けられる。学習レベル別にAコース（初級）、Bコース（中級：B1は地方公共団体向け、B2は国の機関等、重要社会基盤事業者、民間企業向け）、Cコース（準上級）の3種類が用意されている。Cコースは東京2020オリンピック・パラリンピック競技大会に備え2020年度までに実施された実践的サイバー演習「サイバーコロッセオ」の知見を活用して新設された。一方、後者のオンライン演習は他の受講者と協調してグループ課題に取り組む集合演習との併用を想定した個人学習向けの構成であり、集合演習の予習復習等、基礎知識を確認するための役割、位置付けである。2022年度は、標準コース、入門コースの2種類が実施された。

2022年度は、集合演習が合計105回開催され、合計3,327人が受講した。またオンライン演習は合計705人が受講した。

また2022年度の新たな取り組みとして「出前CYDER」「CYDERサテライト」を試行した。

出前CYDERは、地理的・時間的要因を理由に集合演習の受講機会を逃している未受講自治体の解消を目的とするもので、北海道幌加内町、高知県須崎市で実施した。

CYDERサテライトは、複数会場を結んで同時開催する演習形式として、2022年11月、近畿総合通信局において試験的に実施した。

図2-1-14（前ページ）で示したように依然多くのサーバー攻撃が観測されており、我が国全体でサイバーセキュリティの対応力を強化することは急務である。サイバーセキュリティへの対応力は防災訓練と同様に定期的な訓練により向上が期待できる。民間組織、地方公共団体等はCYDERでサイバー演習を経験し、対応力向上を図ることができるが、一部で未受講の地方公共団体もあるという。こういった団体が我が国のサイバーセキュリティ対策上の穴とならないよう受講促進を図る必要があると、総合対策2022では指摘している。2022年度に初めて試行した「出前CYDER」「CYDERサテライト」を含め、オンライン演習等、多様な演習形態を活用した受講促進が期待される。

#### (c) 大規模イベント向け実践的サイバー演習

高度な攻撃に対処可能な人材の育成を行う実践的サイバー演習「サイバーコロッセオ」は2017年度よりNICTのナショナルサイバートレーニングセンターを通じて実施され、2020年度で目標とする人材育成を完了した。具体的には実機演習を伴った「コロッセオ演習」で延べ571名、講義演習形式による「コロッセオカレッジ」で延べ

1,717 名の人材を育成した。

2025 年開催予定の 2025 年日本国際博覧会（略称、大阪・関西万博）では、2020 年当時より更に高度化、多様化したサイバー攻撃を受けることが見込まれているため、関連組織の人材育成の必要性が指摘されている。関連組織のセキュリティ担当者等を対象として「万博向けサイバー防御演習（CIDLE）」を実施予定である。

### (4) 国際連携の推進

サイバー空間は国境を越えて利用される領域であることから、サイバーセキュリティの確保には国際連携の推進が不可欠であり、各国政府や民間レベルでの情報共有や国際標準化活動への積極的関与が必要である。ここでは、総務省が推進する国際連携の施策について述べる。

AJCCBC（Asean Japan Cybersecurity Capacity Building Centre：日 ASEAN サイバーセキュリティ能力構築センター）は 2018 年 9 月にタイのバンコクに設立された。JAIF（Japan-ASEAN Integration Fund：日・ASEAN 統合基金）を活用し、ASEAN 域内のサイバーセキュリティ能力の底上げを行う、人材育成プロジェクトである。2022 年 4 月時点で 787 人の参加実績を記録し、設立から 4 年間で 700 人程度を育成するという目標を達成した。

2022 年は研修プログラムとして、各 5 日間、ウイルス解析やデジタルフォレンジックのトレーニングを行う「Cybersecurity Technical Training」の第 20 〜 24 回を開催した。10 月 3 日から行われた第 23 回トレーニングではそれまでの 2 年間、コロナ禍のためオンライン開催であったところを、タイのバンコクでの集合型開催を再開し、ハイブリッド開催になった。

また、2022 年 7 月 6 〜 8 日には「Online Safety Training Programmes for Trainers」を、同年 11 月 10 〜 11 日には CTF（Capture The Flag）形式の競技会である「ASEAN Youth Cybersecurity Technical Challenge（Cyber SEA Game）」を開催した。Cyber SEA Game では域内の 10 ヵ国から 30 歳未満の参加者で実施され、ベトナムのチームが優勝した[※100]。

そのほか、2022 年 3 月には有志国であるスイスによるセキュアプログラミングの研修を実施した。

今後は AJCCBC における研修内容の発展を図るため、オンライン、オンサイト環境で受講が可能なプログラムの拡充や有志国等との第三者連携による研修プログラムの提供、国内企業との連携強化が重要としている。

## 2.1.5 警察によるサイバー犯罪対策

警察庁では、2022 年 4 月に「警察におけるサイバー戦略[※101]」を改定した。

そこでは、深刻化するサイバー空間の脅威に対処できる態勢の整備、国内外の多様な主体との連携強化、社会全体でのサイバーセキュリティ向上に向けた取り組みの推進強化を掲げ、本戦略に基づき「警察におけるサイバー重点施策[※102]」（以下、重点施策）もあわせて改定した。

重点施策では今後 3 年間の警察の取り組みとして、上記戦略に基づく「体制及び人的・物的基盤の強化」としてサイバー空間の脅威に対処するための警察庁及び都道府県警察における体制構築等が挙げられ、「実態把握と社会変化への適応力の強化」として通報・相談への対応強化による実態把握の推進や情報収集及び分析の高度化等が挙げられたほか、「部門間連携の推進」「国際連携の推進」「官民連携の推進」の五つが掲げられた。

本項では、2022 年度の重点施策への取り組み状況とサイバー攻撃、犯罪の情勢等について、「令和 4 年におけるサイバー空間をめぐる脅威の情勢等について[※103]」及び「令和 4 年版 警察白書[※104]」等の公開資料に基づいて述べる。

### (1) 警察における主な取り組み

2022 年の警察における組織基盤強化、人材育成、国際連携、官民連携の主な取り組みについて述べる。

#### (a) 警察における組織基盤の更なる強化

警察では、サイバー空間をめぐる脅威に対処するため、2022 年 4 月に警察庁に「サイバー警察局[※105]」を、関東管区警察局に「サイバー特別捜査隊[※106]」を新設した。サイバー警察局が、官民連携、人材育成等の基盤整備、各国との情報交換、サイバー事案の捜査指揮、高度な解析への技術支援等を担い、サイバー特別捜査隊は、国の捜査機関として重大なサイバー事案[※107]への対処、及び外国捜査機関との信頼構築や国際共同捜査への積極的参画等を担うとし、警察としてのサイバー事案の対処能力の強化を図った。

この新しい組織基盤を技術面から支えるのが、全国の情報通信部に設置されている「サイバーフォース[※108]」と、その司令塔の警察庁「サイバーフォースセンター」である。重要インフラ事業者等への脅威情報の提供や助言、共同対処訓練の実施、官民連携の強化に努めるほか、サイバー事案発生時には、都道県警察と連携し、被害状況の把握、被害拡大の防止、証拠保全等の技術支援を行っている。また、24時間体制でのサイバー攻撃の予兆・実態把握、標的型メールに添付された不正プログラムの解析等に取り組んでいる。

サイバーフォースセンターでは、重要インフラの制御システムに対するサイバー事案への対処能力強化に向けて、模擬システムを整備し、実際に不正プログラムを実行、その動作の検証や証跡等の調査のプロセスを通じてサイバー事案発生時の迅速な原因特定・対処にも備えている。また、産業制御システムを標的としたサイバー事案を想定した対処訓練に当該システムを活用するほか、検証結果を踏まえ、サイバー事案の未然防止・被害拡大防止を目的として関係機関・団体等と情報交換を実施している。

そのほか、証拠となる情報を押収物から取り出すための解析等の技術支援として、警察庁及び全国の情報通信部に情報技術解析課を設置し、都道府県警察に対する指導や支援を実施している。

### (b)警察における人材育成の取り組み

警察庁サイバー警察局と都道府県警察が連携し、主に次のような人材育成の取り組みを実施している。

- 高等専門学校や大学等への採用活動の強化に加え、民間企業での経験や高度な資格の保有を条件に中途採用等による優秀な人材の確保
- 高度で専門的な知識やノウハウを有している国内外の民間団体、事業者、学術機関等による研修や職員の派遣等を通じた教育内容の充実
- 警察庁が整備するサイバー警察人材活用プラットフォームに基づく高度で実践的な教養の受講機会の確保
- 先進的な専門捜査力を有する都道府県警察との合同・共同捜査への積極的な参画及び人事交流の推進等による捜査員の能力の強化
- 高度専門人材と専門捜査員等を対象としたサイバーセキュリティコンテストの開催や人的交流・知見共有等の促進による、捜査・解析の両者に精通したハイブリッド人材の育成
- 高度な知見を蓄積・活用できるキャリアパスの確立、サイバー警察人材活用プラットフォーム等を活用した転勤回避の取り組み等による勤務環境の整備

### (c)国際連携の推進

警察庁では、2021年中に、G7ローマ・リヨン・グループに置かれたハイテク犯罪サブグループ、サイバー犯罪条約の締約国等が参加するサイバー犯罪条約委員会会合、国際刑事警察機構（ICPO：International Criminal Police Organization、INTERPOLとも呼ばれる）及び欧州刑事警察機構（EUROPOL：European Union Agency for Law Enforcement Cooperation）が共催するサイバー犯罪会議等のほか、ICPO等が主催するワークショップへ参加する等、多国間の情報交換や国際捜査共助に関する連携強化に積極的に取り組んでいる。また、ICPOデジタル・フォレンジック専門家会合等に参加し、情報解析技術に関する知識・経験等の共有も図っている。

2022年9月22日、ASEAN+3国際犯罪閣僚会議及び日・ASEAN国際犯罪閣僚会議がオンライン形式にて開催された。ASEAN+3国際犯罪閣僚会議では、ASEAN10ヵ国に日本、中国及び韓国を加えた関係国間で、国際テロ、違法薬物取引、サイバー犯罪等について意見を交換した。同会議は、国際犯罪対策における各国の連携強化を目指し、2004年から隔年で開催されている[※109]。

### (d)官民連携の推進

警察では、主に次のような官民連携施策を推進している。

- 一般財団法人日本サイバー犯罪対策センター（JC3：Japan Cybercrime Control Center）等との連携によるサイバー犯罪・サイバー攻撃の取り締り等に対する産学官の知見、及び先端的な研究等を行っている学術機関との共同研究による産学官の知見を活用したサイバー対策の推進
- 関係省庁、民間事業者・団体等と連携した効果的な広報啓発活動等推進による、民間事業者等の自主的な被害防止対策の促進
- 新たなサービスや技術の設計の見直しや事後追跡可能性の確保等により、民間事業者等による当該サービスや技術の悪用防止対策推進に向けた被害実態の情報提供等の働き掛け推進
- サイバー防犯ボランティア等の地域に根ざした活動や学校教育と連携した都道府県警察による、サイバーセキュリティ人材の育成や各種防犯活動等の推進

このほか、サイバー犯罪の認知促進やサイバー犯罪

捜査の円滑化、被害拡大防止措置等の観点から、重要インフラ事業者で構成される「サイバーテロ対策協議会」、情報窃取の標的となる高度な技術を有する事業者[※110]との「サイバーインテリジェンス情報共有ネットワーク」、セキュリティソフト事業者等で構成される「不正プログラム対策協議会」、セキュリティ監視等のサービス事業者で構成される「不正通信防止協議会」等との連携を強化している。

### (2) 2022 年のサイバー攻撃の情勢と警察の取り組み

警察が 2022 年に把握したサイバー攻撃の情勢等について述べる。

#### (a) サイバー攻撃の情勢

主なサイバー攻撃の情勢について述べる。

- リアルタイム検知ネットワークの観測状況

警察庁では、全国の警察機関にあるインターネットとの接続点に設置された侵入検知装置を常時監視するリアルタイム検知ネットワークシステムを構築している。同システムは 24 時間体制で運用され、通常のインターネット利用では想定されない接続情報等を検知、集約・分析している。本システムが検知するアクセスの大半は、不特定多数の IP アドレスを対象とするサイバー攻撃やネットワークに接続された機器の脆弱性を探索するサイバー攻撃の準備行為とみられている。2022 年に本システムが検知した不審なアクセス件数は、1 日・1IP アドレス当たり 7,707.9 件と前年の数値を上回り、増加傾向に歯止めがかかっていない（図 2-1-15）。検知したアクセスの宛先ポートに着目すると、ポート番号 1024 以上のポートへのアクセスが大部分を占めており、これらのアクセスの多くが脆弱な IoT 機器の探索や IoT 機器に対するサイバー攻撃を目的とするものとみられる。検知したアクセスの送信元の国・地域に着目すると、海外が高い割合を占めており、海外からの脅威への対処が引き続き重要となっている。

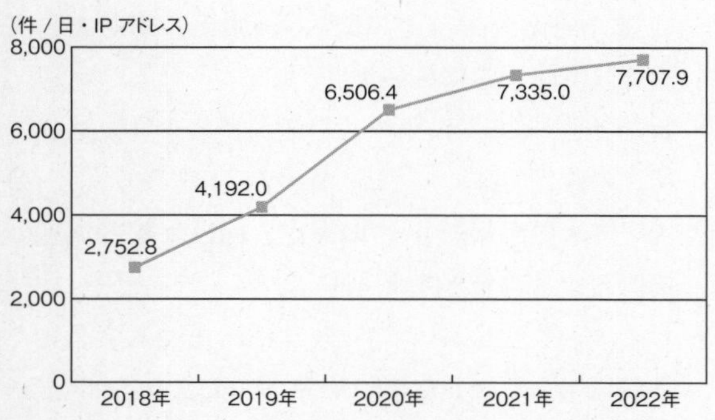


■図 2-1-15　サイバー空間における脆弱性探索行為等の観測状況（2018～2022 年）

(出典) 警察庁「令和 4 年におけるサイバー空間をめぐる脅威の情勢等について」を基に IPA が編集

- ランサムウェア被害の情勢

警察庁では、2021 年に引き続き、被害に遭った企業・団体等にランサムウェア被害に関するアンケート調査を実施している。2022 年の企業・団体等における被害の報告件数は 230 件であった。2020 年下半期に 21 件であったものが、2021 年上半期に 61 件、同年下半期に 85 件、2022 年上半期に 114 件、同年下半期に 116 件と、右肩上がりに増加している。また被害に占める二重恐喝（ダブルエクストーション）の割合及び身代金要求において暗号資産が占める割合が高くなっている（警察庁によるランサムウェア被害の調査結果については「1.1.2 (4) ランサムウェアによる被害」参照。ランサムウェアについては「1.2.1 ランサムウェア攻撃」参照）。

被害に遭った企業・団体等へアンケート調査を実施した結果、次のような傾向が見られた。

- 復旧までに 1 ヵ月以上を要した企業は 23%
- 復旧等の費用に 1,000 万円以上の費用を費やした企業が半数以上
- 95% の企業が業務に影響があったと回答。そのうち 11% の企業が「すべての業務が停止」と回答

サプライチェーンを経由したサイバー事案も見られるようになってきており、自動車関連企業や半導体関連企業、産業機器関連企業での事業活動への被害のほか、医療・福祉、運輸、建設、小売等の企業・団体において、情報流出、サービス停止、サービス障害、金銭被害等が発生している。また一部企業における内部データの流出により、経済安全保障への影響が生じ得る状況にもなっている。

#### (b) サイバー攻撃に対する警察の取り組み

サイバー攻撃に対する警察の主な取り組みについて述べる。

- ランサムウェア攻撃に対する注意喚起等

商工会・商工会議所等とその傘下の事業者、病院協会とその配下の病院等とネットワーク等を構築した上で、手口の情報共有や注意喚起を実施した。

また、サイバー保険を扱う損害保険会社等との連携や民間事業者等との共同対処協定[※111]の締結を通

じて、警察への通報・相談を促進し、サイバー事案の顕在化を図った。そのほか、警察庁 Web サイトにおいてもランサムウェアによるサイバー攻撃の手口に関する情報等を公開し被害の未然防止に努めた※112。

- IoT 機器等の探索行為に対する注意喚起
  IoT 機器等の利用者に対しては、警察庁 Web サイト「@ police」を通じて、OS 等のアップデート、推測されにくいパスワードへの変更や使いまわしの禁止等の注意喚起を実施した。
- 重要インフラ事業者等に対する注意喚起
  警察では、特定の情報通信機器の脆弱性や海外関係機関・団体から入手した攻撃情報について、個別に注意喚起を行う等、重要インフラ事業者等に対するサイバー攻撃による被害の未然防止・拡大防止を図った。
- ダークウェブ上の Web サイトの分析と注意喚起
  ダークウェブは様々な違法取引の温床となったり、ランサムウェアにより窃取されたデータが掲載される等、犯罪インフラとしても悪用されている。警察庁では、リアルタイム検知ネットワークシステム等を活用したダークウェブ上の Web サイトの分析を踏まえ、被害防止に向けた注意喚起を行った。
- Emotet の解析と注意喚起
  警察庁では、なりすましメールに他のマルウェアを添付することで多くのマルウェアの拡散媒体となっている Emotet を継続的に解析している。2022 年 4 月にはショートカットファイルを用いた新たな手口について※113、6 月には Web ブラウザーである Google Chrome に保存されたクレジットカード番号等の情報を外部に送信する機能の追加について※114、それぞれ警察庁 Web サイトにおいて注意喚起を行った。
- 国内 C&C（Command and Control）サーバーの機能停止（テイクダウン）
  サイバー事案で使用された不正プログラムの解析等を通じて、C&C サーバーの運営事業者に対し、不正な蔵置ファイルの削除を依頼する等により無害化措置を実施した。本依頼に基づき、運営事業者は 2022 年上半期に 3 件の C&C サーバーの機能を停止した※115。
- 重要インフラ事業者等との共同対処訓練
  警察庁では、自治体、電力事業者、金融機関等の幅広い重要インフラ事業者等との共同対処訓練を継続的に実施している。また、標的型メールを題材とした訓練や警察との連携を確認するための現場臨場訓練等を実施し、各事業者等のサイバー攻撃に対する対処能力の向上を図った。

### (3) 2022 年のサイバー犯罪の情勢と警察の取り組み

警察が 2022 年に認知したサイバー犯罪の情勢等について述べる。

#### (a) サイバー犯罪の情勢

2022 年のサイバー犯罪の情勢について述べる。

- 不正アクセス禁止法違反の情勢
  2022 年における不正アクセス禁止法違反の検挙件数は 522 件（前年同期：429 件）となっている（図 2-1-16）。2019 年を頂点に減少傾向にあったが、2022 年は再び増加した。

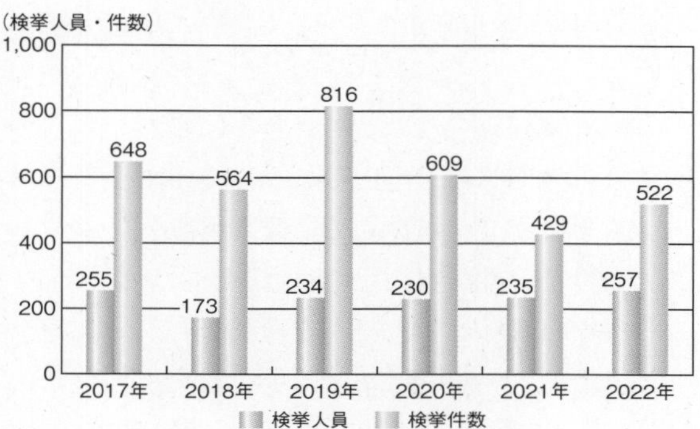


■図 2-1-16　不正アクセス禁止法違反の検挙件数（2017～2022 年）
（出典）警察庁「令和 4 年におけるサイバー空間をめぐる脅威の情勢等について」を基に IPA が編集

検挙件数のうち 92.3% を占める 482 件が認証情報を悪用する手口である識別符号窃用型となっており、「利用権者のパスワードの設定・管理の甘さに付け込んで入手」が最多の 230 件（全体の 47.7%）となっている（図 2-1-17）。

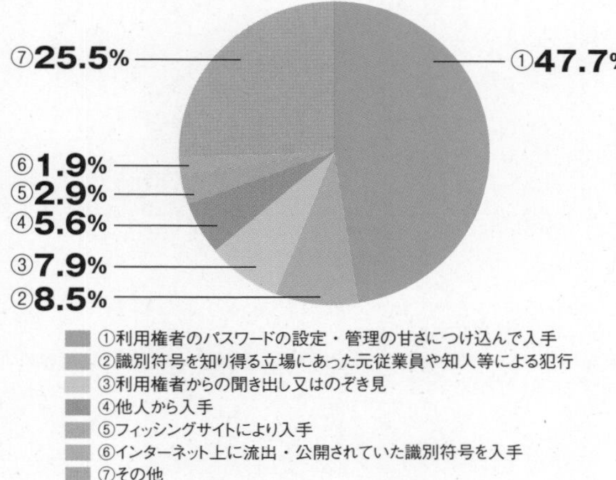


■図 2-1-17　不正アクセス行為（識別符号窃用型）に係る手口別検挙件数（2022 年、n=482）
（出典）警察庁「令和 4 年におけるサイバー空間をめぐる脅威の情勢等について」を基に IPA が編集

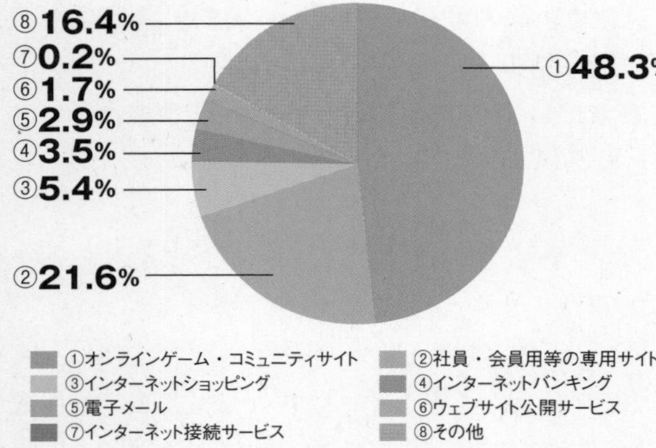


■図 2-1-18　不正に利用されたサービス別検挙件数（識別符号窃用型）（2022 年、n=482）
（出典）警察庁「令和 4 年におけるサイバー空間をめぐる脅威の情勢等について」を基に IPA が編集

また、被疑者が不正に利用したサービスは、「オンラインゲーム・コミュニケーションサイト」が最多の 233 件（全体の 48.3%）を占めている（図 2-1-18）。

- フィッシング等に伴う不正送金・不正利用の情勢

2019 年に SMS 等を用いて金融機関等を装ったフィッシングサイトへ誘導する手口が急増し、インターネットバンキングの ID・パスワード等を窃取されたことによる不正送金被害等が多発した。同年には、発生件数 1,872 件、被害総額約 25 億 2,100 万円に達していた。こうした情勢を踏まえ、金融機関、JC3 等との緊密な連携を通じてモニタリングの強化、利用者への注意喚起等の諸対策を推進してきた結果、2020 年以降、発生件数、被害額ともに減少してきていたが 2022 年に再び増加し、注視が必要である（図 2-1-19）。

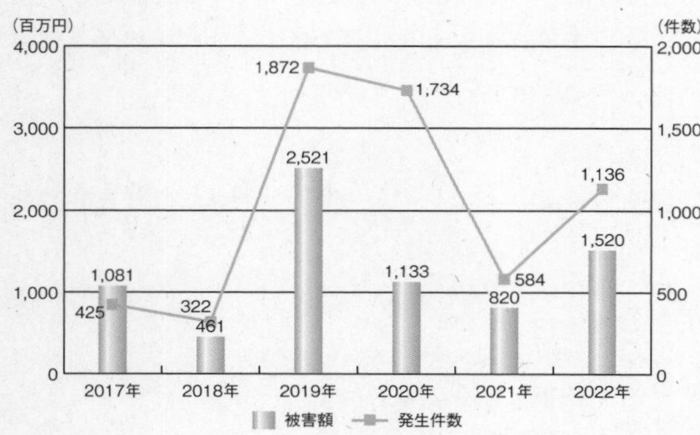


■図 2-1-19　インターネットバンキングに係る不正送金事犯（2017～2022 年）
（出典）警察庁「令和 4 年におけるサイバー空間をめぐる脅威の情勢等について」を基に IPA が作成

警察庁では、フィッシング対策協議会の報告を参照し、2022 年のフィッシング報告件数が 96 万 8,832 件（前年比+ 44 万 2,328 件）に増加していることについても周知している。フィッシングに悪用されたブランドの割合では、クレジットカード事業者や EC 事業者が多くを占めたという。

### (b) サイバー犯罪に対する警察の取り組み

サイバー犯罪に対する警察の主な取り組みについて述べる。

- 不正アクセス対策のための広報啓発活動

警察では、毎年、民間企業や行政機関等に対する「不正アクセス行為対策等の実態調査」及び「アクセス制御機能に関する技術の研究開発状況等に関する調査」※116 を実施し、不正アクセス行為による被害防止のための広報啓発に役立てている。

- SMS を悪用したフィッシングに対する取り組み

警察では、SMS によってフィッシングサイトへ誘導する手口であるスミッシングによる被害を防止するため、大手携帯電話事業者及び JC3 と協議を実施した。JC3 から提供される情報を活用し、フィッシングサイトへ誘導する SMS の受信を自動で拒否する機能が、2022 年 3 月から大手携帯電話事業者により提供されるようになった。

- 暗号資産を悪用した犯罪への取り組み

暗号資産を悪用したインターネットバンキングに関する不正送金事犯や特殊詐欺に関する相談、届出等を受けた場合には、事件性の有無を判断した上で、迅速に暗号資産交換業者に対して暗号資産取引口座の凍結の検討依頼を実施した。

- キャッシュレス決済サービスの不正利用防止対策

フィッシングに関係したキャッシュレス決済サービスの不正利用防止を図るため、関係事業者と協議し、当該事業者において、オートチャージ設定に関係した認証対策のほか、送金可能金額の引き下げ等の不正利用対策を実施した。

- フィッシングサイトの閲覧防止対策

都道府県警察が把握したフィッシングサイトに関係した URL 情報等を警察庁にて集約し、セキュリティソフト事業者等に提供することにより、セキュリティソフトに警告を表示させる等、フィッシングサイトの閲覧防止対策を実施した。

### (c) サイバー犯罪の検挙件数

警察庁長官官房が公開している「令和 4 年の犯罪情勢※117」によると、国内の犯罪情勢を測る指標のうち、刑法犯認知件数の総数は、2003 年以降一貫して減少していたものの、2022 年は 60 万 1,389 件（暫定値）と前年比5.9%増となった。一方で、サイバー犯罪の検挙件数は2020年まで1万件弱で推移していたが、2021年に1万2,209件と前年から大きく増加し、2022年は1万2,369件と横ばいとなった(図2-1-20)。

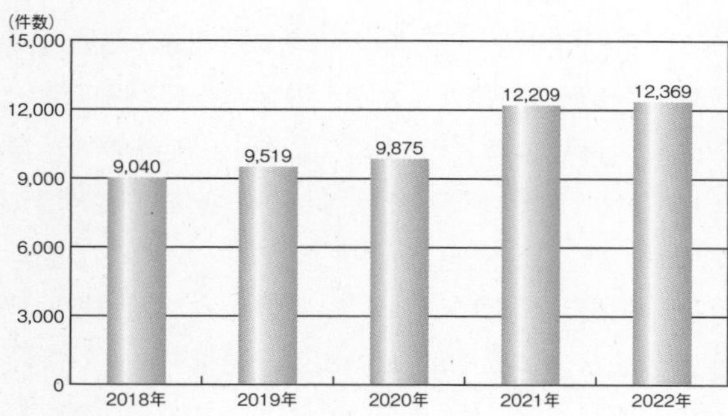


■図2-1-20 サイバー犯罪の検挙件数(2018〜2022年)
(出典)警察庁「令和4年におけるサイバー空間をめぐる脅威の情勢等について」を基にIPAが編集

重要な社会経済活動が営まれる公共空間としてのサイバー空間の安全確保、国民が安全・安心に生活できるデジタル社会の実現に向け、警察には、その脅威に対処していくことが期待されている。

### 2.1.6 CRYPTRECの動向

電子政府の情報セキュリティを確保するため、デジタル庁、総務省、経済産業省、NICT、及びIPAは、安全性と実用性に優れた暗号技術を選び出すことを目的に、CRYPTREC(Cryptography Research and Evaluation Committees)を組織している。CRYPTRECでは、電子政府システムでの利用を推奨する暗号アルゴリズム(CRYPTREC暗号リスト※118)の安全性を評価、監視し、暗号技術の適切な実装法や運用法を調査、検討している。また、電子政府システムの調達・開発にあたって、調達要件や開発要件として採用すべき「暗号強度要件(アルゴリズム及び鍵長選択)に関する設定基準※119」も提供している。

#### (1) 2022年度の体制

CRYPTRECは、デジタル庁と総務省、経済産業省が運営し、政策的な判断を含む総合的な観点から電子政府の安全性及び信頼性を確保する活動を推進する「暗号技術検討会」、及びNICTとIPAが運営し、主に技術的な評価を実施する委員会とで構成されている。

委員会には、暗号技術の安全性評価を中心とした技術課題を主に担当する「暗号技術評価委員会」と、セキュリティ対策の推進、暗号技術の利用促進に向けた環境整備を主に担当する「暗号技術活用委員会」が設置されている(図2-1-21)。

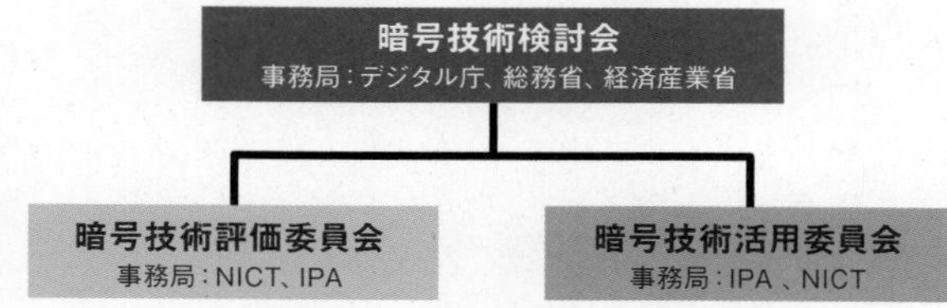


■図2-1-21 CRYPTRECの体制

暗号技術検討会と両委員会の主な役割は以下のとおりである。

- 暗号技術検討会
  CRYPTREC活動計画の承認、委員会が作成する各種成果物の承認等、政策的な判断を含む総合的な観点から電子政府の安全性及び信頼性を確保する活動を推進する。
- 暗号技術評価委員会
  暗号技術に対する攻撃技術動向の調査や安全性評価等、暗号技術の技術的信頼に関する検討を担当する。傘下には、量子コンピューターが実用化されても安全性が保てると期待される「耐量子計算機暗号(PQC:Post-Quantum Cryptography)」に関するガイドラインを作成する「暗号技術調査ワーキンググループ(耐量子計算機暗号)」と、従来の暗号技術では実現できない機能を持つ「高機能暗号」に関するガイドラインを作成する「暗号技術調査ワーキンググループ(高機能暗号)」が設置されている。
- 暗号技術活用委員会
  セキュリティ対策の推進、暗号技術の利用促進等に寄与する運用ガイドラインの整備を中心とした、暗号利用に関する課題の検討を担当する。傘下には、2020年度に公開した「暗号鍵管理システム設計指針(基本編)※120」のガイダンスを作成する「暗号鍵管理ガイダンスワーキンググループ」が設置されている。

#### (2) 2022年度の主な活動

2022年度の暗号技術検討会及び各委員会の主な活動内容・成果について以下に述べる。

##### (a) 暗号技術検討会

2022年度には、各委員会の2022年度活動計画、及び活動報告の審議が行われ、承認された。

また、10年ぶりにCRYPTREC暗号リストの改定作業を実施し、パブリックコメントの結果も踏まえて、2022年度版CRYPTREC暗号リストを確定させた。今後は、この暗号リストが使われていくこととなる。

更に、各委員会のWGで作成していた以下のガイダンス及びガイドラインについて審議が行われ、承認された。

- CRYPTREC暗号技術ガイドライン（耐量子計算機暗号(PQC)）
- CRYPTREC暗号技術ガイドライン（高機能暗号）
- 暗号鍵管理ガイダンス

### (b)暗号技術評価委員会

CRYPTREC暗号リストに掲載されている暗号技術の安全性と実装性に関わる監視活動のほか、2022年度の主な活動内容・成果は以下のとおりである。

- 軽量暗号に関する技術動向調査
  2016年度に作成した「CRYPTREC暗号技術ガイドライン（軽量暗号）」の更新（2023年度公開予定）に向けて、引き続き作業を行っており、2022年度は以下の方式について、安全性、実装性能に関する調査及び評価を実施した。
  - NIST Lightweightコンペティション最終選考※121で採択された方式
  - 軽量な方式としてISOに近年採録されたもしくは採録される予定の方式
- 暗号技術調査ワーキンググループの活動
  2021年度に引き続き、2022年度も耐量子計算機暗号を検討するワーキンググループと高機能暗号を検討するワーキンググループを設置し、それぞれの研究動向を踏まえ、CRYPTREC暗号技術ガイドライン（耐量子計算機暗号(PQC)と高機能暗号の二つ）と耐量子計算機暗号調査報告書を作成した。これらの活動に加え、主要な公開鍵暗号（RSA暗号、楕円曲線暗号）の安全性の根拠となる「素因数分解問題」と「離散対数問題」の困難性に関して、CRYPTRECが公開している「予測図」の改訂も行った。

### (c)暗号技術活用委員会

2022年度の主な活動内容・成果は以下のとおりである。

- 電子政府推奨暗号候補案の検討
  IPAが実施した「暗号アルゴリズムの利用実績に関する調査」の結果及び2021年度に承認された利用実績による選定基準に基づき、現在の推奨候補暗号リストに掲載のアルゴリズムのうち、電子政府推奨暗号リストへの推薦候補案を検討し、暗号技術検討会に報告した。
- 暗号鍵管理ガイダンスワーキンググループの活動
  情報を安全に取り扱うためには、通信データや保管情報の暗号化に使う暗号アルゴリズムのみに注意を払うだけでは不十分であり、その暗号アルゴリズムに用いられる暗号鍵の管理が適切に行われる必要がある。2021年度に引き続き、2022年度も暗号鍵管理ガイダンスワーキンググループを設置し、暗号鍵管理についてのガイダンスを作成した。具体的には、2020年に公開した「暗号鍵管理システム設計指針（基本編）」での暗号鍵管理オペレーション対策、暗号アルゴリズムの選択及び運用に必要な鍵情報管理において、要求項目に対してどのような点に注意すべきか、また対処の必要性の有無や対処する場合に採用する手法をどのように検討すべきかといった考え方を解説・考慮点として取りまとめた。また、簡単なモデルを使った場合の対処内容を参考例として掲載している。残る部分（暗号鍵管理システムの設計原理と運用ポリシー、デバイスへのセキュリティ対策、システムのオペレーション対策）の要求項目に対する解説・考慮点は、2023年度以降に拡充する予定である。

### (d)CRYPTRECシンポジウム2022の開催

CRYPTRECの活動成果を広く知らしめ、暗号技術に関する最新動向を紹介することで、社会全体のセキュリティ向上に役立てるため、2022年7月5日、3年ぶりに「CRYPTRECシンポジウム2022※122」を開催した。本シンポジウムは、現地会場とオンライン会場のハイブリッド形式で開催された。

# 2.2 国外の情報セキュリティ政策の状況

サイバー脅威は国境を問わず、あらゆる国・地域の脆弱なシステムに対して攻撃が仕掛けられる。また、IT化した社会サービスやそれを支えるサプライチェーンは国境を越えてつながり合い、他国におけるサイバー脅威が自国に深刻な影響を与える可能性がある。更に近年、国家の支援を受けた攻撃者による他国へのサイバー攻撃・虚偽情報流布等の脅威が現実になっている。こうした状況に国や地域が単独で対処することは難しく、国際連携が不可欠である。本節では、国際連携に向けた状況理解のために、各国・各地域における情報セキュリティ政策について述べる。

## 2.2.1 国際社会と連携した取り組み

国際連合、及び各国首脳・外相等との連携協議を中心に取り組みを述べる。なお、国際間のサイバーセキュリティ連携の基盤となる安全保障に関する協議・連携状況も含める。

### (1)各国首脳・国際機関との連携

2022年2月に始まったロシアのウクライナ侵攻は国際社会に大きな衝撃を与え、日米欧の各国首脳は緊急協議を重ね、ロシアに対する非難・制裁、ウクライナ支援についてメッセージを出し続けた。ウクライナでの戦闘は長期化し、2023年3月時点でも解決の糸口は見いだせず、国際社会の連携に影を落としている。

#### (a)ウクライナ侵攻開始時の各国との連携

2022年2月24日、ウクライナ侵攻が開始された同日、岸田文雄首相はG7首脳テレビ会議に参加、ロシアの軍事行動に対する非難、制裁措置の発動、ウクライナに対する支援、世界のエネルギー市場安定の重要性等について表明し、各首脳は緊密に連携することで合意した[※123]。翌25日には外務大臣談話として、ロシアに対する関係者への査証（ビザ）発給停止、関係組織の国内資産凍結、輸出制限等の制裁を発表した[※124]。また3月2日、岸田首相はウクライナ避難民受け入れを表明、在留資格等について特例として柔軟に対応する措置がとられた。2023年4月19日時点の国内の避難民受け入れ総数は2,402人となっている[※125]。

2022年4月1日、林芳正外務大臣は総理大臣特使としてウクライナ避難民が流入したポーランドを訪問、ウクライナのDmytro Kuleba外務大臣、ポーランドのZbigniew Rau外務大臣と個別に会談し、侵攻に対する日本の立場、及び避難民保護等の人道支援を表明した[※126]。更に岸田首相は5月12日のCharles Michel欧州理事会議長、Ursula von der Leyen欧州委員会委員長との日EU定期首脳協議[※127]（「2.2.1（4）（a）日EU定期首脳協議」参照）、同月23日のJoseph Biden米国大統領との日米首脳会談[※128]（「2.2.1（3）（a）日米首脳会談」参照）に参加、ロシアへの非難と戦闘の即時停止、ウクライナへの支援等を確認した。またこれらの会談では、「自由で開かれたインド太平洋」の維持・安全保障についても連携を確認した。EU首脳との協議では、ロシアからの禁輸でひっ迫するエネルギー供給体制再構築への協力も合意された。

#### (b)国際連合のロシア非難決議

国連総会は2022年3月2日、日本を含む90ヵ国以上の共同提案に基づき緊急特別会合を招集、ロシアに「即時に完全かつ無条件で軍隊をウクライナから撤退させる」ことを求める非難決議を採択、141ヵ国が賛成した。反対はロシア・ベラルーシ・北朝鮮等の5ヵ国、棄権は中国、インド等35ヵ国であった[※129]。

また同年9月30日、ロシアが占領したウクライナ東部4州（ドネツク、ヘルソン、ルガンスク、ザポリージャ）を一方的に併合すると宣言し、法案にVladimir Putin大統領が署名したこと[※130]を受け、併合は国連憲章違反であり、撤回を求めるとする非難決議を採択した。このときの賛成は143ヵ国、反対は5ヵ国、棄権は35ヵ国であった[※131]。

国連総会は2023年2月23日までに合計6回の非難決議を行ったが、賛成票は最大で140程度にとどまり、明白な国連憲章違反行為に対する非難決議としては少ないとの見方がある。また、安全保障理事会ではロシアの拒否権により決議案は否決されており、国際連合の影響力の限界を示すことになった。

#### (c)2022年3月のG7首脳会合

「2.2.1（1）（a）ウクライナ侵攻開始時の各国との連携」で記載したとおり、G7首脳は侵攻開始当日に緊急テレビ会議を実施、2022年3月12日に首脳声明を発表した[※132]。ロシアへの制裁として、最恵国待遇はく奪、金融機関のロシア融資停止、関係者の資産凍結、重要物品・技術の輸出入制限等が明記された。

更に同月24日、緊急のG7首脳会合がベルギー・ブリュッセルで開催され、ウクライナのVolodymyr Zelenskyy大統領がオンラインで参加した[※133]。同会合の首脳声明には、原子力施設の安全や核兵器・生物化学兵器使用への懸念、ウクライナのサイバー防衛支援・難民支援、ロシア政府の欺瞞的情報統制への非難、エネルギー・食料サプライチェーンの脱ロシアに向けた再構築、等が新たに盛り込まれた。

#### (d)エルマウサミット

2022年度のサミットは、6月26～28日、ドイツのエルマウにて開催された。G7首脳のほか、インド、ウクライナを含む6ヵ国が招待され、Zelenskyy大統領はオンラインで参加した。

全体テーマは「公正な世界に向けた前進」とされ、ロシアのウクライナ侵攻よる安全保障・エネルギー・経済等の混乱への対応のほか、気候変動、食料安全保障、多国間主義等の課題について議論を行った[※134]。

世界経済、開発・投資については、ウクライナ危機によるエネルギー・食料不足で問題化した物価高騰への対処、ジェンダー平等による人的資本への投資、開発途上国の債務破綻救済、開放的で安全なサプライチェーンの強化、公正で自由な貿易の確保等が議論された。開発・投資については、新興・開発途上国における持続可能なインフラへの投資が議論された。岸田首相は、インフラ投資に関するサイドイベントにおいて、今後5年間の650億ドル以上の投資、インド太平洋地域の交通基盤整備、サイバーセキュリティを含む経済安全保障の強化等に取り組むと表明した[※135]。

ウクライナ侵攻については、ロシアの軍事行動への非難と即時撤退の要請、ウクライナの安全保障に関わるインテリジェンス・サイバーセキュリティ・防衛人材育成・原子力施設の安全確保等の支援、人道・避難民支援、財政・復興支援、ロシアに対する制裁の継続等で合意した。また民間施設攻撃・民間人虐殺等の戦争犯罪を強く非難し、世界的な食糧不足解消のためウクライナ農産物の自由な輸出を確保することを緊急に求める、とした。これらの合意は個別声明としてまとめられた[※136]。

ウクライナ以外の外交・安全保障については、岸田首相がアジア太平洋の安全保障情勢、及びウクライナ危機の東アジアへの波及の懸念を説明し、2021年に引き続き、「自由で開かれたインド太平洋」を維持するため、中国の台湾侵攻を念頭においた東シナ海・南シナ海の現状変更の懸念を共有し、当事者による平和的解決を求めることが合意された。

また、安全保障の前提となる「強靭な民主主義」の議論が行われ、従来からの人権弾圧への対応に加え、ジェンダーによる差別・暴力の排除、サイバーセキュリティや法執行等による過激主義や偽情報、外国の干渉の排除、不正資金流通の排除等への対応も合意された。

更に首脳声明では、ウクライナ侵攻の背後には市民を収奪して権力者が富を専有する「収奪政治」があるとし、具体的にはロシア支配層(エリート)、富裕層(オリガルヒ)等による不当な収奪に対して戦うとした。一方で、デジタル技術は公正で自由な競争によるイノベーション、個人の尊重により安全・公平なサイバー空間を実現すべきであるとし、中国・ロシア等によるサイバー空間の統制・権威主義に対抗する姿勢を維持した[※137]。

#### (e)その他のG7首脳声明

ウクライナ情勢の推移に伴い、G7首脳は継続的に声明を発表した。2022年9月23日には緊急声明を発表、ロシアが占領するウクライナ4州で開始された住民投票がウクライナの主権を侵す「偽り」であると断じて糾弾した[※138]。また侵攻開始1年となる2023年2月24日、G7議長国である日本が主催してオンライン会議を開催、ロシア軍の即時撤退、制裁強化、ウクライナ支援継続のほか、中国を念頭においた第三国のロシア支援の停止等を含む声明を発表した。またこの声明で、「ロシアによる偽情報拡散の試みと戦う」ことが明記された[※139]。

### (2)日米豪印4ヵ国の連携

G7の枠組みとは別に、2019年以降、日米豪印4ヵ国による協議が重ねられている。中国の東シナ海・南シナ海・インド洋進出への対応が共通の課題となっている。

2022年5月24日、日米豪印首脳会合が東京で開催され、岸田首相、Anthony Albaneseオーストラリア連邦首相(Prime Minister of the Commonwealth of Australia)、Narendra Modiインド首相(Prime Minister of India)、Biden米国大統領が出席した[※140]。同会談では、2021年の首脳会談に引き続き、法の支配に基づく「自由で開かれたインド太平洋」の実現に向けた連携で合意するとともに、ウクライナ危機の東アジアへの波及についての懸念を基に、自由、法の支配、主権と領土の一体性、紛争の平和的解決等が改めて強調された。東シナ海・南シナ海を含む海洋秩序については、国連海洋法条約（UNCLOS：United Nations Convention on the Law of the Sea）等の国際法の遵守、航行及び上空飛行の自由の維持を擁護する、とした。

また、北朝鮮・ミャンマー対応、ワクチンを含む新型コロナウイルス対策、インド太平洋地域のインフラ投資、気候変動、宇宙分野における協力で合意したほか、サイバーセキュリティ・パートナーシップに関する原則※141、重要技術サプライチェーンに関する原則※142を発表した。前者は、特に重要インフラ防御に関わる人材育成、サプライチェーンリスク対応、ベースラインセキュリティ標準の整合等で連携するための原則である。後者は、重要技術を含む製品のセキュリティ、技術の透明性、サプライヤーの自律性・健全性に関する原則である。

また2023年2月7日、同4ヵ国はサイバーセキュリティに関する啓発キャンペーン「日米豪印サイバー・チャレンジ」に関する共同声明「責任あるサイバー習慣を促進するための協力に関する日米豪印共同声明」を発出した※143。本声明は、インド太平洋地域等の個々のインターネット利用者にセキュリティ更新プログラムのインストールや、多要素認証、強力なパスワードの利用等の責任あるサイバー習慣を実践するよう呼びかけるものである。

### (3) 日米連携の取り組み

日米の連携協議は2022年に引き続き、安全保障面での協力推進が中心となった。

#### (a) 日米首脳会談

2022年度の日米首脳会談は同年5月23日東京、11月13日カンボジア・プノンペン、2023年1月13日ワシントンD.C.にて開催された。5月の東京会談はBiden大統領の初の訪日期間中に行われ、米国の「自由で開かれたインド太平洋」へのコミットメント継続、及びロシア制裁とウクライナ支援に対する連携を共同でアピールすることが主眼となった※128。また11月のプノンペン会談は、当地で開催された日ASEAN首脳会議（「2.2.1 (5) (b) 日ASEAN首脳会議」参照）に合わせて行われ、東京会談に続き、インド太平洋地域への継続的コミットメント、ロシア制裁とウクライナ支援が確認された※144。

2023年1月のワシントン会談では、岸田首相が2022年12月に策定した反撃能力を含む国家安全保障戦略※145と防衛予算の増額を説明し、Biden大統領の全面的な支持を得た。また安全保障環境の厳しさから、日米の経済関係が戦略的段階に押し上げられたとし、自由で公正な国際経済秩序の維持・強化で連携することが合意された。関連して、信頼性のある自由なデータ流通（DFFT：Data Free Flow with Trust）の推進、サプライチェーン強靭化等も改めて合意された。

#### (b) 日米安全保障協議委員会（日米「2+2」）

2023年1月11日、ワシントンD.C.において日米安全保障協議委員会（日米「2＋2」）が開催され、日本から林外務大臣と浜田靖一防衛大臣、米国からAntony Blinken国務長官（Secretary of State）、Lloyd Austin国防長官（Secretary of Defense of the United States）が参加した※146。同委員会では日本から2023年度防衛予算増額に関する説明があり、米国はこれを歓迎した。

地域情勢分析に関しては、尖閣諸島・台湾海峡・北朝鮮に関する認識、ロシアへの非難等が議論された。同盟の現代化に対しては、日本の反撃能力の向上等に加え、宇宙・サイバー分野の協力の深化が同盟近代化の核になるものとして議論された。一方で、現下の厳しい安全保障環境に対応する在日米軍配備の再調整について議論された。

#### (c) 日米経済政策協議委員会（経済版「2＋2」）

安全保障協議の枠組みである日米「2+2」にならい、経済連携のための日米経済政策協議委員会（経済版「2+2」）が設置され、2022年7月29日にワシントンD.C.にて開催された。日本からは林外務大臣、萩生田光一経済産業大臣、米国からBlinken国務長官、Gina Raimondo商務長官（Secretary of Commerce）が参加した※147。

同委員会では、世界経済がコロナ禍からの回復途上にある中、ウクライナ侵攻によって状況は更に悪化したとし、国家による経済的な影響力の不公正・不透明な行使が課題であるとした。具体的な四つの対策として、ルールに基づく経済秩序を通じた平和と繁栄の実現、経済的威圧と不公正で不透明な貸付慣行への対抗、重要・新興技術と重要インフラの促進と保護、サプライチェーンの強靭性の強化に連携して取り組み、日米が国際社会をリードしていく、とした。具体的な協力分野として半導体が挙げられ、共同開発、サプライチェーン強靭化が議論された。また国家の「経済的威圧」について、日本が議長国となるG7広島サミットでも継続して議題とする、とした。

## (4) 他の２国間・２者間連携の取り組み

日米関係以外で行われたサイバーセキュリティ、及びサイバーを含む安全保障に関する２国間・２者間連携協議について述べる。

### (a) 日EU定期首脳協議

2022年5月12日、東京にて第28回日EU定期首脳協議が開催された。日本からは岸田首相、EUからはCharles Michel欧州理事会議長及びvon der Leyen欧州委員会委員長が参加した[※148]。

同協議はウクライナ侵攻開始直後であり、ロシアに対する非難・制裁、ウクライナ支援に関わるEU政策への支持、連携確認が大きな議題となった。インド太平洋地域での連携強化も確認された。一方経済協力については、DFFTを始めとするデジタルデータ利活用、貿易、セキュリティ・プライバシー、インフラ等を含む協力の包括的な枠組み「デジタルパートナーシップ」の立ち上げに合意し、合意文書が公開された[※149]。同文書によれば、年１回の閣僚級会合を開催し、連携対象分野は5G/6G、AI、半導体サプライチェーン、データ、デジタル貿易、トラストサービス等を含むとしている。

### (b) 日英首脳会談とサイバー協議

2023年1月11日、ロンドンにて岸田首相とRishi Sunak英国首相の首脳会談が行われた[※150]。経済政策の失敗で辞任したElizabeth Truss前首相を引き継ぎ、2022年10月25日に就任したSunak首相との初の２者会談であり、連携の再確認の意味が強いものとなった。特に安全保障について岸田首相は新たな戦略を説明し、英国のインド太平洋地域へのコミットメント強化、英国版「2+2」の設置等で協力していくことで合意した。

続いて2023年2月7日、第７回日英サイバー協議が東京にて開催された。日本からは石月英雄外務省総合外交政策局審議官兼サイバー政策担当大使（以下、審議官）、英国からはWilliam Middleton外務・英連邦・開発省サイバー政策部長（Director Cyber, National Security Directorate, Foreign, Commonwealth and Development Office）を始めとする両国関係省庁の代表者が出席した[※151]。協議においては、両国のサイバー戦略・政策の共有、国際連携、能力構築支援、サイバー強靭性等について議論を行った。また、日本が推進する5Gのオープン規格（オープンRAN：Open Radio Access Network）についても議論を行った。

### (c) 日仏首脳会談と関連協議

2022年6月26日、ドイツ・エルマウにて岸田首相とEmmanuel Macronフランス大統領の首脳会談が行われた[※152]。同会談ではウクライナ支援、海洋、サイバー等での連携に加え、インド太平洋地域における連携強化が重要である点で両首脳が合意し、安全保障・経済等の連携強化を議論した。

同年7月7日、第６回日仏サイバー協議が東京にて開催された。日本からは有馬裕審議官、フランスからはHenri Verdier欧州・外務省デジタル大使（Ambassador for Digital Affairs, Ministry of Europe and Foreign Affairs）を始めとする両国関係省庁の代表者が出席した[※153]。協議では６月の首脳会談を受け、セキュリティに関する戦略、多国間協力、能力構築支援等の連携が議論された。また国連において、サイバー空間での「国家の責任ある行動を進めるための行動計画」を連携して推進することを確認した。

更に2023年1月9日、パリにて首脳会談が行われ、岸田首相が新たな国家安全保障戦略を説明、安全保障に関する日仏「2+2」協議の開催等について合意した[※154]。

### (d) インド・ウクライナとの首脳会談

2023年3月20日、日印首脳会談がインド・デリーにて開催された[※155]。岸田首相は同年5月のG7広島サミット議長国として、Modiインド首相は同年9月のG20ニューデリーサミット議長国として、連携を深めるとの確認を行った。インドは「グローバルサウス」と呼ばれる発展途上国の盟主としての立場を明確にしつつあり、G7諸国がインドの要請にどう答えるかが、広島サミットで問われることになる。

続いて3月21日、岸田首相はウクライナを電撃訪問し、Zelenskyy大統領と首脳会談を行った[※156]。岸田首相はG7議長国としての訪問であると表明したが、実質的には日本がどのような支援をするかが注目され、55億ドルの財政支援、3,000万ドルの殺傷性のない装備支援等が合意された。Zelenskyy大統領は復興支援に関する強い期待を表明した。また二国間の関係を「特別なグローバル・パートナーシップ」に格上げするとし、同パートナーシップに関する声明が発表された[※157]。

## (5) アジア太平洋地域のサイバー連携

アジア太平洋地域における政府レベルの連携施策について述べる。CSIRTに関する連携については、「2.2.4

アジア太平洋地域でのCSIRTの動向」を参照されたい。

### (a) ASEAN地域フォーラム

ASEAN地域フォーラム（ARF：ASEAN Regional Forum[※158]）は、ASEAN地域の安全保障環境の向上を目的としたフォーラムで、日本政府は連携を継続している。2022年8月5日、第29回ASEAN地域フォーラム（ARF）閣僚会合がカンボジア・プノンペンにて開催され、日本から林外務大臣が参加した。

林外務大臣はロシアのウクライナ侵攻がアジア経済にも影響しているとして侵略行動の即時停止、核兵器による威嚇への反対、台湾海峡・南シナ海における中国の挑発的行動への非難、北朝鮮・ミャンマー情勢への懸念、及び対応方針の継続を表明し、特に中国に対しては軍事行動の即時停止と国際法に沿った紛争解決を求めた。また「自由で開かれたインド太平洋」の取り組みも継続するとした。ARF参加国には日本の主張とは異なる方針を持つ国もあり、同閣僚会合の議長声明では「国際法を遵守することの重要性を再確認」等の柔らかい表現で意見が取りまとめられた[※159]。

### (b) 日ASEAN首脳会議

2022年11月12日、第25回日ASEAN首脳会議がプノンペンにて開催され、日本からは岸田首相が参加した[※160]。岸田首相は、コロナ禍後の経済回復に対する円借款支援の継続、新型コロナウイルス対策としてのASEAN感染症対策センターへの支援継続、ASEAN主導の地域協力構想「インド太平洋に関するASEANアウトルック」（AOIP：ASEAN Outlook on the Indo-Pacific）への経済分野での支援継続について説明を行った。また、ウクライナ、ミャンマー、北朝鮮、東シナ海・南シナ海における武力行使、弾圧、経済威圧等への懸念を表明し、国際社会と連携してメッセージを発信していきたい、とした。

### (c) 日・ASEANサイバーセキュリティ政策会議

2022年10月4～5日、サイバーセキュリティ分野における連携強化を目的として、第15回日・ASEANサイバーセキュリティ政策会議が東京にて開催された[※161]。議長国は日本とマレーシアが務め、日本、ASEANのサイバーセキュリティ・情報通信所管省庁の代表が参加した。同会議では、第14回会議で合意された9項目の協力活動（演習、重要インフラ防護、意識啓発、能力構築、インシデント相互通知、リファレンス（便覧）、産学連携等）の状況を確認し、今後の協力を検討した。各活動の報告では、情報連絡演習におけるチャットツール利用、3年ぶりに物理開催となった重要インフラ防護ワークショップの概要、日ASEANサイバーセキュリティ能力構築センター（AJCCBC：ASEAN-Japan Cybersecurity Capacity Building Centre）の研修実績、次項で述べる「インド太平洋地域向け日米EU産業制御システムサイバーセキュリティウィーク」の研修・演習内容等が紹介された。

### (d) インド太平洋地域に向けたサイバー演習

日本政府はサイバーセキュリティ能力構築支援の一貫として、インド太平洋地域のサイバー演習を推進している。2022年10月24～28日、経済産業省とIPAは米国政府及び欧州委員会と連携し、インド太平洋地域の重要インフラ事業者、National CSIRT等のIT/OTセキュリティ担当者等を対象に、「インド太平洋地域向け日米EU産業制御システムサイバーセキュリティウィーク」を実施した[※162]。同演習は、リモートによる模擬プラント操作、日米EUの専門家によるワークショップ・セミナー等により参加者の能力向上を目指す内容である。演習の内容については「2.3.3 (2) (a) 中核人材育成プログラム」を参照されたい。

## 2.2.2 米国の政策

2022年は米国上下両院の中間選挙[※163]の年となった。11月8日に実施された選挙では、事前に報道機関が予測した共和党の地滑り的勝利は起こらず、上院で民主党が多数派を維持したことで、支持率低迷に悩むBiden政権はかろうじて主導権を維持する形となった。

2022年2月24日のウクライナ侵攻以降、米国とロシアの対立は決定的に悪化、Biden政権は北大西洋条約機構（NATO：North Atlantic Treaty Organization）諸国及び民間組織と連携し、ウクライナへの武器供与を含む支援、ロシアに対する経済制裁、敵対勢力によるサイバー攻撃への防御施策を推進した。また、2021年に発令した大統領令14028[※164]（以下、EO 14028）に基づき、国立標準技術研究所（NIST：National Institute of Standards and Technology）、サイバーセキュリティ・インフラセキュリティ庁（CISA：Cybersecurity and Infrastructure Security Agency）等が重要インフラの防御対策を推進した。

中国に対しては、ロシアに対する支援を強くけん制したほか、2022年8月2日のNancy Pelosi下院議長の台湾訪問※[165]を契機として、一時的に軍事的緊張に発展する等、厳しい関係が続いた。また2021年に引き続きサプライチェーンリスクが懸案となり、特に半導体サプライチェーンの再構築が急がれ、2022年8月に大統領令※[166]が発令された。更に2023年3月、中国に本拠を置くSNSサービスTikTokが中国政府の統制を受け、米国市民の個人情報が流出するという懸念から、米国市場からの排除が下院で議論された※[167]。

本項では、このような状況下で実施された米国政府のサイバーセキュリティ政策、安全保障政策について述べる。

### (1) 重要インフラシステムのセキュリティ政策

2020年12月に発覚したSolarWinds事案※[168]以降、米国の基幹システムへのサプライチェーン攻撃・ランサムウェア攻撃対策は火急の要件となり、Biden政権は前述のEO 14028に基づく対策を推進した。以下では、主として2022年1月～2023年4月に各政府機関で実施された施策、及びBiden政権が新たに発令した施策について述べる。

#### (a) 新たな大統領令と覚書

2022年1月19日、Biden大統領は国家機密・軍事情報を扱うセキュリティシステムであるNational Security System（NSS）へのEO 14028実装に関する覚書に署名した※[169]。同覚書により、Paul Nakasoneサイバー軍司令官がナショナルマネージャーとしてNSS所管組織の統括権限を持つこととなり、政府機関の統制が強化された※[170]。

また2023年3月27日、Biden大統領は政府機関における商用監視ソフトウェア（Commercial Spyware）の利用を制限する大統領令を発令した※[171]。Biden政権はこのような監視ソフトウェアにより、海外10ヵ国以上で50人以上の米国政府職員が監視されていたとし※[172]、政府機関内でのハッキング等による不正利用を防ぐ狙いがあると思われる。ただし、規制が適用されるのは商用ソフトウェアのみで、諜報機関による監視ソフトウェアは除外されている。

#### (b) 新たなサイバーセキュリティ戦略

2023年3月2日、Biden政権は新たな国家サイバーセキュリティ戦略を公開した※[173]。本戦略は、高度化されたサイバー脅威に対応する方策として「サイバー空間を防衛する責任のバランス調整（システムを保有する民間組織の責任強化）」「長期的な投資を有利にするインセンティブ再編」の2点を、また注力分野として「重要インフラ防御」「攻撃者の阻止・解体」「市場のセキュリティ・頑健性強化」「強靭な未来に対する投資」「パートナー諸国との連携強化」の5点を挙げている。これまでの大統領令等に基づく施策の推進を前提として、国家に支援された攻撃者（Threat Actor）への対抗、製品・サービス利用者からITベンダーへのセキュリティ実装責任の移転、長期的な研究開発投資等を戦略化した点が注目される。同戦略には、2020年12月に欧州委員会（European Commission）が公開したサイバーセキュリティ戦略※[174]と共通する部分も多いが、欧州の戦略が「デジタルヨーロッパ」という単一デジタル市場構想の中で体系づけられるのに比べ、将来ビジョン等ではややあいまいな点が残っている。

#### (c) NISTの施策

NISTは計測に関する標準化とともに、政府機関向け規格の策定についても重要な役割を担っている。ここではEO 14028関連の規格策定、サイバーセキュリティフレームワーク改訂の状況を示す。

#### (ア) セキュアなソフトウェア調達のための施策

EO 14028により、NISTは①重要インフラ事業者等が用いる重要ソフトウェア（EO-Critical software）の評価、②ソフトウェアサプライチェーンのセキュリティ評価、③コンシューマ向けIoT製品のセキュリティラベリングプログラム、等の方式策定を求められた。

まず①について、NISTは2021年6月26日に重要ソフトウェアの定義※[175]を、同年7月11日に重要ソフトウェアのセキュリティ評価手法※[176]を公開した。また②について、NISTは2022年2月3日、開発ベンダー向けの「セキュアソフトウェア開発フレームワークVer.1.1（NIST SP800-218）※[177]」を、同年2月4日、政府機関向けの「ソフトウェアサプライチェーンセキュリティガイダンス※[178]」を公開した。このうち同ガイダンスは、重要ソフトウェアの政府調達において、EO 14028の要請※[179]に基づくセキュアな開発と適合性証明を担保するためのフレームワーク（SSDF：Secure Software Development Framework）を推奨している。またSP800-218は、重要ソフトウェア開発におけるSBOMの利用を例示している。政府の重要ソフトウェア調達部門、開発ベンダーは、同ガイダンスとSP800-218をツールとしてセキュリティを確保することが求められる。NISTは更に2022年5月5日、サイバーセキュリティサプライチェーンリスクマネジメントの基本規格であるSP800-161について、EO 14028に対応する改訂版を公開した※180。これらに基づき、米国行政管理予算局（OMB：Office of Management and Budget）は2022年9月14日、連邦政府機関のソフトウェア調達におけるセキュリティ要件に関するガイダンスを公開※181、各政府機関は同ガイダンスとSP800-218に準拠した調達を求められることとなった。

一方③について、NISTは2022年2月4日にコンシューマ向けIoT機器のセキュリティラベルの基準、設計、教育に関する推奨事項、及びコンシューマ向けソフトウェアのセキュリティラベル基準を公開した※182。また同年5月10日、これらに対するフィードバックを含めた活動概要を国家安全保障問題担当大統領補佐官（APNSA：Assistant to the President for National Security Affairs）に報告した※183。同報告では、技術に加え、セキュア開発プロセスへの準拠、セキュリティ更新状況等を含むセキュリティ基準が示されている。上記報告を受けた米国国家安全保障会議（NSC：National Security Conference）は同年10月20日、セキュリティラベルの最適な実装について産学の関係者と検討を行い、2023年春の導入を目指すとする声明を発表した※184。なお、米国のセキュリティラベルはEUのような法的拘束力を持つものではなく、電気製品の省エネルギーに関する環境ラベルプログラム「ENERGY STAR※185」を参考に策定されたとされる。民間事業者がどのように実装するか、注目される。

NISTは更に2022年12月5日、信頼できるIoT機器のネットワーク認証設定とライフサイクル管理に関するプラクティス概要を公開、2023年2月まで意見募集を行った※186。

#### (イ)サイバーセキュリティフレームワークの改訂

2022年2月18日、サイバーセキュリティフレームワーク（CSF：Cyber Security Framework）の現状版（CSF 1.1）に関する意見募集が開始された※187。それ以来、サイバーセキュリティフレームワーク改訂版（CSF 2.0）の策定作業は継続している※188。同年6月3日に公開された意見募集サマリによれば、CSF 1.1の利用者はその柔軟で自発的な（強制によらない）方針を支持し、改訂においては簡易性、非IT系ステークホルダとの協調、互換性を重視すべしとの意見が多かった。また、具体的な要望事項として以下が挙げられた※189。

- 他のNIST規格（プライバシーフレームワーク※190、人材・教育に関するNICEフレームワーク（SP800-181）※191、前掲のSP 800-218、SSDF等）との整合
- 実装のガイダンス
- 国際規格（ISO 27000シリーズ等）との整合
- 技術中立性の維持とクラウド・ゼロトラスト等の変化対応
- CSFを利用したセキュリティ評価の重視
- サプライチェーンリスクへの対応

NISTは2022年8月17日に開催したワークショップ※192にて上記要請を議論し、2023年1月19日に重要改訂項目を公開、3月3日まで再度意見募集を行った※193。改訂項目には以下が含まれている。

- 重要インフラにとどまらない広範な利用への対応と国際連携の強化
- 他フレームワークとの整合と実装ガイダンスの紐づけ
- 技術中立性の維持と変化対応の両立（変化対応の例はゼロトラストアーキテクチャ（SP800-207※194）のマッピング等）
- 実装事例の充実と分野別フレームワーク（SSDF、AIリスク管理フレームワーク※195等）の包含
- 現状の5機能（識別、防御、検知、対応、復旧）にガバナンス機能を追加
- サイバーサプライチェーンリスク管理の強化
- CSFに基づく評価事例の充実

2022年2月時点の利用者からの要請は、機能追加のほか、関連コンテンツの紐づけ・マッピングで網羅されることとなった。NISTは2023年夏にCSF 2.0のドラフトを公開するとしている。

なお、関連するガイドラインとして、CISAは2022年10月にCross-Sector Cybersecurity Performance Goals（CPGs）を公開、2023年3月に改訂した※196。CPGsは2021年7月のBiden政権の重要インフラ制御システムのセキュリティ確保要請によりCISAとNISTが協力して策定したものである。CISAは、CPGsは制御システムを利用する中小規模を含む企業が実施すべきベースライン対策を示しており、網羅的ではないCSFを補完するもの、としている（制御システムのセキュリティ施策については「3.1.3(1)米国CISAの取り組み」参照）。

#### (d)CISAの施策

CISAはEO 14028を含むBiden政権のサイバーセ

キュリティ政策の実装、普及に加え、重要インフラの攻撃対策、ウクライナ侵攻における親ロシア勢力のサイバー攻撃対策等を主導している。

### (ア)EO 14028の実装状況

EO 14028の要請について、CISAは2021年5月以降以下のような活動を行っている※[197]。

- 連邦政府機関のセキュリティ現代化に関するクラウドセキュリティの強化支援
  2022年6月23日、CISAはFedRAMP※[198]等と共同でセキュアクラウド移行に関する政府機関向けガイダンス「Cloud Security Technical Reference Architecture（TRA）」の第2版を公開した※[199]。
- ソフトウェアサプライチェーンセキュリティガイド策定に関する活動
  2022年8～11月にかけ、CISAは国家安全保障局（NSA：National Security Agency）、国家情報長官室（ODNI：Office of the Director of National Intelligence）と共同でソフトウェアサプライチェーンセキュリティの推奨プラクティス（開発者向け、供給者向け、利用者向けの3部作）を公開した※[200]。同時に、CISAはSBOMに関する啓発・コミュニティ構築も推進している※[201]。
  サプライチェーンセキュリティのガイドラインはNISTも公開している（「2.2.2（1）（c）（ア）セキュアなソフトウェア調達のための施策」参照）が、NISTのガイドラインがセキュリティマネジメントや管理策の体系化を意識してまとめられるのに対し、CISAのプラクティスは開発・提供・調達のフローごとの関係者・脅威・対策を明示する等、実践向きの構成となっている。
- サイバー安全レビューボード（CSRB：Cyber Safety Review Board）の設置※[202]
  CSRBは官民の有識者による重大イベントレビュー・対策検討機関として設置され、政府の機密情報へのアクセスが許可される。CISAを所管する国土安全保障省（DHS：Department of Homeland Security）は、2021年12月のApache Log4j脆弱性に関するCSRBのレビュー報告を2022年7月に公表した※[203]。また同年12月2日、CSRBがハッカーグループLapsus$の攻撃をレビューする、と公表した※[204]。
- 脆弱性・インシデント対応手順書の策定
  特に政府機関の脆弱性・インシデント対応強化のために、2021年11月にCISAが脆弱性・インシデント対応手順書を策定した※[205]。

### (イ)ランサムウェア対策

CISAは連邦捜査局（FBI：Federal Bureau of Investigation）等と連携し、米国内のサイバー攻撃監視・犯罪者集団の動向追跡、アラート・注意喚起・対策指示を行い、WebサイトStop Ransomwareにて情報を公開している。2022～2023年のランサムウェアへの注意喚起には、2022年6月のデータ恐喝グループKarakurtの攻撃※[206]、7月の北朝鮮によるヘルスケア機関を狙ったランサムウェアMaui※[207]、2023年1月のランサムウェアCuba（12月のFBIによる注意喚起の続報）※[208]、2月のVMWare ESXiの脆弱性を狙ったランサムウェアESXiArgsのリカバリー方法※[209]、同月の北朝鮮による重要インフラへの攻撃※[210]、3月のランサムウェアRoyalの亜種による攻撃手口と対策※[211]等が含まれる。

### (ウ)政府システムの脆弱性可視化

2021年11月3日、CISAは既知の脆弱性悪用に関する重大リスク削減に関する拘束的運用指令（Binding Operational Directive）を発表した※[212]。同指令は、CISAの「悪用された既知の脆弱性カタログ※[213]」に基づき、政府機関が管理・運用委託している非機密（unclassified）システムの脆弱性管理手順の見直し・修正を求めるものである。各機関は同指令の実施状況を政府システムの資産状況可視化基盤（CDM Federal Dashboard）※[214]を介して報告する、とされている。

2022年10月3日、CISAは連邦政府の業務を行う民間行政機関（FCEB：Federal Civilian Executive Branch）の非機密システムの脆弱性について、新たな運用指令を発行した※[215]。各FCEBは2023年4月3日までにモバイルを含むIT資産の把握、CISAの要請を受けてから72時間以内の脆弱性列挙の開始と7日以内の報告を行う体制整備、CDM Federal Dashboardへの脆弱性自動登録等が求められる。連邦政府システム全体の脆弱性可視化・対策実施のシステム化がどのように進むか注目される。

### (エ)ロシアが支援するサイバー攻撃への対応

ロシアに支援されたサイバー活動組織（以下、ロシア系ハッカー）に対し、CISAはFBI、NSA等と連携して監視を継続している。2022年2月15日時点で、CISAはすべての米国の組織に対してロシア系ハッカーの攻撃に備えるよう要請していた※[216]。また2月16日、ロシア系ハッカーが少なくとも2020年1月から2022年2月まで、国防総省（DoD：Department of Defense）の防衛契約事業者とそのサブコントラクターのコミュニティ（CDCs：Cleared Defense Contractors）を狙い、様々な手法で機密情報の窃取を行っているとし、CDCsに対策を求めた[※217]。

ウクライナ侵攻開始直後の2月26日、CISAはFBIと共同で、ウクライナで使用された破壊的なウイルスWhisperGateとHermeticWiper、及びその防止策に関するアドバイザリを公開した[※218]。更に3月2日、CISAはロシア系ハッカー等によるサイバー攻撃に対抗するサイト「SHIELDS UP[※219]」を公開した。SHIELDS UPでは、基本的なセキュリティ対策のガイド、ランサムウェア対策、前述のCISA脆弱性カタログ、ロシア系ハッカーの個別攻撃の注意喚起等を掲載した。また4月22日公開の「Shields Up Technical Guidance[※220]」では、民間監視機関がウクライナで観測したランサムウェア攻撃・破壊的攻撃が掲載された。この監視情報から、ロシア系ハッカーの攻撃が2022年1月15日から約2ヵ月間に集中していたことが推察される。

2022年3月21日、Biden大統領は国家のサイバーセキュリティに関する声明を発表し、すべての企業・組織がロシアのサイバー攻撃に備えるよう呼びかけた[※221]。CISAは関連機関と連携した攻撃監視・対処、SHIELDS UPにおける情報発信により、対策司令塔の役割を果たしている。2023年4月初旬の時点で、米国の政府システム、重要インフラシステムへの深刻な攻撃被害はなく、CISA、FBI、NSA、更には民間事業者等の連携による対策が奏功していると思われる。

### (2) 国家安全保障に関する政策

2022年はウクライナ情勢に加え、台湾をめぐる中国との関係も緊張が深まった。ここではDoDのセキュリティ政策、対ロシア・ウクライナ政策、対中国政策について述べる。なお、ウクライナ・台湾、中間選挙・大統領選挙に関わる虚偽情報拡散、世論分断等の状況に関しては「3.4 虚偽情報拡散の脅威と対策の状況」を参照されたい。

#### (a) DoDのセキュリティ政策

2022年のDoDの政策として注目されるのはウクライナ侵攻への対応である。侵攻開始前、2021年12月の時点からロシアによるウクライナへのサイバー攻撃は増加していた。このとき米国サイバー軍（CYBERCOM：United States Cyber Command）は、パートナー国家と連携してパートナーのネットワーク監視・防御を行うサイバーセキュリティ作戦Hunt Forward Operation（HFO）を行うチームを編成、ウクライナ政府と連携し、同国の複数ネットワークの攻撃監視・対処に参画した[※222]。HFOは、DoDの標榜する、悪意のサイバー活動をその元で妨害する（disrupt malicious cyber activity at its source）戦略「Defend Forward[※223]」の一環であり、あくまで防御的な作戦としてウクライナの重要インフラシステムのリスク評価を主導、ロシアによる不正工作に先手を打って防いだ、としている。HFOのウクライナ支援活動は2022年3月まで続いた。詳細は公開されないが、CYBERCOMは他の政府機関、民間事業者等ともインテリジェンス情報共有等で連携したと思われる。

2022年12月23日、Biden大統領は2023会計年度（2022年10月～2023年9月）の国防関連予算を決定する国防授権法（NDAA 2023：National Defense Authorization ACT for Fiscal Year 2023）に署名した[※224]。総額は8,579億ドルで、インフレの影響、国家防衛戦略との整合等から2022会計年度より約10%増となった。新型コロナウイルス対策費用（ワクチン接種等）が削減される一方、軍人とその家族の生活向上が考慮された。また2022年法案と同様に中国・ロシアとの戦略的競争、NATO諸国・インド太平洋地域との協調が活動の柱となり、ウクライナセキュリティ支援戦略（Ukraine Security Assistance Initiative）には8億ドル、太平洋抑止戦略（Pacific Deterrence Initiative）には2022会計年度71億ドルから大幅増額の約115億ドルが計上された。またCYBERCOMの海外パートナー連携活動（HFO）には4,410万ドルが計上された。

DoD自身のサイバーセキュリティに関しては、前掲のEO 14028と呼応したITインフラ・セキュリティ基盤の現代化（Modernization）、2021年11月に改訂されたサイバーセキュリティ成熟度モデル認証（CMMC 2.0：Cybersecurity Maturity Model Certification 2.0）[※225]に基づく調達サプライチェーンのセキュリティ強化が継続している。このうち現代化について、DoDは2022年11月22日、ゼロトラストセキュリティの戦略とロードマップを公開した[※226]。DoDはセキュリティ現代化のコアとしてゼロトラストアーキテクチャを重視しており、アーキテクチャのガイドラインSP 800-207で示された7原則に対応する要件45項目を具体化、5年で実現するロードマップを示している。

2023年4月6日、米国・NATOのウクライナ軍事支援に関するDoDの機密文書等がSNS上に漏えいした、と報道された[※227]。この文書はウクライナ軍の状況分析や作戦に関する米国インテリジェンス部門の関与を示し、ウクライナ軍の作戦行動にも影響が出たとされる。FBIは4月13日、機密文書へのアクセス権を持つ21歳の空軍州兵がゲーム仲間に意図的に文書を開示、漏えいに至ったとして同州兵を逮捕した※228。DoDの機密文書管理・クリアランスの運用が改めて問われる深刻な事態となった。

**(b) 対ロシア・ウクライナ政策**

2022年2月のウクライナ侵攻開始前後、米国はNATO諸国を中心とする欧州・日本等と連携し、ロシアに対する非難と制裁発動、サイバー防御を含むウクライナに対する軍事支援、避難民等への人道支援にまい進した。2022年5月までの米国の対外交渉やロシア制裁・ウクライナ支援については「情報セキュリティ白書2022※229」の「3.4.1 (4) 米ロ関係の悪化とウクライナ侵攻」を参照されたい。

2022年6月以降もBiden政権のロシアに対する強硬姿勢はゆるがず、以下を含む制裁を継続した。

- 2022年6月27日:ドイツ・エルマウサミット（「2.2.1 (1) (d) エルマウサミット」参照）の首脳合意に基づくロシア防衛産業への規制強化・ロシア産の金の禁輸等※230
- 同年7月14日：農産物の生産・販売・輸送は同制裁から除外されることを明確化※231
- 同年9月30日：ロシアのウクライナ東南部4州併合に対する追加制裁。4州の住民投票・併合に対する9月23日のG7首脳声明に準拠※232
- 同年12月22日：軍事支援を行うロシアの船舶関連事業者を追加制裁対象に指定※233
- 2023年1月26日：民間軍事企業ワグネル（Wagner Group）を追加制裁対象に指定※234
- 同年2月24日：侵攻から1年を経過し、第三国を経由して物資がロシアに流れ、制裁が形骸化しているとの懸念から、EUと協調してロシア支援団体等への制裁を強化※235

Biden政権はまた、ウクライナに対し財政支援・武器支援を積極的に継続した。2022年12月21日、Biden大統領はワシントンD.C.にてZelenskyy大統領と会談、パトリオット防空システム配備を含む18億5,000万ドル規模の追加軍事支援を表明した※236。同会談の直後に前述の2023年の国防授権法が議会承認されたが、ウクライナセキュリティ支援戦略費用（8億ドル）はBiden大統領の要求を5億ドル上回り、Zelenskyy大統領の目的は果たされた形である。一方この結果は、ウクライナ4州併合の状態で和平交渉に臨みたいと考えていたVladimir Putinロシア大統領には受け入れがたいものであり、更に長期の戦闘が予想される事態となった。米国は2023年2月14日、Blinken国務長官が最大10億ドルの債務保証をウクライナに提供すると表明※237、更に2月20月、Biden大統領がウクライナ・キーウを電撃訪問してZelenskyy大統領と会談、対空監視レーダーを含む装備品の追加供与、ロシアに対する追加制裁を発表した※238。

以上のようにBiden政権のウクライナ支援・対ロシア強硬政策は徹底しているが、共和党議員から「ウクライナに白紙の手形を渡すべきでない」という声が上がり、2022年11月の中間選挙※239で共和党が勝利した下院では支援の見直しが始まっている※240。2024年の大統領選挙をにらみ、Biden政権が現行の政策を維持できるのか、注目される。

**(c) 対中国政策**

米国及び日本等では、ロシアのウクライナ侵攻が中国の台湾海峡における現状変更の野心にどう影響するかが懸念され、2022年の米中関係は緊張した。ウクライナ侵攻開始後も、中国政府高官は台湾海峡の法的な管轄権は自国が有すると発言、Biden大統領も米国は台湾を守る、等と発言し、双方の意見は平行線をたどった。この中で米国議会幹部のアジア訪問が計画され、Pelosi下院議長を始めとする下院議員団の台湾訪問、蔡英文総統との会談が具体化した。2022年7月28日、Biden大統領は習近平国家主席と電話会談を行い、習主席はPelosi議長の台湾訪問を始めとする米国の動きを「火遊び」と警告し、一つの中国の原則を尊重するよう求めた。Biden大統領は一つの中国の原則は崩さない、としながらも台湾海峡の一方的な現状変更への反対を表明した※241。直後の8月2日、Pelosi議長は習主席の警告を無視する形で台湾を訪問※242、態度を硬化させた中国は8月4日から台湾を包囲するような七つの海域で「重要軍事演習」を実施、1ヵ月で延べ中国軍300機が台湾との中間線を越えたという※243。Pelosi議長の台湾訪問は結果として、米国の台湾支援が議会とBiden政権で一枚岩であること、中国が台湾侵攻を実行する軍事力を備えていることを国際社会に示すことになった。

こじれた米中関係の修復は、2022年11月14日のインドネシア・バリにおけるBiden・習近平会談で試みられた[※244]。両首脳は台湾、ウクライナ、サプライチェーン、人権問題等で多くの意見の相違を抱えながらも「新しい冷戦は必要ないし、熱い戦いも考えていない」とし、「気候変動等に関する高官級協議を再開する」「より頻繁な連絡を行う」等で合意した。しかし、修復に向かうと思われた米中関係は2023年に入って表面化した「偵察気球」問題で頓挫した。米国上空で発見・追跡され、中国のものと推定された気球により、2023年2月3日、Blinken国務長官の北京訪問は延期された[※245]。Biden大統領は米国本土上空で発見・追跡された気球の撃墜を命じ、同月4日、気球はサウスカロライナ州沖の大西洋上で撃墜された[※246]。米国内にある「弱腰の対応」という批判に配慮したとの見方もある。中国政府は、気球は自国の科学研究を目的としたものとしたが、詳細は説明せず、撃墜に激しく抗議し、米国も中国上空に気球を飛ばしていると非難した[※247]。

米中関係修復の機運は再度遠のき、2023年4月の時点で打開の糸口は見いだせていない。この間、習近平国家主席は3月10日の全国人民代表大会で国家主席3選を果たして国内の体制を盤石なものとし[※248]、3月20日にはロシアを訪問、Putin大統領と会談し、包括的なパートナーシップ、経済協力について合意した[※249]。一方、ウクライナについての合意は表明されなかった。これらの動きから、中国がロシアと連携して米国に対峙する姿勢を鮮明にしたことがうかがわれる。米国だけでなく、日本・欧州各国もこの中国・ロシアの対抗姿勢にどう向き合うか、難しい対応が迫られる。

### 2.2.3 欧州の政策

2022年2月以降、欧州では新型コロナウイルスの感染状況が改善し、EU域外・域内の移動等に関する制限が段階的に解除された。ウクライナ危機に対しては、2022年2月22日、ロシアとの経済連携を深めていたドイツが北海のガスパイプラインNord Stream 2承認を凍結する[※250]等、多くの国がロシアとの経済的決別を選択した。この結果、欧州はエネルギー価格高騰・インフレに直撃され[※251]、新たな社会不安要因となった。この間、英国では2022年9月、10月に閣僚のスキャンダルや政策失敗により首相が交代（後述）、フランスでは2022年6月19日の議会総選挙で与党が敗北[※252]、イタリアでは2022年10月22日に右派政党党首のGiorgia Meloni氏が首相に就任[※253]する等、各国の政権が不安定化し、欧州全体で結束したロシア対応・中国対応等が難しくなりつつある。

以下ではこのような状況下における、英国を含むEU諸国のセキュリティ・データ保護に関する動向について述べる。

#### (1) 英国の混迷

英国はBrexitから2年を経過したが、EU離脱の負の影響である経済不振に悩んでいる。コロナ禍、及びウクライナ侵攻によるエネルギー価格高騰がそれに輪をかけたといわれる[※254]。更に英国は、2022年中に首相が2回交代するという政治的混乱に見舞われた。

新型コロナ感染症対策をうまく乗り切ったかに見えたBoris Johnson首相は、2020年のロックダウン期間中に首相官邸でパーティが繰り返されたとするPartygate事件、自身が任命した閣僚の性的スキャンダル、及び議会の査問に対する首相自身の不誠実な対応により求心力が急速に低下[※255]、主要閣僚が辞任する事態に発展した。2022年7月7日、Johnson首相は与党・保守党党首の辞任を表明[※256]、直後に首相職も辞した。同年9月5日、後任に新たな保守党党首Elizabeth Truss氏が選ばれた。Truss首相は、9月8日、国民の不満要因となっている物価対策を説明した。電気ガス販売価格の上限設定等により、2年間家庭の光熱費を現状以内に抑えるとするもので、総費用は示されなかった。更に9月23日、Kwasi Kwarteng財務相は、Truss首相の公約であった減税による新自由主義的な政策「mini-budget」を公表したが、財政悪化の懸念からポンドがドルに対して8%急落、9月28日にイングランド銀行が債権市場への介入を公表してやや沈静化[※257]したが、ポンドや英国財政に対する信用は大きく棄損した[※258]。この政策に対しては金持ち・金融機関優遇との批判が集中、Truss首相は10月3日、政策の撤回に追い込まれ[※259]、更に10月20日、辞任を発表した[※260]。10月25日、Truss前首相と党首を争ったRishi Sunak氏が首相となった。金融市場は現実主義者と呼ばれるSunak首相を歓迎し、ポンド危機は沈静化した。

2023年に入り、Sunak首相は2月27日、欧州委員会（European Commission）のvon der Leyen委員長と共同で、Brexitで煩雑な処理が必要となっていた英国と北アイルランドとの間の通関手続きを簡易化する枠組み（Windsor Framework）について合意した、と発表した[※261]。北アイルランドとの通関問題はBrexitの難しい宿題となっていたが、EU、英国双方の譲歩により解決に向けて前進したといわれる。更に英国は3月31日、日本が推進するTPP（Trans-Pacific Partnership）に正式に加盟した※262。Sunak政権はBrexit以降の体制を着実に固めていると思われる。

### (2) 新型コロナウイルスへの対応

2022年、欧州の新型コロナウイルス対策は大きく緩和された。EUは域内の人の移動を安全に行うためのワクチン接種証明書（EU Digital COVID Certificate：通称、グリーンパス）を2021年7月1日に導入した※263が、2022年1月以降の感染者数の急減により、例えば英国ではJohnson首相（当時）が2月21日に隔離政策の撤廃を公表※264、フランスでは3月14日に飲食店等でのグリーンパス提示措置を解除※265する等、各国で規制緩和が進み、2022年夏には各国でほぼ規制が撤廃された。2022年12月13日、欧州理事会（European Council）はこの状況を追認する形でEU域内への入域に関する規制の撤廃を勧告した※266。グリーンパスのようなワクチン接種証明に基づく移動許可は、それを保持していない人の行動の規制につながるため、公平性が懸念され、導入に慎重な意見も多かった※267。更に、隔離に代わりワクチン接種を前提とする施策に異を唱える意見が問題を複雑にし、各国は対応を迫られた（「情報セキュリティ白書2022」の「3.4.2（2）（c）ワクチン接種義務化」参照）。EUはグリーンパス導入にあたり、人権や個人情報保護に配慮するよう勧告等を行ってきたが、公平性の問題が実際にあったのか等の検証は今後の課題である。

### (3) サイバーセキュリティ政策

欧州のサイバーセキュリティ政策は、欧州ネットワーク・情報セキュリティ機関（ENISA：The European Union Agency for Cybersecurity）が主導し、重要インフラに関するNIS指令（Network and Information Systems Directive）※268の実装、あるいはEU域内の製品・サービスのセキュリティを担保するサイバーセキュリティ認証スキームの構築等を中心として進められている。以下では、これらの施策の最新動向について述べる。

#### (a) 重要インフラのセキュリティ規格改定

EU域内の重要インフラシステムの統一セキュリティ規格であるNIS指令の改定作業が進められている。改定指令は「NIS 2」と呼ばれ、2021年10月28日に欧州議会（European Parliament）にて承認された※269後、欧州理事会にて詳細審議が進められた。改訂内容には重要インフラシステムの多様化、リスク管理の効率化・厳格化等に関する以下が含まれる。

- 重大エンティティ（essential entity）と呼ぶ重要インフラの基幹サービス分野に行政、下水道、宇宙を追加
- 重要エンティティ（important entity）と呼ぶ分野に郵便、廃棄物処理、化学、食品、製造等を追加
- EU加盟国間の効率的な組織協力の仕組みを策定
- 大規模インシデントに対する欧州サイバー危機連絡組織ネットワーク（EU-CyCLONe：European Cyber Crisis Liaison Organisation Network）を創設※270
- インシデント等の報告義務の強化
- 違反行為に対する統合的な罰則の強化
- 規則適用対象に関する統一ルールと各国独自拡張ルールの規定
- 金融等の業界規則との整合

2022年5月13日、欧州理事会・欧州議会は「EU域内の高度共通セキュリティレベル」に関する対策でNIS 2を適用することで合意し、EU-CyCLONe創設も公表した※271。NIS 2の最終案は2022年11月28日、欧州理事会にて採択、成立した※272。加盟国は施行後21ヵ月以内に国内規定をNIS 2に準拠させるよう求められる。

#### (b) サイバーセキュリティレジリエンス法案の検討

ENISAは2021年5月、IoT機器を対象とするサイバーセキュリティ認証制度（EU Cybersecurity Certification Framework）の候補スキーム（EUCC scheme：Common Criteria based European candidate cybersecurity certification scheme）※273の改訂版を発行※274し、EU域内で統一した認証スキームによるセキュアなIoT機器の普及を図っている（「情報セキュリティ白書2022」の「3.4.2（3）（b）セキュリティ認証スキームとセキュリティ市場分析」参照）。一方で欧州委員会は2022年9月15日、デジタル製品のライフサイクル全般におけるサイバーセキュリティに関する「サイバーレジリエンス法案（Cyber Resilience Act）」を発表した※275。IoT機器を含むハードウェア製品、ソフトウェア製品の製造・利用における脆弱性の排除、利用者の製品選定における十分なセキュリティ情報提供について製造者・配給者の責任を規定する法案であり、今後欧州理事会・欧州議会で審議される。同法案は、以下の内容を含む。

- デジタル要素を含み、ネットワークに接続されるあらゆる製品が対象となるが、医療・航空・自動車等、既

存の法制で要件が規定されている製品は除く。

- 重要なデジタル製品については、セキュリティリスクレベルを3段階に分け、レベルに応じたセキュリティ適合性評価(conformity assessment)を必須とする。
- 製造者は設計・製造におけるセキュリティリスク評価、顧客への情報提供、脆弱性対応支援を必須とし、サプライチェーン上の関係者もその役割を分担する。
- 悪用されやすい脆弱性が発覚した場合には24時間以内にENISAに報告する。
- 適合性評価機関の認定とその機関の監査は加盟国の責任で行う。
- 法案の実施状況は、加盟国が指定した市場監視当局(market surveillance authority)が監視する。市場監視当局は、重大なセキュリティリスクがあると考えられるデジタル製品に適合性評価を実施する。評価により、同製品が法案の要求を満たさないと判断された場合、是正措置、市場からの回収等が命じられる。製造者の年間売上げの2.5%を上限とする制裁金が科されることがある[※276]。
- 重要デジタル製品リストの更新、法案の規格実装における詳細項目等の規定は欧州委員会が代行する。後者の詳細規定については、SBOMの利用、あるいは適合性評価における前掲のサイバーセキュリティ認証スキーム(EUCC)の利用等を含む。
- 法案の実施は法案発効から24ヵ月後、製造者に対する報告義務は発効から12ヵ月後とする。

同法案は「あらゆる重要なデジタル製品」が対象になっており、米国のEO 14028が「重要ソフトウェア」の開発、及び消費者向けIoT機器のセキュリティラベル等の施策(「2.2.2 (1) (c) (ア) セキュアなソフトウェア調達のための施策」参照)に比べ包括的であり、IoT関連製品・サービスに関する様々な分野に影響を及ぼす可能性がある。欧州の消費者団体が賛同の意見を表明[※277]する一方で、製品・サービス分野ごとの適合性評価方式の設計とコスト、加盟国の準備体制等に対する懸念も想定される。今後の審議が注目される。

### (c)ランサムウェア攻撃の状況

欧州においてもランサムウェア攻撃対策は2022年のサイバーセキュリティの中心課題となった。ENISAは2022年7月29日発行のランサムウェア脅威実態報告において、2021年5月～2022年6月に発生したランサムウェア事案623件を分析した[※278]。分析によれば、ランサムウェアは進化・効率化を続け、より破壊的になり、毎月10テラバイト以上のデータが窃取され、そのうち58.2%がGDPR(General Data Protection Regulation：一般データ保護規則)の保護対象となる個人データであった。また事案の95.3%で侵入経路が不明であり、関係組織の60%以上が身代金を支払った可能性があるという。分析対象期間のランサムウェア事案件数は3,640件と見積もられ、公表されない事案が多数ある等の深刻な状況が示された。欧州の国別被害件数ではドイツ、フランス、イタリアが突出した。攻撃者別件数ではロシア系ハッカーのConti及びLockBitが突出、また発生時期については2022年3～4月が突出し、ウクライナ侵攻の影響をうかがわせた。これらの結果から、ENISAはランサムウェア対策の基本を改めて強調するとともに、被害発生時には政府関係機関と協力し、攻撃者と交渉しないことを重ねて要請し、No More Ransom Project[※279]等の支援を受けることも助言した。

### (d)データ利用とガバナンスに関する規格策定

欧州委員会は2020年2月、デジタルデータ戦略を発表、欧州がデータ駆動型社会をリードし、域内の自由なデータ流通、公平・公正なデータアクセスによる単一デジタルデータ市場を確立する、とした[※280]。2022年はこの戦略に沿った規格策定が相次いだ。2022年2月23日、同委員会は公平なデータへのアクセス及び利用実現のためのデータ法(Data Act)を承認した[※281]。ベンダーが利用するIoT機器生成データへの機器利用者のアクセス、データ共有契約における不利益是正、公共団体の緊急時民間データ利用等が規定され、EU市民の不利益にならないデータ利用が強く意識されている。更に2022年5月16日、欧州理事会はデータガバナンス法(Data Governance Act)を承認した[※282]。同法は公共団体の保有する一部データの機密性・プライバシーを保護し、研究開発等における安全な再利用を規定するもので、新しいデータ仲介ビジネスにつながることが期待されている。

以上のデータ利用とガバナンスに関する規格は、2022年11月1日に発効した、大規模オンラインプラットフォーム事業者(gatekeeper)の不公正・独占的な慣行等に規制をかける「デジタル市場法(DMA：Digital Markets Act)[※283]」、及び同月16日に発効した、gatekeeperの違法コンテンツ配信、レコメンデーションやオンライン広告に関する情報開示、利用契約の透明性・救済等に対する責任を明確化する「デジタルサービス法(DSA：

Digital Services Act)※284」とともに、これまで圧倒的にgatekeeperが優位だったデジタル市場の公平・公正な統制の枠組みを構成する（DMA、DSAの策定については「情報セキュリティ白書2022」の「3.4.2(4)(a)インフォデミックに関するガバナンス」参照）。

例えばDSAは、急速に問題化している虚偽情報(Disinformation)への対応をgatekeeperに義務化し、違反があった場合、全世界売り上げ高の6%を上限とする制裁金を科すとしている。更にウクライナ侵攻を受け、テロ・戦争等の危機的状況における情報操作への対応として、欧州委員会が必要な措置を求めることができるとする「危機対応メカニズム」が盛り込まれた※285。しかし、こうした罰則について実効性がどこまであるのかは疑問との見方もあり、欧州委員会がgatekeeperの事業をどこまで厳格に監視するのか、注目される。

### (e)AI法の策定

2021年4月21日、欧州委員会が公表したAIの安全で遵法的な利用に関する規則「Artificial Intelligence Act※286」(以下、AI法)は、AI利用における人権侵害・健康被害等のリスクに応じ、違反行為に罰則が科せられることから、リスクカテゴリーの妥当性・運用性について各方面で大きな論議を呼び、2022年も継続して審議が続いた。

AI法が規定するリスクカテゴリーは四つあるが、制裁を伴うものは以下の二つである。

- 許容できないリスク(Unacceptable risk)
  「個人が知覚できないサブリミナル技術の悪用」「子供や精神障害等の脆弱性の悪用」「個人の信用評価等の悪用※287」「法執行におけるリアルタイム生体識別」が例示され、利用は禁止される。
- ハイリスク
  「個人の生体識別」「重要インフラ管理・安全確保」「学生の成績評価」「被雇用者の管理・業績評価」「受給資格審査・与信評価」等が例示される。リスクの高いAI（以下、ハイリスクAI）の提供者・利用者にそれぞれ提供・利用の義務規定が課されるが、提供者側の責任が大きい。

上記のカテゴリーの規定に違反した場合、制裁金が科される。義務規定、制裁金の設計等についてはGDPR等のEU既存法制との整合が重視され、制裁金が巨額（最大で3,000万ユーロまたは全世界売上高の6%のうち高い金額）になる可能性がある。

民間事業者・団体等は同法案に対し、「EU市民の人権と安全を守りつつ、EUのAI利用における市場競争力を担保する」方針には賛成としながらも、以下のような疑問を呈し、不必要な統制をしないよう改善を求めてきた※288。

- リスクカテゴリーのスコープ(範囲)が広すぎる。
- AIシステムの定義が広すぎる。統計的手法を利用したシステム、という定義では多くのソフトウェアシステムが規制対象となる可能性がある※289。
- 標準等で規定されていない部分の実装が難しい。
- 利用分野によっては過剰な法制の適用や既存法制との矛盾が生じる。
- AI事業者はスタートアップが多く、義務履行の負荷が大きいことが懸念される。
- AIのステークホルダはEUにとどまらず、国際的な協調が必要である。

上記の懸念について欧州理事会・欧州委員会が検討を続け、2022年11月25日、欧州理事会は修正案を公表した※290。修正案には以下のような改訂が含まれる。

- AIシステムの定義を機械学習・論理ベース・知識ベースを利用するシステムに狭める。
- 許容できないリスクの例示に信用スコア（social scoring)、社会的・経済的に弱い立場の人の搾取を含める。
- ハイリスクAIカテゴリーに共通の上位レイヤーを設け、人権侵害等のリスクが小さいシステムが含まれないようにする。
- ハイリスクAIシステムについて、データや技術等の要件が過負荷にならないように記載を見直す。サプライチェーン上の責任分担も明示する。
- 多様な目的に用いられるAI（general purpose AI）の利用、及び当該AIがハイリスクシステムに利用される場合の要件を新たに規定する。同規定は直接の適用よりも、コンサルティングやリスクアセスメントによる運用を想定する。
- 非営利・研究目的のAIシステムは透明性に関する規定以外は適用除外とする。また、法執行目的の顔画像認識等のAIシステム利用については機密保護に配慮する。
- AIシステムの適合性評価、市場監視に関する規定を明確化・簡易化する。

AIシステムの絞り込み、ハイリスクAIシステムの規定適用について改善が図られたことがうかがわれる。今後は欧州議会の審議にはいり、2023年中の同法案成立を目指すものと思われる。なお、国際連携については未知数な部分が残っている。米国では2022年10月、Biden政権が「AI権利章典（AI Bill of Rights）」を公開、国民の人権保護と民主的価値推進のために、AIシステム（同権利章典ではautomated systemsと表現）の構築・統制で守るべき5原則を示したが、まだ宣言レベルにとどまっている※291。

### （4）GDPRの運用状況

GDPRの運用は2018年5月の発効から5年以上を経過し、2021年に引き続き厳格に適用されている。

#### （a）米国と欧州の個人データ移転の新たな枠組み

2020年7月16日、欧州司法裁判所は、米国の個人データ保護は米国政府による監視等の可能性からGDPRと同等のレベルになく、包括的データ移転の枠組みである「プライバシーシールド」は無効との判断を示した※292。欧州委員会・米国政府はこれに代わる枠組を協議した結果、2022年3月25日、米国の監視活動に対する制限を強化した新たな「大西洋横断データプライバシーフレームワーク」の合意が発表された※293。同フレームワークには、米国政府の通信監視が許可される条件、EU市民が不当な監視を受けたと主張する場合の救済措置等が明記された。2022年10月7日、Biden大統領は同フレームワークを履行するための大統領令に署名した※294。欧州委員会はこれを受けて2022年12月13日、米国の個人データ保護施策がEUと同等であるとする十分性認定（adequacy decision）の受け入れ手続きを開始する、と発表した※295。米国の安全保障上必要な監視と、欧州のEU市民の権利保護を両立させた形で、双方が歓迎する結果となった。

#### （b）GDPR違反の状況

国際法律事務所DLA Piperの調査によれば、2022年1月28日から2023年1月25日までのGDPR違反の制裁金総額は約16.4億ユーロとなり、2021年1月28日から2022年1月18日の間の制裁金総額（約11億ユーロ）の約1.5倍となった※296。欧州データ保護委員会（EDPB：European Data Protection Board）が制裁金の高額化を度々要請し、各国のデータ保護機関（DPA：Data Protection Authority）も高額制裁に躊躇しなくなったこと等が背景にあるとされる。また2021年から続く傾向として行動ターゲティングを含む広告技術関連の違反が高額制裁の対象となった。例えばアイルランドのデータ保護機関であるDPC（Data Protection Commission）は2023年1月4日、Meta Platforms, Inc.（以下、META社）に対し、Facebookのターゲティング広告に関する個人データ利用違反に2億1,000万ユーロ、Instagramの同様な違反に1億8,000万ユーロの制裁金を科し、更に同社の業務プロセスを3ヵ月以内に改善するよう命じた※297。META社はこれに抗議したが、2021年のGDPR違反制裁金7億4,700万ユーロに続く打撃であり、同社の欧州でのビジネスに影響が出るとみられている※298。

一方で、2022年1月28日から2023年1月25日までの違反届出件数は約10万9,000件で、運用を開始した2018年以来初めて減少に転じた（2021年の件数は約12万件）。届出後の対応の負担に対する警戒感が反映している可能性もある。

前述のMETA社の事案以外の高額な制裁事案としては以下がある。

- 2022年5月18日、スペインのデータ保護機関であるAEPD（Agencia Española de Protección de Datos）は、Google LLC（以下、Google社）に対して、研究目的でGoogle社の提供するサービスのアクセスデータを収集するプロジェクトに関して、サービス利用者の承諾なしでプロジェクト参加条件調整に関わる個人データをプロジェクト関係者に送付したことがGDPR違反にあたる、として1,000万ユーロの制裁金を科した※299。
- 2022年9月5日、アイルランドのDPCはMETA社に対し、Instagramにおいて未成年の個人データが無条件に開示される、等のGDPR違反があったとして4億500万ユーロの制裁金を科した。多数の子供のデータが暴露された事案としてEDPBが高額制裁を求めたケースである※300。
- 2022年10月17日、フランスのデータ保護機関であるCNIL（Commission Nationale de l'Informatique et des Libertés）は、AIサービス事業者Clearview AI Inc.に対し、公開プラットフォームから収集した200億の顔画像データベースに紐づく個人データの扱いが不正であること、また顔画像に対するデータ主体の権利が行使できないこと等がGDPR違反にあたるとして2,000万ユーロの制裁金を科した※301。
- 2022年11月25日、アイルランドのDPCはMETA社に対し、Facebookの個人データ保護対策に不備があり、ハッキングプラットフォームにデータが流出、5億3,300万人に影響した、等がGDPR違反にあたるとして2億6,500万ユーロの制裁金を科した※302。

- 2023年4月4日、英国のデータ保護機関であるICO（Information Commissioner's Office）は、TikTok.comに対し、13歳未満の100万人以上の子供が親の同意を得ずにTikTokを利用し、それらのデータを削除する機能を提供していないこと、また利用者データの収集・利用に関する情報を提供していないことがGDPR違反にあたるとし、1,450万ユーロの制裁金を科した※303。

### (5) 安全保障政策の状況

欧州はウクライナ侵攻以降、NATO諸国を中心としてロシアに対し非難・制裁の姿勢を維持し続けている。天然ガスパイプラインプロジェクトNord Stream 2を凍結し、エネルギーの脱ロシア化を図ったドイツの決断が大きいと思われるが、エネルギーや経済でロシア・中国に依存する国と、特にバルト海沿岸で旧ソ連の統制や脅威に対峙してきた国とでは意見の相違が大きい。例えば石油資源のほとんどをロシアに依存するハンガリーはEUの石油全面禁輸措置に反対、EUはこれに配慮する形で2022年6月3日の制裁措置発表において、パイプライン経由の石油輸入を除外した※304。

中欧諸国等、ロシア制裁が欧州経済にマイナスと考える国があり、またエネルギー価格高騰で景気が減速する中、実効性のある制裁は難しくなり、ロシアとの関係は膠着している。2022年3月発動の制裁措置で注目された、国際銀行間通信協会（SWIFT：Society for Worldwide Interbank Financial Telecommunication）からのロシア金融機関の排除は、ロシアと取り引きを行う各国への影響に配慮して限定的である※305。また2022年12月5日、EUは第8次制裁パッケージに基づき、ロシアが輸出する原油価格の上限を1バレル60ドルとした※306。この上限は実際の原油価格との乖離を小さくし、市場に混乱を招かないという妥協によるもので、より厳しい上限を望む加盟国もある。しかし、EUはこうした制裁は確実にロシア経済に打撃を与えたとしており※307、制裁が継続すれば中長期的にはロシアの国力が低下すると考えられる。一方で、ロシアが中国等と連携し、米国・EU主導の経済システムとは独立した経済システム構築に進む契機となる可能性が考えられる。

軍事的には、欧州各国はウクライナの反撃に向けた戦車等の武器提供が相次いだ。2023年1月16日、英国はチャレンジャー2戦車のウクライナ提供を表明※308、ウクライナ兵に訓練を実施した。これに呼応するように、武器提供に慎重だったドイツも同年1月25日、レオパルト2戦車を提供すると発表※309、3月にはウクライナに戦車が引き渡された。これらの武器供与は2023年春から想定されるウクライナの反撃を可能な限り支援する意思の現れと思われる。

2023年4月4日、フィンランドは正式にNATOに加盟した※310。NATO加盟国であるトルコがクルド人勢力への対応に条件をつけていたが、フィンランドはトルコの要請に応じて加盟にこぎつけ、同じく加盟を表明していたスウェーデンは調整がつかず、フィンランド単独での加盟となった。単独ではあっても、ロシアと長大な国境を接するフィンランドのNATO加盟は欧州の安全保障体制の大転換であり、ウクライナ侵攻を企図したPutin政権の最大の誤算といえる※311。欧州各国は戦争の早期終結の思惑がありながら、ロシアとの厳しい対峙が続くこととなる。

2023年4月5日、Macronフランス大統領、von der Leyen欧州委員会委員長が中国を訪問、習近平国家主席と3者会談を行った※312。米中関係は厳しい状況にあるが、EUと中国は経済面で相互の関係を修復したい思惑があり、中国は両者の訪問を歓迎した。EUは、対ロシアでは米国と協調するものの、中国にはロシアに対するけん制役となってほしいとの思惑があるとみられる。一方中国は、フランスが国連常任理事国であることから、世界の多極化に向けた連携関係を築きたいとの思惑があるとみられる※313。こうした中国との関係修復は想定されていたが、Macron大統領は訪中の帰路、記者インタビューで「欧州は台湾問題について米国に追従して深入りすべきでない」と発言した※314。これは米国との新たな確執を生むのではないか、との懸念が出ている。

## 2.2.4 アジア太平洋地域でのCSIRTの動向

サイバー攻撃による被害の未然防止や、迅速なインシデント対応のために、National CSIRT※315は、いち早く情報を入手・分析し、自国内の関連組織や自国民に対して適切に情報を伝達・公開することで、その国における情報セキュリティ対策活動の向上に取り組んでいる。アジア太平洋地域の多くの国においても、National CSIRT（以下、CSIRT）が既に設立され運用されている。各国のCSIRTは、自国内のセキュリティ対策強化に加えて、同地域のパートナーとも脅威情報の共有や技術交流を行う等、国際連携を通じて地域のサイバーセキュリティ能力の強化に取り組んでいる。本項では、主にアジア太平洋地域における各国のCSIRTの機能強化やインシデント対応の取り組みに関する動き、CSIRT間の相互連携の実態について述べる。

### (1) CSIRTの機能強化の動き

アジア太平洋地域における各国・地域のCSIRTの機能強化の動きについて述べる。

#### (a) インド

2022年4月28日、CERT-In（Indian Computer Emergency Response Team：インドコンピュータ緊急対応チーム）が、情報セキュリティの実践や対応、セキュリティインシデントの報告等について情報技術を取り扱う組織が守るべき要件をまとめた指令※316を発行し、2022年9月25日付で全面的に施行した。本指令は、2000年情報技術法第70B条6項の規定に基づき、CERT-Inがインシデントの情報収集・分析・通知を円滑に進めることを目的として、情報技術をまったく利用していない組織を除く、ほぼすべての法人組織や政府機関におけるインシデント対応に関する義務を示したものである。サイバーセキュリティインシデントを検知・認知した際は、6時間以内にCERT-Inへ報告するよう本指令では求めている。報告すべきインシデントとして、ITシステムやデータへの不正アクセス、Webサイトの改ざんや悪意のあるコードの挿入、ITネットワークやシステムに対するスキャン、DDoS攻撃、フィッシング攻撃等を含む20項目にわたる幅広い攻撃や脅威を挙げている。また、ICTシステムのログを国内で180日間保存することも義務付けており、インシデントが起きた場合、対象となる組織はCERT-Inの要求に応じてログを提供しなければならない。指示に従わなければ法に基づいて処罰される可能性がある。

CERT-Inは、本指令に基づいて迅速なインシデント対応を行うことで、国家の安全保障や防衛、犯罪活動の防止等、自国内のサイバーセキュリティを総合的に強化することを目指している。

#### (b) ベトナム

VNCERT（VietNam Computer Emergency Response Team：ベトナムコンピュータ緊急対応チーム）を統括する情報通信省（MIC：Ministry of Information and Communications）が、2022年8月10日付けで、サイバーセキュリティ戦略（2025～2030年）を承認したことを公表した※317。2030年までに、サイバーセキュリティを確保するための国家の能力を強化し、サイバー空間におけるリスクと課題に積極的かつ自律的に対応する準備を整えることを目標としている。目標達成に向けて具体的に取り組むタスクとして、党の指導的役割の強化やサイバーセキュリティ政策と法律の整備、サイバーセキュリティ意識や能力の向上、サイバー空間における国家主権の保護、国際協力の強化等の12項目を挙げている。なかでも国家のサイバーインフラストラクチャのセキュリティ確保と、11の重要分野における情報システムの保護に重点を置くことを強調した。詳細な実行目標として、重要分野における情報システムの所有者がセキュリティ確保のための計画を策定することや、少なくとも年に1回は訓練や検査を行うこと等を掲げている。

本戦略では、公安省（MPS：Ministry of Public Security）、防衛省（MOND：Ministry of National Defence）、情報通信省等関連する政府機関の機能と役割についてもタスクごとに整理されている。情報通信省のタスクとしては、11の重要分野の緊急対応チームの編成や、国家サイバー情報セキュリティインシデント対応ネットワークの構築、インシデント対応の指導や促進、インターネットユーザーの情報セキュリティ意識やスキルを高める活動の実施等が挙げられた。国際協力については、各国との間の協力関係の強化、国際法及び国際基準の策定への参加等、外交活動を積極的に推進するほか、地域内の国や戦略的パートナー国と、国境を越えたサイバー攻撃が発生した場合の情報共有や相互支援等の対応にも力を入れるとしている。

#### (c) トンガ

2022年3月14日、CERT Tonga（Tonga's National Computer Emergency Response Team：トンガコンピュータ緊急対応チーム）が、ニュージーランド政府及びCERT NZ（Computer Emergency Response Team New Zealand：ニュージーランドコンピュータ緊急対応チーム）の協力を得て、サイバーセキュリティ人材開発プログラム（CWDP：Cybersecurity Workforce Development Program）を立ち上げたことを発表した※318。本プログラムを立ち上げた背景として、サイバーセキュリティ分野における熟練した人員が不足していることを挙げ、CWDPを通じてサイバーセキュリティの問題に対処する人員の実践的なスキル構築を目指すとしている。CERT Tongaでは、短期契約または出向という形態で、経験豊富な運用スタッフを対象とした職位と、新卒者等の経験の浅いスタッフを対象とした職位を用意し、情報及び経験の共有や実地訓練を行うことで、サイバーセキュリティ人員の能力を強化する。CERT NZ は、投資面やニュージーランドを拠点とする専門家との連携、メンターシップ交換等の支援を行う。

CERT NZ のディレクター Rob Pope 氏は、CERT Tonga における CWDP の取り組みは、サイバー攻撃に対する集団的防御の強化を目指す太平洋地域すべてのパートナーにとって有益であると述べている。また、本取り組みが成功し、太平洋諸国のほかの地域でも同様のイニシアティブが構築されることに期待を寄せている。

**(d)オーストラリア**

オーストラリアで CSIRT の機能を担う ACSC (Australian Cyber Security Centre：オーストラリアサイバーセキュリティセンター) が、国内の企業がセキュリティ対策やインシデント対応を円滑に進めるための指針となる様々な文書を公開している。

その例として、2022 年 7 月 12 日に、サイバーインシデント対応計画(CIRP：Cyber Incident Response Plan) のガイダンスと、インシデント対応を始めるにあたって利用するチェックリストを公開した[※319]。ACSC は、インシデント対応では、組織独自の事業環境や優先事項、資源、義務等の状況や、国で定められた規則に基づき調整を行う必要があると指摘している。本ガイドラインは、そうした各組織の状況に応じた CIRP を策定することを支援するために作成されたもので、サイバーインシデント発生時に組織が迅速かつ効果的な対応を実現できることを期待している。ガイダンスでは、インシデント対応に必要な手順、インシデント対応管理に必要な人員やチームの役割・責任・権限、内部及び外部とのコミュニケーションプロセス、法律及び規制の遵守要件、事後対応等について解説している。また、インシデント対応プロセスを、準備、検知・調査・分析、封じ込め・証拠収集・修復、復旧・報告、学習と改善の 5 段階に分類しており、チェックリストでは、それぞれの段階に応じた組織の準備状況を確認するためのチェック項目が用意されている。

また、ACSC は 2022 年 11 月 23 日に、脆弱性開示プログラム(VDP：Vulnerability Disclosure Programs) の解説書[※320]を公開した。VDP とは、組織の内部または外部の人間によって発見されたセキュリティ上の脆弱性を特定、検証、解決、報告するために設計されたプロセス及び手順である。本書は、あらゆる規模の組織が VDP を策定、実施、維持するために必要な情報をまとめている。例えば、内部で脆弱性調査を行う場合の方針策定や、外部から脆弱性を報告された際の対応方針策定の方法、脆弱性公表で記述すべき内容等を示している。そのほか、組織的な対応の一つとして、セキュリティ研究者等から脆弱性の報告を受けるために、組織がどのような方法を希望しているかを示す security.txt ファイルを Web サイトに設置することを推奨している。ACSC は、責任ある協調的な情報開示の考え方に基づく VDP の実施は、組織の製品やサービスのセキュリティ向上につながるだけでなく、製品の使用に関連する潜在的なリスクについて顧客へ通知する一助になると説明している。

## (2) アジア太平洋地域の CSIRT 間連携

アジア太平洋地域全体の CSIRT からなるコミュニティとして、APCERT (Asia Pacific Computer Emergency Response Team：アジア太平洋コンピュータ緊急対応チーム)[※321] があり、地域内で発生したインシデント対応における連携の円滑化や、サイバー脅威等に関する情報共有・技術交流の推進を目的に活動している。2003 年の設立当初、参加メンバーは 12 の国・経済地域の 15 チームだったが、地域内で CSIRT の立ち上げが進んだことや、CSIRT コミュニティへの参加を通じた情報共有等の重要性が高まったことから年々メンバーが増えている。2022 年 6 月にはバヌアツから新たに 1 チームが加盟し、2023 年 3 月末現在、24 の国・経済地域の 33 チームが、オペレーショナルメンバーとなっている(次ページ図 2-2-1)。

JPCERT/CC は、2003 年の APCERT 設立当初から事務局を務め、運営委員会の一員として組織運営を支えている。また、JPCERT/CC が主導するネットワーク定点観測共同プロジェクト「TSUBAME」に参加する APCERT メンバーも多く、APCERT 内にワーキンググループを設けて、センサーを用いたサイバー脅威動向の観測や情報共有を推進してきたが、2023 年 3 月末で APCERT 内での TSUBAME ワーキンググループの活動を終えた。

APCERT の主な活動は、年次サイバー演習の実施、年次報告書の発行及び年次会合の開催である。2022 年のサイバー演習は、「Data Breach through Security Malpractice (セキュリティ上の不備による情報漏えい)」をテーマに実施された[※323]。同演習には、APCERT のオペレーショナルメンバーのうち合計 21 の国・経済地域か

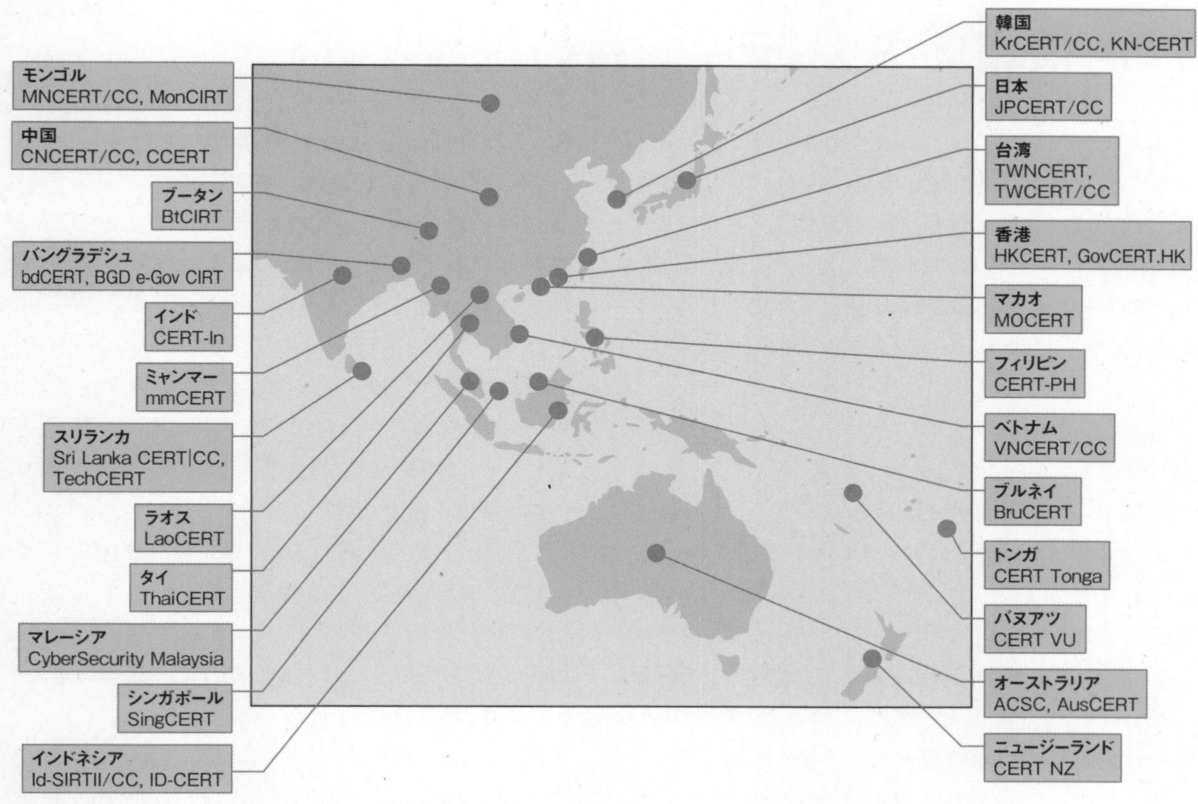


■図 2-2-1　APCERT オペレーショナルメンバー（2023 年 3 月末現在）
（出典）APCERT「Member Teams[※322]」を基に IPA が編集



ら 25 チームが参加した。年次報告書は、APCERT 全体の活動に加えて各チームの組織概要や、対応したインシデント統計等をまとめた文書で、Web サイトで公開されている[※324]。2022 年の APCERT 年次会合は、新型コロナウイルス感染拡大の影響により、前回に引き続き 10 月にオンラインで開催された。マレーシアの CyberSecurity Malaysia[※325] が議長に、中国の CNCERT/CC[※326] が副議長に、ACSC[※327]、KrCERT[※328]、TWNCERT[※329] が運営委員にそれぞれ再選された。

APCERT では能力開発の取り組みとして、電話会議システムを利用して、インシデント対応に関するノウハウを教えるオンライントレーニングを 2014 年以来継続している。新型コロナウイルス感染拡大が続き、対面でのトレーニング開催が困難な中でも、こうしたオンラインで連携する取り組みを継続している。

そのほか、この地域における CSIRT 間連携の取り組みとして、ASEAN 加盟国による ASEAN CERT（ASEAN Regional Computer Emergency Response Team：ASEAN 地域コンピュータ緊急対応チーム）の設立に向けた準備が進んでいる。シンガポールの CSA（Cyber Security Agency of Singapore：シンガポールサイバーセキュリティ庁）の発表[※330]によると、2022 年 1 月の第 2 回 ASEAN デジタル大臣会合で、ASEAN CERT 設立に向けた文書が提出され承認された。現在、CERT 設立の目的、範囲、構成、パートナー、機能、仕組みの概要を示す運用フレームワークの構築に取り組んでおり、2023 年または 2024 年ごろの設立を目指している。同 CERT は、加盟国の CSIRT 間の調整と情報共有を促進し、急速に発展するサイバー環境に対応する ASEAN の全体的なサイバーセキュリティ態勢と運用の即応性を強化することを目標としている。

このように、アジア太平洋地域の各国における CSIRT の機能強化に加えて、APCERT や ASEAN 等の国際的な団体が、CSIRT の活動を後押しする取り組みを進めている。今後、地域の CSIRT 間の連携がより進むことで、地域全体のサイバーセキュリティ能力の強化や進展につながることが期待される。

# 2.3 情報セキュリティ人材の現状と育成

国内のサイバーセキュリティに関わる人材は質的にも量的にも不足しており、人材育成は各界が協力して解決すべき問題である。教育の充実、高度な人材の育成・確保、セキュリティ人材が将来にわたって活躍できる社会環境の整備等、様々な課題が挙げられている。本節では、産学官における人材育成の取り組みについて述べる。

## 2.3.1 デジタル人材としての情報セキュリティ人材育成

コロナ禍により世の中のデジタル化が加速するとともに、DXを推進する中で、デジタル人材不足が大きな課題として認識されてきている。2021年9月に閣議決定された「サイバーセキュリティ戦略」においても「DX with Cybersecurityの推進」がうたわれ、経済産業省の「サイバーセキュリティ体制構築・人材確保の手引き 第2.0版※331」においても「プラス・セキュリティ」を定義し、DX推進におけるセキュリティ関連人材をITSS+（セキュリティ領域）※332に組み込んできた。

(ISC)$^2$（International Information System Security Certification Consortium）が発行した「(ISC)$^2$ Cybersecurity Workforce Study 2022※333」では、日本における2022年のサイバーセキュリティ関連従事者は約38.8万人と推定され、40.4%増加しているが、サイバーセキュリティ人材の不足は5.6万人で、前年よりも37.9%不足数が増加している。これには、IT・セキュリティベンダー等の専門的なセキュリティ人材、企業情報システム部門等のセキュリティ人材以外に、DXを推進する中でセキュリティ人材が求められる領域が広がっていることが大きな要因と推測される。

この状況に対して政府は、2022年6月に「経済財政運営と改革の基本方針2022※334」（骨太の方針）の「新しい資本主義に向けた改革」の「デジタル田園都市国家構想」において、2026年度末までにデジタル推進人材230万人を育成する取り組みを推進する、という方針を打ち出している。デジタル推進人材の五つの人材類型の一つとしてサイバーセキュリティ人材が挙げられている。本項では、主にDX推進の一翼を担うサイバーセキュリティ人材に着目して、育成の取り組みを解説する。

### (1) デジタル田園都市国家構想におけるデジタル人材の育成・確保

「デジタル田園都市国家構想」では、デジタル社会を実現するために必要なデジタル推進人材の育成目標を掲げている。現在の労働人口（6,800万人）と現在の情報処理・通信技術者の人数（約100万人。「平成27年国勢調査※336」結果）から算出して、政府全体でデジタル推進人材に関して、2024年度末までに年間45万人育成する体制を整え2022年度から2026年度末までに230万人の育成を目指すこととしている。その実現に向けては、文部科学省、経済産業省、厚生労働省等の関係省庁が連携して各種施策を実施していくこととなっており、経済産業省ではデジタル人材育成プラットフォームの構築等を通じて貢献していくこととしている（次ページ図2-3-1）。

デジタル人材育成プラットフォームは、三層からなる（次ページ図2-3-2）。第一層として、オンライン教育サイト「マナビDX（マナビ・デラックス）※337」をIPAが提供しており、個人や企業が人材の能力向上のために選択し自ら学習できる各種のデジタル教育コンテンツの一元的な提示を実施している。

すべてのビジネスパーソンが身に付けるべき能力・スキル定義として、「デジタルスキル標準」の「DXリテラシー標準※339」（DSS-L）が2022年3月に策定され、また、DX推進人材5類型の役割や習得すべきスキルを定義した「DX推進スキル標準※340」（DSS-P）が2022年12月に策定された。

「デジタルスキル標準」は、DXを推進する人材の役割や習得すべき知識・スキルを示し、それらを育成の仕組みに結び付けることで、リスキリングの促進、実践的な学びの場の創出、能力・スキルの見える化を実現するために策定され、デジタル人材育成プラットフォームのポータルサイト「マナビDX」に掲載されている各講座においても、同標準はどのようなスキルを提供している講座であるかの判断基準として用いられている（次々ページ図2-3-3）。

活用の主体として研修事業者、組織・企業、個人の3者が想定されている。学習コンテンツを提供する研修事業者は、当該コンテンツで習得できるスキルを示し、必要な学習項目の説明を掲載する。企業は必要とする人材像にマッチした学習コンテンツを選択する。個人は講座情報検索を使い自分が身に付けたいスキルに合っ

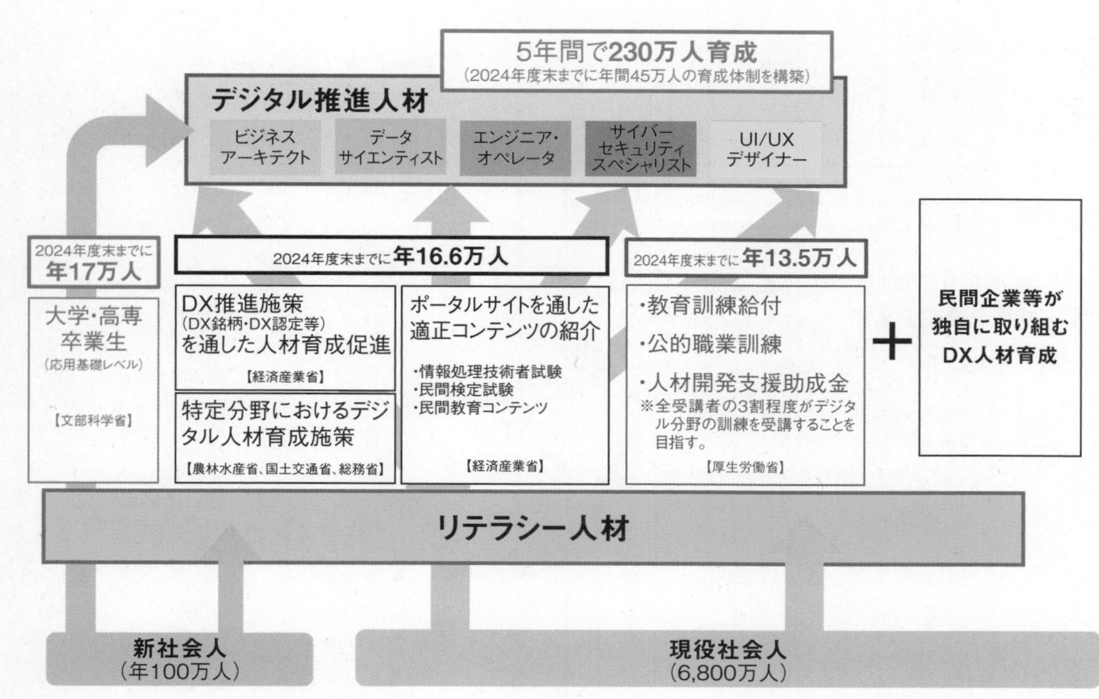


■図 2-3-1　デジタル人材の育成目標の実現に向けて
(出典)デジタル田園都市国家構想担当大臣 若宮健嗣「デジタル人材の育成・確保に向けて※335」(第 3 回 デジタル田園都市国家構想実現会議 資料 7)を基に IPA が編集

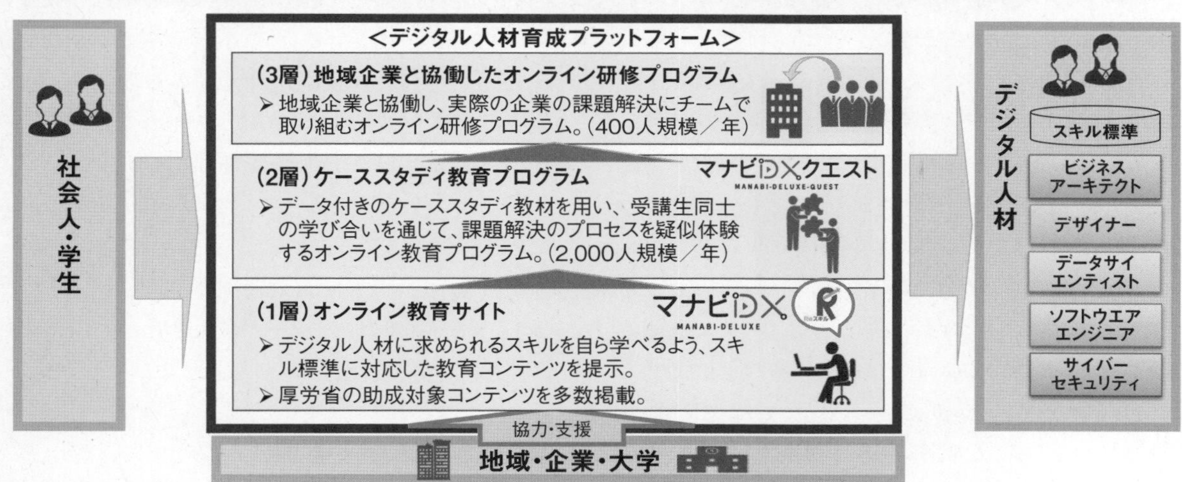


■図 2-3-2　デジタル人材育成プラットフォーム概要イメージ
(出典)経済産業省「デジタル推進人材育成の取組について※338」(第 1 回 デジタル人材育成推進協議会 資料 2-2)を基に IPA が編集

た学習コンテンツを見つけることができる。

### (2)「DX 推進スキル標準」(DSS-P)におけるサイバーセキュリティ人材

「DX 推進スキル標準」(DSS-P)では、「ビジネスアーキテクト」「データサイエンティスト」「サイバーセキュリティ」「ソフトウェアエンジニア」「デザイナー」の五つの人材類型が定義されており、それぞれが連携することが想定されている。

同標準では、人材類型ごとに活躍する場面や役割を想定したロールを定め、ロールごとに求められるスキル・知識をスキル項目として定義している。定義されたスキル

● デジタル人材に求められるスキルを自ら学べるよう、**民間・大学等が提供する様々な学習コンテンツや講座をスキル標準（分野・レベル）に紐付け、ポータルサイトに提示**（2023年4月末現在、約380講座掲載）。

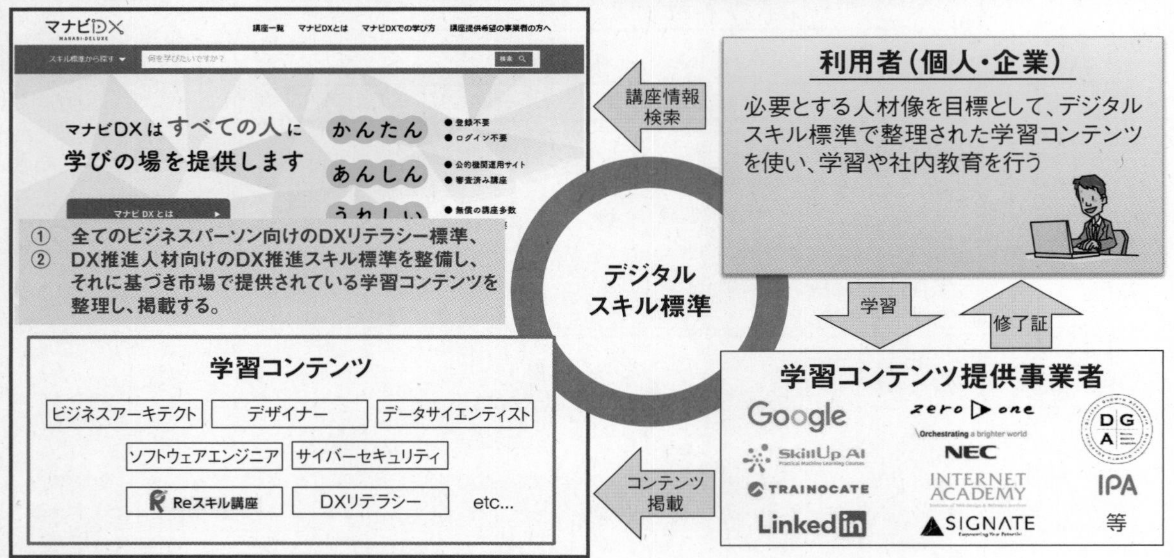


■図 2-3-3　デジタル人材育成プラットフォーム（1 層：オンライン教育サイト）
（出典）経済産業省「デジタル推進人材育成の取組について」（第 1 回 デジタル人材育成推進協議会 資料 2-2）を基に IPA が編集

項目は五つすべての人材類型区分で必要とされるものとして、共通スキルリストにまとめられる。各ロールが共通スキルリストのすべてのスキル項目ごとにどれくらい専門性を獲得するべきか、あるいは、理解すべきかを示す重要度が示されるという構成になっている。

「サイバーセキュリティ」人材類型では、人材類型を更に「サイバーセキュリティマネージャー」と「サイバーセキュリティエンジニア」の二つに区分し、それぞれのロールを定義している。サイバーセキュリティマネージャーは、DX 推進に伴うリスク管理の役割を担い、サイバーセキュリティに関するスキルだけでなく、DX の目的であるビジネス変革やデータ活用に関する考え方等について広範に理解しておくことが求められ、また、既存のリスク対策との整合・調整等を行う必要から、リスクマネジメントや事業継続、インシデント対応に関する知識・スキルの獲得が求められる。サイバーセキュリティエンジニアは、ビジネスで使用するシステムを守るためのセキュリティ実務の役割を担い、常に最新の技術を獲得することが求められる。

共通スキルのセキュリティカテゴリーは、「セキュリティマネジメント」と「セキュリティ技術」の二つのサブカテゴリーに分かれ、それぞれスキル項目として「セキュリティ体制構築・運営」「セキュリティマネジメント」「インシデント対応と事業継続」「プライバシー保護」の 4 項目と、「セキュア設計・開発・構築」「セキュリティ運用・保守・監視」の 2 項目の計 6 項目が定義されている。

「セキュリティマネジメント」のサブカテゴリーは、平時での体制の構築・運用・マネジメントのスキルとして「セキュリティ体制構築・運営」と「セキュリティマネジメント」を定義し、インシデントが発生した緊急時の対応のスキルとして「インシデント対応と事業継続」というセキュリティ活動のプロセスに「プライバシー保護」を加えた構成となっている。

「セキュリティ技術」のサブカテゴリーは、セキュリティ機能を構築するまでのスキルとして「セキュア設計・開発・構築」、それを、平時と緊急時を通じて運用等を行うために必要なスキルとして「セキュリティ運用・保守・監視」という構成になっている。

### (3) SC3 産学官連携 WG

「DX 推進スキル標準」は企業・組織において専門性を持って DX の取り組みを推進する人材を対象としているが、その他の一般教育、学校教育においてもサイバーセキュリティ人材育成が必要である。

デジタル化は従来 ICT とは関係の薄かった産業界も含めた全産業で進展しつつあり、従来の企業内システム等のいわゆるエンタープライズシステムとは異なる ICT システムの増加、ICT 利活用の場面の多様化を生んでいる。特に IoT と呼ばれる、物理世界とサイバー世界が密接に連携して稼働するICTシステムが普及し、従来、コンピューターも通信ネットワークも存在していなかった現場でビジネスを行っていた産業においてもICTシステムが急速に浸透するようになってきている。

SC3の産学官連携WGでは、こうした新しいICTシステムにおいては、エンタープライズシステムとは異なる技術やシステム構成が用いられていることが多いこと、セキュリティに対しても重視すべき観点が異なってくること等から、産業界が求めるセキュリティ人材に必要となる知識やスキルの体系化と継続的な取り組みが求められると考え、以下のような項目を実現するための課題と考え方について検討している。

- 日本のセキュリティ人材を安定的・持続的に供給できる教育・育成が共通の基盤に基づき、全体の整合性を持ってできる仕組み
- 学習する人や企業等で働く人材自身が継続的、恒常的にスキルやキャリアを向上できる環境
- 企業等の組織がセキュリティ人材を効果的に雇用し、生かしていくために必要な考え方とそれを支えるシステム

産学官連携WGでは、検討にあたり国内と米国を中心とした海外での取り組みを調査している。以下で、米国の状況について述べる。

米国では、企業等のサイバーセキュリティ人材育成向けに「Workforce Framework for Cybersecurity (NICE Framework)※341」(以下、NICEフレームワーク)が、米国教育機関向けに「National Centers of Academic Excellence in Cybersecurity (NCAE-C)」プログラム※342が推進されている。

NICEフレームワークは、NICE (National Initiative for Cybersecurity Education)※343がサイバーセキュリティの仕事に関する記述を共通化するために開発・改善を続けているもので、NIST SP800-181※344-1として規定されている。セキュリティの仕事を業務(Task)、その業務を遂行するために必要な知識(Knowledge)と技術／技能(Skill)で記述し、複数業務をまとめたセキュリティ上の任務としての役割(Work Roles)、また、業務、知識、技術をグループ化し、能力評価に利用するコンピテンシ(Competencies)等を構成するビルディングブロック方式をとっている(図2-3-4)。

NICEフレームワークでは、これらの記述方法を共通化することにより、学生が何を学べば良いか、求職者が就職するために必要な能力は何か、従業員が業務遂

三つのビルディングブロック

・業務(Task statements)
・知識(Knowledge statements)
・技術(Skill statements)

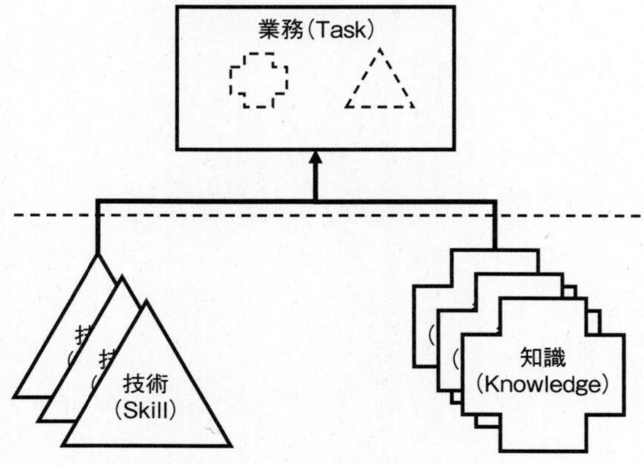


■図2-3-4 NICEフレームワークのビルディングブロック
(出典)NICE「Workforce Framework for Cybersecurity (NICE Framework)※344-2」を基にIPAが編集

行するために何ができれば良いかを表現可能となっている。これにより、サイバーセキュリティの人材を特定、募集、開発、保持する方法のために一貫したサイクルを支援している。

NCAE-Cは、NSAが管理している、サイバーセキュリティに関する学位、修了証明を授与する米国教育機関の要件を定めて指定を行うプログラムである。米国のインフラの脆弱性を軽減するサイバーセキュリティの専門家を育成することを約束する教育機関に、育成の目的に応じて以下の三つの指定を与えている。

- CAE-CD(Cyber Defense)※345
- CAE-R(Cyber Research)※346
- CAE-CO(Cyber Operations)※347

教育機関がNCAE-Cの指定を受けるためには、NSAが定めた厳格な要件を満たす必要があり、提供するシラバス・カリキュラムの知識単位としてCAE-KU (Knowledge Units)が定められ維持されている。指定を受けると、奨学金・助成金等への応募資格ができる等のメリットがある一方、教育コミュニティに参加して、知識や経験の共有の義務等も発生する仕組みとなっており、これにより、全米のサイバーセキュリティ人材の底辺を広げ、レベルを底上げする形となっている。

SC3産官学連携WGでは、上記の米国のサイバーセキュリティ人材教育・育成の施策を参考に、産業側と教育機関側の要件に合った別々の基準(ビルディングブロック)を組み合わせて企業等の雇用側、大学や教育事

業者等の教育・育成側、求職者や学生等の労働・学習者側の三者が連携する仕組み（図 2-3-5）を提案している（「2.4.2 (2) 中小企業向け情報セキュリティ対策支援施策」参照）。

### (4) 今後の方向性

以上のように海外において、学校等による人材育成から企業等組織で業務を行うセキュリティ人材を教育・育成するプログラムが展開されている。日本国内では、人材不足の継続、DX 推進の一環としてのセキュリティ人材の必要性を受け、デジタル田園都市国家構想においてデジタル人材育成プラットフォーム、「デジタルスキル標準」の整備が開始され、デジタル人材育成プログラムの方向性が示された。今後サイバーセキュリティ領域で更に具体的な施策を進めていくことが望まれる。

デジタルスキルレベルの基準として「デジタルスキル標準」が示されたが、環境の変化をとらえ、より具体的な内容とするためには継続検討が必要である。また、デジタル人材育成プラットフォーム以外の各省庁での施策とも連携し、DX 推進におけるサイバーセキュリティ人材育成が充実することが期待される。

サイバーセキュリティ人材育成においては、SC3 で検討されている「雇用側（企業・公共機関）」「人材育成・教育機関側」「学習者（学生・求職者・従業員）」の 3 者が連携できるフレームワークを構築することが必要である。今後、構築されたフレームワークが、デジタル人材育成プラットフォームとシームレスに連携されることが重要である。

## 2.3.2 情報セキュリティ人材育成のための国家試験、国家資格制度

本項では、情報セキュリティ人材の育成や確保を目的とした国家試験や国家資格制度に関する動向を紹介する。

### (1) 情報セキュリティマネジメント試験

企業・組織においては、組織が定めた情報セキュリティポリシーを部門内に周知して遵守を促し、部門の情報管理を実施する等、情報セキュリティ対策を推進する人材（情報セキュリティマネジメント人材）が必須である。こうした人材を育成するために、2016 年度春期より「情報処理技術者試験」の新たな試験区分として「情報セキュリティマネジメント試験」が実施されている。2022 年度は、年 2 回（上期 6 月 1 日～ 6 月 26 日、下期 12 月 1 日～ 12 月 25 日）[※348] 実施され、応募者数 3 万 1,322 人（前年比約 0.99 倍）、合格者数 1 万 6,051 人（前年比約 1.05 倍）であった[※349]。

本試験は、2020 年度から CBT（Computer Based Testing）方式[※350] に移行し、2023 年度からは通年で実施する。受験者は年間をとおして都合の良い日時を選択して受験することができる[※351]。

### (2) 情報処理安全確保支援士制度

社会全般で IT 利活用が進む一方で、それに伴いサイバー攻撃も増加・高度化していることから、企業・組織での安全なセキュリティ対策を高度なスキルを活かして推進できる人材が求められている。

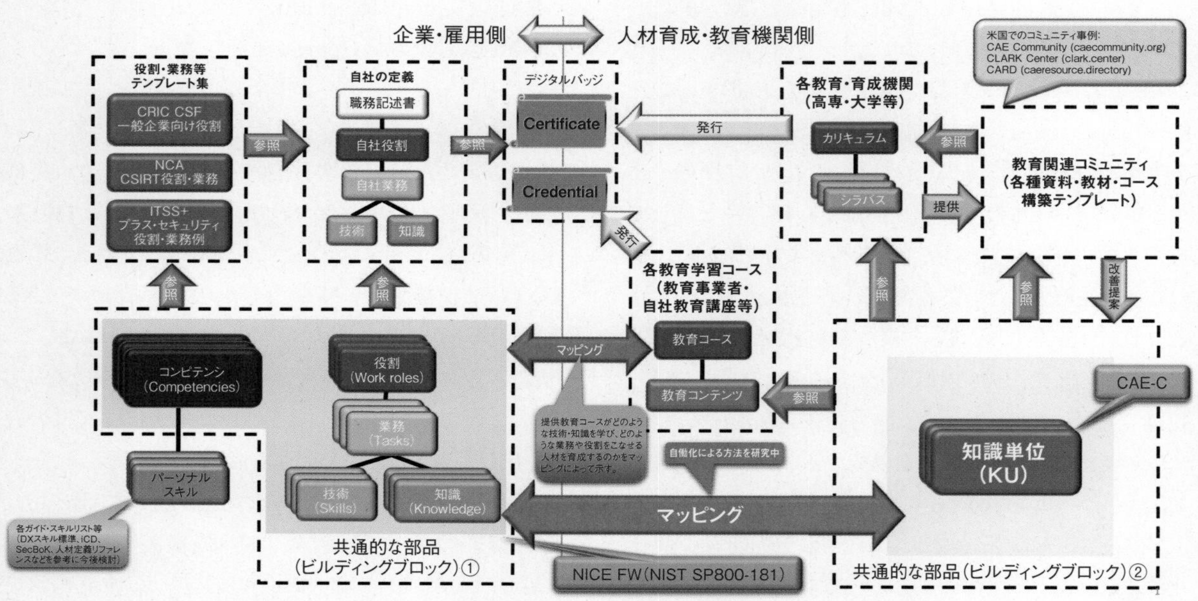

■図 2-3-5　SC3 産学官連携 WG のサイバーセキュリティ人材育成フレームワーク

そこで、最新の知識･技能を備え、サイバーセキュリティ対策を推進する人材の育成と確保を目指し、2016 年 10 月に「情報処理の促進に関する法律」の改正法が施行され、国家資格「情報処理安全確保支援士」制度が創設された。

情報処理安全確保支援士（以下、登録セキスペ）はサイバーセキュリティ分野初の国家資格であり、情報処理安全確保支援士試験合格者等が登録を申請し、登録簿に登録されることにより資格を取得できる。試験は年 2 回実施され、2022 年度は応募者数 34,796 人（前年比約 1.07 倍）、合格者数 4,913 人（前年比約 1.05 倍）であった※349。登録セキスペは 2023 年 4 月 1 日時点で 21,633 人※352となった。

登録セキスペには、3 年ごとの登録更新が義務付けられており、登録更新には計 4 回の法定講習の受講が必要である※353。法定講習の全体像を図 2-3-6 に示す。

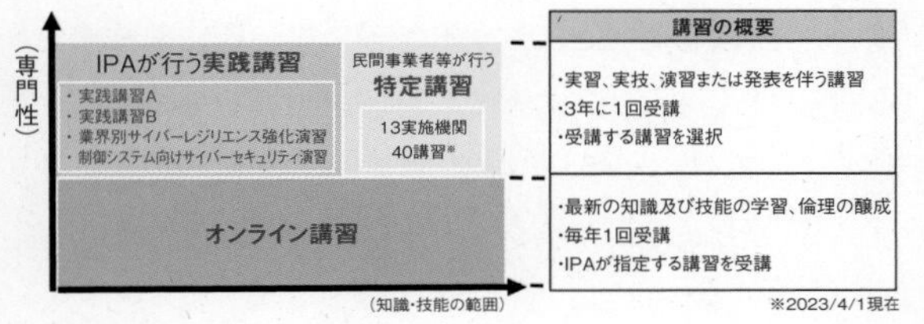


■図 2-3-6　法定講習の全体像

法定講習の「オンライン講習」では、登録セキスペに期待される情報セキュリティの実践に必要な知識･技能･倫理について学習することを目的として、IPA が指定する講習を毎年 1 回受講する。

また、実習、実技、演習または発表等を通じて具体的な技術や手法を学ぶことを目的として、3 年に 1 回、「IPA が行う実践講習」あるいは「民間事業者等が行う特定講習」から任意の講習を選択して受講する。

「IPA が行う実践講習」のうち、主に登録後 3 年目までの登録セキスペを対象とした「実践講習 A」は、インシデント対応等の演習を通じて情報セキュリティ対応実践のための具体的な技術や手法を習得するカリキュラムで、2022 年度は 1,341 名が受講した。また、主に登録後 4 年目以降の登録セキスペを対象とした「実践講習 B」は、想定企業において新規事業を立ち上げる際のセキュリティ上の助言を検討するカリキュラムで、2022 年度は 3,170 名が受講した。このほかに、専門的な知識・技術修得を望む登録セキスペを対象として、「業界別サイバーレジリエンス強化演習※354」と「制御システム向けサイバーセキュリティ演習※355」の選択も可能となっている。

「民間事業者等が行う特定講習」は、「IPA が行う実践講習」と同等以上の効果を有する講習として経済産業大臣が定める講習※356であり、個々の登録セキスペが目指すキャリアパスに応じた講習を幅広い分野から選択できる。2023 年度は、13 実施機関 40 講習が対象となった。これにより、「IPA が行う実践講習」以外の選択肢が広がった。

また、登録セキスペの利便性向上や負荷軽減のため、2022 年 10 月より徽章（バッジ）貸与や登録情報の一部を変更可能とする等、各種オンライン申請機能を強化した。

情報処理安全確保支援士制度全体に対して、登録セキスペからは「高いセキュリティスキルを持つ証明と、秘密保持義務があることから、安心して業務を依頼していただけた」（IT ベンダー企業経営者）、「定期的な講習受講や登録セキスペ同士の交流をとおして、セキュリティの知識を網羅的に深く学べ、専門家としての提案や業務改善ができるようになった」（セキュリティアナリスト）等の声が聞かれた。今後一層、企業･組織のセキュリティ対策推進に登録セキスペの活躍が期待され、大きな役割を果たしていくと考えられる。

## 2.3.3 情報セキュリティ人材育成のための活動

情報セキュリティ人材を育成するための活動について述べる。

### (1) 情報セキュリティ人材育成のための活動

情報セキュリティに関する情報共有や情報セキュリティ人材育成の場として、様々なイベントが開催されている。

また、複数の大学と産業界がネットワークを形成し、セキュリティ分野の人材を育成する事業が行われている。

#### (a) セキュリティ・キャンプ

「セキュリティ・キャンプ」は、若年層の情報セキュリティ意識の向上、並びに将来第一線で活躍できる高度な情報セキュリティ人材を発掘・育成する場として、一般社団法人セキュリティ･キャンプ協議会（以下、セキュリティ･キャンプ協議会）と IPA により運営されている。セキュリティ・キャンプ協議会と IPA が開催しているプログラム・イベントについて以下で紹介する。

- セキュリティ・キャンプ全国大会

  年 1 回、主に夏休み期間中に 4 泊 5 日の合宿形式の勉強会としてセキュリティ・キャンプのメインイベントである「セキュリティ・キャンプ全国大会」（以下、全国大会）が実施されてきた。コロナ禍前は4泊5日の合宿形式であったが、2020年度以降はオンライン形式で開催している。19回目となる2022年度の「全国大会2022オンライン」は8月8日から12日の5日間で開催した。過去最多の454名の応募があり、選考を通過した84名が参加した※357。

- セキュリティ・ネクストキャンプ

過去の全国大会を修了した、もしくは同等以上のスキルを持つ25歳以下の学生等を対象に、更なる育成の場として「セキュリティ・ネクストキャンプ2022オンライン」が全国大会と同時にオンライン形式で開催された。4回目の開催となる本プログラムでは過去最多の66名の応募があり、選考を通過した10名が参加した※358。

- セキュリティ・ミニキャンプ

25歳以下の学生、生徒、児童を対象に各地域で専門性の高い技術的な教育を提供する専門講座のほか、情報セキュリティのリテラシー向上を企図した参加資格を限定しない一般講座を開催している。コロナ禍前は地域でのリアル開催を行ってきたが、2022年は2021年に引き続きオンライン形式での開催となった※359。

2022年度の「セキュリティ・ミニキャンプ」はIPAと協議会とが全国から参加者を募り、延べ4週間にわたり講義と課題をこなすプログラムと、セキュリティ・キャンプ協議会等と地域の組織・団体との共催により1日または2日にわたり行われるプログラムの2種類を実施した。

前者のプログラムでは、「セキュリティ・ミニキャンプオンライン2022」として専門講座が2022年11月に実施された。具体的には3日間の講義に加え、テキストと課題をベースにした学習を並行して行うプログラムであった。このプログラムには、北海道、東北、関東、中部、近畿、中国、四国、九州、沖縄の九つの地域から選考を通過した27名が参加し、地域ごとのグループによる助け合いと、グループワークによる親密な交流を取り入れて実施された※360。

後者のプログラムは、山梨（2022年9月）、広島（2022年11月）、東京（2022年12月）、大阪（2023年3月）において、各地域の団体・組織との共催で実施された。大阪及び広島開催では一般講座のみをオンライン開講し、最新のサイバーセキュリティ脅威の動向や対策、これからのIT人材のキャリア等をテーマに、産学官の有識者による講演やディスカッションが行われた※361。東京開催ではWebセキュリティやIoTの脆弱性に関する専門講座を2日にわたってオンラインで行った。山梨開催では一般、専門の両講座をオンラインで実施した。

- Global Cybersecurity Camp

「Global Cybersecurity Camp（GCC）」は「国籍・人種を超えた専門知識のあるグローバル人材の育成」と「国境を超えた友情とゆるやかなコミュニティの形成」を目的としたイベントである。セキュリティに興味を持つ25歳以下の若者がともに学び、友好を深める場として2018年度から日本を含むアジア太平洋地域8ヵ国の関連団体・大学により開催されている。5回目となる2022年度の「GCC 2023シンガポール」には、日本から選考を通過した6名が参加した。参加者はグループワークをとおして交流を行い、最終日にその成果を発表した※362。

### (b) SecHack365

NICTでは、総務省補助事業として、25歳以下の学生や社会人を対象とし、サイバーセキュリティを考慮できる創造的人材育成のため、1年間の長期ハッカソン※363にて、サイバーセキュリティに関連する研究・開発に取り組むSecHack365プログラムを2017年度から実施している※364。

SecHack365では、ICTに関わる技術、研究、創作活動に関心を持つ若手人材を対象として、サイバーセキュリティに関心を持ち、その後もサイバーセキュリティ領域での成果や活動を実施する人材の育成に取り組んでいる。参加者は、トレーナーとして招いた専門家からの指導や、他の参加者との交流等を通じた協創をしながら、各自が設定したテーマによる創作活動に取り組む（図2-3-7）。サイバーセキュリティに関連する技術の研究開発、ICT応用技術に対してサイバーセキュリティ面での検討を加える研究開発、サイバーセキュリティの社会へ

■図 2-3-7　参加者とトレーナーの協創の様子
（提供）NICT

の啓発につながるような創作等をテーマとして取り組んでいる。

オンラインでのコミュニケーションを軸に、2ヵ月に1回程度のオンラインイベントや集合合宿も実施しており、制作物を持ち寄り見せ合うレビューを重視している。制作と発表を繰り返して、新しくより良いものを産み出すプロセスを体験する。また、トレーナーからもセキュリティ面のレビューを受けることで、技術創出のプロセス内に適切にセキュリティを考慮した実装も体験する。

SecHack365は、こうした1年間のプロセスの実践により、サイバーセキュリティを考慮できる創造的人材の育成につなげている。参加者は、プログラム修了後の研究開発や情報発信を継続して、社会にサイバーセキュリティに関する成果物や活動を普及させると期待されている。

### (c) International Cybersecurity Challenge

International Cybersecurity Challenge（ICC）はENISAが支援し、グローバルな若手CTFプレイヤーを選出するためのコンテストである。そのアジア地域予選となる「Asian CyberSecurity Challenge（ACSC 2021）」が2021年9月に開催され、成績優秀者がアジア代表チームとして選抜された。アジア代表チームには3名の日本人が選ばれて決勝のICCに進んだ。

ギリシャのアテネで2022年6月に開催された第1回ICC 2022では、65ヵ国以上の国と地域から集まったメンバーが7地域のチームに分かれて競い合い、優勝はヨーロッパチーム、2位はアジアチームという結果となった[※365]。

### (d) enPiT

「enPiT（Education Network for Practical Information Technologies：成長分野を支える情報技術人材の育成拠点の形成）」は、情報技術を高度に活用して社会の具体的な課題を解決できる人材を育成するために、2012年4月から開始された文部科学省の事業である。産学協働の教育ネットワークを形成し、PBL（Problem Based Learning：課題解決型学習）等の実践的な教育を推進・普及することを目的としている。

2021年度から、東北大学を中核拠点として、北海道大学、静岡大学、北陸先端科学技術大学院大学、京都大学、大阪大学、奈良先端科学技術大学院大学、和歌山大学、岡山大学、九州大学、長崎県立大学、慶應義塾大学、情報セキュリティ大学院大学、東京電機大学の連携で、セキュリティを含む4分野において大学ネットワークにより自主展開されている。本項では、セキュリティ分野で提供されている三つのプログラムについて紹介する。

- enPIT-Security（SecCap）
  大学院生を対象とした「第1期enPiT」事業（2012～2016年度）を継承した教育プログラムとして、五つの大学[※366]（情報セキュリティ大学院大学、北陸先端科学技術大学院大学、奈良先端科学技術大学院大学、慶應義塾大学、東北大学）が協力して開講する実践セキュリティ人材育成コース「SecCap」が設けられ、産業界が求める「セキュリティ実践力のあるIT人材」を育成する「基礎科目・共通科目」「演習」「先進科目」からなるプログラムを提供しており、修了者には、コース修了認定「SecCap」が授与される。
- BasicSecCap
  「第1期enPiT」を踏まえて2016年度から、学部生を対象とした「第2期enPiT」（以下、enPiT 2）が実施されている。enPiT 2は、ビッグデータ・AI、セキュリティ、組み込みシステム、ビジネスシステムデザインの4分野を対象として教育プログラムを提供している。14の大学[※367]が協力して開講する情報セキュリティ分野の実践的人材育成コース「Basic SecCap」が、enPiT 2のセキュリティ分野のプログラムとして幅広いセキュリティ分野の最新技術や知識の取得を可能にしている。カリキュラムは「基礎科目」「専門科目」「演習科目」「先進演習科目」から構成され、修了者には、レベルに応じたコース修了認定証が授与される。
- enPiT Pro Security（ProSec）
  「enPiT Pro Security（情報セキュリティプロ人材育成短期集中プログラム）」は、情報セキュリティ大学院大学、東北大学、大阪大学、和歌山大学、九州大学、慶應義塾大学、長崎県立大学の7大学院[※368]が連携し、文部科学省「情報セキュリティ人材育成に関する調査研究」で提唱されたモデル・コア・プログラムに基づき、社会人の学び直しを支援する高等教育の体制を整え、様々な分野で活躍する情報セキュリティ分野のリーダー人材を育成する短期集中プログラムである。ProSecコースでは、7大学が産学官連携のもと多様な教育コースを設定し、修了者には、全国共通のProSec-Mind認定証が授与される。

### (e) SECCON

「SECCON」（SECURITY CONTEST）は、情報セキュリティをテーマに多様な競技を開催する情報セキュリ

第2章 情報セキュリティを支える基盤の動向

ティコンテストイベントとして、特定非営利活動法人日本ネットワークセキュリティ協会（JNSA：Japan Network Security Association）内のSECCON実行委員会により運営されている※369。本イベントは、世界の情報セキュリティ分野で通用する実践的情報セキュリティ人材を発掘・育成することで、日本の情報セキュリティレベルを世界トップレベルに引き上げることを目標としている。競技種目としては、CTFが採用されている※370。本項では、SECCON実行委員会が開催している三つのイベントについて紹介する。

- SECCON CTF

  世界各国のセキュリティ専門家がCTFの技量を競う年次大会「SECCON CTF 2022」の予選が、2022年11月にオンライン形式で開催され、世界各国から参加した726チーム（参加者1,843名）が鎬を削った。2023年2月に東京で開催された決勝戦の「SECCON CTF 2022 International Finals」は10チームで競われ、同時開催の「SECCON CTF 2022 Domestic Finals」は12チームで競われた。

  コンテストの結果発表やワークショップを行うイベントとして「SECCON 2022 電脳会議」が決勝戦と同時開催された※371。同会議では、セキュリティコンテスト参加者、及びセキュリティ技術者を目指す人向けのイベントが開催され、ワークショップによっては定員を大幅に超える申し込みがあった。

- SECCON Beginners CTF

  若手のCTFプレイヤーにより運営されている「SECCON Beginners」は、日本国内のCTF参加者を増やし、セキュリティ人材の底上げを目的とした勉強会である。CTF初心者・中級者を対象とした「SECCON Beginners CTF」をオンライン形式で2022年6月に開催した。その他、主に初心者から中級者を対象としたCTFへの取り組み方や、SECCON Beginners CTFで出題された問題の復習に関する講演、Q&A等を目的とした「SECCON Beginners Live 2022」を同年9月に、セミナー・演習を目的とした「SECCON Beginners 2022 札幌」を同年9月に開催した。同年10月に「SECCON Beginners 2022 福岡」とWebアプリケーション・サイバーレンジ構築チャレンジを目的とした「SECCONワークショップ」を同時開催した。また、地方開催イベントで実施したCTF演習をベースとした、ガイダンス及び解説付きの会場限定のCTF「SECCON Beginners Workshop（電脳会議）」を2023年2月に開催した※372。

- CTF for GIRLS

  「CTF for GIRLS」は、情報セキュリティ技術に興味がある女性を対象に、気軽に技術的な質問や悩みを話し合うことができるコミュニティである。活動の一環として、2022年9月にオンラインによる「CTF for GIRLSワークショップ（ネットワーク分野）」を、2023年1月にオンラインによる「CTF for GIRLSワークショップ（Web分野）」を、2023年3月には東京で「CTF for GIRLSワークショップ（演習（ネットワーク・暗号・バイナリ・フォレンジック））」を開催した※373。

### (f) 産学情報セキュリティ人材育成交流会

「産学情報セキュリティ人材育成交流会」は、今後の情報セキュリティ業界を支える人材育成を目的としたJNSAのインターンシップ支援活動である。将来情報セキュリティ業界で活躍したいと考える学生を対象に、2022年9月にオンライン交流会を開催し、企業9社がインターンシップを実施した※374。

### (g) サイバーセキュリティ経営戦略コース

東京工業大学社会人アカデミーでは2022年11月から2023年3月の受講期間で、MOT（Management of Technology：技術経営）に関する社会人向けプログラムとして「キャリアアップMOT『サイバーセキュリティ経営戦略コース』」を開講した。本コースは2020年から引き続きオンライン講義形式となった。

講義は週1回、産学官の有識者による関連技術・法制・世界情勢等の解説や、事例に基づく演習、討議等を含む全14回※375で構成される。サイバーセキュリティが企業・組織の経営に及ぼす影響を理解し、サイバーセキュリティ経営及びその戦略立案に求められる知識・能力を備え、企業・組織を先導する人材の育成を目指しており、経営企画、CISO（Chief Information Security Officer：最高情報セキュリティ責任者）相当業務等の実務者、サイバーセキュリティ経営を学びたい人向け等、多様な立場の社会人の受講を想定している。

### (h) KOSEN Security Educational Community

「KOSEN Security Educational Community（K-SEC）」は、サイバーセキュリティ専門技術者として必要となる高度な技術を持つ人材だけでなく、工学分野（機械・建築・土木・電気／電子・材料・生命等）の技術者が持つべきセキュリティ技術を身に付けた人材の輩出を目的とした、独立行政法人国立高等専門学校機構

（以下、国立高専機構）による事業である。セキュリティ知識を身に付けた国立高等専門学校生（以下、高専生）、また高度なセキュリティ技術を身に付けた人材の育成のために、企業、大学、公的機関等の外部組織と連携し、講習会やコンテストの開催、インターンシップの実施等を行っている。

2022年8月には、石川高等専門学校・佐世保高等専門学校（高等専門学校は以下、高専）の共催で、セキュリティ分野及びIoT・ロボット・AIに関する講義とCTF演習を実施する「K-SECセキュリティサマースクール2022」が開催された。また同月に一関高専主催で、公開サーバーやWebアプリケーションに対する攻撃手法について座学と演習を提供する「令和4年度第1回サイバーセキュリティ演習」も開催された。同年11月には、熊本高専熊本キャンパスにおいて熊本高専・高知高専・石川高専の共催で、高専生を対象としたCTF全国大会「KOSENセキュリティコンテスト2022」（一部現地参加も含めたハイブリッド方式）が開催された。同年12月には、一関高専・石川高専の共催で「K-SECセキュリティウィンタースクール2022」が開催された。2023年1月には、高知高専主催で、サイバーセキュリティのスキルを持つ学生のレベルアップと企業のセキュリティ専門家とのコミュニケーションや企業と高専連携強化等を目的とした「K-SECトップオブトップス講習会2022」が開催された。

また関連イベントとして、2022年9月には高知高専主催で、中学生を対象とした4回目となる「令和4年度 高専に挑もう!中学生向けCTFオンラインコンテスト」が開催された。同年10月には高知高専、11月には一関高専主催で「セキュリティ教育導入のための授業見学会・教材見学会・ワークショップ」が開催された[※376]。

#### (i) CYROP

CYNEXはNICTが保有しているサイバー攻撃に関連した大量のデータや、人材育成の知見を活用し、サイバーセキュリティ分野の産学官の「結節点」となることを目指して設立された組織である[※377]。本組織は、サイバーセキュリティ情報を国内で収集・蓄積・分析・提供するとともに、人材育成の基盤としてサイバーセキュリティ演習に必要となる演習環境や教材を提供することで、日本のサイバーセキュリティの対応能力向上を目的としている。

CYNEXの人材育成プロジェクトの一つに、NICTが開発した演習教材と実機の演習環境で構成されるサイバーセキュリティ演習基盤「CYROP（CYDERANGE as an Open Platform）」がある。国内における民間事業者や教育機関におけるセキュリティ人材育成事業の促進を目的に、2022年2月から2022年度末までの期間限定でCYROPのオープン化トライアルが実施された。このトライアルによって演習を実施する組織からフィードバックを得て、演習教材の拡充や演習環境の高度化等を行い、2023年度にCYROPの本格運用を開始する予定である。トライアルの第一弾として、2022年2月から株式会社日立ソリューションズ・クリエイトにおいて、CYROPを利用したサイバーセキュリティトレーニングサービスの申込受付が開始された[※378]。

### (2) 産業サイバーセキュリティ人材育成のための活動

IPAの産業サイバーセキュリティセンター（ICSCoE：Industrial Cyber Security Center of Excellence）では、重要インフラや産業基盤のサイバー攻撃に対する防御力を強化するための人材育成事業に取り組んでいる。具体的にはセキュリティの観点から企業等の経営層と現場担当者を繋ぐ人材（中核人材）を対象とした「中核人材育成プログラム」、セキュリティ対策を統括する経営層や部課長クラス等向けの「責任者向けプログラム」、制御システムのサイバーセキュリティを担当する担当者向けの「実務者向けプログラム」を実施している。

本項では2022年度に実施した事業について述べる。

#### (a) 中核人材育成プログラム

ICSCoEは、2017年7月から制御技術（OT：Operational Technology）と情報技術（IT）、マネジメント、ビジネス分野を総合的に学び、サイバーセキュリティ対策の中核となる人材を育成する「中核人材育成プログラム」を実施している。本プログラムでは、OT及びIT知識のレベル合わせからハイレベルな演習までを1年間のフルタイムで実施する（図2-3-8）。第1期から第5期までに322名の修了者を輩出し、2022年7月に開講した第6期では、電力・鉄鋼・化学・自動車・鉄道・放送・通信・建築・産業ベンダー等の幅広い業界から48名

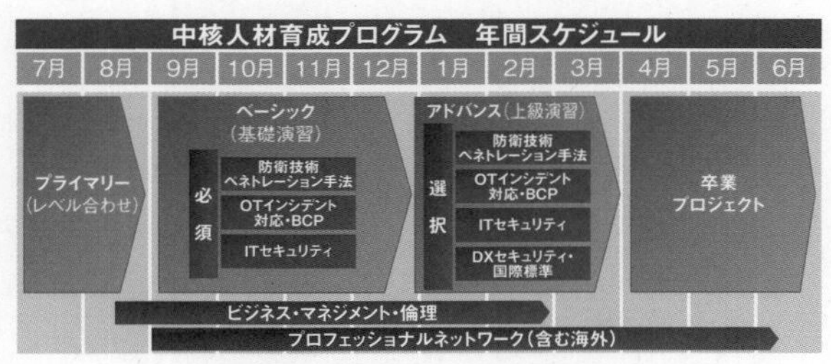


■図2-3-8　第6期中核人材育成プログラムの年間スケジュール

が参加した。

カリキュラムは以下の3領域を基軸とした構成となっている。

- OT分野の「防衛技術・ペネトレーション手法」(制御システム固有のセキュリティリスク、攻撃に対する防御技術の理解等)
- 「OTインシデント対応・BCP」(安全性と事業継続性を両立するOTインシデント対応、制御システムBCP対応の演習等)
- 「ITセキュリティ」(制御システムセキュリティ実現のためのIT設計、ITインシデント対応、体制整備等)

また、専門家によるビジネスマネジメントに関する講義や米国・欧州等の先進事例を学び現地トップレベル機関との人的ネットワークの構築を目的とする海外派遣演習等を含んでいる。

カリキュラムの総まとめとして受講者が課題を設定してグループもしくは個人で成果物を作成する「卒業プロジェクト」において、第5期では21件の成果物が作成された。受講者の取り組みの一端を紹介するため、2022年度は機密性等の観点から公開可能な12件をWebサイトで公開した※379。

第6期においては、より自律的な学習を促すため、プライマリー(座学)の期間を短縮し、「卒業プロジェクト」の期間を従来の2ヵ月から3ヵ月に延長した。

2023年4月には、海外派遣演習として第6期の受講者22名がフランスを訪問した。現地では、サイバーセキュリティの先進的な取り組みについて、産学官の専門家による講義を受講した。また、550組織が出展したフランス最大規模のサイバーセキュリティ展示会「International Cybersecurity Forum」にて、出展機関のデモを見学し、展示担当者との意見交換も行った。

国内においても、これまで新型コロナウイルスの影響により中断していた外部施設見学を順次再開し、発電プラントや化学プラント等制御システムが稼働する現場を見学した。

中核人材育成プログラムの修了者コミュニティである「叶会※380」は、2018年夏以降、本プログラムを通じて培った人脈の活用、知見やノウハウの共有を目指し、地域活動や技術をテーマにする複数の部会を設置する等、活動している。

2021年度からは修了者へのフォローアップの一環として、リカレント教育の機会を設けている。2022年度は7月から8月の間で4コース5回のプログラムを提供し、それぞれ希望者が参加した。知識・スキルのアップデートや修了者間のネットワークの維持、構築の場になっている。

2022年10月には米国政府・EUと連携した制御システムのサイバーセキュリティ対策に関するキャパシティビルディングプログラム「インド太平洋地域向け日米EU産業制御システムサイバーセキュリティウィーク※381」を経済産業省とICSCoEは共催した(「2.2.1(5)(d)インド太平洋地域に向けたサイバー演習」「3.1.4(1)日本政府の取り組み」参照)。本演習ではインド太平洋地域の研修生に対してリモートでのハンズオン演習を提供し、今年度は新しく半日のプログラムを設け、ファクトリーオートメーションを守るための講義を行った。また、エネルギー分野における日米EUの専門家によるセミナーでは、中核人材育成プログラムの修了者がモデレータを担当した。日米の人材育成の取り組みを共有するワークショップでは、修了者が中核人材育成プログラムの概要や成果を発表した。

また2022年11月には修了年次をまたがる縦のつながりの形成、最新情報及びノウハウ共有を目的とした叶会総会の第5回を開催した。

叶会には第1期から第5期までの修了者に加え、2023年6月に修了した第6期生も参加しており、今後もコミュニティとしての規模を拡大しながら、お互いの顔が見える縦横の人的つながりを形成し、産業サイバーセキュリティに関する適時、適切な情報共有活動を継続することが期待される。

**(b)責任者向けプログラム**

「サイバー危機対応机上演習(CyberCREST)」「業界別サイバーレジリエンス強化演習(CyberREX)」「戦略マネジメント系セミナー」の三つのプログラムを実施した。

- サイバー危機対応机上演習(CyberCREST)

「サイバー危機対応机上演習(CyberCREST:Cyber Crisis RESponse Table top exercise)※382」は、制御システムを有する企業・団体においてサイバーセキュリティ対策を統括する責任者やSOC(Security Operation Center)の責任者、サイバーセキュリティ対策部門の管理職を対象として実施したプログラムである。

2023年1月に本演習を東京で実施した。本演習では、組織を守るために必要なスキルとメソッドを身に付けるため、最新のサイバー脅威の動向や米国の先進的なサイバーセキュリティ戦略である「コレクティブ・ディフェンス」、近年重要性が説かれている「任務保証」等について、米国サイバーコマンド出身の専門家や

CISO、セキュリティアーキテクト等が講師となって講演、講義及びロールプレイング演習を行った。

- 業界別サイバーレジリエンス強化演習（CyberREX）

「業界別サイバーレジリエンス強化演習（CyberREX：Cyber Resilience Enhancement eXercise by industry）※383」は、電力、ガス、ビル、金属、石油、化学、自動車（製造）、ファクトリーオートメーション、情報通信、鉄道、物流、航空、船舶業界において、CISOに相当する役割を担う人材やIT部門、生産部門等の責任者・マネージャークラスの人材を対象として実施したプログラムである。2022年度から登録セキスペの「実践講習」としても参加可能になった。

2022年5月と9月に東京、11月に大阪で本演習を実施した。本演習は、部署・部門のサイバーセキュリティに関するインシデント対応力・回復力を強化するため、仮想企業を想定し、業界の最新動向、業界別に考慮すべきセキュリティ要件、安全性要件を織り込んだシナリオ形式による実践演習を中心に進められた。受講者に加え、サイバーセキュリティの専門家や関連省庁の関係者も参加した形式でグループ演習を行った。

- 戦略マネジメント系セミナー

「戦略マネジメント系セミナー※384」は、経営層を補佐し、実務者・技術者を指揮することでセキュリティ対策を進める戦略マネジメント層、及び今後戦略マネジメント層になることが期待される層を対象として実施したプログラムである。

2022年11月から12月にかけて、本セミナーを東京で実施した。本セミナーは、ビジネスのデジタル化・DX推進に伴うリスクの変化に対応して、セキュリティ対策を組織横断的に統括できる責任者を育成することを目的としている。具体的には、政府の動向や我が国を取り巻く環境等を知るための講演、責任者の役割等を理解するための講義、受講者間で組織におけるセキュリティの在り方について議論し、個人や組織の課題を発見するためのグループワークを実施した。

### (c)実務者向けプログラム

「制御システム向けサイバーセキュリティ演習（CyberSTIX）」「ERABサイバーセキュリティトレーニング」の二つのプログラムを実施した。

- 制御システム向けサイバーセキュリティ演習（CyberSTIX）

「制御システム向けサイバーセキュリティ演習※385（CyberSTIX：Cyber SecuriTy practIcal eXercise for industrial control system）」は、制御システムのサイバーセキュリティを担当する、または今後担当予定の技術者を対象として実施したプログラムである。2022年度から登録セキスペの「実践講習」としても参加可能になった。

2022年6月に広島、10月に大阪、2023年2月に名古屋で本演習を実施した。本演習は制御システムのサイバーセキュリティを理解するための導入的な演習に位置付けている。制御システムへの攻撃手法、及び制御システムのサイバーセキュリティ対策の基礎を、簡易模擬システムを用いた実機演習（ハンズオン演習）で体験し、制御システムのセキュリティについて実践的に理解することを目的としている。

- ERABサイバーセキュリティトレーニング

「ERABサイバーセキュリティトレーニング※386」は、電力小売事業に関わるERAB（Energy Resource Aggregation Businesses）事業者において、セキュリティ対策を検討し、立案・実施する実務者及び対策の導入・実施を判断する責任者を対象として実施したプログラムである。

経済産業省の「エネルギー・リソース・アグリゲーション・ビジネスに関するサイバーセキュリティガイドラインVer2.0※387」におけるERAB事業者に求められるサイバーセキュリティ対策に関する学習を目的とし、本トレーニングを2022年10月と11月に計2回開催した。具体的には、それぞれオンライン形式（オンデマンド配信）で本ガイドラインやリスク分析・対策事例の解説を実施し、集合形式（東京）でグループワーク、実機を用いた実演（デモ）を中心とした演習を実施した。

# 2.4 組織・個人における情報セキュリティの取り組み

企業・組織、教育機関、地方自治体、一般利用者の情報セキュリティに関する対策状況及び課題について公表されている資料を基に述べる。

## 2.4.1 企業・組織における対策状況

株式会社日経リサーチとトレンドマイクロ株式会社が2022年6月2～8日に、従業員規模1,000名以上の国内企業に勤めるセキュリティ責任者・DX責任者（経営層～部長級）300名を対象に実施した調査によると、自社の委託先、グループ会社、グローバル拠点いずれかに対して、サプライチェーン（供給網）へサイバー攻撃を受けたことがあると回答した割合は43.3%であった※388。多くの企業が自社のサプライチェーンにサイバー攻撃を受けていることから、サプライチェーン全体でのセキュリティ対策が求められる。

このような背景を踏まえ、企業のセキュリティ対策・統制状況について以下の資料を基に述べる。

- NRIセキュアテクノロジーズ株式会社（以下、NRIセキュア社）：「NRI Secure Insight 2022※389」（日本1,800社、米国547社、オーストラリア530社の企業を対象に調査。以下、NRIセキュア社調査）
- 一般社団法人日本情報システム・ユーザー協会（JUAS：Japan Users Association of Information Systems）：「企業IT動向調査報告書2022※390」（東証一部上場企業とそれに準じる企業計4,499社に調査、回答数1,132社（有効回答率25%）。以下、JUAS調査）
- IPA：サイバーセキュリティ経営可視化ツール※391に利用者登録した企業のデータ（2021年8月～2023年1月）

### (1) サプライチェーンの把握状況

NRIセキュア社調査によると、日本企業が関連子会社／グループ会社の対策状況を把握していない割合は、国内が26.9%に対し、国外は43.9%であった（図2-4-1の①）。サイバー攻撃は、サプライチェーンの中で最も脆弱な部分を狙ってくることから改善が望まれる。

また、パートナー／委託先の対策状況を把握していない割合は、国内が52.5%、国外が67.6%であった（図2-4-1の②）。パートナー／委託先は、外部組織であり、かつ数が多いことから統制は容易でないことと推察されるが、サプライチェーンを構成するすべての企業が協力して対策を検討することが必要である。

日本のサプライチェーン対策の強化については、産業界が一体となった取り組みの検討や推進が行われている（「2.4.2（2）中小企業向け情報セキュリティ対策支援施策」参照）。この取り組みにより、日本のサプライチェーン全体の対策強化が促進されることが期待される。

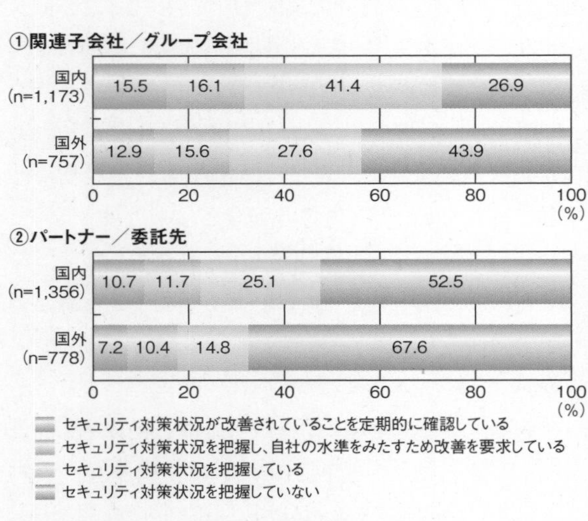


■図2-4-1　サプライチェーンの統制状況
（出典）NRIセキュア社「NRI Secure Insight 2022」を基にIPAが編集

### (2) セキュリティ管理体制の構築状況

NRIセキュア社調査によると、CISOを設置している企業の割合（「経営層が専任で就任」「経営層が兼務で就任」「非経営層が専任で就任」「非経営層が兼務で就任」「社外有識者が就任」のいずれか）は、米国とオーストラリアが90%以上であるのに対し、日本は39.4%にとどまっている（次ページ図2-4-2）。CISOは経営層とセキュリティ担当者をつなぎ、有効なセキュリティ対策の立案から実践に至るまでの責任を負う存在である。CISOの有無がセキュリティ対策の実施状況にも大きく影響するため、日本企業のCISO設置率を高めることが必要である。

日本は「社外有識者が就任」の割合（0.7%）が米国（10.4%）やオーストラリア（6.0%）に比べて低い。日本では、専門知識を持った外部人材の活用不足が推察される。

### (3) セキュリティ人材の充足状況

NRIセキュア社調査によると、セキュリティ人材が不足

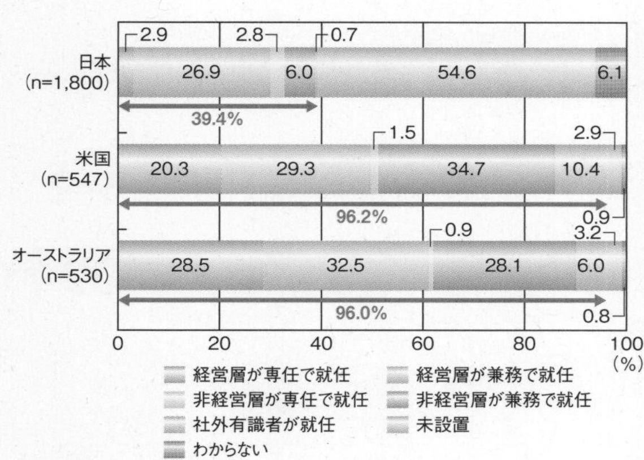


■図 2-4-2　CISO を設置している企業の割合
(出典)NRI セキュア社「NRI セキュア、日・米・豪の 3 か国で『企業における情報セキュリティ実態調査 2022』を実施[※392]」を基に IPA が編集

している割合(「どちらかといえば不足している」と「不足している」の合計)は、米国の 9.7%、オーストラリアの 10.8% に対し、日本は 89.8% と高い(図 2-4-3)。

なお、日本の不足している人材種別のトップは「セキュリティ戦略・企画を策定する人」であった。セキュリティ人材の確保・育成については、「サイバーセキュリティ経営ガイドライン[※66]」(以下、経営ガイドライン)の付録である「サイバーセキュリティ体制構築・人材確保の手引き第 2 版[※393]」を参照されたい。

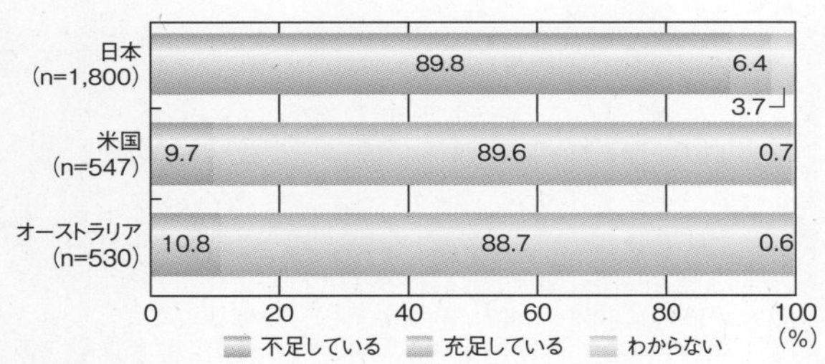


■図 2-4-3　セキュリティ対策に従事する人材の充足状況
(出典)NRI セキュア社「NRI Secure Insight 2022」を基に IPA が編集

JUAS 調査(図 2-4-4)でも、不足しているセキュリティ人材について調査を行っており、「セキュリティ担当者(CSIRT 担当者含む)」の割合が 69.1% と最も高く、続いて「セキュリティ管理者(CSIRT 管理者含む)」が 53.6% と高い。

CSIRT はセキュリティに関する情報収集・分析やインシデント対応時の全体統括等の役割を担うことで企業の情報セキュリティ対策の要となる重要な組織である。CSIRT の管理者や担当者に必要な役割とスキルについては一般社団法人日本コンピュータセキュリティインシデント対応チーム協議会の「CSIRT 人材の定義と確保(Ver2.1)[※394]」、CSIRT 人材の育成については同協議会の「CSIRT 人材の育成 Ver1.0[※395]」等を参照し、必要な人材の確保・育成を推進していただきたい。

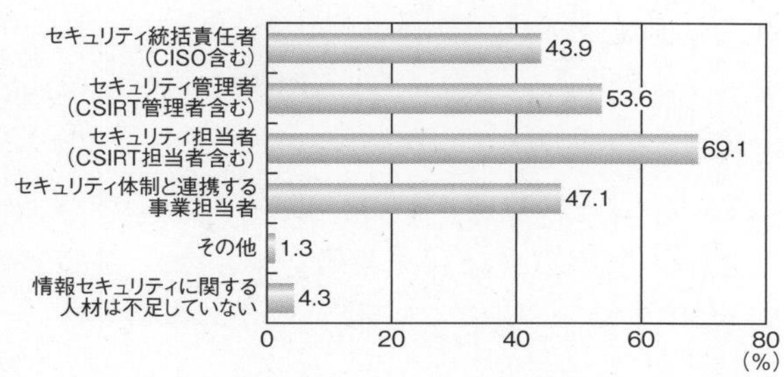


■図 2-4-4　不足しているセキュリティ人材の役割
(出典)JUAS「企業 IT 動向調査報告書 2022」を基に IPA が編集

## (4)経営層の関与度合い

JUAS 調査によると、経営層のセキュリティリスク及び対策への関与度合いは、「経営層は、セキュリティリスクや重大なセキュリティ対策の重要性を認識しているが、取組みは主に IT 部門などに任せ経営会議で議論されない」が 50.9%、続いて「経営層は、セキュリティリスクを経営課題のひとつと認識しており、セキュリティリスクや重大なセキュリティ対策については、経営会議等で審議・決定される」が 38.6% であった(図 2-4-5)。

半数以上の企業がセキュリティ対策を IT 部門等に任せ経営会議で議論されない状況は、CISO 設置率の低さ(図 2-4-2)やセキュリティ人材の不足率の高さ(図 2-4-3)とも整合し、経営層の情報セキュリティへの関与度合いが低く、管理体制の構築や人材の確保・育成への取り組みが不足していると推察される。「サイバーセキュリティ経営ガイドライン」等を参考に、経営層はリーダーシップをとって、サイバーセキュリティ対策を推進することが求められる。

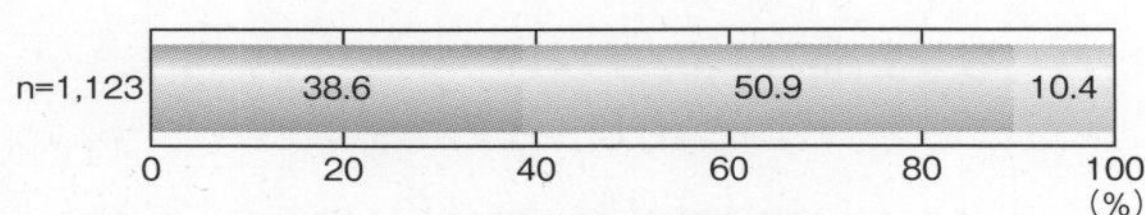


■図 2-4-5　情報セキュリティへの経営層の関与度合い
(出典)JUAS「企業 IT 動向調査報告書 2022」を基に IPA が編集

## (5)サイバーセキュリティ対策の実践状況

サイバーセキュリティリスクのマネジメントにおいて、自社の対策状況を可視化することは有用である。IPA は、経営ガイドラインに基づくサイバーセキュリティ対策状況を可視化する「サイバーセキュリティ経営可視化ツール」

(以下、可視化ツール) を提供している (「2.1.3 (1) (b) WG2 (経営・人材・国際)」参照)。可視化ツールの利用者は、経営ガイドラインで示された「重要 10 項目」(指示 1 ～ 10)を、成熟度モデル(表 2-4-1)に基づく5段階(最高レベル5に5ポイント、最低レベル1に1ポイント)で評価する。

| 成熟度 | 定義 |
|---|---|
| レベル1 | 実施していない又は部分的である |
| レベル2 | 一部で実施されている |
| レベル3 | 全体で実施されている |
| レベル4 | 定期的に実施内容が評価されている |
| レベル5 | 継続的に実施内容が改善されている |

■表 2-4-1　成熟度モデルによるレベル定義

2021 年 8 月～ 2023 年 1 月に、可視化ツールに利用者登録 (427 件) した企業のサイバーセキュリティ対策状況を図 2-4-6 に示す。全業種の平均値 (図 2-4-6 の①) では、「指示 1: サイバーセキュリティリスクの認識、組織全体での対応方針の策定」 が 3.1 ポイントと最も高く、続いて「指示 5: サイバーセキュリティリスクに対応するための仕組みの構築」が 2.7 ポイントと高かった。一方、「指示 8: インシデントによる被害に備えた復旧体制の整備」が 1.9 ポイントと最も低く、続いて「指示 9: ビジネスパートナーや委託先等を含めたサプライチェーン全体の対策及び状況把握」 が 2.0 ポイント、「指示 10: 情報共有活動への参加を通じた攻撃情報の入手とその有効活用及び提供」が 2.1 ポイントと低かった。

リスクの認識や対応方針の策定は組織全体で実施されているものの、インシデントからの復旧体制の整備、サプライチェーン全体の状況把握までは十分に実施できていない実態がうかがえる。

業種別平均値(図 2-4-6 の②)を見ると、「情報通信業(情報サービス (ソフトウェア、情報処理))」が指示 1 ～ 10 で全業種平均値を 0.3 ～ 0.7 ポイント上回り、サイバーセキュリティ対策の実践が進んでいることがうかがわれる。その情報通信業においても指示 10 のポイントは低く、情報共有活動の実践は業種横断的な課題である可能性がある。「製造業」は指示 1 ～ 10 で全業種平均値を 0.2 ～ 0.5 ポイント下回り、サイバーセキュリティ対策の実践が進んでいない企業が多いことがうかがわれる。

### (6) まとめ

以上のように、情報セキュリティに対する企業・組織の対策は進んでいるものの、国際比較や成熟度の観点からは道半ばの状況と考えられる。

今後、企業の経営層はこれまで以上にリーダーシップを発揮し、サイバーセキュリティリスク管理体制の強化、人材の確保・育成、サプライチェーンのパートナーを含む対策状況の把握とインシデントに備えた対策の強化等を推進することが求められる。

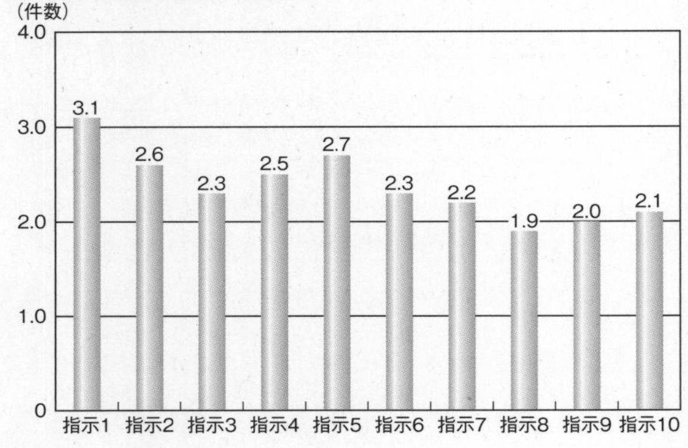


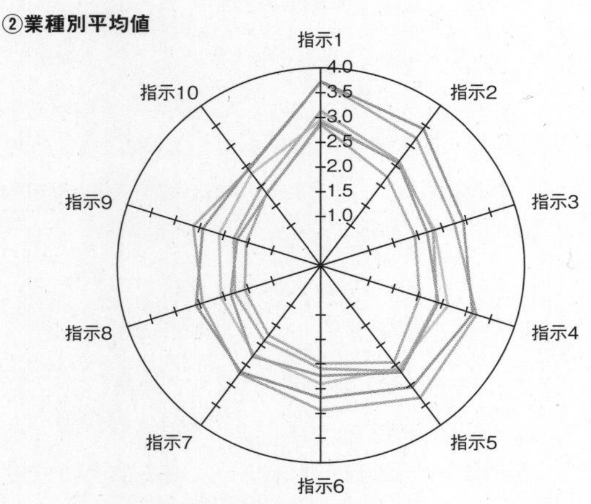


サービス業(他に分類されないもの) (n=34)
卸売業・小売業 (n=46)
学術研究・専門・技術サービス業 (n=22)
情報通信業(それ以外) (n=24)
情報通信業(情報サービス(ソフトウェア、情報処理)) (n=72)
製造業(n=125)

指示1:サイバーセキュリティリスクの認識、組織全体での対応方針の策定
指示2:サイバーセキュリティリスク管理体制の構築
指示3:サイバーセキュリティ対策のための資源(予算、人材等)確保
指示4:サイバーセキュリティリスクの把握とリスク対応に関する計画の策定
指示5:サイバーセキュリティリスクに効果的に対応する仕組みの構築
指示6:PDCAサイクルによるサイバーセキュリティ対策の継続的改善
指示7:インシデント発生時の緊急対応体制の整備
指示8:インシデントによる被害に備えた事業継続・復旧体制の整備
指示9:ビジネスパートナーや委託先等を含めたサプライチェーン全体の状況把握及び対策
指示10:サイバーセキュリティに関する情報の収集、共有及び開示の促進

■図 2-4-6　サイバーセキュリティ経営ガイドラインの重要 10 項目別対策状況

## 2.4.2 中小企業に向けた情報セキュリティ支援策

本項では、中小企業における情報セキュリティの現状、対策支援施策、及び普及啓発・対策ツールの現状について紹介する。

### (1) 中小企業の情報セキュリティの現状

一般社団法人日本損害保険協会が 2022 年 2 月に公表した「中小企業におけるリスク意識・対策実態調査 2022※396」によると、中小企業が事業活動を行っていく上で考えられるリスクとして「サイバーリスク」を挙げた企業は 20.1% であり、「自然災害」(51.8%)、「顧客・取引先の廃業や倒産等による売り上げ減少」(41.8%)、「感染症」(38.4%)といったリスクに比べて低くなっている。その一方で、「サイバーリスク」を挙げた中小企業のうち、サイバーリスクについて経営課題として関心があると答えた中小企業は 84.1%(「とても関心がある」と「やや関心がある」の合計)に上り(図 2-4-7)、2021 年と比較して 3.9 ポイントの増加が見られた。自社事業においてサイバーリスクを認識している中小企業の多くが、サイバーリスクを経営レベルの課題であると考えていることが分かる。

株式会社日本政策金融公庫が 2022 年 1 月に実施した「中小企業に求められるサイバーセキュリティ対策の強化※397」によると、同業の中小企業に比べた自社の情報セキュリティ対策の現状について、「やや遅れている」と回答した中小企業は 22.5%、「遅れている」と回答した中小企業は 31.7% であった(図 2-4-8)。その一方で、情報セキュリティ対策を進める上での障害については、「特にない」が52.9%と半数を超え、「資金が足りないこと」(22.6%)や「パソコンやインターネット全般に対する経営者の知識が足りないこと」(13.5%)を大きく上回っている(図 2-4-9)。

障害が「特にない」割合は、「やや遅れている」と回答した企業では 44.4%、「遅れている」と回答した企業では 49.8%とのことである。このように特に障害があるわけではないのに対策が適切に実施されていないのは、情報セキュリティ対策の遅れを問題視していない、または優先して取り組む課題と認識していない中小企業が多い

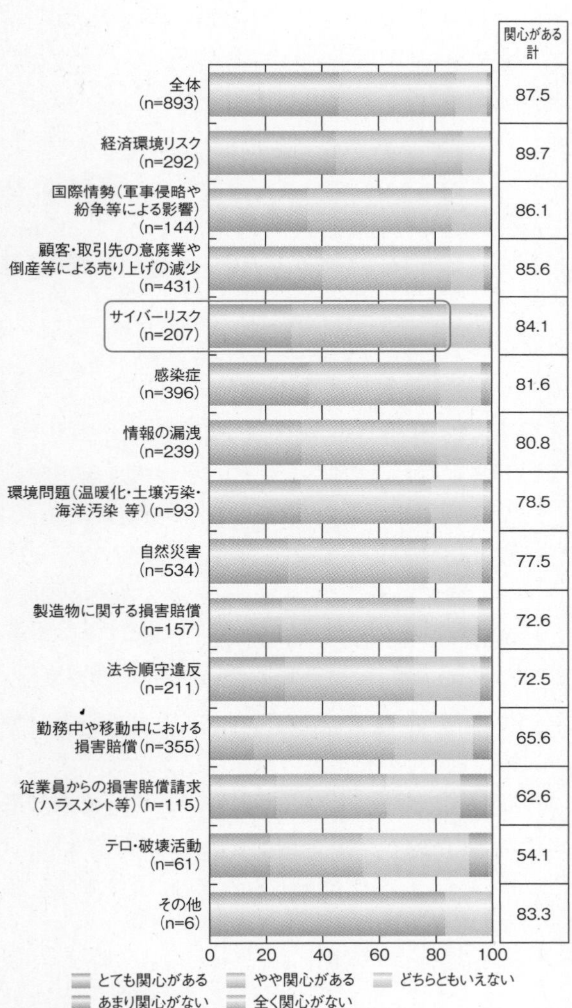


■図 2-4-7　企業を取り巻くリスクに対する経営課題としての関心度
(出典)一般社団法人日本損害保険協会「中小企業におけるリスク意識・対策実態調査 2022 調査結果報告書」を基に IPA が編集

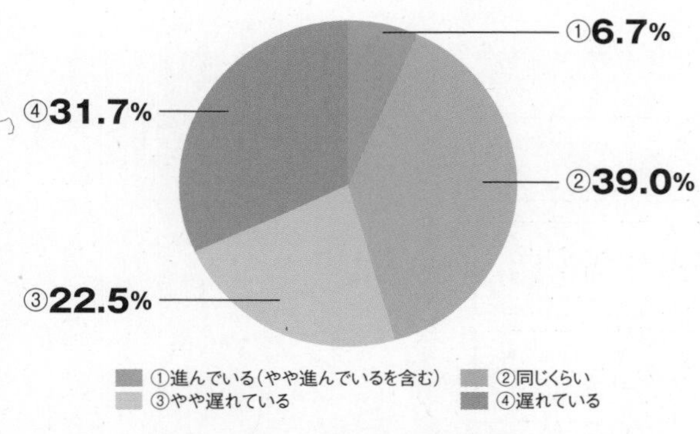


■図 2-4-8　同業の中小企業に比べた自社の情報セキュリティ対策の現状
(出典)株式会社日本政策金融公庫「中小企業に求められるサイバーセキュリティ対策の強化」を基に IPA が編集

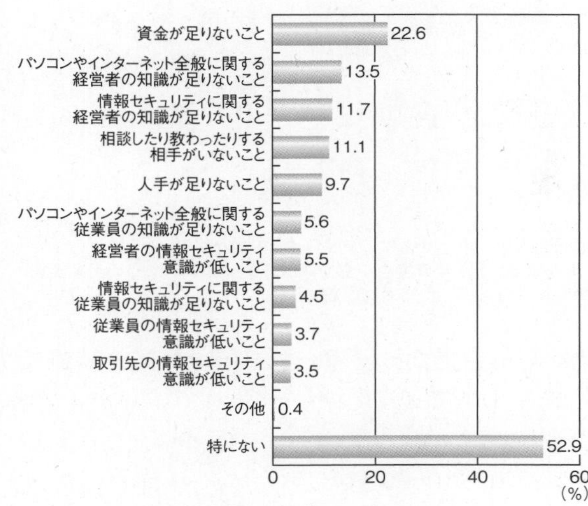


■図 2-4-9　情報セキュリティ対策を進める上での障害(三つまでの複数回答)
(出典)株式会社日本政策金融公庫「中小企業に求められるサイバーセキュリティ対策の強化」を基に IPA が編集

ことが理由として考えられるという[※397]。

IPAは、2022年度に、経済安全保障上重要かつ重要産業である半導体、自動車部品、航空部品の3分野の中小企業等を対象に「中小企業等に対するサイバー攻撃の実態調査[※398]」を実施し、分析を行った。

同調査により、サイバー攻撃の主なリスクとして、①メールやWebを契機としたウイルス感染リスク、②不審なアプリケーションを気付かず導入し、ウイルス感染するリスク、③工場系LAN等の情報システム部門管理外設備でのウイルス感染リスクがあることが確認された。これらの三つのサイバー攻撃リスクへの対策として、「①サイバー攻撃をUTM（Unified Threat Management）とEDR（Endpoint Detection and Response）の双方で防御」し、「②検知レポートを定期的に確認してリスクを把握」し、「③セキュリティ有識者等の目線で工場系ネットワーク設計を適正化」することが有効であることが明確になった（図2-4-10）。

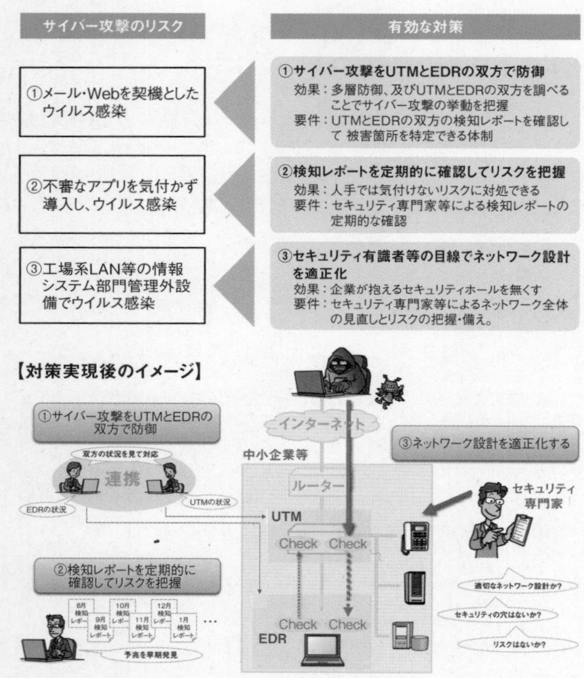


■図2-4-10　中小企業に対するリスクと有効な対策
（出典）IPA「令和4年度中小企業等に対するサイバー攻撃の実態調査調査実施報告書[※399]」を基に編集

### (2) 中小企業向け情報セキュリティ対策支援施策

サイバー攻撃の高度化・巧妙化により、中小企業を含むサプライチェーンリスクが高まり、世界的にサプライチェーンサイバーセキュリティ対策の強化へ向けた取り組みが進む中で、経済産業省は我が国の中小企業のサイバーセキュリティ対策の強化を促進することを目的として、2021年度に引き続きIPAを通じて、中小企業サイバーセキュリティ対策促進事業を実施した。

同事業においてIPAは、中小企業を含むサプライチェーン全体でのサイバーセキュリティ強化の取り組みを産業界が一体となって推進するため、「サプライチェーン・サイバーセキュリティ・コンソーシアム（SC3：Supply Chain Cybersecurity Consortium）[※400]」の活動に対し支援を行った。

SC3においては、総会、運営委員会と四つのWGが運営されている。

- 総会

  2022年11月に行われた総会では、SC3が業界団体プラットフォームとしてより踏み込んだ活動を展開するため、SC3運営検討準備会の発足が決議された。

- 運営委員会

  経済産業省と公正取引委員会は、中小企業等におけるサイバーセキュリティ対策や、発注側企業の取引先に対するサイバーセキュリティ対策の支援・要請に関する考え方について整理を行い、「サプライチェーン全体のサイバーセキュリティ向上のための取引先とのパートナーシップの構築に向けて[※401]」を公表した。これを受けて、運営委員会では、2023年3月に同文書の周知のためのウェビナーを実施し、経済産業省及び公正取引委員会による同文書についての解説、両機関に加え有識者や実務家の参加によるパネルディスカッション等を行った。

- ワーキンググループ（WG）

  - 中小企業対策強化WG

    2022年10月に「今、中小企業が取り組むべきセキュリティ対策～『サイバーセキュリティお助け隊サービス』の補助金活用～」と題して、中小企業における情報セキュリティ対策の意識啓発を目的としたウェビナーを開催した[※402]。また、自動車、通信、電気、建設等の業界団体や行政機関が策定している情報セキュリティ対策に関するガイドライン等を基に、共通的に求められる項目を抽出する調査事業を実施した。同調査事業の結果は、業界横断的な共通水準（ベース）として、情報セキュリティガイドラインが未整備の業界で活用されることや情報セキュリティガイドラインが整備済みの業界で見直しに活用されることが期待される。

  - 攻撃動向分析・対策WG

    中小企業の経営者による主体的な情報セキュリティ対策への取り組みを推進するため、2021年度に作成したコンテンツ「経営者視点のサイバーセキュリティ～『安全』を保ち、『信頼』を守るために～」の周知活動を行った。また、地域経済団体の会員企業の経営者との意見交換の場を設け、経営者のサイバーセキュリティに関する悩みやニーズを中心とした生の声を収集した。

- 産学官連携 WG
  セキュリティ人材に関わるフレームワークに関し、知識、スキル、及びアビリティ・コンピテンシーに関わる共通言語の整理を行い、産業界と教育機関の双方にとって活用が可能な共通語彙集の試作検討を行った。
- 地域 SECUNITY 形成促進 WG
  全国各地で活動する地域のセキュリティ・コミュニティ（通称、地域 SECUNITY）に対して、活動事例の紹介や共通課題に対する解決策の検討等を行うワークショップ（WS）を実施した。第１回 WS はオンラインで、第２回 WS は各地域の現地にて開催した。

### (3) 普及啓発・対策ツール

中小企業に向けた情報セキュリティの普及啓発活動や対策ツールを紹介する。

#### (a) パートナーシップ構築宣言

「パートナーシップ構築宣言[※403]」とは、企業規模の大小に関わらず、企業が「発注者」の立場で自社の取引方針を宣言する取り組みであり、中小企業庁と内閣府が推進している。企業は代表者の名前で、「サプライチェーン全体の共存共栄と新たな連携（企業間連携、IT 実装支援、専門人材マッチング、グリーン調達等）」「振興基準の遵守」に重点的に取り組むことを宣言する（図 2-4-11）。

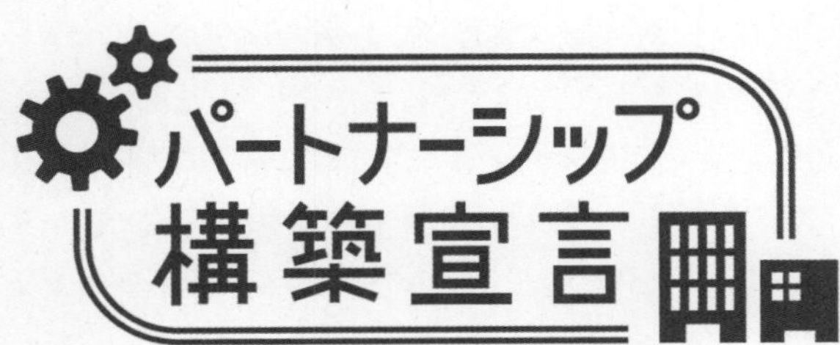


■図 2-4-11 「パートナーシップ構築宣言」ロゴマーク

企業がこの「パートナーシップ構築宣言」を行うことで、サプライチェーン保護の観点から取引先とのパートナーシップを構築するために中小企業が情報セキュリティ対策を強化し、サプライチェーン全体の付加価値の向上につながっていくことが期待される。

#### (b) SECURITY ACTION

「SECURITY ACTION[※404]」は中小企業が講じるべき情報セキュリティ対策の第一歩として、中小企業自らが情報セキュリティ対策に取り組むことを自己宣言する制度であり、IPA が運用している。同制度で宣言を行うと、取り組み目標に応じて「★」（一つ星）と「★★」（二つ星）のロゴマークを利用できるようになる（図 2-4-12）。また、IT 導入補助金を始め、各自治体でもデジタル化、IT 化を支援する各種補助金の申請要件としての活用も進められており、2023 年 3 月時点で宣言数は 25 万件を超えている。

また、「SECURITY ACTION」の対象を中小企業以外にも拡大した。これを通じて、受注側と発注側の企業がともに宣言することで、サプライチェーン全体のセキュリティ対策の強化の促進が期待される。

■図 2-4-12 「SECURITY ACTION」ロゴマーク

#### (c) 中小企業の情報セキュリティ対策ガイドライン

「中小企業の情報セキュリティ対策ガイドライン[※405]」は、情報セキュリティ対策に取り組む際に経営者が認識し実施すべき指針、及び社内において対策を講じる際の手順を IPA がまとめたものである。経営者編と実践編から構成されており、個人事業主、小規模事業者を含む中小企業による利用を想定している。

2023 年 4 月、社会状況の変化やサイバー攻撃の動向を踏まえ、同ガイドラインの「中小企業の情報セキュリティ対策ガイドライン 第 3.1 版[※406]」を公開した（次ページ図 2-4-13）。3.1 版の経営者編では、IT に詳しくない経営者にも理解しやすいように専門用語等を分かりやすく説明するとともに、関連法令を最新のものに見直す等の更新を行った。実践編では、テレワーク時の情報セキュリティ対策やセキュリティインシデント対応について、新たに解説を追加した。また、付録についても、「5 分でできる!情報セキュリティ自社診断」の対策例の見直しや、「中小企業のためのセキュリティインシデント対応の手引き」の追加等の拡充を図った。

■図 2-4-13　中小企業の情報セキュリティ対策ガイドライン 第 3.1 版
（出典）IPA「中小企業の情報セキュリティ対策ガイドライン 第 3.1 版」

**(d) サイバーセキュリティお助け隊サービス制度**

IPA では、中小企業に対するサイバー攻撃への対処や情報セキュリティ対策の強化を目的として「サイバーセキュリティお助け隊サービス制度※ 407」を運営している。

同サービスは、「サイバーセキュリティお助け隊サービス基準」を満たした民間セキュリティ事業者のサービスを「サイバーセキュリティお助け隊サービス」として登録・公表している。サイバーセキュリティお助け隊サービス基準は、相談窓口、異常の監視、緊急時の対応支援、簡易サイバー保険等の各種サービスをワンパッケージで安価に提供することを登録の要件としている。同基準を満たすサービスには、「サイバーセキュリティお助け隊マーク」の利用が許諾され、2023 年 3 月末時点で 35 のサービスが登録されている。同サービスを通じて、中小企業はサイバーセキュリティ対策を無理なく導入・運用できる。

2022 年度は、中小企業等が利用できる IT 導入補助金において、新たに本サービスを対象として最大 2 年分の利用料が補助（補助額 5 ～ 100 万円、補助率 1/2 以内）される「サイバーセキュリティ対策推進枠※ 408」が設けられた。中小企業がこうした制度を活用し、サイバーセキュリティ強化に取り組むことが期待される。

**(e) EC サイト構築・運用セキュリティガイドライン**

2023 年 3 月、IPA は EC サイトのセキュリティ対策を強化するため、EC サイト構築・運用時のセキュリティ対策をまとめた「EC サイト構築・運用セキュリティガイドライン※ 409」を公開した（図 2-4-14）。

EC サイトを構築、運営している中小企業には、EC サイトのセキュリティ対策の実施がいかに重要であるかを認識し実施してもらう必要がある。そのため経営者が実行すべき項目やセキュリティ対策の実務担当者が具体的に実践すべきセキュリティ対策を同ガイドラインでは記載している。なお、これらの対策はパッケージやスクラッチ開発により自社で Web サイトを構築する場合を想定したものである。

■図 2-4-14　EC サイト構築・運用セキュリティガイドライン
（出典）IPA「EC サイト構築・運用セキュリティガイドライン」

**(f) 今すぐ実践できる工場セキュリティハンドブック・リスクアセスメント編**

JNSA では、中小企業において製造現場の従事者がより容易にセキュリティ対策に取り組めるように、工場における情報セキュリティリスクアセスメントについての解説と具体的な事例を基にした実践方法をまとめた工場セキュリティハンドブックを作成している。同資料の第一弾として、自社工場において何が脅威となり、どのようなリスクがあるのかを把握するための具体的な手法を紹介する「今すぐ実践できる工場セキュリティハンドブック・リスクアセスメント編※ 410」が 2022 年 6 月に公開された。

同ハンドブックは、USB メモリーや持ち込みパソコンといった機器等からどのような脅威が発生し、どのような対応を行うべきかをシナリオとしてまとめている。読者はこのシナリオと自社の製造現場における現状の環境とを比べることにより、自社工場に潜む脅威やリスクを把握することができるようになる。

## 2.4.3 公共機関における対策状況

教育機関及び地方公共団体等公共機関における対策状況を公表資料に基づいて述べる。

### (1) 教育機関における個人情報紛失・漏えいの状況

教育ネットワーク情報セキュリティ推進委員会（ISEN：Information Security for Education Network）は、毎年、学校等教育関連機関で発生した個人情報の紛失・漏えい事故について公開情報を調査し、公表している。2022 年 11 月、「令和 3 年度(2021 年度）学校・教育機関における個人情報漏えい事故の発生状況−調査報告書− 第 2 版※411」(以下、ISEN 報告書)を公表した。本項では、ISEN 報告書に基づいて、2021 年 4 月 1 日～ 2022 年 3 月 31 日の間の事故の傾向について述べる。

ISEN 報告書によると、年度によるばらつきはあるものの、2019 年度に 2 万 3,458 人と急増した後は、2 年連続で減少しており、2021 年度は過去最少となっている。

漏えいした個人情報の人数を経路・媒体別に分類すると、図 2-4-15 に示すように、2021 年度は「電子メール」が 1 万 3,351 人と最も多く、2 位の「書類」以下を大きく引き離している。

また、「電子メール」を経路とする漏えい事故では、平均して 1 件あたり約 400 人の個人情報が漏えいしており、運用面で特段の対策が必要な経路・媒体と言える(図 2-4-16)。

一方で、個人情報が漏えいした事故発生件数を漏えい経路・媒体別に比較すると、図 2-4-17 に示すように「書類」(53.2%) が最も多く、次いで「電子メール」(17.8%) となっている。

このように、事故発生件数では「書類」が最多であるが、1 件あたりの漏えい人数は「電子メール」が最多であり、漏えい人数の総数も突出している。このことからも電子メール運用における情報漏えい対策が非常に重要であることが分かる。

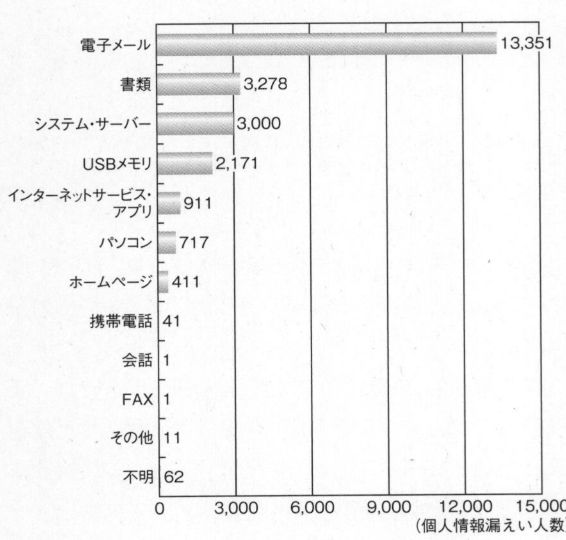


■図 2-4-15 漏えい経路・媒体別個人情報漏えい人数※412
(出典) ISEN 報告書を基に IPA が編集

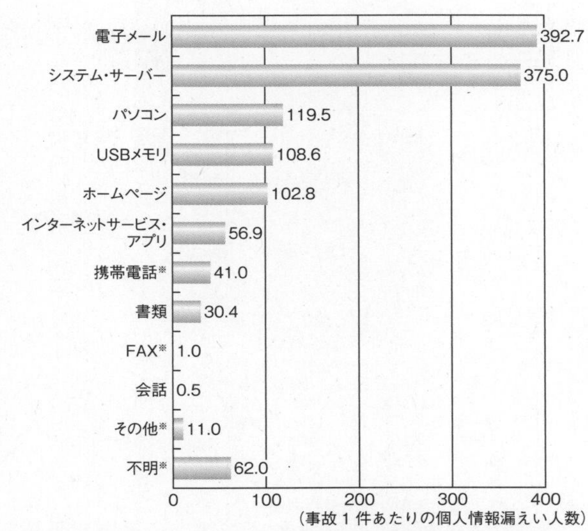


■図 2-4-16 漏えい経路・媒体別事故 1 件あたりの個人情報漏えい人数(平均値)※412
(出典) ISEN 報告書を基に IPA が編集

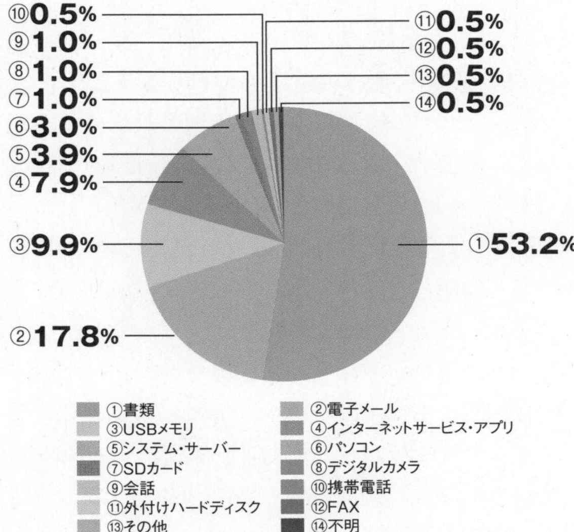


■図 2-4-17 漏えい経路・媒体別事故発生件数※413
(出典) ISEN 報告書を基に IPA が編集

前述のとおり、漏えい経路・媒体としては「書類」「電子メール」の合計が約 70% を占めている(図 2-4-17)。また、事故の種類としては「紛失・置き忘れ」「誤配布」「誤送信」「誤公開」「誤廃棄」を合計した不注意による漏えいが 90% を超えている(次ページ図 2-4-18)。

ISEN 報告書によると、年度始めの 4 月と 5 月、成績処理を行う 7 月や 3 月、行事やテストが多い 10 月に漏えい事故件数が増加する傾向があるとのことである。また、「規定違反」を伴う事故が全体の約 15% を占めたと

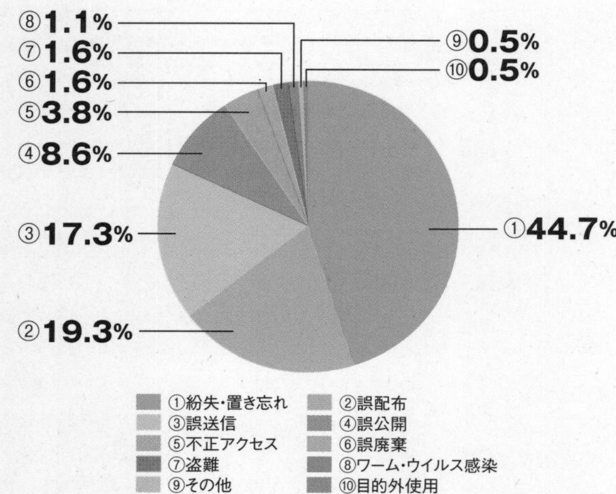


■図 2-4-18　漏えい事故種別発生割合
（出典）ISEN 報告書を基に IPA が編集

いうデータも示されており、これらを踏まえて、事故が発生しやすい時期や媒体、原因を把握した上で、効果的な対策を取ることが推奨される。

### (2) 教育現場における校務の情報システム化状況

2022 年 11 月、文部科学省は全国の教育委員会に対して、所管の学校への ICT 支援員の配置や、1 人 1 台端末の利活用促進のための更なる支援等を行うよう要請する「1 人 1 台端末の利活用促進に向けた取組について（通知）[※414]」を発出するとともに、都道府県ごとの 1 人 1 台端末の利活用状況を公表した。

また、文部科学省は全国の都道府県や市区町村の教育委員会、学校組合等を対象に校務の情報化に関する調査を実施し、1,815 件の回答を得た。その結果を「校務の情報化に関する調査結果（令和 4 年 9 月時点）[※415]」で公表した。

学校の校務において「統合型校務支援システム」を導入している団体は 73.4% であった（図 2-4-19）。一方、

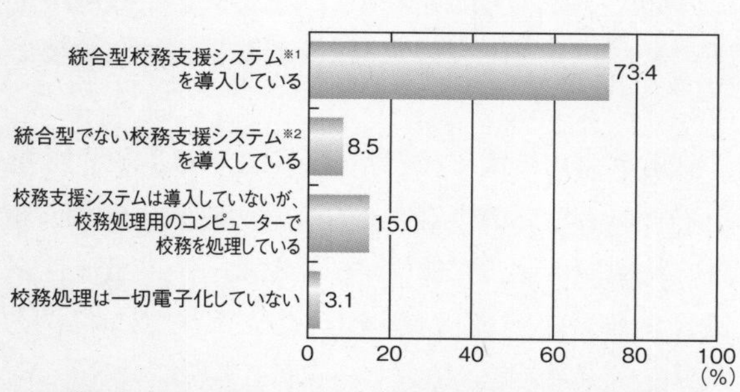


※1 教務系（成績処理、出欠管理、時数管理等）、保健系（健康診断票、保健室来室管理等）、学籍系（指導要録等）、学校事務系等を統合した機能を有しているシステム
※2 教務系、保健系、学籍系、学校事務系等の機能を独立して有しているシステム

■図 2-4-19　校務（成績処理、出欠管理、健康診断票・指導要録の作成等）の処理の電子化（n=1,755）
（出典）文部科学省「校務の情報化に関する調査結果（令和 4 年 9 月時点）」を基に IPA が作成

校務支援システムのクラウド化の状況においては、「インターネット経由で接続したクラウドで運用している」割合は 14.0% にとどまった（図 2-4-20）。

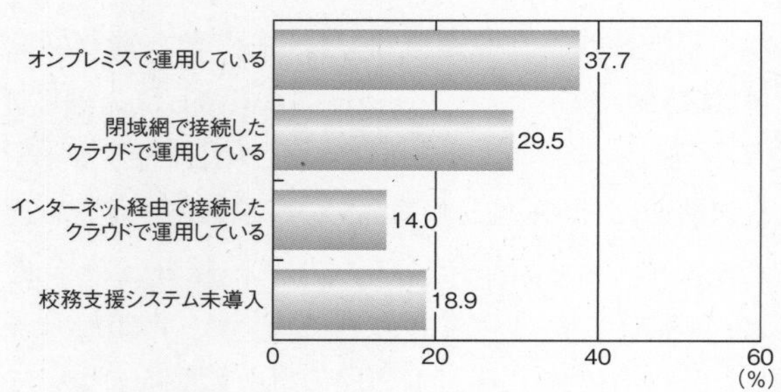


■図 2-4-20　校務支援システムのクラウド化の状況（n=1,677）
（出典）文部科学省「校務の情報化に関する調査結果（令和 4 年 9 月時点）」を基に IPA が作成

文部科学省が所管する学校における現状の校内ネットワークの構成に関する調査も実施された。

具体的にはネットワークの種別を、①児童生徒の成績等、教職員のアクセスのみを想定する「校務系」、②インターネットを校務で利用する「校務外部接続系」、③児童生徒のワークシート等、教職員だけでなく児童生徒によるアクセスも想定する「学習系」に 3 分類し、それぞれが論理的または物理的に分離されているかを調査した。その結果、「アクセス制御を前提としてネットワークを統合」と回答したのは 2.6% にとどまった（図 2-4-21）。

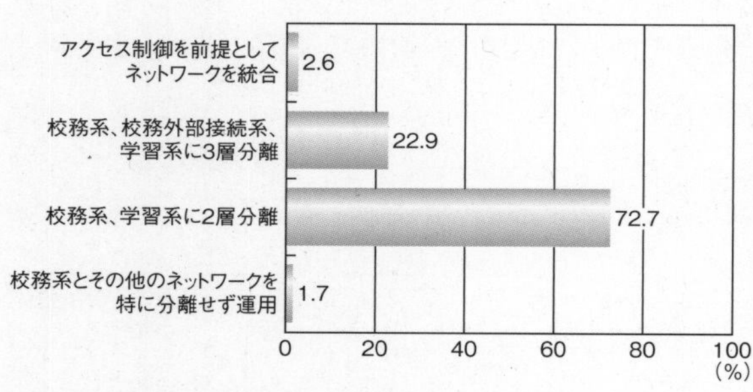


■図 2-4-21　所管する学校における校内ネットワークの構成（n=1,662）
（出典）文部科学省「校務の情報化に関する調査結果（令和 4 年 9 月時点）」を基に IPA が作成

また、教職員が、自宅から校務支援システムを使うことができるかを調査した結果では、「できる」との回答は 6.0% にとどまった。

統合型校務支援システムの導入・更改予定時期の調査結果では、87.3% が 2025 年度以降に導入または更改予定である一方、「校務支援システムを導入しておらず、導入予定もない等」という回答は 12.7% であった。

文部科学省の次世代の校務デジタル化推進実証事業[※416]では、統合型校務支援システムのほとんどがネッ

トワーク分離（閉鎖系ネットワーク）による自組織内設置型運用で、校務用端末も職員室に固定されている。このことはGIGAスクール時代・クラウド時代の教育DXに適合しなくなっているため、次世代の校務のデジタル化モデルの実証研究を行うとともに、「校務DXガイドライン」（仮称）の策定、「教育情報セキュリティポリシーに関するガイドライン」の改訂を行うことになっている。

今後のGIGAスクール構想の進展においてセキュリティが担保された上で「これまでの我が国の教育実践と最先端のICTのベストミックスを図ることにより、教師・児童生徒の力を最大限に引き出す[※417]」環境の整備が促進されることが期待される。

### (3) 地方自治体等における対策状況

総務省が2022年3月に公表した「自治体DX・情報化推進概要～令和3年度地方公共団体における行政情報化の推進状況調査のとりまとめ結果～[※418]」に基づき、地方公共団体の情報セキュリティ対策の実施状況の推移について述べる。

表2-4-2は、2021年度の都道府県及び市区町村の対策項目に対する実施率をまとめたものである。なお、「地方自治情報管理概要～電子自治体の推進状況（令和2年度）～[※419]」の実施率と比較し、カッコ内に増減ポイント数を記載している。

実施項目のうち、都道府県レベルでは「緊急時対応訓練を実施している」の1項目について前年度から実施率の改善が見られた。

一方、市区町村レベルでは、「緊急時対応計画を整備」「緊急時対応訓練を実施している」「情報資産の調達の際、仕様書等に情報セキュリティポリシーに基づいた要件を記載している」「委託事業者に対し、情報漏えい防止策を契約等により義務付けている」「情報システムの運用等の委託事業者に対する指導・監査を実施している」「機密性、完全性及び可用性等についてサービス契約（SLA）に定め、委託事業者に対し定期的に報告することを定めている」の6項目において改善が見られた。

### (4) ガバメントクラウドについて

2021年12月24日閣議決定された「デジタル社会の実現に向けた重点計画」により、地方自治体の基幹システムも統一・標準化が図られることになった。具体的には、国のすべての行政機関（中央省庁・独立行政法人等）

| 対策実施率（都道府県は47団体、市区町村は1,741団体を対象） | | | |
|---|---|---|---|
| 対象項目 | | 都道府県 | 市区町村 |
| 組織体制・規程類の整備 | CISOの任命 | 95.7% | 91.8% |
| | CSIRT（情報セキュリティインシデントに対処するための体制）の整備 | 95.7% | 79.4% |
| | 緊急時対応計画を整備 | 100.0%<br>（±0ポイント） | 73.2%<br>（+0.4ポイント） |
| 人的セキュリティ対策の実施（複数回答） | 情報セキュリティ研修を職員に対して実施している | 100.0%<br>（±0ポイント） | 94.0%<br>（−0.1ポイント） |
| | 緊急時対応訓練を実施している | 89.4%<br>（+2.2ポイント） | 42.7%<br>（+2.6ポイント） |
| 調達・運用時の情報セキュリティ対策（複数回答） | 情報資産の調達の際、仕様書等に情報セキュリティポリシーに基づいた要件を記載している | 100.0%<br>（±0ポイント） | 80.8%<br>（+0.8ポイント） |
| | 委託事業者に対し、情報漏えい防止策を契約等により義務付けている | 97.9%<br>（−2.1ポイント） | 97.9%<br>（+0.1ポイント） |
| | 情報システムの運用等の委託事業者に対する指導・監査を実施している | 72.3%<br>（−2.2ポイント） | 59.3%<br>（+0.8ポイント） |
| | 機密性、完全性及び可用性等についてサービス契約（SLA）に定め、委託事業者に対し定期的に報告することを定めている | 63.8%<br>（−6.4ポイント） | 49.9%<br>（+0.8ポイント） |
| 情報セキュリティ対策の監査・点検（複数回答） | 情報セキュリティポリシー等の遵守状況について、自己点検を実施 | 76.6% | 53.8% |
| | 情報セキュリティについて内部監査及び外部審査を実施 | 48.9% | 8.1% |
| 情報システムに関する業務継続計画（ICT-BCP）の策定 | ICT-BCPの策定 | 97.9% | 46.1% |

■表2-4-2　地方公共団体における情報セキュリティ対策の実施状況（2021年度、47都道府県、1,741市区町村）
（出典）総務省「自治体DX・情報化推進概要～令和3年度地方公共団体における行政情報化の推進状況調査のとりまとめ結果～」「地方自治情報管理概要～電子自治体の推進状況（令和2年度）～」を基にIPAが作成

や地方自治体が共同で行政システムをクラウドサービスとして利用できるようにした「IT 基盤」であるガバメントクラウドに移行する。

ガバメントクラウドでは、複数のクラウド事業者が提供する、複数のサービスモデル（IaaS、PaaS、SaaS）を組み合わせて相互に接続される。適切なセキュリティ対策が求められことから、「政府情報システムのためのセキュリティ評価制度（ISMAP）」のリストに登録されたサービスから調達する予定である（「2.7.3 政府情報システムのためのセキュリティ評価制度（ISMAP）」参照）。セキュリティの観点から、地方自治体が活用するクラウド環境に求められる主な要件は次の 2 点である※420。

- 地方自治体のシステムについて、データを団体ごとに論理的に分離するとともに、厳格なアクセス制御を行う等、高い機密性を確保すること
- 地方自治体の他のシステムとの接続は、専用回線により行うこと

なお、地方自治体システムのガバメントクラウドへの移行期限は 2025 年度を目標としている。

## 2.4.4 一般利用者における対策状況

2023 年 2 月に IPA は「2022 年度情報セキュリティに対する意識調査【倫理編】【脅威編】※421」（以下、2022 年度倫理調査、2022 年度脅威調査）を公開した。本意識調査では、脅威調査を 2005 年度から、倫理調査を 2013 年度から実施している。また、脅威調査はパソコン利用者、スマートフォン利用者※422 に対し、共通の質問及び機器別に固有の質問等を設け、実施している。2022 年度調査は 2020 年度に調査仕様を変更してから 3 年目になることから、本項では 3 年間の経年比較を交えて調査結果を紹介する。

### (1) 情報セキュリティに関する講習等の受講経験

総務省の「令和 4 年版情報通信白書※423」によれば、2021 年の個人のインターネット利用率は 82.9% となっており、国民の大多数がインターネットを利用しているといえる。インターネット利用における情報セキュリティのトラブルを未然に防いだり、被害を回避したりするには、脅威の手口を理解し、自らのふるまいに留意する等の対策が求められる。そのためには情報セキュリティに関して学ぶことが重要である。脅威調査で情報セキュリティ教育の受講経験を尋ねた結果を図 2-4-22 及び図 2-4-23 に示す。

パソコン、スマートフォン利用者ともに、男性の情報セキュリティ教育の受講経験の割合が高い。年代別では 10 代が突出して高く、次いで 20 代の受講経験の割合が高い。それ以降は年代が上がるにつれ受講割合は低くなる。

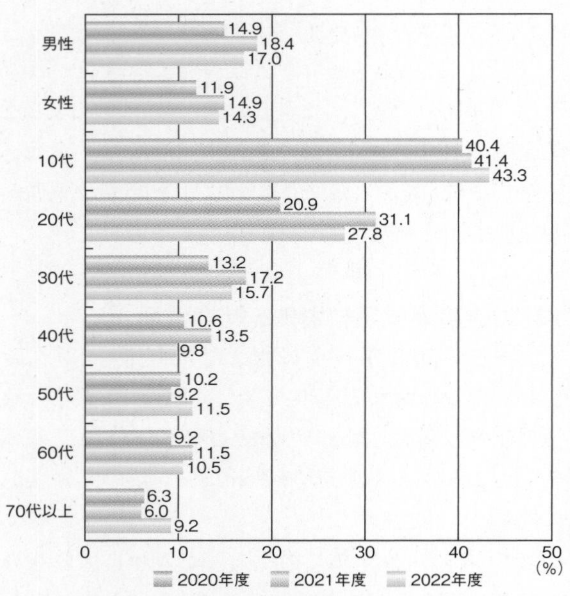


■図 2-4-22　パソコン利用者の情報セキュリティ教育の受講経験（性別・年代別、2020～2022 年度）

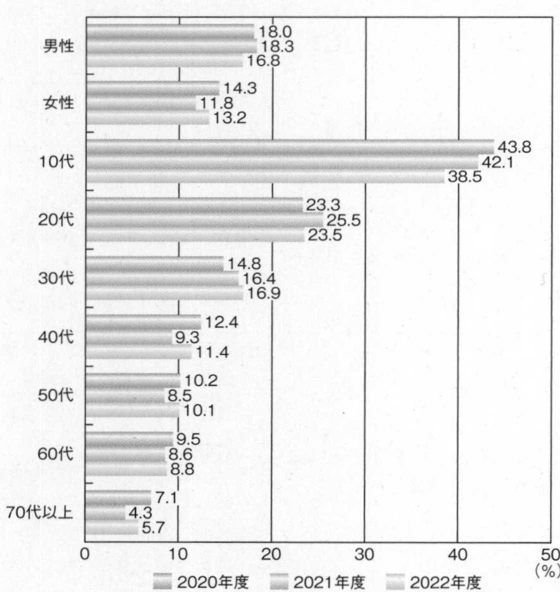


■図 2-4-23　スマートフォン利用者の情報セキュリティ教育の受講経験（性別・年代別、2020 ～ 2022 年度）

また、この傾向は情報倫理教育の受講経験についても同様である（次ページ図 2-4-24）。情報倫理教育の受講経験については 2013 年度から調査しており、10 代が高く、次いで 20 代の割合が高いという傾向に変化は

ない。このことから教育機関において講習等の機会が一定程度提供されていると考えられる。

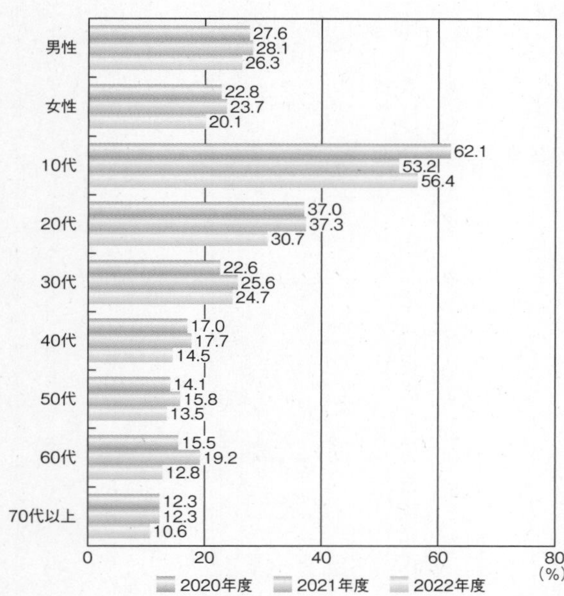


■図 2-4-24　情報倫理教育の受講経験（性別・年代別、2020～2022年度）

しかし、攻撃の手口の変化やICT技術・サービスの進化等により、学びにも継続的なアップデートが必要である。30代以降で受講機会が低減する傾向に対し、職場や地域社会での情報セキュリティに関する学びの機会が必要であり、その機会創出により国民全体の情報セキュリティリテラシーの底上げが可能になると考えられる。

受講機会について、属性別に分析した結果を紹介する。図2-4-25はパソコン利用者、図2-4-26（次ページ）はスマートフォン利用者における情報セキュリティ教育の受講経験を職業・属性別に分類した結果である。多少のばらつきはあるが、生徒・学生以外の属性の受講割合が低い傾向である。特に、「専業主婦・主夫」「無職」「パート・アルバイト」等の低さが目に付く。こうした職場や学校で受講の機会が得られない、または得にくい層に対しての受講機会創出が課題である。

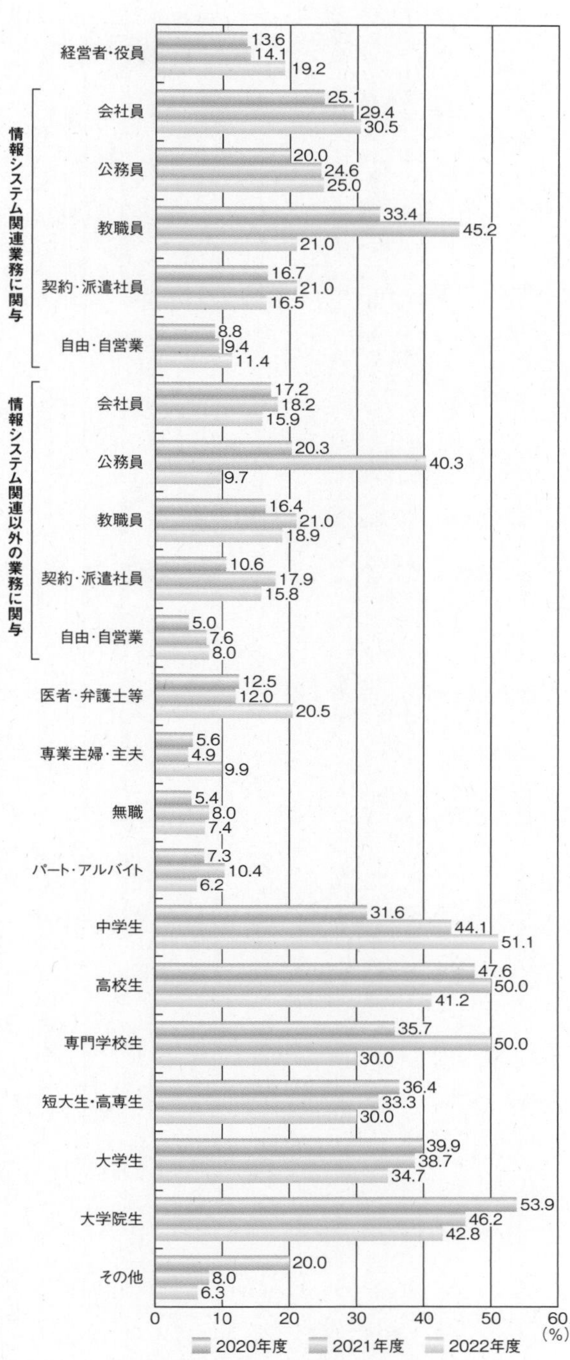


■図 2-4-25　パソコン利用者の情報セキュリティ教育の受講経験（職業・属性別、2020～2022年度）

### (2) 情報セキュリティの脅威に対する認知度

パソコン利用者の脅威の認知度（次ページ図2-4-27）とスマートフォン利用者の脅威の認知度（次ページ図2-4-28）を同一年度で比較すると、すべての脅威においてパソコン利用者の方が高い。脅威別では、パソコン利用者、スマートフォン利用者ともに2022年度は「不正ログイン」「フィッシング詐欺」の認知度が5割以上と最も高く、次いで「脆弱性」が高い。

一方、主に組織向けの脅威とみなされる「標的型攻撃」「ビジネスメール詐欺」「ランサムウエア」の認知度はパソコン利用者においても3割程度と高くない。ただし、「ランサムウエア」については、パソコン利用者の2022年度結果においては35.8%と前年より4.9ポイント高くなり、認知度が高くなってきている。

組織がセキュリティ対策を推進するとき、職員の脅威に対する認知度が3割程度では、十分とは言えない。

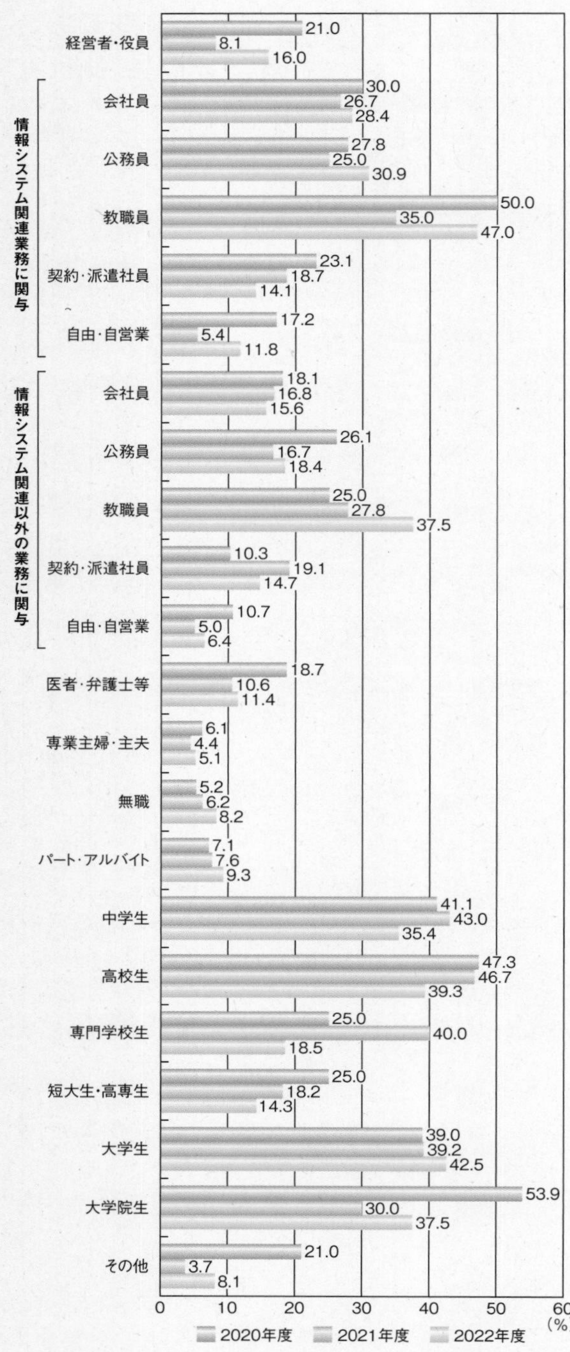


■図 2-4-26　スマートフォン利用者の情報セキュリティ教育の受講経験（職業・属性別、2020～2022 年度）

コロナ禍以降、テレワークの普及やクラウドサービスの浸透により、ニューノーマルな働き方が定着しつつある。この結果、サイバー攻撃対象領域の広がり、組織のガバナンス低下等による被害リスクの上昇が懸念される。組織全体で最新の脅威を知り、対策を実践することが、組織の守りを堅牢にすることにつながる。そのためにも、組織においては、職員に対する定期的なセキュリティ教育により、脅威の認知度を上げ、職員の実施すべき対

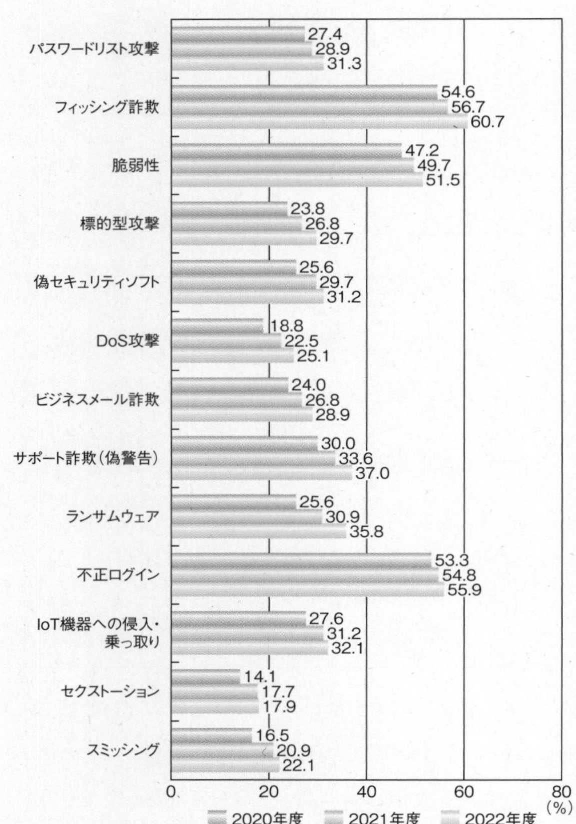


■図 2-4-27　パソコン利用者の脅威の認知度（2020～2022 年度）

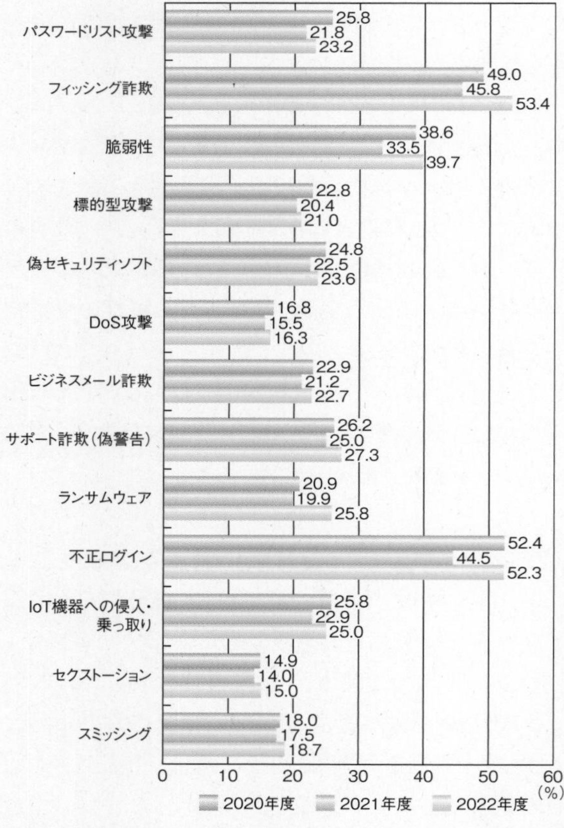


■図 2-4-28　スマートフォン利用者の脅威の認知度（2020～2022 年度）

策について理解を深めることが求められる。

## (3) 情報セキュリティの対策実施状況

パソコン利用者に対し、20 項目のセキュリティ対策の実施状況を尋ねた結果を表 2-4-3 に示す。

2022 年度脅威調査の結果では、「サポートが切れていない OS を使用し、最新の状態に更新」「セキュリティ対策ソフトやサービスの利用」「電子メールにある添付ファイルを不用意に開かない、また本文中の URL も不用意にクリックしない」「怪しいと思ったウェブサイトに行き着いたら先に進まない、情報を入力しない」等、実施率が 6 割以上の対策が 7 項目あった。

また、「OS 以外のソフトウェアはサポートが切れていないものを使用し、かつ最新の状態に更新」「ウイルス対策ソフトのパターンファイルが最新になっていることを定期的に確認している」の実施率が 5 割強、「パソコンのデータのバックアップ」の実施率が 48.9% であった。実施率の低い対策の一つとして「無線 LAN ルーターの暗号化キーの変更」が挙げられ、25.9% であった。

スマートフォン利用者に対し、17 項目のセキュリティ対策の実施状況を尋ねた結果を表 2-4-4(次ページ)に示す。

2022 年度脅威調査の結果では、「端末内のアプリのアップデート」の実施率が最も高く 66.2%、次いで「信頼できる場所からアプリをインストール」が 62.0% であった。一方、実施率が低いのは「リモートロックなどの不正利用防止機能」「重要な情報を扱うアプリの個別ロック機能の活用」等で 25% 程度であった。

## (4) パスワード設定における対策実施状況

2022 年度脅威調査において、ネットサービスを利用するために保有しているアカウント数を聞いたところ、二つ以上保有する割合はパソコン利用者 88.6%、スマートフォン利用者 87.0% であった[※424]。大多数が複数のネットサービスを利用するため、複数のアカウントを保有していることが分かった。しかし、複数のアカウントでパスワードの使い回しをしているとフィッシング等により、あるサービスのパスワードが窃取された場合、別のサービスまで不正ログインの被害に遭う可能性がある。ここではパスワードのセキュリティ対策に対する調査結果を紹介する。

### (a) パソコン利用者のパスワードのセキュリティ対策実施状況

パスワードを安全に管理するための四つの基本的な対策の実施率を図 2-4-29(次ページ)に示す。

| | 2020 年度 | 2021 年度 | 2022 年度 |
|---|---|---|---|
| サポートが切れていない OS を使用し、最新の状態に更新 | 63.3% | 62.5% | 65.1% |
| セキュリティ対策ソフトやサービスの利用 | 67.8% | 65.6% | 65.8% |
| 電子メールにある添付ファイルを不用意に開かない、また本文中の URL も不用意にクリックしない | 69.6% | 71.1% | 70.9% |
| 怪しいと思ったウェブサイトに行き着いたら先に進まない、情報を入力しない | 76.9% | 74.3% | 76.8% |
| ネットでファイルやソフトウェアをダウンロードする場合、安全性や信頼性を自分なりに注意・判断している | 69.5% | 67.2% | 70.8% |
| パソコンには、ログインパスワードを設定している。 | 66.0% | 65.1% | 67.9% |
| ウェブ閲覧中に意図しないファイルがダウンロードされる場合はキャンセルしている | 57.4% | 59.3% | 60.5% |
| フィッシングや詐欺サイトへのアクセスを防止するソフトまたはサービスの利用 | 39.2% | 39.0% | 40.4% |
| ファイアウォール機器やセキュリティゲートウェイ機器の利用 | 34.1% | 35.6% | 34.4% |
| 重要なファイルはパスワード付 USB メモリで持ち出したり、ファイルにパスワードをかけてメールを送信 | 22.3% | 25.1% | 26.1% |
| パソコンデータのバックアップ | 46.0% | 47.3% | 48.9% |
| OS 以外のソフトウェアはサポートが切れていないものを使用し、かつ最新の状態に更新 | 48.5% | 49.3% | 51.4% |
| 無線 LAN ルーターの暗号化キーの変更 | 22.5% | 24.5% | 25.9% |
| パソコンを廃棄または売却する際はデータが復元できない様な消去または物理的な破壊を行う | 38.0% | 39.7% | 41.5% |
| 自宅のパソコンを家族で使う場合、利用者毎にアカウントを分けている | 37.7% | 38.6% | 40.3% |
| ウイルス対策ソフトのパターンファイルが最新になっていることを定期的に確認している | 51.2% | 50.8% | 51.4% |
| ウェブに氏名や住所、クレジットカード番号などを入力する時はソフトウェアの脆弱性を全て解消し、信頼できるリンクからアクセスする | 43.8% | 45.9% | 47.1% |
| ブラウザのセキュリティ設定は常に高くし、必要な時だけ設定変更や必要なプラグインの有効化を行っている | 36.7% | 37.6% | 38.1% |
| ハードディスクドライブ又はソリッドステートドライブ、USB メモリーやメモリーカード全体の暗号化 | 22.6% | 25.7% | 25.1% |
| パスワード、指紋、ワンタイムパスワードなどから 2 種類以上の要素を組み合わせた多要素認証の積極的な利用 | 40.1% | 43.6% | 45.3% |

■表 2-4-3　パソコン利用者の対策実施率(2020〜2022 年度)

| | 2020 年度 | 2021 年度 | 2022 年度 |
|---|---|---|---|
| (可能な場合)OS のアップデート | 54.8% | 51.6% | 56.3% |
| 信頼できる場所（公式のサイト、ストア等）からアプリをインストールする | 60.6% | 56.4% | 62.0% |
| アプリをインストールする前または実行時に要求される権限を確認する | 47.7% | 46.1% | 47.8% |
| 端末内のアプリのアップデート | 63.6% | 59.2% | 66.2% |
| 紛失時などに備えたデバイス捜索対策 | 31.4% | 29.6% | 30.3% |
| リモートロックなどの不正利用防止機能 | 25.9% | 26.1% | 25.0% |
| パスワードや PIN、パターンなどによる画面ロック機能 | 47.6% | 46.4% | 50.5% |
| 指紋認証・顔認証など、生体認証による画面ロック機能 | 45.4% | 42.9% | 48.1% |
| アプリをインストールする前にレビューやコメントなどを確認する。 | 49.3% | 46.8% | 50.9% |
| デバイス内データ（写真、動画、個人情報）のバックアップ | 46.7% | 43.3% | 48.4% |
| セキュリティソフト・サービスの導入活用 | 43.3% | 38.5% | 41.1% |
| 重要な情報を扱うアプリの個別ロック機能の活用 | 26.4% | 24.9% | 25.7% |
| パスワード、指紋、ワンタイムパスワードなどから 2 種類以上の要素を組み合わせた多要素認証の積極的な利用 | 26.4% | 39.3% | 45.4% |
| IoT 機器にアカウント設定があれば購入後すぐにパスワードの変更などセキュリティ設定を実施 | 24.5% | 29.1% | 26.7% |
| セキュリティのサポートが終了した IoT 機器等の利用をやめている | 26.8% | 27.3% | 26.2% |
| 使わなくなった IoT 機器はネットから切り離している | 26.4% | 30.1% | 28.6% |
| IoT 機器を廃棄する場合には購入時の状態に初期化している | 38.2% | 29.6% | 27.2% |

■表 2-4-4　スマートフォン利用者の対策実施率（2020～2022 年度）

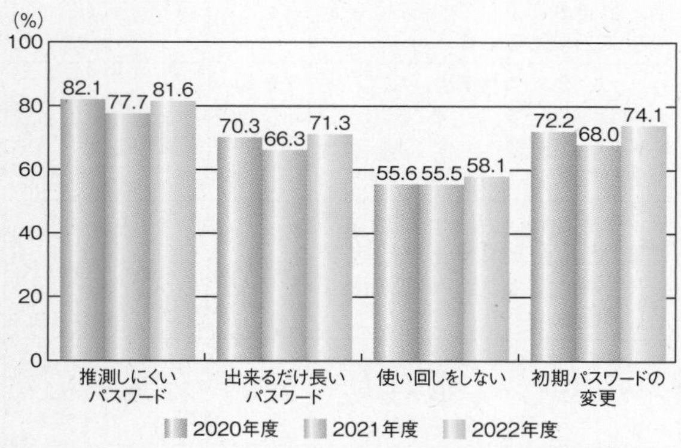


■図 2-4-29　パソコン利用者のパスワード設定における対策実施状況（2020～2022 年度）

実施率が高いのは「推測しにくいパスワード」で 8 割程度、実施率が低いのは「使い回しをしない」で 6 割弱である。被害を未然に防ぐために、特に金銭被害に直結するサービスや、写真や重要なデータを保存しているクラウドサービス等のアカウントにおいては、適切なパスワードの設定が必須である。

また、これら四つの対策において 10 代、20 代の実施率が他の年代に比べ低い傾向にあり、憂慮される。一方で、60 代以降の傾向として「推測しにくいパスワード」の実施率は他年代と比べ遜色がないものの、「出来るだけ長いパスワード」「使い回しをしない」の実施率が低かった。高齢者は対策に関する知識不足や、加齢による記憶力低下等、実施を難しくさせる要因があると推察される。それはパスワードの管理方法に関する設問において、「金銭のやり取りをするアカウント」のパスワードの管理方法として、「手帳などの紙にメモをしている」割合が 10 代 30.5%、20 代 28.6%、30 代 36.9% であるが、60 代 54.4%、70 代 62.2% と年代が上がるに従い高くなっていることからも示唆される。一方、自分の記憶力に依らずにパスワードの管理が可能なブラウザの保存機能を利用しているのは 1 割程度と、どの年代でも同様に低かった。

### (b) スマートフォン利用者のパスワードのセキュリティ対策実施状況

スマートフォン利用者のセキュリティ対策実施率はパソコン利用者に比べ総じて低い。中でも、「使い回しをしない」の対策が 5 割に届かず（図 2-4-30）、年代別で見ても、すべての年代で 5 割に達していなかった。パソコン利用者では年代間に多少の差があっても「使い回しをしない」は 6 割弱が実施しており、スマートフォン利用者の実施率の低さが目に付く。スマートフォンという機器の特性により差が生じている可能性もあるが、多様な IT

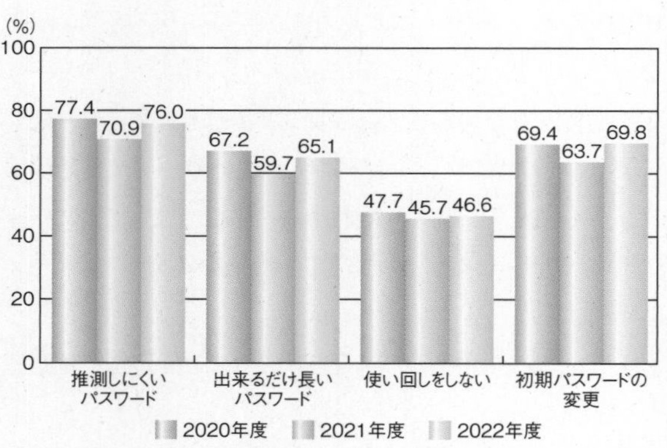


■図 2-4-30　スマートフォン利用者のパスワード設定における対策実施状況（2020～2022 年度）

サービスの利用時にスマートフォンの利用者がパスワードを「使い回し」ている割合が高いことにより、不正ログイン等の被害発生が懸念される。

### (5) SNS 等におけるネガティブな投稿経験

2022 年度倫理調査から、誹謗中傷等の内容を含むネガティブな投稿経験についての分析結果を紹介する。

2022 年度倫理調査では、ネガティブな投稿経験がある割合の全体平均は 16.9% であった。性別・年代別に見ると、男性の割合が女性より 10 ポイント程度高く、年代別では 30 代以下が他年代に比べ高く、10 代、20 代では 2020 年度調査結果より割合が減少した（図 2-4-31）。インターネットにおける誹謗中傷が社会問題になっていることを受け、2022 年 6 月に侮辱罪が厳罰化され、法定刑が引き上げられた。今回の調査結果への法改正の影響の有無は断定できないが、法改正がネガティブな投稿の抑止力となり、割合が減っていくことを期待する。

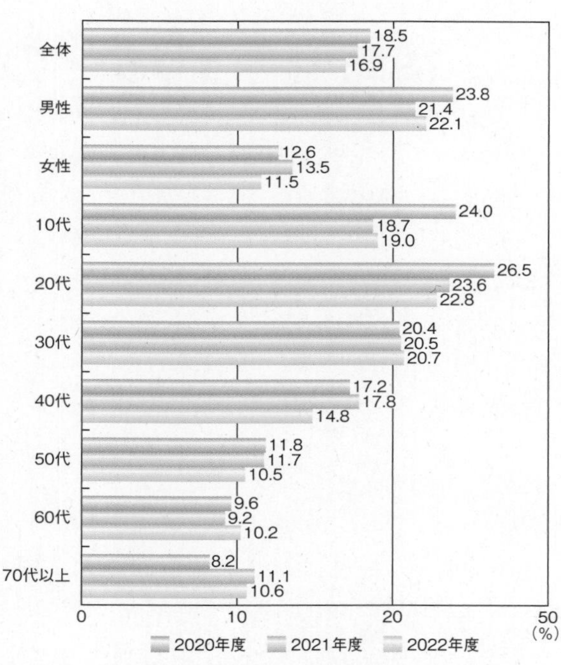


■図 2-4-31　ネガティブな投稿経験割合（性別・年代別、2020～2022 年度）

# 2.5 情報セキュリティの普及啓発活動

新型コロナウイルス感染拡大によるテレワークやデリバリーサービスの普及等により、デジタルが生活により浸透している現状において、SNSを利用した犯罪やAIの進化による虚偽情報の氾濫等、社会におけるセキュリティリスクは更に高まっている。そこで本節では、インターネットの不適切利用とその対策、恒常的な啓発活動について説明する。

## 2.5.1 不適切事例とネットリテラシーの必要性

本項では、インターネット利用にまつわる不適切な事例とその解決に向けたネットリテラシー向上のための活動について述べる。

### (1) SNS等の不適切な利用

新型コロナウイルスの感染拡大により、非接触型のコミュニケーションを余儀なくされ、授業や会議等のオンライン化が急激に進んだ。なかでも、インターネットを利用した求人・採用活動は物理的な制限を取り払い、応募者とのコミュニケーションを継続して行えることから、重要な採用手法となりつつある。

一方で、SNS上では一般的な求人広告のほかに、違法な稼ぎ話、いわゆる「闇バイト」の募集が行われていることが問題となっている。

日本国内で2022年から2023年初めにかけて発生した広域強盗事件の容疑者がフィリピンから日本へ送還され、大きな話題となったが、この事件では、強盗犯の実行役を募集する際にSNSを使用していたとされている[※425]。

このような闇バイトに応じ、身分証明書を提供してしまうと、犯罪集団から抜け出そうとしても、個人情報を盾に縛り付けられてしまう[※426]。また、特殊詐欺の犯行の一部や口座売買といった違法行為の募集が、SNS上で高額の報酬とともに投稿されている状況にある。

警察庁は、このような状況を背景に、SNS上における闇バイトの募集等の不適切な投稿を有害情報とし、サイト管理者へ削除要請を行う等の対策を実施している。これに加え、サイバーパトロールの際、強盗を意味する隠語等についてもチェックを行う等、監視を強化している[※427]。

東京都は、2022年8月「特殊詐欺加害防止特設サイト[※428]」を公開し、被害者編や加害者編の動画のほか、特殊詐欺や闇バイトの手口を紹介する等、加害防止の啓発を行っている。

長野県警察岡谷署と岡谷市防犯協会連合会は、「安易に闇バイトに関わってしまうことで、自分の将来に大きな影響を及ぼしかねない」というメッセージが込められた啓発動画を公開した（図2-5-1）。動画は「長野県警察公式チャンネル[※429]」で視聴できる。

■図2-5-1 Just carry − GLI&Sayolla
（出典）長野県警察「Just carry − GLI&Sayolla[※430]」

また、SNSやマッチングアプリを利用して知り合った海外の相手に金銭を騙し取られる「国際ロマンス詐欺」と呼ばれる手口の容疑による逮捕者が出ている[※431]。「国際ロマンス詐欺」とは、マッチングアプリ等で知り合った相手と交流を深め、恋愛感情や親切心に付け込んで送金をさせる手口である。

独立行政法人国民生活センターには、マッチングアプリ等で知り合った相手から、暗号資産や外国為替証拠金取引（FX）等の投資を勧められた等の相談が多数寄せられている。これを受けて、「マッチングアプリ等で知り合った人に騙されないためのチェックリスト[※432]」を公開し、「自称外国人や外国の在住経験がある日本人」だとする人物から、「結婚の資金をためるために投資しよう」等の誘いを受けた場合には注意するよう呼びかけている。

公益財団法人全国防犯協会連合会もサイバー犯罪の被害防止対策啓発用冊子「最新!サイバー犯罪撃退BOOK[※433]」を作成・配布し、マッチングアプリやSNSで知り合った相手から投資話を持ちかけられたり、資産家や医師等を装う外国籍の異性から、渡航費用の送金を求められたりした場合は、詐欺を疑い毅然と断ることが重要だとしている（次ページ図2-5-2）。

### (2) 試験・面接時のスマートフォン等の悪用

2022年1月に実施された大学入学共通テストにおい

■図 2-5-2　最新!サイバー犯罪撃退 BOOK
(出典)公益財団法人全国防犯協会連合会「最新!サイバー犯罪撃退 BOOK」

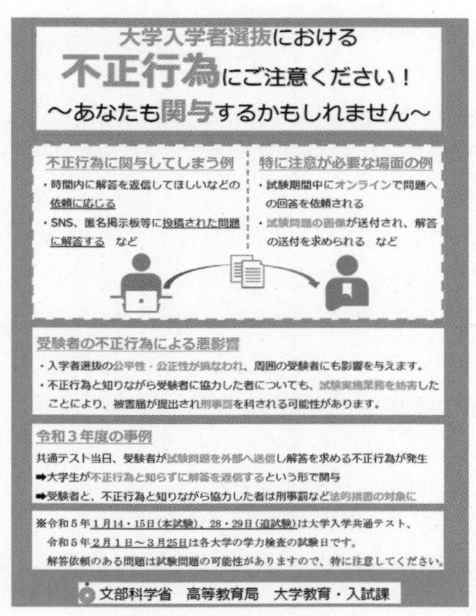


■図 2-5-3　大学入学者選抜における不正行為の注意喚起用資料
(出典)文部科学省「大学入学者選抜における不正行為にご注意ください![※436]」

て、試験中にスマートフォンを使用して問題を外部に送信し、カンニングを行う事件が発生した。カンニングをした受験者は、家庭教師のマッチングサイトの登録者へ、チャットツールを用いて試験問題を送信し、解答を得ていた。当該受験者とその協力者が偽計業務妨害の容疑で書類送検されたが、善意から解答を送り返した協力者は、不正行為と知らずに犯罪に加担してしまったという[※434]。

このように、家庭教師や予備校の指導者等が意図せず不正行為に関与してしまうことがないよう、文部科学省は2022年12月16日付けで「大学入学者選抜における不正行為防止に係る周知について（依頼）」と題した協力依頼を大学や教育委員会、予備校等に向けて発出した[※435]。この中で、「SNS、匿名掲示板等に投稿された問題に解答すること」「試験問題の画像が送付され、解答の送付を求められること」等、注意が必要な状況の具体的な例を挙げている(図 2-5-3)。

また、独立行政法人大学入試センターは、試験中のスマートフォンの扱いに対して厳格なルールを定めた[※437]ほか、不正行為を行った場合、警察に被害届を提出する可能性があることを、受験生に事前配布する案内に明記する等、事件の再発抑止に動いている。

2022年11月には企業の採用試験の一つであるWebテストにおいて、受験者になりすまして、いわゆる「替え玉受験」を行った人物が、私電磁的記録不正作出罪、及び同供用罪で逮捕される事件が発生した[※438]。

就職情報サービスを運営する株式会社学情が実施したアンケート調査「採用活動における『オンライン』の導入状況[※439]」によると、72.5%の企業が、オンラインでの採用活動を「実施したことがある」と回答した。オンラインのメリットとしては「総エントリー数の増加」や「遠方の学生のエントリー増加」が挙げられており、採用側、応募側双方にとって利点があることが分かる。今後もオンラインの利用継続が予想されることから、「替え玉」対策は必須と言える。試験開始前にオンライン上で身分証と受験者本人の写真を撮影することや、AIをベースとした監視ツールの導入等、防止策が必要となっている。

### (3) インターネット上に氾濫する真偽不明な情報

インターネット上には真偽が不確かな情報も少なからず存在する。

2022年9月に台風15号が日本列島に上陸した際、水没した静岡県の街の写真がSNS上に投稿された。この写真は、人工知能の技術を使って作成された虚偽の情報であることを投稿者が告白し世間を驚かせた[※440]。

AI技術の進歩により、コンピューターが架空の人物や風景の画像を容易に作成することができるようになった。生成された画像は、クオリティの高いものもあり、現実に存在するものかどうかを判断することが困難となってきている。インターネット閲覧者もこの技術の進歩に留意しつつ、インターネット上の情報に触れることが重要である。

このようなAIが作成した疑いのある画像を始めとした、インターネット上の情報に対する真偽確認（ファクトチェック）は、日本ファクトチェックセンター（JFC：Japan Fact-check Center）[※441]等の団体が行っている。JFCは、前述の台風15号の際に投稿された写真について、偽画像との判断を公表した。

また、AIによるチャットツールにも課題が見え始めている。急激に利用者が増えた対話型人工知能「ChatGPT（GPT-3.5）」は、利用規約において、コンピューターウイルス等、何らかの害を及ぼすことを目的とするソフトウェアの作成や、サイバー犯罪を目的とした利用を禁止している。しかし、それによって犯罪者達が悪用する危険性が払しょくされるわけではない。更に、利用者の問いに対して出力される回答は必ずしも正しいとは言えず、利用者側の判断能力も必要となる。例えば、弁護士ドットコム株式会社が日本の司法試験を受けさせるという実験を行ったところ、正解率は30%だったという結果が出ている[※442]。

今後も、多種多様な「便利ツール」が出現することが推測される。しかし、それらを「完全無欠」と考えて使用して良いものなのかの判断や、いかに「社会に役立つツール」として活用するのかの最終的な選択肢は利用者である私達が持たされているということを忘れてはならない。

### (4) インターネット上の誹謗中傷

インターネット上での誹謗中傷が、命に関わる事件となったことが一端となり、2022年7月より侮辱罪の法定刑の上限が引き上げられた。「拘留又は科料」から「1年以下の懲役若しくは禁錮若しくは30万円以下の罰金又は拘留若しくは科料」となり、更に、「発信者情報開示」の手続きを簡易・迅速化する法改正も2022年10月に施行された。このように、インターネット上で発生する犯罪に対し、法的な措置が講じられる環境が整いつつある。

また、サイバー空間上にのみ存在するアバターに対する誹謗中傷が行われる事案では、「アバターへの中傷であっても、そのアバターを使用している実在する人物に対する名誉毀損にあたる」とし、裁判所は、中傷した投稿者の情報開示をプロバイダー側に命じている[※443]。

V-Tuberの大手プロジェクトである「にじさんじ」を運営するANYCOLOR株式会社と「ホロライブプロダクション」等を運営するカバー株式会社は、2022年12月に所属するV-Tuberに対する誹謗中傷行為の根絶に向けた対策で連携することを発表し、運営会社としてもサイバー空間上のキャラクターを擁護する対策を進めている[※444]。

## 2.5.2 恒常的な啓発活動

本項では、恒常的に実施されている情報セキュリティ及び情報リテラシーに関する啓発活動について述べる。

### (1) 子供と保護者に対する啓発

IPAが発表した「『2022年度情報セキュリティの倫理に対する意識調査』報告書」によると、「SNS投稿やインターネット利用時に注意・留意すべきことに関する講義や講習を受けたことがありますか。」という設問に対して、10代（13歳以上のSNS等における投稿経験者を対象）の56.4%が「（1年以内または1年以上前に）受けたことがある」と回答した（図2-5-4）。一定数の子供達が指導を受けた経験があるものの、まだ十分とは言えない状況である。

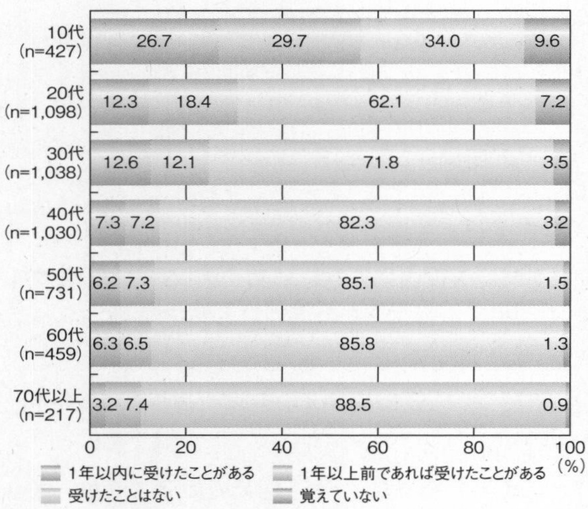


■図2-5-4　SNS投稿やインターネット利用時に注意・留意すべきことに関する講義や講習の受講経験（年代別）
（出典）IPA「『2022年度情報セキュリティの倫理に対する意識調査』報告書」を基に編集

文部科学省は、小学1年生から高校3年生までを対象とした「情報モラル学習サイト[※445]」を公開している。当該サイトでは、Webサイト上で動画等を見ながら学ぶことができ、「タブレットを初めて使う」「作品を作る」といった様々な場面における、パスワードの管理や著作物の取り扱いに関する注意点等、情報モラル全般にわたる学習ツールが紹介されている。

また、一般社団法人インターネットコンテンツ審査監視機構は青少年向け教材を公開[※446]しており、アニメーションの視聴やゲームを通じて、情報モラル・セキュリティを学ぶことができるコンテンツを年齢層別に提供している。例えば、小学校低学年向けのコンテンツでは、架空のゲーム画面を題材にフィッシングの手口を学ぶことができる。

2022年9月には、一般財団法人LINEみらい財団がGIGAスクール構想に伴って変化した教育現場に合わせ「GIGAワークブック[※447]」という教材を開発した。全国の小中学校で活用できるよう公開しており、インターネット上での適切なコミュニケーションのしかたや、リスク等に関する教材を成長段階に合わせて無償で利用できる。

卒業・進学・入学により、多くの青少年が初めてスマートフォン等を手にする春期における啓発活動として、2022年2月から同年5月にかけて、「令和4年『春のあんしんネット・新学期一斉行動』」が実施され、ペアレンタルコントロールの普及促進やインターネットを適切に活用する青少年の能力向上に向けた取り組みが内閣府や経済産業省を始めとした各省庁により一斉に行われた※448。

また、2022年4月から成年年齢が18歳に引き下げられたことに伴い、公益社団法人日本消費生活アドバイザー・コンサルタント・相談員協会は、2022年10月、「ネット取引・デジプラなんでも110番」を、東京と大阪に設け電話対応を行った。合計83の受付件数に対し、インターネット通販に関する相談は8割を超え、突出して多い結果となった※449。

子供は大人と比較して判断能力が成熟しておらず、トラブルに巻き込まれやすい。今後も継続的な啓発活動や相談支援が望まれる。

次に、保護者に対する啓発活動を紹介する。2023年1月、内閣府は「ネット・スマホのある時代の子育て（乳幼児編）」を公開した※450。幼い子供に親のスマートフォンを使わせる際の注意点や、子供が動画視聴をやめないときの対応等、子供とインターネットとの向き合い方に関するアドバイスや対策について解説している。

警察庁と文部科学省は、インターネットを介して発生する子供の性被害防止の施策として、啓発リーフレットを制作し公開した（図2-5-5）。同性を装った相手とSNSを介して知り合い、裸に近い自分の画像を送った事例や、スマホゲームの仮想空間で仲良くなった相手と現実で待ち合わせたことで事件に巻き込まれた事例等を紹介している。対策として、フィルタリングの設定や、ペアレンタルコントロールを活用したインターネット利用の適切な管理を促している。

### (2) 一般に対する啓発

NISCは毎年2月1日から3月18日を「サイバーセキュリティ月間」として定め、「#サイバーセキュリティは全員参加」というキャッチコピーのもと、中央省庁のほか、民間企業でも様々な啓発イベントを実施している。2022年度は、IPAとともに「サイバーセキュリティ対策9か条」と題したリーフレットや動画を制作し、脅威やリスクから身を守り、安全・安心にインターネットを利活用していくための方法を公開した※452。

■図2-5-5　性被害防止啓発リーフレット
（出典）警察庁・文部科学省「守りたい 大切な自分 大切な誰か※451」

また、内閣府大臣官房政府広報室は、スマートフォンに届くメッセージには、危険なWebサイトへ誘導するものがあり、セキュリティ対策が必要であることを伝える動画「スマートフォンのセキュリティ対策できていますか? 4つのポイント※453」を政府インターネットテレビで公開した。このほか、サイバー犯罪に巻き込まれる前に手口を知り、防犯意識を醸成するための動画「サキドリ情報便!〜サイバー犯罪から財産、個人情報を守る※454」も公開している。

総務省も、Webサイト「上手にネットと付き合おう! 安心・安全なインターネット利用ガイド※455」を運営しており、2022年度は、「【啓発教育教材】インターネットとの向き合い方〜ニセ・誤情報に騙されないために〜※456」を公開した。偽・誤情報について学べるだけでなく、講師として指導できるように手引き等も揃えている。また、「インターネットトラブル事例集2022年版※457」をまとめ、インターネット利用上の様々なトラブルと回避策について解説している。更に、インターネット上での人権問題に関する啓発として、「鷹の爪団の#NoHeartNoSNS大作戦※458」と題した特設サイトを公開し、誹謗中傷の被害に遭った際の対処法の解説や相談機関を紹介している。

シニア層を対象とする教室を開催した宮崎県企業・警察サイバーセキュリティ連携協議会は、普段のインターネットやスマートフォンの利用時に注意すべき情報漏えいや詐欺について説明し、サイバー犯罪の予防に役立つ情報提供を行った※459。

## 2.5.3 誰一人取り残されないデジタル化に向けて

2023 年度に予定されているマイナンバーカード機能のスマートフォン搭載に代表されるように、行政サービスのデジタル化が進んでいる。スマートフォン等のモバイル端末があれば、役所に出向く必要のある行政手続きが少なくなり、シニア層や公共交通機関が整備されていない地域にとっては、利便性の向上が期待される。

総務省による「令和 3 年通信利用動向調査」の結果を見ると、70 歳以上のスマートフォンの保有状況は 70 ～ 79 歳が 53.1%、80 歳以上が 19.2% であったが[※460]、今後行政サービスの利用を目的としたシニアユーザーが増加する可能性がある。引き続き、生活の利便性を向上させる「人に優しい」デジタル化を進めるとともに、シニア層を始めとした全世代に分かりやすい情報セキュリティの普及啓発活動により「誰一人取り残されない」安全・安心なデジタル環境の整備が求められている。

SNS やスマートフォンは、私達の生活を便利にするための道具である。「道具を使いこなせているか」「道具に振り回されていないか」「犯罪に加担する使い方をしていないか」と、時には振り返ることも必要だ。タイムパフォーマンスが声高に叫ばれているが、安心して安全に使い続けるためには多少の「ゆとり」を持ちながら利用することも重要である。

COLUMN

## インターネットに投稿するということは

こんにちは! ぼくは、IPA「ひろげよう情報モラル・セキュリティコンクール」応援隊長のまもるです。感染症にかからないように気を付けて生活しているけど、最近は、一時期より外食することも増えてきたよ。

この前も、お友達のさぼる君と外食に行ったんだ。ぼくが出かけようとしたら、お母さんに、「お店のものや食べ物にいたずらをした動画が大問題になっているみたい。まもるとさぼる君は大丈夫だと思うけど、いたずらは絶対しちゃだめよ。」と言われたから、それをさぼる君に話したんだ。そしたら、さぼる君が、「どうしていたずらや、悪いことをしてしまうのかな?それに動画にしてみんなに見せてしまうのはなんでだろう?」と不思議そうに言っていたよ。そこでぼくたちは考えてみたんだ。そしたらこんな意見がでたよ。友達との悪ふざけで収まりがつかなくなってしまうのかな。その場が楽しければいいや、と思っているのかな。面白いことをしたつもりになって、それをみんなに見てほしくなり、動画を共有するのかな。でも、そのいたずらや悪ふざけは迷惑行為で、自分一人が謝ればそれで済むわけではないと思うんだ。迷惑行為の動画を見た人は、嫌な気持ちになって、お店に行かなくなるかもしれない。ほんの一部の人の悪ふざけのせいで、ほかの大勢の人たちに迷惑がかかる。そしてその悪ふざけは自分や身近な人も苦しめることになるかもしれないんだ。

ぼくはおうちに帰って、今日さぼる君と話したことを家族に話したよ。そしたらお父さんに、「お店のものにいたずらをしたら"器物損壊罪"や"偽計業務妨害罪"という犯罪になることがあるよ。店内の消毒や、提供方法の見直しのために休業が必要になるかもしれないね。それに食べ物にいたずらをしたら、健康被害がでたり、感染症のリスクにもつながるね。」と言われたよ。そして、インターネットに投稿した内容を削除できるのは投稿した本人かそのサイトの管理者だけで、本人でも削除できない場合は、サイトの管理者や運営会社に削除依頼をする、ということも教えてもらったよ。それに、たとえ友達だけに送ったつもりでも、その動画を勝手に拡散されてしまったら、世界中の人に見られてしまう。いったん拡散してしまった動画は、世の中から完全になくすことはできないんだ。だからぼくたちは投稿する前に、内容についてよく考えないといけないと思ったよ。友達を傷つける行動や、嫌な思いをさせる投稿はしてはいけないし、他人が不快になる行動も投稿もしてはいけないよね。現実社会と、インターネットの世界を分けて考えるのではなく、どちらの世界でもしてはいけないことは同じだと思うんだ。友達のなかで目立ちたいと思ってモラルに反した行動をすれば、自分の将来に傷をつけてしまう。日頃目にするインターネット上での意見や、友達同士のノリや雰囲気に流されることなく、みんなが日頃から自分でしっかりと考えて判断することが大切なんだね。

# 2.6 国際標準化活動

国際標準とは、製品や技術を、国境を越えて利用するために制定される国際的な共通規格であり、国際規格とも呼ばれる。本節では、日本の標準化活動への取り組み、及びセキュリティ分野に関わる国際標準化活動の動向を紹介する。

## 2.6.1 様々な標準化団体の活動

日本の標準化活動への取り組みと、作成プロセスや作成組織の違いから見た標準の分類、及び情報セキュリティ分野の主な標準化団体の概要を示す。

### (1) 日本の標準化活動推進の取り組み

企業が培ってきた技術や知的財産の秘匿化や、それらを知財として権利化する「クローズ戦略」に対して、標準化は「オープン戦略」に位置付けられている。クローズ戦略により企業のコア領域を守り、他社との差別化を図ることは重要であるが、その技術を利用する市場が広がらなければ、企業としては事業を拡大することが困難である。コア領域を守りつつ、市場を拡大する「オープン&クローズ戦略」が必要である。技術の発展、市場のグローバル化が進み、このオープン&クローズ戦略の考え方は企業にとどまらず、国の政策としても位置付けられるようになった。

既に、主要国では、自国に有利な標準化を目指し、官民を挙げて標準化活動に取り組んでいる。日本でも国際市場獲得で遅れを取らないために、標準化戦略を経営戦略の中に位置付け、官民で連携して取り組みを加速化することが必要である。そのため、「①国が支援する研究開発の早い段階からの標準戦略推進、業種横断の標準への取組支援を強化、②『市場形成力指標』の開発・普及により、企業自らの、戦略的な標準化活動への取組を市場から『見える化』し、適切に評価される環境の整備、③それら国内外の取組を支える、標準化人材の育成・確保の支援」を国として行うとしている[※461]。

具体的な取り組みとして、2022 年 4 月、5 月には「CSO ワークショップ」が開催され、合わせて約 40 社の最高標準化責任者（CSO : Chief Standardization Officer）が参加し、標準化活動や人材育成の取り組みについての情報共有や CSO 間の連携強化、領域横断分野等についての意見交換が行われた[※462]。また、2019 年 7 月に施行された産業標準化法（JIS 法）に基づき、規格制定のスピードアップとイノベーションの加速を目的に認定産業標準作成機関制度が制定された[※463]。同制度の導入以前は規格制定まで約 2 年を要したが、同制度を利用した規格は制定までに約 10 ヵ月と期間が約半分に短縮され、成果が表れている[※464]。

更に、一般財団法人日本規格協会と独立行政法人工業所有権情報・研修館（INPIT : National Center for Industrial Property Information and Training）は更なる連携を深め、標準化推進に取り組みたい企業等に対して、標準と特許を組み合わせた事業戦略の検討を支援するスキームを導入した[※465]。今後ますます企業等が標準化活動の重要性を認識し取り組むことが望まれる。

### (2) 標準の分類

国際標準には、公的な標準化団体により所定の手続きを経て作成される「デジュール標準（de jure standard）」、いくつかの企業や団体等が協力して自主的に作成する「フォーラム標準（forum standard）」、公的な標準化団体を介さず、市場や業界において広く採用された結果として事実上標準化される「デファクト標準（de facto standard）」がある。

デジュール標準では、幅広くステークホルダーを集めて議論をとおして合意形成を行う。次項で紹介する ISO、IEC、ITU 等が作成する国際規格や JIS 等の国家規格が該当し、策定プロセスが規定されており、様々な規制等に用いられることも多い。合意形成のために複数の検討段階が設定されており、正式に発行するまでに時間がかかる（ISO/IEC は通常約 3 年）。

フォーラム標準は業界団体等、共通の関心を持つ企業等が集まって議論し、業界ルール等限定的な範囲で合意される標準である。作成スピードは速く、業界の特性が反映されていることから該当する業界内では利用が促進されやすい。次項で紹介する IEEE、IETF、TCG 等が発行する標準が該当する。コンソーシアム標準と呼ばれることもある。業界のフォーラム標準が、その後、国際標準化団体に提案され、時間をかけてデジュール標準となる場合もある。

電気製品や IT 製品等、開発サイクルの短い分野では、その時点の市場で一般的な規格としてデファクト標準が採用される傾向にある。例えばWindowsのようなOSやGoogleのような検索エンジン等、グローバルなIT企業の製品・サービスが事実上の国際標準となる傾向があり、合意形成プロセスは存在しない。

### (3) 情報セキュリティ分野に関する標準化団体

情報セキュリティに関連するデジュール標準やフォーラム標準の策定を行っている主な国際標準化団体を以下に示す。

- ISO(International Organization for Standardization:国際標準化機構)/IEC(International Electrotechnical Commission:国際電気標準会議) JTC 1 (Joint Technical Committee 1:第一合同技術委員会)※466:
  情報セキュリティを含む情報技術の国際規格を策定している。コンピューターや情報分野を扱う国際標準化団体としてISO、IECはそれぞれ独立に存在しているが、扱う領域の競合を避けるために双方が連携し、JTC1が設立された。日本国内の標準化団体としては、日本産業標準調査会 (JISC:Japanese Industrial Standards Committee)がISO、IEC双方のメンバーであり、JTC 1でも活動している※467。
- ITU-T (International Telecommunication Union Telecommunication Standardization Sector:
  国際電気通信連合 電気通信標準化部門):電気通信技術に関わる国際規格を策定している。情報セキュリティに関してはSG(Study Group)17が設置され※468、ISOや後述するIETFとともにネットワークやID管理等に関する標準化活動を行っている。策定した標準はITU勧告として発行される。

また、情報セキュリティ分野に関するフォーラム標準を策定する代表的な組織として、以下がある。

- IEEE(The Institute of Electrical and Electronics Engineers, Inc.):
  電気工学・電子工学技術に関する国際学会である。標準化活動は内部組織であるIEEE-SA (Standards Association)が行っている。情報セキュリティについては、サイバーセキュリティ、ネットワークセキュリティ、IoTセキュリティ等の広範な領域で標準化を行っている。
- IETF(Internet Engineering Task Force):
  インターネット技術の国際標準化を行う任意団体である。オープンな組織であり、作業部会のメーリングリストに登録することで誰でも議論に参加できる。情報セキュリティについては、インターネット上のセキュアなプロトコル、暗号、署名、認証、セキュリティ情報連携(セキュリティオートメーション) 等の方式の標準化を行っている※469。標準化した技術文書はRFC (Request For Comments)として参照できる。
- TCG(Trusted Computing Group):
  信頼できるコンピューティング環境 (組み込み機器、パソコン/サーバー、ネットワーク等)に関するセキュリティ技術の標準化を行う業界団体である。ハードウェア、ソフトウェア等のベンダーやシステムインテグレータがメンバーとなり、中国、日本にregional forumがある※470。

## 2.6.2 情報セキュリティ、サイバーセキュリティ、プライバシー保護関係の規格の標準化(ISO/IEC JTC 1/SC 27)

ISO/IEC JTC 1/SC 27 (以下、SC 27) は、ISO及びIECの合同専門委員会(ISO/IEC JTC 1)において、情報セキュリティに関する国際標準化を行う分科委員会 (SC:Subcommittee) である。SC 27は、テーマ別に以下の五つの作業グループ(WG)で構成される。

WG 1:情報セキュリティマネジメントシステム
WG 2:暗号とセキュリティメカニズム
WG 3:セキュリティの評価・試験・仕様
WG 4:セキュリティコントロールとサービス
WG 5:アイデンティティ管理とプライバシー技術

ISO/IECにおける標準化作業は、策定する仕様の完成度によって図2-6-1のような状態があり、それぞれ各国の投票によって次の段階へ進む。なお、ISOにおいて、技術が未成熟である、またはガイダンス等の標準仕様ではないが重要であるとされたものは、技術報告書または技術仕様書として発行する。

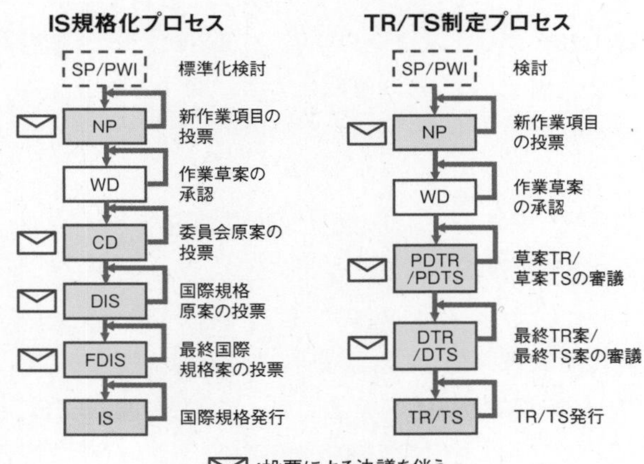


■図2-6-1 ISO/IEC JTC 1/SC 27における文書のステータス
(出典)JISC「ISO/IEC 規格の開発手順※471」を基にIPAが作成

図 2-6-1（前ページ）の各文書のステータスと略号は以下のとおりである。

SP：研究期間（Study Period）

PWI：予備業務項目（Preliminary Work Item）

※SP と PWI のどちらを実施するかは WG によって異なる。

NP：新作業項目（New work item Proposal）

WD：作業原案（Working Draft）

CD：委員会原案（Committee Draft）

DIS：国際規格原案（Draft International Standard）

FDIS：最終国際規格案（Final Draft International Standard）

IS：国際規格（International Standard）

PDTR：予備技術報告原案（Preliminary Draft Technical Report）

PDTS：予備技術仕様書原案（Preliminary Draft Technical Specification）

DTR：技術報告書原案（Draft Technical Report）

DTS：技術仕様書原案（Draft Technical Specification）

TR：技術報告書（Technical Report）

TS：技術仕様書（Technical Specification）

以下に、各 WG の活動概要を述べる。なお本文中では略号を使用する。

### (1) WG1（情報セキュリティマネジメントシステム）

WG 1 では、情報セキュリティマネジメントシステム（ISMS：Information Security Management System）に関する国際規格として、ISO/IEC 27001（ISMS 要求事項）及び ISO/IEC 27002（情報セキュリティ管理策及び実施の手引き）を中心に、ISO/IEC 27001 が示す ISMS 要求事項に関する手引きや指針を提供する規格、ISO/IEC 27001 及び ISO/IEC 27002 を土台とする分野別規格、及びその他トピックスに関する ISO/IEC 27000 ファミリー規格の国際標準化活動を実施している。

#### (a) ISO/IEC 27001 の改訂に関する状況

第 3 版となる ISO/IEC 27001:2022 が 2022 年 10 月に発行された。改訂においては、当初から予定されていた附属書 A を 2022 年 2 月に発行された ISO/IEC 27002:2022 に整合させること、第 2 版（ISO/IEC 27001:2013）に対して発行された正誤票 2 件の内容を取り込むことに加え、ISO 中央事務局の指示により ISO/IEC Directives, Part 1 の Annex SL 最新版に沿って本文の更新も行われた。

一方、第 3 版では、ISMS 固有の要求事項に関する改訂を行わなかったため、次期改訂に向けた検討も早期に開始することになった。

#### (b) ISO/IEC 27001:2022 及び ISO/IEC 27002:2022 発行の他規格への影響

ISO/IEC 27001:2022 及び ISO/IEC 27002:2022 発行に伴い、ISO/IEC 27001:2013 及び／または ISO/IEC 27002:2013 を年号付きで引用、参照している規格は参照元を失ったことになる。また、仮に年号付きで引用、参照していなくとも、今回の改訂で、ISO/IEC 27001:2022 の本文が変更されたこと、ISO/IEC 27002:2022 は構成が大きく変わったこと等を考慮すると、これら規格を引用、参照する規格はいずれも何らかの見直しが発生する。影響を受ける規格が多く存在するため、WG 1 では、いくつかのフェーズ分けした改訂計画を立て、規格の改訂プロジェクトを順次開始している。

現在は計画に沿って、ISO/IEC 27000（ISMS 概要及び用語）、ISO/IEC 27017（ISO/IEC 27002 に基づくクラウドサービスのための情報セキュリティ管理策の実践の規範）、及び ISO/IEC TR 27103（サイバーセキュリティと ISO 及び IEC 規格）の改訂が開始されており、いずれも WD ステージにある。ISO/IEC 27019（エネルギー業界のための情報セキュリティ管理策）は CD ステージ、ISO/IEC 27011（ISO/IEC 27002 に基づく電気通信組織のための情報セキュリティ管理策の実践の規範）は、ISO/IEC 27002 改訂版発行を待たずに改訂作業を開始したため、既に DIS ステージである。

更に、ISO/IEC 27003（ISMS の手引）及び ISO/IEC 27004（ISM の監視、測定、分析及び評価）についても改訂検討のための PWI が設置された。ISO/IEC TS 27008（IS 管理策の評価のための指針）は、TR を TS に変更した上で、改訂検討のための PWI が設置された。

その他、ISO/IEC 27007（ISMS 監査の指針）、ISO/IEC 27010（セクター間及び組織間コミュニケーションのための情報セキュリティマネジメント）、及び ISO/IEC 27021（ISMS 専門家の力量に関する要求事項）についても今後の改訂が計画されている。なお、ISO/IEC 27013（ISO/IEC 27001 と ISO/IEC 20000-1 との統合導入についての手引）については、改訂の影響が少ないことから追補の発行を行うこととし、現在 CD ステージである。

一方、ISO/IEC 27009（セクター規格への27001適用に関する要求事項）は、ISO/IEC 27001を各セクターに適用した規格を作成する際の規格の記述方法、様式等を定めた規格であり、ISO/IEC 27001改訂の影響を大きく受けるため早々に改訂が検討されたが、規格の対象がセクター規格を作成する組織であるため利用が少ないこと等からISO/IEC 27009を廃止することとなった。

#### (c) その他のISO/IEC 27000ファミリー規格の国際標準化活動

ISO/IEC 27001:2022及びISO/IEC 27002:2022の改訂と直接関係のない、その他の規格の動向について述べる。

ISO/IEC 27006（ISMS認証機関に対する要求事項）は、ISMS認証を希望する組織の審査・認証を行う認証機関に対する要求事項を規定した規格であるが、ISO/IEC TS 27006-2:2021が発行されたことから、改訂が開始された。ISO/IEC TS 27006-2は、プライバシー情報マネジメントに関するセクター規格ISO/IEC 27701の審査・認証を行う認証機関に対する要求事項をまとめた規格であり、その要求事項はISO/IEC 27006に基づいている。従って、改訂においては、ISO/IEC 27006-1への番号変更、ISMSセクター規格認証の認定への共通的な対応の検討等を行っており、現在DISステージである。

ISO/IEC 27109は、サイバーセキュリティ教育と訓練に関する規格であるが、内容に関する検討は終了し、TRとして新規発行準備中の状況である。

### (2) WG 2（暗号とセキュリティメカニズム）

WG 2では、暗号プリミティブ（暗号アルゴリズム）や、デジタル署名技術、鍵共有のような汎用的かつ基本的な暗号プロトコル等の標準化を行っている。2022年度は、新しい規格である「暗号アルゴリズム 第7部：調整値付きブロック暗号（ISO/IEC 18033-7）」と「軽量暗号 第8部:認証暗号（ISO/IEC 29192-8）」の2件が発行された。このほかの主な活動内容について以下に示す。

#### (a) WG 2国際事務局体制の変更

2022年4月にWG 2の国際主査と国際副主査が入れ替わり、国際主査が吉田博隆氏（国立研究開発法人産業技術総合研究所）、国際副主査が近澤武氏（IPA）の新体制となり、引き続き日本がWG 2での活動をリードしている。

#### (b) 耐量子計算機暗号の規格化作業開始

ドイツより、耐量子計算機暗号FrodoKEMの標準化が提案された。FrodoKEMはNISTの耐量子計算機暗号プロジェクト※472の第3ラウンドで選定されなかったが、ドイツは安全性に問題がないと主張している。NISTの耐量子計算機暗号プロジェクトが最終段階になったことに伴い、CRYSTALS-Kyber等の選定されているアルゴリズムを含めた検討を行う「耐量子計算機暗号のための鍵カプセル化メカニズムのISO/IEC規格への入れ込み」という規格化前検討を開始し、議論を重ねた。その結果、ISO/IEC 18033-2（暗号アルゴリズム 第2部：非対称暗号）の追補を作成することが決定された。この追補には、前述のアルゴリズムFrodoKEMとCRYSTALS-Kyberのほか、Classic McEliceを掲載することが合意された。約1年半での発行を目指す。

### (3) WG 3（セキュリティの評価・試験・仕様）

2022年度のWG 3における最も大きな成果として、ISO/IEC 15408（コモンクライテリア（CC：Common Criteria）とも呼ばれる）及びISO/IEC 18045（Common Evaluation Methodology（CEM）とも呼ばれる）の改訂作業が終了し、2022年8月にISO/IEC 15408：2022※473及びISO/IEC 18045：2022※474が出版されたことが挙げられる。本項では、その改訂に関し概説する。

#### (a) 改訂の背景

WG 3では、2015年10月のインド会合よりISO/IEC 15408/18045の改訂に関するSPを立ち上げ議論を開始した。IT技術が急速な進歩を遂げているのにも関わらず、ISO/IEC 15408/18045の内容は長い間本質的に変わっていないためであった。2015年当時、ISO/IEC 15408/18045は「IT開発プロセスの変化に対応できていない」「効率的なセキュリティ評価ができていない」等の声が、様々な関係者から挙がっていた。そのため、WG 3では、それらの問題に対する解決策を議論した後、ISO/IEC 15408/18045の改訂プロジェクトを2017年4月に創設した。

#### (b) 改訂の主体

過去のISO/IEC 15408/18045の改訂は、CCRA（Common Criteria Recognition Arrangement）が主導し実施していた。具体的には、これまでCCRAはCC/CEMの改訂実施後、両文書をWG 3に提供し、

WG 3はそれらをレビューし、若干の修正を加えた後、ISO/IEC 15408/18045として出版していた。しかしながら、今回の改訂では両者の役割が完全に逆転し、WG 3により改訂されたISO/IEC 15408：2022及びISO/IEC 18045：2022がISOにより出版された後、両文書がCCRAに提供され、CCRAはフォーマットのみを変更後、両文書をCC:2022/CEM:2022としてCCRAのWebサイトで無償提供している。なお、CCRAはCC/CEMの保守をWG 3に委ねる旨表明しており、今後の改訂作業も引き続きWG 3が主導し実施していく予定である。そのためWG 3は、ISO/IEC 15408/18045の将来的な改訂に関し引き続き検討を続けている。

#### (c) 主な改訂内容

最も大きな改訂内容は、米国が主導し実践していた「Specification-based approach」と呼ばれる評価手法を取り込んだ点である。米国は、過去の経験から規模の大きなソフトウェア製品（OSやデータベース等）を、時間をかけソースコードレベルで評価することに対し、否定的な見解を持っていた。スマートカードに搭載されるOSのように、規模も小さく検査項目も経験上限定できるような場合はソースコードを精査することは有効であるが、Windows OSのように膨大な量のソースコードから、開発者ではない評価者が脆弱性を検出するのは、費用対効果が悪いと認識していたためである。またISO/IEC 15408評価の価値を明らかにするためにも、評価者がブラックボックス的に製品評価するのではなく、評価時に実施すべき検査・テスト内容（評価アクティビティ）を詳細に規定し、公開すべきとしていた。評価アクティビティが有益なものと認められれば、それに従い実施されるISO/IEC 15408評価の価値も明確になり、なおかつ評価者が実施すべきことが明確になるため、評価の属人性も防ぐこともできる。一方、製品開発者は、評価アクティビティを参照しISO/IEC 15408評価のために準備すべき文書を最小限にし、評価コストを下げることも可能になる。WG3は今回の改訂において、このSpecification-based approachをISO/IEC 15408に取り込むため、ISO/IEC 15408に新規パート「Information security, cybersecurity and privacy protection – Evaluation criteria for IT security – Part 4: Framework for the specification of evaluation methods and activities」を追加し、質の高い評価アクティビティのSpecification（仕様）を作成するためのルールを規定している。

次の大きな改訂内容として挙げられるのが、Modularityという概念である。ISO/IEC 15408評価では、最初に評価対象製品のプロテクションプロファイル（PP：Protection Profile）を作成する。例えば評価対象がスマートフォン等のモバイル製品の場合は、モバイル製品向けプロテクションプロファイルを作成し、それにモバイル製品が満たすべきセキュリティ要件を規定し、評価者は評価対象のモバイル製品がプロテクションプロファイルに規定されたセキュリティ要件に適合しているかを検査・テストする。しかしながらスマートフォンのような小さなIT製品でも、デバイス内のデータ暗号化やパスワード認証等のセキュリティ機能のほか、Wi-Fi、Bluetooth、生体認証機能に関わるセキュリティ機能も存在し、この製品に課すべきすべてのセキュリティ要件を一つのプロテクションプロファイルに記載すると、その分量が大きくなりすぎ管理・開発が難しくなりつつあった。そのため今回の改訂では、プロテクションプロファイルを複数のモジュール（プロテクションプロファイルモジュール）に分解することを可能にするModularityという概念を導入している。IPAはモバイル製品向けの生体認証機能のプロテクションプロファイルモジュール開発を主導したが、このModularityを利用してプロテクションプロファイル開発が効率的に行えたという意見がある。今回の改訂を契機に今後様々な技術分野で、Modularityを活用した効率的なプロテクションプロファイル開発が進むことが期待される。

### (4) WG 4（セキュリティコントロールとサービス）

WG 4では、WG 1が対象とするISMSを実施・運用する際に必要となる具体的なセキュリティ対策、及びセキュリティサービスの標準化を行っている。以下に、WG 4における2022年度の主な成果、活動を紹介する。

#### (a) IoTのセキュリティとプライバシーのための標準化活動

WG 4では、IoTのセキュリティとプライバシーに関わる標準化として、以下の四つの活動を進めている。

- ISO/IEC 27400: Cybersecurity – IoT security and privacy – Guideline
- ISO/IEC 27402: Cybersecurity – IoT security and privacy – Device baseline requirements
- ISO/IEC 27403: Cybersecurity – IoT security and privacy – Guidelines for IoT-domotics
- ISO/IEC AWI 27404: Cybersecurity – IoT

security and privacy – Cybersecurity labelling framework for consumer IoT

### (ア) ISO/IEC 27400: Cybersecurity – IoT security and privacy – Guideline

日本は、IoT 関連の製品・システム開発の競争力を強化し、また IoT の国際的なセキュリティレベル向上に寄与するために、IoT 推進コンソーシアムが策定した「IoT セキュリティガイドライン[※475]」の国際標準化を提案した。本セキュリティガイドラインに基づき、プライバシー関連の対策を含む形で ISO/IEC 27400（IoT のセキュリティとプライバシーガイドライン）の規格案が審議され、2022 年 6 月に国際標準化が完了した。以下に ISO/IEC 27400 の規格について概説する。

ISO/IEC 27400 では、ISO/IEC 30141（IoT 参照体系）に基づき、IoT の特性をまとめている。本規格における IoT システムは、IoT ユーザー、IoT サービス開発者（機器の開発者を含む）、IoT サービスプロバイダーの三つの利害関係者によって構成され、第 5 章では利害関係者と IoT 参照体系との関係を図 2-6-2 で示すように整理している。

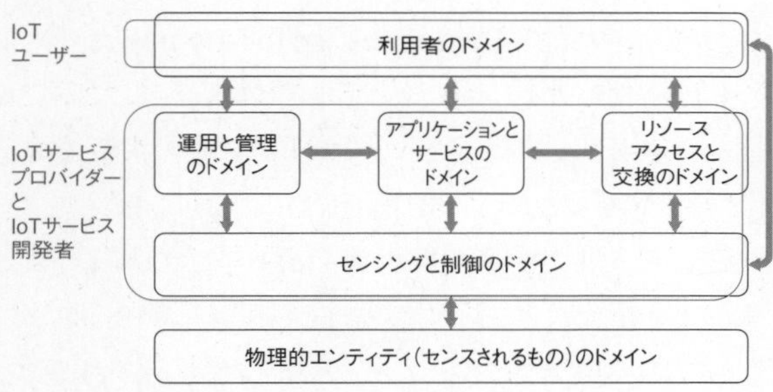


■図 2-6-2　ドメインに基づく参照モデル
（出典）ISO・IEC「ISO/IEC 27400:2022 Cybersecurity — IoT security and privacy — Guideline[※476]」を基に執筆者が翻訳

第 6 章で IoT システムにおけるリスク源（リスクソース）について言及している。第 7 章では、セキュリティ対策、及びプライバシー対策が、IoT サービス開発者／サービスプロバイダー、ユーザーのそれぞれの立場での対策内容、目的、導入ガイドといったガイドライン的表現で記載されている。

IoT の対策の事例として、7.1.2.17 節で取り上げられている「ソフトウェア、ファームウェアのアップデート」に関連する対策は、図 2-6-3 のような記載で表現されている。

本規格は、ガイドラインの位置付けであるため、IoT ユーザーや IoT 開発者等に対する強制力はないものの、それぞれの IoT システムにおける利害関係者が同ガイドラインに基づき、IoT システムの設計、運用、管理を実施することが推奨されており、IoT セキュリティ及びプライバシーの規範となるものと考えられている。更に、同ガイドラインは、他の進行中の IoT 関連の規格（ISO/IEC 27402 等）からも参照されている。

7.1.2.17 ソフトウェア、ファームウェアのアップデート
<u>コントロール -17</u>
IoT 機器やシステムのソフトウェアやファームウェアを更新する仕組みを設計・実装・運用することが望ましい。
<u>目的</u>
IoT 機器や IoT システムのソフトウェアやファームウェアを更新する際のセキュリティを確保するため。
<u>対象者</u>：IoT サービス開発者または IoT サービスプロバイダー
<u>IoT のドメイン</u>：オペレーションと管理、アプリケーションとサービス、またはセンシングと制御
<u>ガイダンス</u>
　IoT サービスの開発においては、IoT デバイスのソフトウェアやファームウェアを更新する仕組みを基本機能として設計・実装することが望ましい。
　ソフトウェアやファームウェアのアップデートは、IoT デバイスの開発者や IoT サービスプロバイダーの認証されたウェブサイト等、信頼できるソースとルートを通じて提供されることが望ましい。
　ソフトウェア／ファームウェアのアップデート・パッケージは、そのデジタル署名、署名証明書、署名証明書チェーンが、アップデート・プロセスの開始前にデバイスによって検証されていることが望ましい。
　アップデートに使用される暗号鍵の完全性と機密性は、安全に管理され、適切に運用されることが望ましい。

アップデートが無線通信で行われる場合、アップデートは暗号化された通信チャネルで行われることが望ましい。
　デバイス自身がアップデートの真偽を確認できない場合、デバイスに保存されている最後に確認された良好な構成にロールバックすることが望ましい。
等

■図 2-6-3　7.1.2.17 節でのソフトウェア、ファームウェアのアップデートの記述例
（出典）ISO・IEC「ISO/IEC 27400:2022 Cybersecurity — IoT security and privacy — Guideline」を基に執筆者が翻訳

### (イ) ISO/IEC 27402: Cybersecurity – IoT security and privacy – Device baseline requirements

本規格は、米国が主導して進めており、IoT 機器が備えるべきセキュリティメカニズムのベースラインとなる要求条件の規定を目指している。ISO/IEC 27400 とは異なるスコープを掲げ、IoT 機器に特化した要件化を視野に入れ、NIST 及び ETSI（European Telecommunications Standards Institute：欧州電気通信標準化機構）の既存のガイドラインを下敷きに標準化が進められてきた。

2020 年 4 月に WD 1 として審議が開始され、一定の完成度と判断され、2020 年 9 月の会議では、CD1 に進むこととなったが、規格の内容に要求事項があるため適合性評価との整理を ISO の CASCO（Committee on conformity assessment：適合性評価委員会）と進めたことに時間を要し、2023 年 1 月、ようやく DIS の段階に到達した。

本規格の位置付けは、図 2-6-4（次ページ）にあるように、本規格の基本要求事項が水平方向の基本ベースラインとなり、その上に垂直市場（健康、金融サービス、産業、家電、輸送等）や様々なセクター（工業、公共、

防衛、国家安全保障等）のアプリケーションで想定されるIoTデバイスの使用とリスクに対する追加要件を構築できるというものになっている。

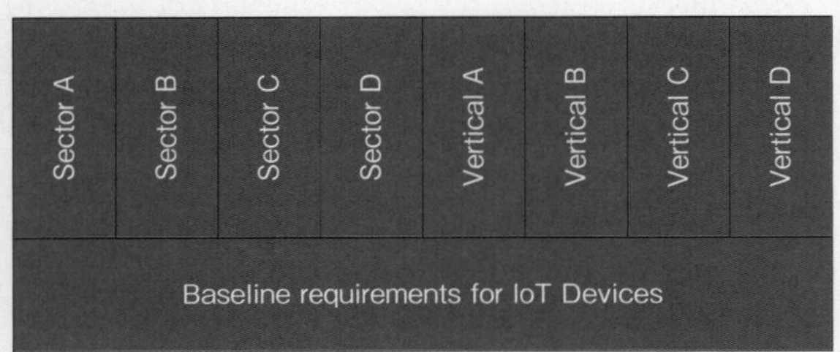


■図 2-6-4　特定セクターや垂直市場による潜在的な追加要件との関係
（出典）ISO・IEC「ISO/IEC DIS 27402 Cybersecurity — IoT security and privacy — Device baseline requirements※477」

また、本規格はIoT機器の適合性評価スキームの要件を提供することができる。具体的には、まず特定のセクター及び垂直市場の利害関係者が、この水平規格の基本要件に加え、それぞれのコンテキスト固有の要件に関する合意（セキュリティ要件等）を形成することが期待される。その後、それらの特定のセクター及び垂直市場に関する適合性評価プログラムが開発され、本規格は、共通の基本要件セットを提供しながら、当該適合性プログラムに効果的に統合されるイメージとなる。

現在策定されているドキュメント（DIS）の枠組みを以下に示す。

第1章～4章：スコープ、文献、用語定義、概要
第5章 要求事項
- 5.1 IoT 機器のポリシーと文書化のための要求事項
  - 5.1.1 リスクマネジメント
  - 5.1.2 情報の公開
  - 5.1.3 脆弱性の開示と処理プロセス
- 5.2 IoT 機器の能力と運用のための要求事項
  - 5.2.1 一般事項
  - 5.2.2 構成
  - 5.2.3 ソフトウェアリセット
  - 5.2.4 ユーザーデータの削除
  - 5.2.5 データの保護
  - 5.2.6 インターフェースアクセス
  - 5.2.7 ソフトウェア、ファームウェアのアップデート

なお、5.2.6インターフェースアクセスは、IoTデバイスにおいて、秘密鍵やパスワード等の重要なセキュリティパラメータを共有または再利用するためのインターフェースへのアクセスを許可された権限者に限定することに言及している。

現在のDISのテキストにおける要求事項の例として、前述のISO/IEC 27400で取り上げた「ソフトウェア、ファームウェアのアップデート」と対応する要求事項を図2-6-5に例示する。

5.2.7 ソフトウェア、ファームウェアのアップデート
要求事項
IoT 機器がソフトウェア更新をサポートする場合、更新は安全な手順を使用して実行されるものとする。更新は、許可されたエンティティによってのみ許可されるものとする。
注）ファームウェアは、特定の種類のソフトウェアである。
IoT 機器が期待通りに機能しないリスクを考慮し、更新の予期せぬ中断は、潜在的な被害を最小化する状態に IoT 機器を置くものとする。
追加推奨事項
各アップデート手順には、以下を含むことが望ましい。
a) 更新プログラムをインストールする前に、その有効性、真正性及び完全性を確認する方法
b) 以下のような設定オプション
1) 自動更新が有効か無効か
2) 遠隔更新手順の場合、更新プログラムのダウンロード及びインストールが自動または手動で開始されるかどうか
3) 遠隔更新手順の場合、自動ダウンロードとインストールをスケジュールする方法
4) 更新が利用可能になったときに通知を行うかどうか（誰に何が通知されるか）。
IoT 機器は、許可されたエンティティがセキュリティ更新の自動インストールを可能にする機能を有することが望ましい。IoT 機器は、新しいセキュリティ更新が利用可能かどうかを定期的にチェックし、利用可能な場合はそれをユーザーに示す更新手順を有することが望ましい。
等

■図 2-6-5　5.2.7 節 ソフトウェア、ファームウェアのアップデートの要求事項記述の例
（出典）ISO・IEC「ISO/IEC DIS 27402 Cybersecurity — IoT security and privacy — Device baseline requirements」を基に執筆者が翻訳

### （ウ）ISO/IEC 27403: Cybersecurity - IoT security and privacy -Guidelines for IoT-domotics

本規格は、2019年4月、テルアビブ会議において、中国からNPとして提案され、同年10月のパリ会議では、NPの承認がなされ、2022年10月にDISに進むことが決定し、2023年1月にDISのテキストが発行されている。「IoT-domotics」とは、娯楽、機器制御、監視等の用途として、居住環境（ホームオートメーション等）で利用するIoTサービスをいう。本規格は、ISO/IEC 27400との棲み分けが難しい部分が多いものの、IoT-domoticsの特性を抽出し、ISO/IEC 27400とは異なる視点でセキュリティとプライバシーに関するガイドラインとして整理している。具体的には、IoT-domoticsのためのリスクアセスメントの実施を、アプリケーション、ネットワーク、ハードウェアの三点から評価しており、それらの結果を受ける形で、IoT-domoticsを構成するサブシステムやIoTゲートウェイのためのセキュリティ、及びプライバシーのガイドラインを整理する方向としている。

### （エ）ISO/IEC AWI 27404: Cybersecurity — IoT security and privacy — Cybersecurity labelling framework for consumer IoT

本プロジェクトは、2021年10月にシンガポールから提

案されたもので、ユーザーが活用するIoT機器にセキュリティラベルを付与し、機器にどの程度セキュリティ機能が実装されているかを、IoT機器のユーザーが把握できるようにする目的で検討が開始された。

現在、PWIの審議を終え、NPとして承認され、AWI（Approved Work Item：承認された課題）の状況にある。本課題が提案された当初は、ISO/IEC 27402との棲み分け等が議論され、ラベリングはJTC 1の規格化に適さないとの意見も多かったが、近年の米国、欧州のIoT機器の認証やラベリングの議論が過熱していることもあり、本課題は正式なプロジェクトとして承認されることとなった。以下に本規格案の概要を示す。

本規格は、消費者向けIoT製品（機器を含む）のサイバーセキュリティラベリングプログラムの開発・実施のための「ユニバーサル・サイバーセキュリティ・ラベリングフレームワーク」を定義し、以下のトピックに関するガイダンスを提供している。

- 消費者向けIoT製品に関連するリスクと脅威
- 利害関係者、役割及び責任
- 関連する規格及びガイダンス文書
- 適合性評価の選択肢
- ラベル発行及びメンテナンス要件
- 相互承認に関する考慮事項

本規格では、複数の機器が接続するIoTゲートウェイ、基地局、ハブ、スマートカメラ、テレビ、スピーカー、ウェアラブルヘルストラッカー、接続型煙探知機、ドアロック、窓センサー、接続型ホームオートメーションとアラームシステム、特にそれらのゲートウェイとハブ、洗濯機や冷蔵庫等の接続型家電、スマートホームアシスタント、接続型の子供のおもちゃとベビーモニター等の消費者向けIoT製品を対象としている。ここで、消費者向けIoTの脅威モデルでは、IT及びシステム管理者がいないことを前提条件としている。

なお、消費者向けでない製品は、本規格から除外される。除外される機器の例としては、製造業、医療、その他の産業用途を主目的とするものがある。

本規格による「サイバーセキュリティ・ラベリングフレームワーク」は、国際規格の要求事項に基づき、消費者向けIoTのラベリングスキームの相互承認を促進し、規格の断片化を避け、国を越えて重複するテストを排除し、準拠コストを低減し、開発者の市場アクセスを容易にすることを目的としている。この規格は、消費者向けIoTの消費者、開発者、サイバーセキュリティラベルの発行機関、独立試験機関に適用されるものである。

#### (b)ビッグデータのセキュリティとプライバシーのための標準化活動

ビッグデータとは、主にボリューム、多様性、速度、及び／または変動性の特性を有し、効率的な保管、操作、分析のためにスケーラブルなアーキテクチャを必要とする広範なデータセットのことを指す。ビッグデータを用いた分析により、より優れた意思決定や戦略的なビジネス行動につながる洞察等を導き出すことができるため、近年注目を浴びている。WG 4では、ビッグデータのセキュリティとプライバシーに関わる標準化として、以下の二つの活動を進めている。

- PWI 27045: Big data security and privacy – Guidelines for data security management framework
- ISO/IEC 27046: Big data security and privacy – Guidelines for implementation

#### (ア)PWI 27045: Big data security and privacy – Guidelines for data security management framework

本規格は、組織のビッグデータのセキュリティとプライバシーを評価及び改善するプロセスの参照モデル、評価・成熟度モデルを規定するものであったが、内容的に規格化の方法が難しいことから、いったん規格化を断念し、PWIのステージに戻った形で議論が再開され、現在もPWIとして審議が継続されている。

タイトルを「ビッグデータのセキュリティマネジメントのための枠組みを示すガイドライン」としており、多少これまでの検討を修正し、規格として成立しやすい形で審議を開始している。中国が主要なエディタとなり、オランダ、カナダが支援している。

#### (イ)ISO/IEC 27046: Big data security and privacy – Guidelines for implementation

本規格は、ビッグデータのセキュリティとプライバシーの主要な課題とリスクを分析し、ビッグデータのリソース、組織化、分散化、計算能力及び破壊等の視点から、ビッグデータのセキュリティとプライバシーの実装のためのガイドラインを記述することを狙っている。2022年5月の会議（リモート）においては、CDへの移行が決議され、現在CD1のテキストが審議されている。本規格の核になる考え方であるビッグデータのソリューション体系を図2-6-6（次ページ）に示す。なお、本図は、最新の規格案ではAnnex C（Informative）に移動されて、参考情報として扱われている。

#### (c) サイバーフィジカルシステムのためのセキュリティの枠組み

サプライチェーンに代表される多様な組織が連携するビジネススタイルの急速な進展、様々なサイバー攻撃の出現と巧妙化、更に近年のIoTの利用拡大、IoTシステムで収集されるデータの高度利用を踏まえるとサイバーフィジカルシステム（CPS：Cyber Physical System）という概念を重視し、CPSにおけるセキュリティリスクを特定する必要がある。CPSの導入は、あらゆる社会システムの効率化、新しい産業の創出、知的生産性の向上等の目的に有用である。CPSは、現実世界（物理空間）で発生する膨大な観測データ等の情報を、サイバー空間の強力な計算能力と結びつけて定量化するための方法論を提供するものである。

以上の背景から、日本の提案により2020年4月にPWI 5689として「CPSのためのセキュリティフレームワーク」の議論が開始された。本フレームワークは経済産業省で構築した「サイバー・フィジカル・セキュリティ対策フレームワーク（CPSF）※479」に基づいている（「2.1.3（1）産業サイバーセキュリティ研究会」参照）。

本PWIをNPに移行するための投票が2021年12月2日から2022年3月5日まで実施されたが、規格策定に貢献する国の数が不足していることが理由で投票は否決された。この結果、2022年4月から再審議を実施するため、タイトルを「Security frameworks and use cases for cyber physical systems（サイバーフィジカルシステムのためのセキュリティの枠組とユースケース）」として、再度PWIの審議を行い、2023年4月以降に再度NPの審議を開始する予定としている。

現在のドラフトテキストでは、CPSの概念モデル、CPS下でのセキュリティ懸念、ISO/IEC TS 27110やNISTの文書と整合性のあるセキュリティフレームワークの記述がなされている。CPSの概念モデルは、分析Tier、インターフェースTier、オペレーションTierの三つのTierにより構成されており、分析Tierがサイバー空間に、オペレーションTierが物理空間に対応している。

#### (d) WG 4に関連するその他の規格群

WG 4では、上記のIoT及びビッグデータ以外の課題についても、多数の重要な審議を進めている。以下にその審議課題項目、規格の番号、及び審議状況を示す。

- ビジネス継続のためのICT準備技術（27031）：2023年4月末現在、DISの段階
- インターネットセキュリテイガイドライン（27032）：2023年4月末現在、FDISの段階
- ネットワークセキュリティ（27033-7）：ネットワーク仮想化セキュリティのガイドライン。2023年4月末現在、FDISの段階
- インシデントマネジメント（27035）：パート1、パート2の改版規格化完了。また、パート4（Coordination）は、2023年4月末現在、CD1の段階。
- サプライヤー関連セキュリティ（27036）：パート3の改版作業が2023年4月末現在、FDISの段階。
- デジタルエビデンスの識別、収集、確保、保全（27037）：改版作業なし
- リダクション（墨消し技術）（27038）：改版作業なし
- IDPS（侵入検知システム）（27039）：改版作業なし
- ストレージセキュリティ（27040）：大規模な改修を視野に入れ改版作業を開始。2023年4月末現在、DIS

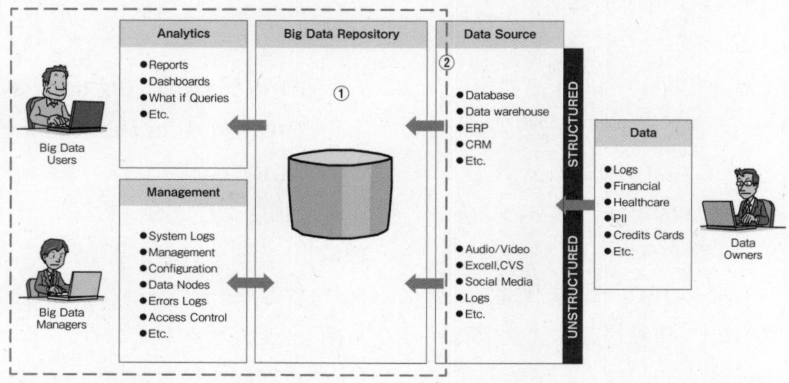


■図 2-6-6　ビッグデータソリューションにおけるセキュリティとプライバシーのスコープ
（出典）ISO・IEC「ISO/IEC CD 27046 Information technology — Big data security and privacy — Implementation guidelines※478」を基にIPAが編集

の段階

- 仮想化サーバーの設計／実装のためのセキュリティガイドライン（21878）：改版作業なし
- 産業用インターネット基盤のためのセキュリティ参照体系（24392）：2023年4月末現在、FDISの段階
- 仮想化された信頼のルートのためのセキュリティ要件（27070）：規格化完了
- 機器とサービス間の信頼接続の構築のためのセキュリティ推奨（27071）：2023年4月末現在、FDISの段階
- 公開鍵基盤における実践とポリシーの枠組み（27099）：規格化完了
- 安全な配備、アップデート、及びアップグレード（4983）：NWI審議を経て、2023年4月末現在、WD4の段階
- データの起源ー参照モデル（データ追跡のため）（5181）：2023年4月末現在、WD2の段階

### (5) WG 5（アイデンティティ管理とプライバシー技術）

WG 5では、アイデンティティ管理、プライバシー、バイオメトリクスの標準化を行っている。2022年度の主な活動を紹介する。

#### (a) アイデンティティ管理

2011年に初版が発行され、2019年に改訂されたISO/IEC 24760-1（アイデンティティマネジメントの枠組み－第1部：用語及び概念）は、日本が新たに加えるよう提案した「authoritative identifier」を含むいくつかの用語を加えて、2023年1月に追補（Amendment）が発行された。2016年に発行されたISO/IEC 24760-3（アイデンティティマネジメントの枠組み－第3部：実施標準）は、第1部及びISO/IEC 24760-2（アイデンティティマネジメントの枠組み－第2部：参照アーキテクチャ及び要求事項）を踏まえて実務プロセスの指針を整理するものであり、これら別の部の更新状況を反映し、不明瞭であるとされている問題を改善するための追補が2023年2月に発行された。なお、ISO/IEC 24760-4（アイデンティティマネジメントの枠組み－第4部：認証器、クレデンシャル及びユーザー認証）が2022年7月にNPとして承認され、現在、WD段階にある。

2016年に初版が発行されたISO/IEC 29146（アクセス管理のためのフレームワーク）は、近年のアクセス制御技術に合わせるための改訂を日本が提案し、現在、改訂作業が進められ、FDIS段階にある。

#### (b) プライバシー

ISO/IEC 29100（プライバシーフレームワーク）の初版が発行された2011年当時は、「引用規格（Normative references）」は任意要素（引用規格がなければ記載しなくても良い）であったが、「ISO/IEC専門業務用指針第2部」の改訂（第7版（2016年版））によって引用規格が強制要素となったため、引用規格を盛り込むこと、及び間違った記載を修正した追補を本文に反映することにより、無償で取得可能なISO/IEC 29100のみで正しいテキストが分かるようISO/IEC 29100改訂の必要性を日本が訴えたため改訂されることとなり、現在、FDIS段階にある。

2019年5月にプロジェクト承認された日本提案であるISO/IEC 27556（プライバシープリファレンスに基づいたユーザー主体のPII処理）は、2022年10月に発行された。これは、PII（Personally Identifiable Information：個人識別可能情報）主体がプライバシー設定（privacy preference）を通じて個人情報の処理に対して影響力を行使していくための、PPM（Privacy Preference Manager）の運用ガイドライン等を規定している。

SC 27/WG 1が開発した国際規格であるISO/IEC 27001及びISO/IEC 27002に、プライバシー対策に関する要求事項及びプラクティスを加えて拡張することにより、組織によるPIMS（Privacy Information Management System：プライバシー情報マネジメントシステム）の構築を支援することを目的としているISO/IEC 27701は、2019年に初版が発行された。2022年2月に改訂版が発行されたISO/IEC 27002:2022に合わせるための改訂が現在行われており、4月の国際会議を経て、FDIS段階に進むこととなった。

#### (c) バイオメトリクス

2011年に初版が発行された、バイオメトリックデータの保護技術を扱うISO/IEC 24745は、その後の新技術を反映するための改訂が行われ、2022年2月に第2版が発行された。

モバイル機器上でのバイオメトリクスを使った認証に対するセキュリティ要件を定めるプロジェクトISO/IEC 27553は、バイオメトリック照合結果に関する情報以外はモバイル機器から外に出ないパート1（Local modes）が2022年11月に発行され、モバイル機器間やリモートサービスも含めてバイオメトリック照合する場合を扱うパート2（Remote modes）が、現在WD段階にある。

## 2.7 安全な政府調達に向けて

IPA では情報セキュリティ対策の実現に向けて、国民に向けた情報提供や啓発活動、企業・組織に対するセキュリティ施策の促進とともに、政府機関や独立行政法人が IT 製品やクラウドサービス等を安全に調達及び利用するために活用できる制度の運営を行っている。

本節では、政府機関等で使用される IT 製品のセキュリティ機能を評価する「IT セキュリティ評価及び認証制度」、政府機関等のシステムに組み込まれる暗号アルゴリズム実装の確認及び暗号モジュールの安全性を試験する「暗号モジュール試験及び認証制度」、及び政府が求めるセキュリティ要求を満たしているクラウドサービスを評価・登録する「政府情報システムのためのセキュリティ評価制度(ISMAP)」の動向について報告する。

### 2.7.1 ITセキュリティ評価及び認証制度

サイバーセキュリティ戦略本部が発行している「政府機関等のサイバーセキュリティ対策のための統一基準(令和 3 年度版)」(以下、政府統一基準)では府省庁及び独立行政法人が遵守すべき情報セキュリティ対策を定めている。この中では、システムを構成する市販の IT 製品の調達及び運用についてもセキュリティ要件を策定し、確認することを調達者に求めている。

IT 製品がセキュリティ要件を満たすことを確認する仕組みとして、セキュリティ評価制度が欧米諸国を中心に発展し、セキュリティ評価基準が国際規格として策定された。日本でも、このセキュリティ評価基準を用いて IT 製品を評価する「IT セキュリティ評価及び認証制度(JISEC:Japan Information Technology Security Evaluation and Certification Scheme)」を IPA が運営し、政府機関等の IT 製品調達に活用されている。

#### (1) 政府の IT 製品調達セキュリティ要件

政府統一基準では、府省庁及び独立行政法人の情報システムセキュリティ責任者に対し、情報システムを構成する IT 製品を調達する場合、経済産業省が発行している「IT 製品の調達におけるセキュリティ要件リスト[※480]」(以下、調達要件リスト)を参照し、想定されるセキュリティ上の脅威に対抗するためのセキュリティ要件を策定することを遵守事項として定めている。調達要件リストには、利用者情報を扱うシステムの基盤となり、攻撃の対象となり得る以下の 11 の製品分野が指定されている。今後も対象製品分野は、拡大される予定である。

- デジタル複合機(MFP)
- ファイアウォール
- 不正侵入検知/防止システム(IDS/IPS)
- OS(サーバ OS に限る)
- データベース管理システム(DBMS)
- スマートカード(IC カード)
- 暗号化 USB メモリ
- ルータ/レイヤ 3 スイッチ
- ドライブ全体暗号化システム
- モバイル端末管理システム
- 仮想プライベートネットワーク(VPN)ゲートウェイ

調達要件リストでは、これらの製品分野の IT 製品がセキュリティ要件を満たすことを確認する方法として、国際標準に基づく第三者認証製品を活用する方法と、各組織で個別に確認する方法があることを示している。JISEC は、IT 製品のセキュリティ評価の国際標準である ISO/IEC 15408 に基づく第三者認証制度であり、JISEC で認証されたセキュリティ要件を満たす IT 製品を調達することで、政府統一基準の要求を満たすことができる。

調達要件リストの中でも特に、構築時に受け入れ検査を行う情報システムとは独立して調達されることの多いデジタル複合機の調達、国策としてセキュリティ対策が重要となる旅券やマイナンバーカード等のスマートカードの調達で JISEC の認証制度は活用されている。

#### (2) 認証制度の国際連携

JISEC でも採用しているセキュリティ評価基準である ISO/IEC15408 は、欧米 6ヵ国によるコモンクライテリア(共通基準)プロジェクトの成果をベースに開発された。また、同一製品に対し調達国ごとに重複する評価を行うコストを低減するため、これらの国々を代表する公的機関が運営する制度でコモンクライテリアを用いて評価された結果については相互に認め合うという相互承認協定が締結された。その後、相互承認協定には多くの国が加盟して CCRA(Common Criteria Recognition Arrangement)と呼ばれるようになり、JISEC を運営する日本も 2003 年に CCRA に加盟している。これにより日本のベンダーは、製品をCCRA加盟国の調達対象とするために、JISECを活用することで、日本語の開発資料をそのまま使用して認証を取得することができるようなった。CCRAでは、自国で認証制度を運営している「認証国」と、認証制度を有しないが政府調達要件として認証結果を受け入れる「受入国」があり、2023年4月現在、CCRA加盟国は認証国18ヵ国、受入国13ヵ国の計31ヵ国に上る（図2-7-1）。近年は東ヨーロッパやアフリカの国が受入国として加盟、2023年にはポーランドとカタールが受入国から認証国へ移行している一方、2019年には英国、2022年にはニュージーランドが認証国から受入国に移行している。

### (3) セキュリティ要件の共通化

コモンクライテリアでは、IT製品が具備すべきセキュリティ要件を、規定された形式に従って記述する。例えば、アクセス制御機能の要件では、対象となるオブジェクトやサブジェクトのリスト、セキュリティ属性、それらを用いたアクセス方針をコモンクライテリアで規定された形式で記述する。これにより、調達者が必要としているIT製品のセキュリティ要件仕様を、あいまいさを排除して製品開発者に伝えることを可能とする。このコモンクライテリア形式で表された調達要件仕様書を「プロテクションプロファイル（PP：Protection Profile）」と呼び、CCRA加盟国でのIT製品の政府調達に利用されている。加盟国の調達部門は、調達するIT製品のセキュリティ要件をプロテクションプロファイルとして作成し、調達要件として公開している。これらのプロテクションプロファイルのうち汎用的なものは、CCRAのポータルサイト[※481]にも掲載され、他の機関も同様の分野の製品を調達する際に調達要件として指定することができる。日本においても、調達要件リストでは製品分野ごとにこれらのプロテクションプロファイルを指定しており、また、独自の製品を調達する機関は、プロテクションプロファイルを自ら作成し[※482]、調達を実施している。

同じ製品分野のIT製品調達で、似たような調達仕様が調達者ごとに提示されることは、開発者にとっては負荷となる。そこでCCRAでは、加盟国の認証機関が中心となり、いくつかの製品分野で共通的に用いるプロテクションプロファイルの策定を行っている。このプロテクションプロファイルは、cPP（collaborative Protection Profile）と呼ばれ、CCRA加盟国は、該当する製品分野の調達には、このcPPを用いてセキュリティ要件を指定することもある。既にファイアウォール、暗号化ディスク



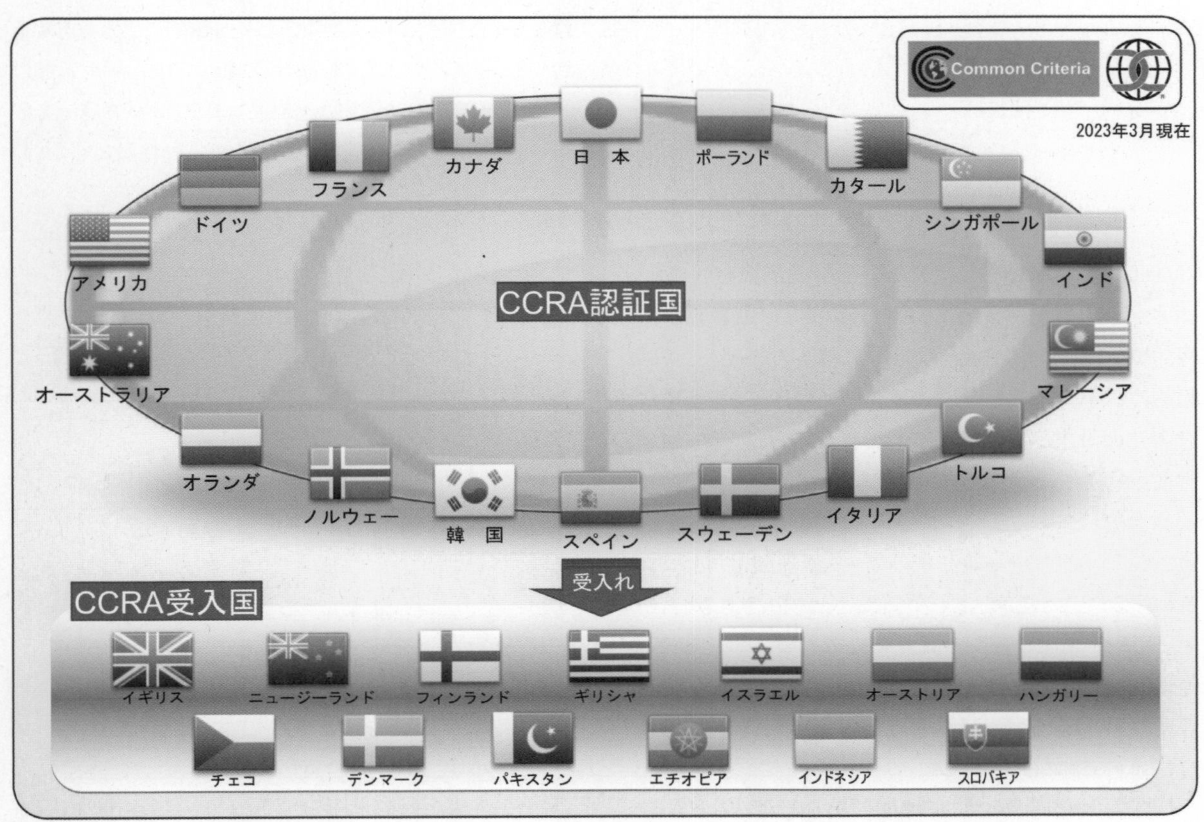


■図2-7-1　CCRA加盟国

ドライブ、ネットワークデバイス、バイオメトリクス認証やデータベースの製品分野について cPP が策定され、CCRA ポータルサイトで公開されている。日本も、国内に多くの製品ベンダーを有するデジタル複合機について、韓国の認証機関とともに発起人となり、各国のベンダーや評価機関をメンバーとする技術コミュニティを発足させた。そのコミュニティで策定していた cPP は 2022 年 10 月に最初のバージョンとして公開された[※483-1]。

## (4) 認証の状況

2022 年度までの JISEC における認証発行件数の推移を図 2-7-2 に示す。認証発行件数は、リーマンショックの影響による 2009 年の申請数の減少と、2011 年のリバウンド後、毎年 40 件前後で推移している。2021 年度については新型コロナウイルスや製品リリースサイクルの影響で前年度比 48% 減となったが、2022 年度については例年並みの発行件数に回復している。

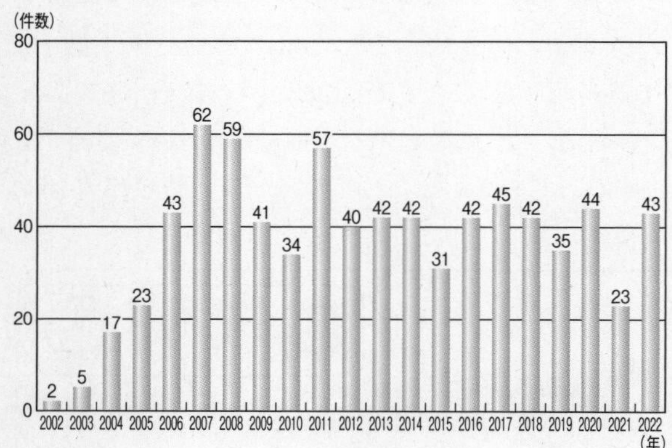


■図 2-7-2　JISEC の認証発行件数の推移

JISEC が認証発行した製品の分野の内訳を図 2-7-3 に示す。認証製品分野としては、デジタル複合機が圧倒的に多い。これは前述のように、日本のベンダーが国際的にも高いシェアを有し、CCRA 加盟国においても政府調達の対象となっているからである。また、その他の製品分野の認証が JISEC で少ないのは、セキュリティ製品全般において日本ベンダーの国際的な競争力が弱いこと、ファイアウォールやネットワーク管理製品等はシステム構築の中で組み込まれてテストされ納入されることが多いため、製品単品での調達要件の対象とならないこと等が理由である。JISEC が毎年認証発行している 40 件前後は、ほとんどがデジタル複合機の新機種リリースによるものである。

CCRA 加盟各国の認証機関が公開している認証発行件数の 2022 年度までの累計を図 2-7-4 に示す。日本

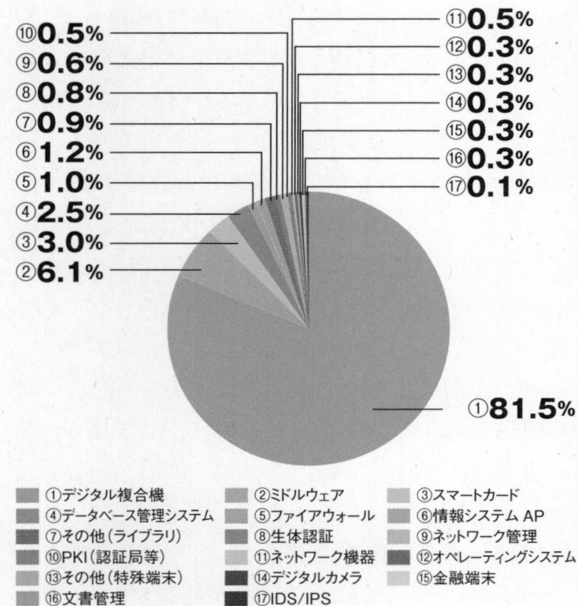


■図 2-7-3　JISEC の認証発行の製品分野内訳

の認証発行件数は、米国、フランス、ドイツに次いで 4 番目に多い。これらの国は、政府調達に認証製品を活用しているのに加えて、国内に IT 製品の製造ベンダーを多く持つ国々である。英国のように、セキュリティ評価の歴史は長い国でも、国内の製造ベンダーの減少により制度維持コストの削減を理由に認証国から受入国に移行している国もある。韓国では、国際的に大きな市場を持つ製造ベンダーが、製品仕向地によりモバイル製品は米国で、スマートカード関連製品はヨーロッパで認証を取得しているため、国内制度での認証発行件数は少ない。

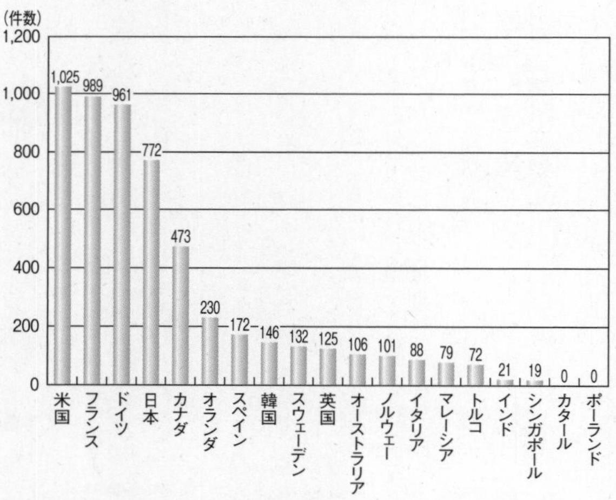


■図 2-7-4　CCRA 各国の認証件数（2022 年度までの累計）

## (5) 2022 年度のトピック

2022 年度のトピックとして、コモンクライテリアの全面的な改訂と、2022 年度に JISEC で認証したプロテクショ

ンプロファイルについて紹介する。

### (a)コモンクライテリアの全面的な改訂

JISECでも採用しているセキュリティ評価基準であるコモンクライテリア（ISO/IEC 15408）を全面的に改訂した新規格が2022年に発行された。コモンクライテリアの改訂はこれまでも数年に一度実施されてきたが、全面的な改訂は2007年以来15年ぶりのことであり、ISO/IEC規格としての新規格の発行は2009年以来13年ぶりのことである。従来、コモンクライテリアの規格はCCRA加盟国によって開発及び維持され、その後ISO/IEC規格として発行されてきたが、CCRAの規格とISO/IEC規格とで乖離が生じること等が問題となっていた。そのため、CCRAでは新規格を自ら開発することを止め、ISO/IEC規格に一本化する方針に基づき、今回の新規格からISO/IECによって開発が進められてきた。今回の改訂は、ISO/IECでの開発が完了したことを受けて実施された（「2.6.2 (3) WG 3（セキュリティの評価・試験・仕様）」参照）。

新規格では旧規格の策定以降に開発されてきた評価基準や評価方法の活用法が正式に規格化された。特に、製品分野に応じて検査内容を規定する評価手法（Specification-based approach）の枠組みについては、独立したパート[※483-2]として新たに規格化されている。また、新たに注目されるようになったセキュリティ機能に関する要件等についても形式化されている。

旧規格から新規格への移行については、CCRAから移行スケジュールがアナウンスされており、旧規格での評価認証については、2024年6月30日まで申請が可能である。JISECでも同様の移行スケジュールを想定して準備を進めており、日本語版の規格を整備した上で新規格を採用する予定である。

### (b)セキュア暗号ユニット搭載シングルチップマイクロコントローラプロテクションプロファイルの認証

IoTシステムのセキュリティ確保には、システムを構成するIoT機器間での暗号技術を利用した相互認証やデータ保護が必要であり、物理攻撃[※484]やサイドチャネル攻撃[※485]等に対抗する耐タンパー性も重要である。しかし、末端のIoT機器においては、組み込みスペース、電力供給及び処理容量等が限られていることから暗号導入が容易でないという課題がある。その課題に対処するために、IoT機器に搭載可能で、かつセキュリティも確保することができる「軽く、速く、強い」暗号モジュールであるセキュア暗号ユニット（SCU：Secure Cryptographic Unit）の研究開発が進行中である。SCUは、暗号エンジンを組み込んだセキュリティプラットフォームであり、主にIoT機器をサイバー攻撃から守るためのICチップに組み込むことを想定している。

このSCUを搭載するシングルチップマイクロコントローラに関して、十分なセキュリティを確保するために必要な要求仕様としてのプロテクションプロファイルが、国立研究開発法人産業技術総合研究所によって策定され、2022年9月にその認証が完了[※486]した。今後、本プロテクションプロファイルに基づき製品認証を取得したSCUが、IoT機器のセキュリティを向上させるコア技術として広く利用されることが期待される。

## 2.7.2 暗号モジュール試験及び認証制度

暗号モジュール試験及び認証制度（JCMVP：Japan Cryptographic Module Validation Program）とは、利用者が暗号モジュールの信頼性を客観的に把握できるように設けられた第三者適合性評価認証制度である。本制度に基づく認証を取得することにより、暗号アルゴリズムが適切に実装され、暗号鍵等の重要情報を適切に保護している暗号モジュールであることをアピールできる。本制度は、米国のNIST（National Institute of Standards and Technology）とカナダのCCCS（Canadian Centre for Cyber Security）により運営されているCMVP（Cryptographic Module Validation Program）[※487]と同等の制度であり、IPAが認証機関として運営している。本項では、JCMVPの最新動向について述べる。

### (1)政府機関等におけるJCMVPの活用

政府統一基準における暗号・電子署名の遵守事項（6.1.5節）に対する基本対策事項として、「政府機関等の対策基準策定のためのガイドライン（令和3年度版）」（令和4年12月12日一部改定版）では、「情報システムセキュリティ責任者は、暗号化又は電子署名を行う情報システムにおいて、以下を例とする措置を講ずること。」として、五つの例が挙げられている。その中の一つに、「暗号モジュール試験及び認証制度」に基づく認証を取得している製品を選択することが挙げられている。また、2019年2月に公開された「行政手続におけるオンラインによる本人確認の手法に関するガイドライン[※488]」では、JCMVPにより認証されたハードウェアトークンに対して当人認証保証の最高レベル3を与えると規定されている。

### (2) IT セキュリティ評価及び認証制度（JISEC）との連携

IPAが運営する評価認証制度には、JISECとJCMVPの二つがある。JISECが2016年に発行、2020年に改定したガイドライン※489によって、JCMVPの活用方針が示されている（JISECの活動については「2.7.1 ITセキュリティ評価及び認証制度」参照）。

例えば、この活用方針に関連するデジタル複合機のプロテクションプロファイル「Protection Profile for Hardcopy Devices 1.0 dated September 10, 2015※490」では、信頼できるツールを用いた暗号アルゴリズム実装のテストを求めている。JISECでは、このテストに、JCMVPの暗号アルゴリズム実装試験ツール（JCATT：Japan Cryptographic Algorithm implementation Testing Tool）を活用して認証を行っている。2022年度は、このプロテクションプロファイルに基づく認証が42件完了している。このような連携を通じて、JCATTを使って確認された暗号アルゴリズム実装の実績を図2-7-5に示す。暗号アルゴリズム実装全般における件数は、2020年度以降減少傾向にあったが、2022年度については2021年度に比べて増加し2019年度を超えるレベルになった。これらは新型コロナウイルス感染拡大の影響により一時的に減少していたものが、回復したためと考えられる。

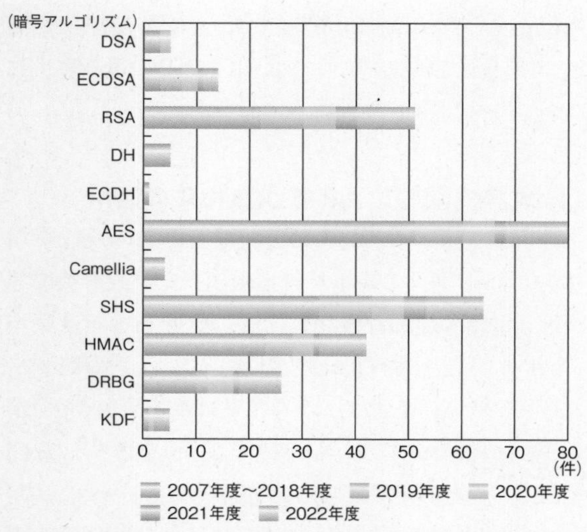


■図2-7-5　JCATTにより確認された暗号アルゴリズム実装の実績
（出典）IPAの公開情報を基に作成

### (3) JIS X 19790及びX 24759の改正

JCMVPに関連するJIS規格として、JIS X 19790（セキュリティ技術−暗号モジュールのセキュリティ要求事項）及びJIS X 24759（セキュリティ技術−暗号モジュールのセキュリティ試験要件）がある※491。JIS X 19790は、コンピューターシステム及び通信システムの中のセキュリティシステムで使用される暗号モジュールに対するセキュリティ要求事項を規定したものである。一方、JIS X 24759は、暗号モジュールがその要求事項を満たしていることを試験機関が試験する方法等を規定したものである。これらは、それぞれ国際規格ISO/IEC 19790及びISO/IEC 24759を基に国際一致規格として作られている。

JIS X 19790の前回の改正は、第2版として発行されたISO/IEC 19790:2012を基に行われ、2015年3月にJIS X 19790:2015として発行された。その後、対応国際規格は、2015年12月にISO/IEC 19790:2012/Cor.1:2015として、訂正版が発行されている。また、JIS X 24759の前回の改正は、2014年2月に第2版が発行され2015年12月に訂正版が発行されたISO/IEC 24759:2014を基に行われ、2017年3月にJIS X 24759:2017として発行された。その後、対応国際規格は、2017年3月にISO/IEC 24759:2017として、第3版が発行されている※492。

これに対し、一般財団法人日本規格協会（JSA：Japanese Standards Association）及びIPAは、JIS X 19790及びJIS X 24759について、対応国際規格との乖離を解消するとともに、技術の実態に即した内容にするための改正を進めることとした。IPAは、民間の有識者、学識経験者及び政府関係者からなるJIS X 19790及びX 24759原案作成委員会を2021年7月に組織し、JIS改正原案を2022年2月に作成した。原案はJSAによる校正を経て、2022年6月にJSAから経済産業省へ提出され、2022年7月から60日間のWTO/TBT意見受付公告※493の後、日本産業標準調査会（JISC：Japanese Industrial Standards Committee）による審議※494を経て、2023年1月にJIS X 19790:2023及びJIS X 24759:2023として発行された。

## 2.7.3 政府情報システムのためのセキュリティ評価制度（ISMAP）

2020年6月3日、内閣官房、総務省、経済産業省は「政府情報システムのためのセキュリティ評価制度」（Information system Security Management and Assessment Program：通称、ISMAP（イスマップ））の開始をアナウンスした※495。本項では、ISMAPの概要や運用等について紹介する。

### (1) ISMAP の概要

ISMAP は、政府が求めるセキュリティ要件を満たしているクラウドサービスをあらかじめ評価・登録することにより、政府のクラウドサービス調達におけるセキュリティ水準の確保を図り、クラウドサービスの円滑な導入に資することを目的とした制度である。

従来、政府調達にあたっては、個々のクラウドサービスが実施していると表明する情報セキュリティ対策の実施状況を、調達者が直接確認することが必要であったが、本制度により、この確認を省略でき負担を軽減できる。

### (2) ISMAP 制度制定の経緯

2018 年 6 月に公開された「政府情報システムにおけるクラウドサービスの利用に係る基本方針※496」(2021 年 3 月 30 日付けで ISMAP に関する記述が追記されている) では、「クラウド・バイ・デフォルト原則」が掲げられた。これを踏まえ、経済産業省と総務省は、2018 年 8 月から「クラウドサービスの安全性評価に関する検討会※497」を発足させ、適切なセキュリティ要件を満たすクラウドサービスを導入するために必要な評価方法等を検討し、2020 年 1 月に「クラウドサービスの安全性評価に関する検討会とりまとめ※498」が公開された。また、同月のサイバーセキュリティ戦略本部会合において「政府情報システムにおけるクラウドサービスのセキュリティ評価制度の基本的枠組みについて※499」が決定された。

上記検討会において、2019 年 6 月から、政府情報システム調達に応募するクラウド事業者が遵守すべきセキュリティ管理基準(ISMAP 管理基準)の検討が行われた。ISMAP 管理基準は、国際規格をベースに「政府機関等の情報セキュリティ対策のための統一基準群(平成 30 年度版)※500」「NIST SP800-53 rev.4」を参照して作成された。国際規格としては、情報セキュリティに関しては JIS Q 27001 (ISO/IEC 27001)、JIS Q 27002 (ISO/IEC 27002) とクラウドサービスの情報セキュリティに関する JIS Q 27017 (ISO/IEC 27017) が参考にされた。また、ISMAP 管理基準の検討には、これらの国際規格に準拠して編成された「クラウド情報セキュリティ管理基準(平成 28 年度版)」が参考にされ、そこに含まれるガバナンス基準について JIS Q 27014 (ISO/IEC 27014) が参考にされた。

ISMAP がクラウドサービスの登録申請受付を開始した 2020 年 10 月 1 日時点でクラウドサービスを利用中、または利用予定の各政府機関等に対しては、当該サービスが ISMAP に登録申請されることを前提として、それらのサービスの利用を可能とする暫定措置期間が設けられていた。その暫定措置期間が最短で 2021 年 9 月 30 日に期限を迎えるにあたり、2021 年 7 月 6 日に開催された「サイバーセキュリティ対策推進会議・各府省情報化統括責任者(CIO)連絡会議」において、真にやむを得ないケースを対象とした新規の暫定措置期間が設定されたが、これらのうち、ISMAP への申請予定のある SaaS については、当該暫定措置期間を、2023 年 3 月 31 日をもって終了した※501。

一方、ISMAP 制定後も、ISMAP の対象となっている主に「機密性 2 情報」を扱う情報システムのうち、SaaS については、提供されるサービスが多様であり、用途や機能が極めて限定的なサービスや、「機密性 2 情報」の中でも比較的重要度が低い情報のみを取り扱うサービス等もある。

このため、ISMAP の枠組みをベースとして、リスクの小さな業務・情報の処理に用いる SaaS を対象にした仕組みである「ISMAP-LIU」(イスマップ・エルアイユー:ISMAP for Low-Impact Use) を新たに設け、2022 年 11 月 1 日から運用を開始した。これにより、クラウド・バイ・デフォルトの更なる推進と拡大が期待される。

### (3) ISMAP のフロー

本制度においては、政府機関等が調達するクラウドサービスに要求される基本的な情報セキュリティ管理・運用の基準を満たすセキュリティ対策を実施していることが確認されたクラウドサービスが、ISMAP クラウドサービスリスト(以下、サービスリスト)に登録される。

また、本制度における監査を実施できる監査機関は、当該監査に求められる要求事項を満たすことが確認された後、本制度が公表する ISMAP 監査機関リスト(以下、監査機関リスト)に登録される。

本制度のフローを図 2-7-6(次ページ)に示す。クラウドサービス提供者は、監査機関リストに登録された機関による監査を受け、ISMAP 運用支援機関である IPA を通じて ISMAP 運営委員会にサービス登録申請を行う。申請を受けた ISMAP 運営委員会は審査を行い、承認されたサービスがサービスリストに掲載される。府省庁の調達者はサービスリストを使って調達先候補を選ぶ。なお、本制度の運用に係る実務及び評価に係る技術的な支援は IPA が行い、そのうち、監査機関の評価及び管理に関する業務については、IPA から特定非営利活動法人

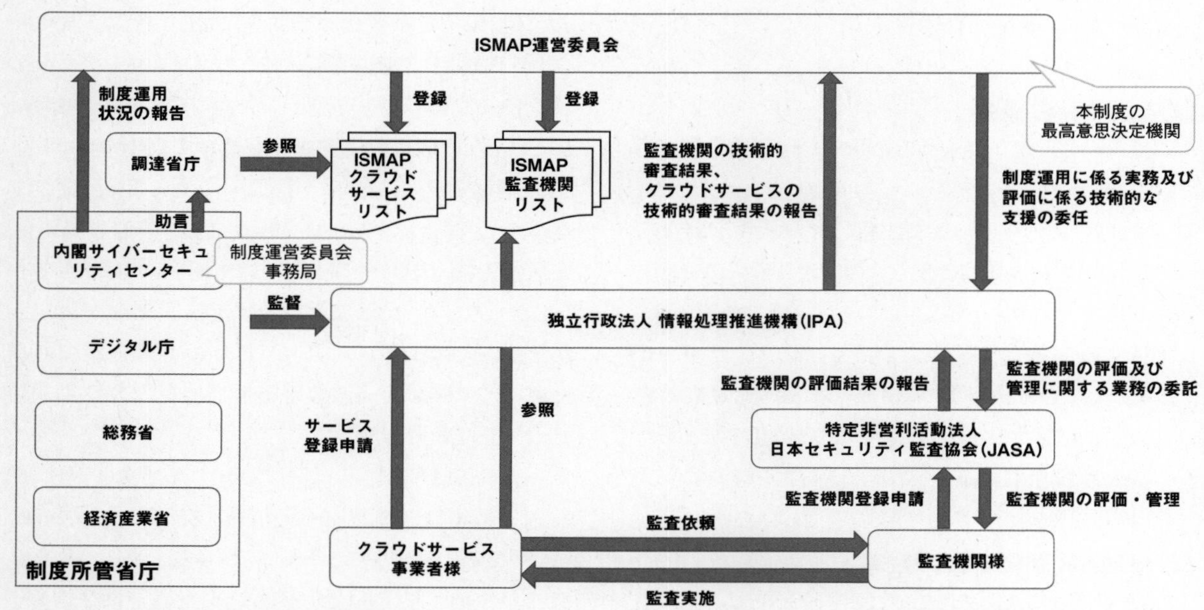


(注)制度運用に係る実務及び評価に係る技術的な支援をIPAが行い、うち、監査機関の評価及び管理に関する業務についてJASAに再委託する。

■図 2-7-6　クラウドサービスの安全性評価の制度のフロー
(出典)ISMAP「ISMAP 概要[※502]」

日本セキュリティ監査協会（JASA：Japan Information Security Audit Association）に委託している。

## (4) ISMAP の運用

本制度は、2020 年 6 月に運用が開始された。

ISMAP の所管は 2023 年 1 月現在、NISC、デジタル庁、総務省、経済産業省である。また、最高意思決定機関として ISMAP 運営委員会を設置し、事務局を NISC に置き、運用実務は IPA が担当している。

制度の概要、基準規程類、監査機関リスト、及びサービスリストは、2021 年 5 月に開設された ISMAP ポータルサイト[※503]で公開されており、2022 年 1 月には本制度の登録について、ポータルサイトでの電子申請の受付を開始している。2023 年 3 月末現在、登録されている監査機関は 5 機関、また、クラウドサービスは 43 サービスである。

## (5) セキュアなクラウド利用に向けて

IPA は、クラウドサービス事業者がサービスリストへの登録を行うにあたり、セキュリティ対策の進め方及び管理基準の理解の一助となることを目的として、管理基準マニュアルを公開している[※504]。

また、ISMAP で公開されるクラウドサービスリスト等が、重要インフラ分野を始めとする民間においても参照されることで、クラウドサービスの適切な活用の推進が期待される。これに関連して、2019 年 5 月 23 日に改定された NISC の「重要インフラにおける情報セキュリティ確保に係る安全基準等策定指針（第 5 版）[※505]」は、「事業環境の変化を捉え、インターネットを介したサービス（クラウドサービス等）を活用するなど新しい技術を利用する際には、国内外の法令や評価制度等の存在について留意する。」としており、国内の評価制度としては ISMAP が該当すると考えられる。

「クラウドサービスの安全性評価に関する検討会とりまとめ」にも記載されたように、情報システムのセキュリティ確保の責任は、一義的に当該システムの調達者または利用者が負うものである。本制度に登録されたクラウドサービスを利用したとしても、それだけでは情報システム全体のセキュリティが十分に確保されることにはならない。調達者は、利用するクラウドサービスについて適切な設定を行うことに加えて、情報システム全体のセキュリティリスクを分析し、適切な対策を行うことが求められる。

# 2.8 その他の情報セキュリティ動向

本節では、内部不正による情報漏えい防止対策の動向、暗号技術に関する研究動向について述べる。

## 2.8.1 内部不正防止対策の動向

組織が保有する秘密情報の保護は重要な課題であり、内部不正が関係する情報漏えいは、組織が注意すべき脅威の一つである。2020年度にIPAが実施した営業秘密管理に関する実態調査※506の結果では、情報漏えいインシデントは内部不正により発生する傾向が強いことが示されている。近年のテレワーク等の働き方の変化やクラウドの利活用等によるITプラットフォームの変化によって、組織のセキュリティ対策のガバナンス強化の必要性や、内部不正のリスクが急速に顕在化している。

こうした状況の中、IPAは「組織における内部不正防止ガイドライン」（以下、内部不正防止ガイドライン）を2022年4月に第5版に改訂し※507、近年の社会的・技術的環境変化に伴うインシデントや対策、政策を整理して反映した。また、2023年4月には企業の内部不正防止対策・体制に関する問題点を把握して課題の解決に役立てることを目指し、「企業における内部不正防止体制に関する実態調査※508」の結果を公表した。

本項では、内部不正による情報漏えいの課題と対策、企業における内部不正防止体制や対策の実態について紹介する。

### (1) 内部不正による情報漏えいの課題と対策

内部不正防止ガイドラインでは、内部不正による情報漏えいの課題と対策を整理し、まとめている。以下にコロナ禍以降、注目度が上がっている課題と対策について述べる。

仕事や社会生活のIT化・デジタル化の進展による最近の環境変化に関わる事象（図2-8-1）に着目すると、内部不正による情報漏えいに備えるための課題がいくつか挙げられる。本項では特にコロナ禍以降に注目される「ニューノーマルへの移行」への対応と「クラウド、SNSの広範な普及」への対応の二つの課題を取り上げる。

ニューノーマルへの移行に伴い、「個人情報を含む営業秘密情報や限定提供データ等の、企業の活動にとって重要な情報」（以下、重要情報）がテレワークやクラウド等の利用により広範囲に分散する傾向や、管理対象とすべき重要情報の多様化が進んでいる。このような、管理対象となる情報の分散や多様化への対応としては、組織的対策と技術的対策が必要である。組織的対策としては、重要情報の棚卸しを行い、情報の保存場所・管理責任者等に関する管理ルールを定め、運用することが挙げられる。技術的対策としては、テレワーク移行に伴うオンラインストレージやクラウド等の外部サービスの利用拡大といった環境変化に対応した対策・証拠保全等の対策が重要になっている。

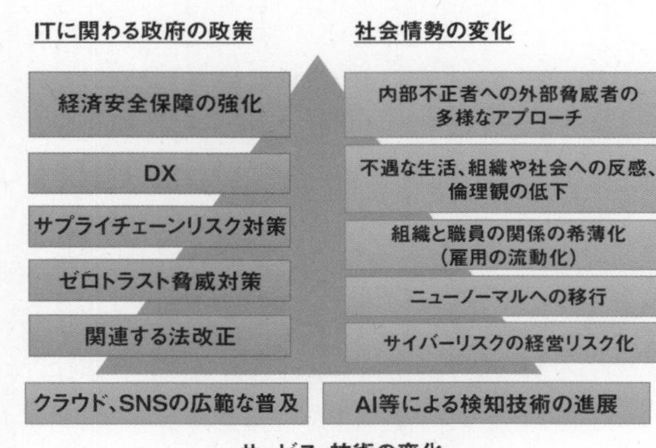


■図2-8-1　最近の環境変化に関連する様々な注目点

一方、クラウドやSNSが普及し、安易に秘密情報をアップロードしやすくなった課題に関しては、クラウドプロキシーやCASB（Cloud Access Security Broker）の導入等により、クラウドの利用状況を把握したり、管理されないクラウドの利用を認めないことや、クラウドサービスのアクセス権限の設定漏れや設定ミス等による意図しない相手への情報の漏えいに注意すること、クラウドサービスへのアクセスの認証ログや、アプリケーションの操作ログを取得し、不正アクセスの痕跡が記録されていないかを確認すること等の対策も重要である。

関連する法改正に関しては、NISCの「サイバーセキュリティ関係法令Q＆Aハンドブック※509」等を参照し、各施策と個人情報保護法、改正不正競争防止法等の関係法制の対応や、対策実施におけるコンプライアンスについて留意することも重要である。

### (2) 企業における内部不正防止体制・対策の実態

企業で注力すべき対策の参考とするため、IPAでは「企業における内部不正防止体制に関する実態調査」

を実施した※508。企業に勤める人を対象としたアンケート結果と企業や有識者へのインタビューを実施した結果の要点を紹介する。

### (a)内部不正防止に取り組む組織的体制

組織全体の体制として、内部不正防止に関する責任部門は「リスク管理／コンプライアンス部門」が44.1%、次いで「情報システム／セキュリティ管理部門」が37.6%という結果であった(図2-8-2)。企業や有識者へのインタビューからは、いずれが内部不正防止に関する責任部門となる場合でも、法務・知財部門、営業・事業部門といった関連部門との協働や緊密な連携による組織全体のガバナンス構築が望まれることが分かった。

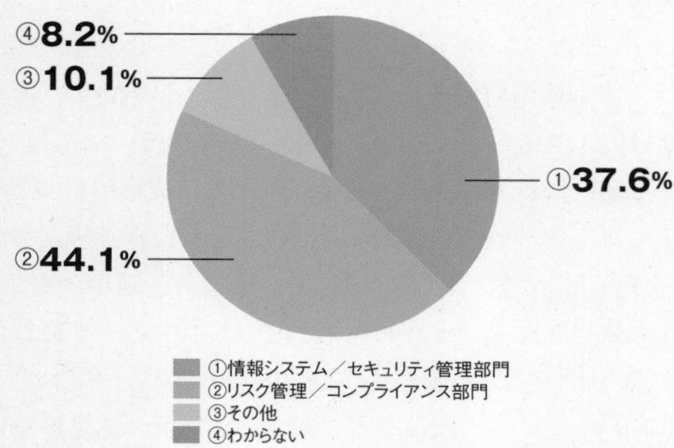


■図2-8-2　内部不正防止対策を主管する責任部門(n=1,179)
(出典)IPA「企業における内部不正防止体制に関する実態調査」を基に編集

企業が内部不正の事業リスクについて十分に認識し、優先度の高い経営課題としてとらえているかを尋ねた結果では、「事業リスクが高いため、優先度の高い経営課題として捉えられている」と回答した割合は39.6%にとどまった(図2-8-3)。

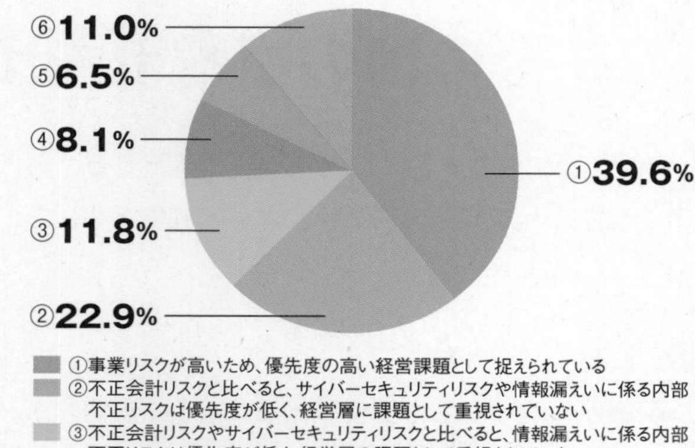


■図2-8-3　内部不正リスクを重要な経営課題としてとらえているか(n=1,179)
(出典)IPA「企業における内部不正防止体制に関する実態調査」を基に編集

### (b)内部不正防止の課題と対策の実態

近年の留意すべき内部不正対策の課題には、ニューノーマルへの移行に伴う重要情報の多様化等の急な環境変化への対応や対策が追いついているか、中途退職者や中途採用者に対応できているか等がある。

内部不正防止への取り組みにあたり、重要情報が多様化していることに対応できているかを尋ねた結果では、「個人情報だけでなく、重要技術情報・ノウハウ、重要データにも対応できている」と回答した割合は27.0%にとどまり、その対策状況は十分とは言えない(図2-8-4)。

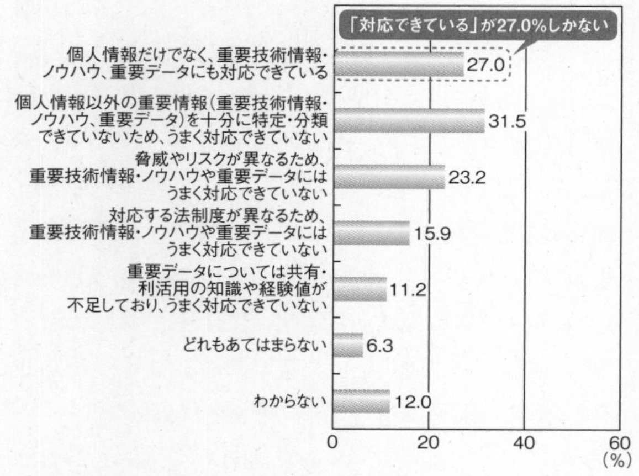


■図2-8-4　重要情報多様化への対策状況(n=1,179、複数回答)
(出典)IPA「企業における内部不正防止体制に関する実態調査」を基に編集

また、多様な重要情報を特定する仕組みの整備状況については、個人情報以外の重要情報を特定する仕組みを持つ企業は半数に満たないことが分かった(次ページ図2-8-5)。重要情報の特定は、内部不正を防止し、企業の情報を保護するための基本的な取り組みであり、個人情報以外の重要情報についても適切に区分し、管理する仕組みを整備することが重要である。

企業としては、個人情報漏えい時の罰則や社会的悪影響を懸念した個人情報保護対策は進んでいる一方、その他の様々な重要情報については、保護すべき重要情報を特定できていないことが多い。それら個人情報以外の重要情報に特化して整備された内部不正防止対策は少なく、情報セキュリティ対策として整備された対策の中に包含して実施されている状況であることがインタビューから分かった。

中途退職者に課す秘密保持義務の実効性を高める対策については、秘密保持義務の内部規則の策定と

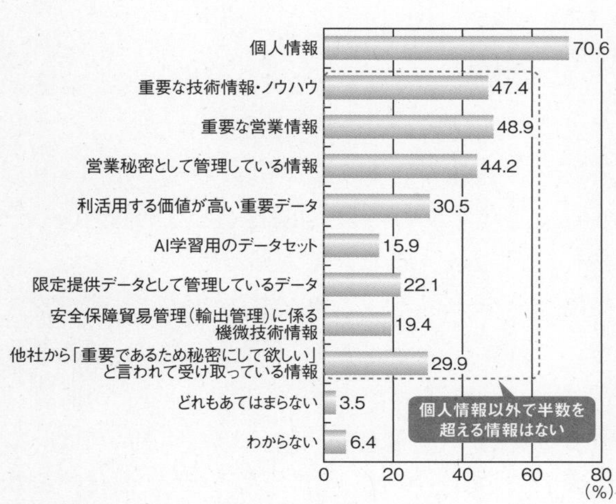


■図 2-8-5　重要情報を特定する仕組みの整備状況（n=1,179、複数回答）
（出典）IPA「企業における内部不正防止体制に関する実態調査」を基に編集

順守、秘密保持義務契約書や誓約書の提出、就業規則での退職後の規定等が中心となっていることが分かった（図 2-8-6）。これらの対策は契約の締結や内規の作成・順守に関わる基本的なものであるが、すべての対策についての実施率は半数に達していなかった。

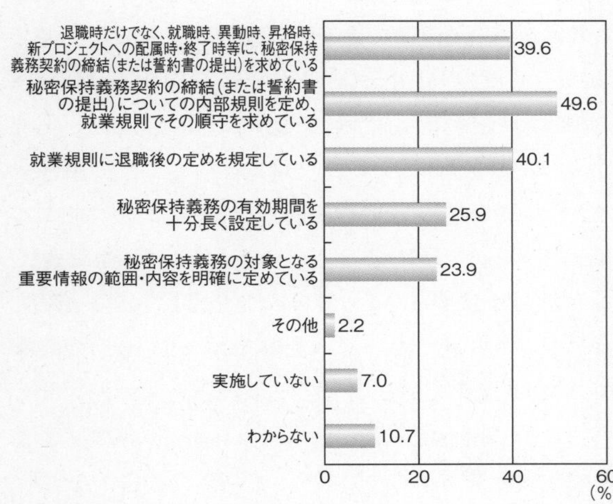


■図 2-8-6　中途退職者に課す秘密保持義務の実効性を高める対策（n=1,179、複数回答）
（出典）IPA「企業における内部不正防止体制に関する実態調査」を基に編集

以上のような、内部不正による情報漏えい対策が不十分な状況の改善については、経営層が内部不正防止の意識改革を行い、率先して優先度の高い経営課題として対策を推進することが効果的である。経営層、全社責任者、責任部門の意識変革につながる啓発を継続的に行うため、内部不正防止ガイドラインを積極的に活用し、重要情報の保護を継続的に推進することが望まれる。

## 2.8.2 暗号技術の動向

本項では 2022 年度における、共通鍵暗号、公開鍵暗号、軽量暗号及び実装攻撃に関する研究動向についてそれぞれ解説する。

### (1) 共通鍵暗号に関する研究動向

2022 年度は、2021 年度に引き続き、共通鍵暗号の解読について大きな進展はなかったものの、既存の暗号アルゴリズムへの攻撃について、攻撃に必要な計算量の削減等の進展があった。ここでは主な発表を紹介する。

共通鍵暗号の一種である AES[※510] については、Asiacrypt 2022[※511] にて、混合整数計画法を解くソルバーを用いて、ブーメラン攻撃を高速化することによるブーメラン攻撃の計算量の更新が発表された[※512]。特に AES-192 に対して、解読時間 $2^{124}$、取り扱うデータサイズ $2^{124}$、メモリーサイズ $2^{79.8}$ のブーメラン攻撃が提案されたが、これは 2009 年に提案された最善の攻撃と比較して、解読時間を $1/2^{52}$ 倍、メモリーサイズを $1/2^{72.2}$ 倍に効率化するものである。

またストリーム暗号 ChaCha[※513] についての攻撃論文がいくつか報告されている。特に Eurocrypt 2022[※514] にて、6 ラウンドの ChaCha128 に対する 2012 年に提案された既存攻撃と比較して、解読時間を 1,100 万分の 1 倍以下に効率化している。

上記のように、2022 年度も AES、ChaCha に対する暗号攻撃が進んだが、セキュリティマージンはまだ十分にあり、安全性に直ちに影響を与えるものではない。

### (2) 公開鍵暗号に関する研究及び標準化の動向

公開鍵暗号の一種である RSA[※515] については、昨年度に引き続き、部分的に秘密鍵が分かっている場合の新規の素因数分解アルゴリズム（Partial Key Exposure Attack）が、Eurocrypt 2022、Asiacrypt 2022 において提案された。

Eurocrypt 2022 では、CRT-RSA 指数[※516] を e、秘密指数を $d_p$、$d_q$ としたときの新しい素因数分解アルゴリズムが提示された。これにより、e のサイズが $N^{1/12}$ の場合に、$d_p$ と $d_q$ の両ビットの最上位ビットもしくは最小位ビットを含む 3 分の 1 のビットが分かっている場合の効率の良い素因数分解が可能になる。

Asiacrypt 2022 では、実際のサイドチャネル攻撃のケースも鑑み、秘密指数がマスクされている場合にも適応可能な攻撃手法が考案された。本攻撃は部分的であるため、これによりRSAが破られたとは言い難いものの、新しく発見された攻撃手段であるため、今後も動向を注視すべきである。

また、CRYPTREC暗号リストの対象ではないが、NISTによる耐量子計算機暗号標準化プロセス※472が進行中である。2023年3月現在、耐量子計算機暗号として、CRYSTALS-KYBER、CRYSTALS-DILITHIUM、FALCON、SPHINCS+が標準化方式として既に選出され、他候補をラウンド4にて選別中である。この標準化プロセスに関連して、いくつかの重要な攻撃報告がなされた。NIST 4th Standardization Conference※517において、耐量子計算機暗号形式の候補であった、同種写像を用いた鍵カプセル化メカニズムであるSIKEは解読攻撃可能であるということが、SIKEチームから発表された。これは、Wouter Castryck氏とThomas Decru氏によりクリティカルな攻撃論文が、プレプリントとして発表され、その攻撃がSIKEチームにより認められたためである。この攻撃によって、同種ベースの暗号形式であるSIDH、SIKE、B-SIDH、SIOTもセキュアではないことが判明している。その一方、同種ベースの署名形式であるSIDH署名、CSIDH、SeaSign、CSI-FiSH、OSIDH、SQISignについてはまだ攻撃が成功していない。このように、耐量子計算機暗号に対する攻撃については、今後の情勢を注意する必要がある。

また、その他の署名形式であるRainbowに対して、ノートパソコン上で攻撃が可能であるという報告が、Crypto 2022※518、PQCrypto 2022※519の両方で発表された。

### (3) 軽量暗号の標準化に関する動向

NISTの軽量暗号プロジェクト※520において、2021年3月にファイナリストとして10個のアルゴリズムを選出していた。その後評価検討を重ね、2023年2月にアルゴリズムAsconを最終的に選んだ。今後は、NIST IR (Internal Report)の発行、ドラフト規格の発行、ワークショップの開催等が予定されている。

### (4) 実装攻撃に関する研究動向

デジタル署名アルゴリズムであるDSA (Digital Signature Algorithm) 及びECDSA※521では、署名生成時にnonceと呼ばれるランダムな値を使用する。nonceの扱いには注意が必要で、サイドチャネル攻撃等の手段によってnonceの情報が部分的に漏えいしている場合に適用できる攻撃が知られており、Lattice Attackと呼ばれている。CHES 2022※522において、Lattice Attackの改良が発表された※523。

Lattice Attackは、攻撃が完全に成功して秘密鍵をすべて暴露できるか、完全に失敗してまったく情報を得られないかのいずれかである。160ビットの楕円曲線でnonceの2ビットが漏えいしているような状況等では、従来の手法では成功率があまり高くなかったが、秘密鍵の一部が推測できるという状況での解析を試み、攻撃の成功率の向上を達成している。

Lattice Attack成功のために必要な計算量はまだかなり多いが、攻撃方法の改良の研究は進んでおり、DSA、ECDSAの実装においては、サイドチャネル情報からのnonceの漏えい対策の重要性が増しているといえる。

故障利用攻撃(fault injection analysis)は、レーザー照射、グリッチ等の手段によりICチップに故障を注入して誤動作を起こさせることによって暗号鍵等の秘密情報の暴露を試みる攻撃であるが、近年は注入時の一瞬ではなく、装置のリセットまで持続する誤動作を引き起こすタイプの攻撃も研究されており、persistent fault injection analysisと呼ばれている。攻撃側から見て、故障注入のタイミングが厳しくないという利点がある。具体的には、AES等の暗号におけるS-Boxのテーブルの値を改変し、暗号計算中に誤ったテーブルの値を参照させて誤った計算結果を出力させ、それを解析するという形の攻撃が典型的なものである。

初期のpersistent fault injection analysisは、1個の故障で攻撃するものであり、成功のためにかなり多くの誤った暗号文を必要とした。その後複数の故障を注入する攻撃法が研究されたが、従来の方法では鍵の候補が非常に多く、時間計算量がまだ膨大であった。それに関し、CHES 2022において、新たな工夫で鍵の候補を絞り込み、実用的な時間で攻撃を成功させる手法が提案された※524。persistent fault inject analysisは比較的新しい攻撃手法で、近年はその改良の研究が進んでおり、今後も進展に注視すべきである。

※ 1　https://www.nisc.go.jp/pdf/policy/kihon-s/cs-senryaku2021.pdf〔2023/5/1 確認〕
※ 2　サイバーセキュリティ戦略本部：サイバーセキュリティ 2022（2021 年度年次報告・2022 年度年次計画）　https://www.nisc.go.jp/pdf/policy/kihon-s/cs2022.pdf〔2023/5/1 確認〕
※ 3　https://www.meti.go.jp/policy/netsecurity/downloadfiles/guide_v3.0.pdf〔2023/5/1 確認〕
※ 4　総務省：「クラウドサービス利用・提供における適切な設定のためのガイドライン」(案)に対する意見募集の結果と「クラウドサービス利用・提供における適切な設定のためのガイドライン」及び「ASP・SaaS の安全・信頼性に係る情報開示指針（ASP・SaaS 編）第３版」の公表　https://www.soumu.go.jp/menu_news/s-news/01cyber01_02000001_00149.html〔2023/5/1 確認〕
※ 5　株式会社三菱総合研究所：IoT 製品に対するセキュリティ適合性評価制度の構築について　https://www.meti.go.jp/shingikai/mono_info_service/sangyo_cyber/wg_cybersecurity/iot_security/pdf/001_08_00.pdf〔2023/5/1 確認〕
※ 6　https://www.digital.go.jp/policies/priority-policy-program/〔2023/5/1 確認〕
※ 7　総務省：令和4年度デジタル活用支援推進事業の実施状況　https://www.soumu.go.jp/main_content/000838998.pdf〔2023/5/1 確認〕
※ 8　NISC：ナショナルサート機能の強化について　https://www.nisc.go.jp/about/organize/kinokyoka.html〔2023/5/1 確認〕
※ 9　NISC：サイバー攻撃被害に係る情報の共有・公表ガイダンス検討会　https://www.nisc.go.jp/council/cs/kyogikai/guidancekentoukai.html〔2023/5/1 確認〕
※ 10 https://www.nisc.go.jp/pdf/policy/general/kijyunr3.pdf〔2023/5/1 確認〕
※ 11 https://www.nisc.go.jp/pdf/policy/infra/cip_policy_2022.pdf〔2023/5/1 確認〕
※ 12 https://www.nisc.go.jp/pdf/policy/infra/cip_policy_abst_2022.pdf〔2023/5/1 確認〕
※ 13 https://www.nisc.go.jp/pdf/policy/infra/shishin5rev.pdf〔2023/5/1 確認〕
※ 14 NISC：重要インフラのサイバーセキュリティに係る安全基準等策定指針（案）https://www.nisc.go.jp/pdf/policy/infra/pubcom_shishin6.pdf〔2023/5/9 確認〕
※ 15 NISC：重要インフラにおける機能保証の考え方に基づくリスクアセスメント手引書（第1版）　改定版　https://www.nisc.go.jp/files/tebikishorev.zip〔2023/5/9 確認〕
※ 16 https://www.nisc.go.jp/pdf/policy/infra/pubcom_tebikisho2.pdf〔2023/5/9 確認〕
※ 17 https://www.mext.go.jp/a_menu/shotou/zyouhou/detail/__icsFiles/afieldfile/2017/10/18/1397369.pdf〔2023/5/1 確認〕
※ 18 https://www.mext.go.jp/content/20220304-mxt_shuukyo01-100003157_1.pdf〔2023/5/1 確認〕
※ 19 https://www.mhlw.go.jp/stf/shingi/0000516275_00002.html〔2023/5/1 確認〕
※ 20 厚生労働省：医療機関を標的としたランサムウェアによるサイバー攻撃について（注意喚起）　https://www.mhlw.go.jp/hourei/doc/tsuchi/T210630U0010.pdf〔2023/5/1 確認〕
※ 21 厚生労働省：医療機関等におけるサイバーセキュリティ対策の強化について（注意喚起）（令和4年 11 月 10 日）　https://www.mhlw.go.jp/content/10808000/001079508.pdf〔2023/5/1 確認〕
※ 22 厚生労働省：医療法施行規則の一部を改正する省令について　https://www.mhlw.go.jp/content/10808000/001075881.pdf〔2023/5/1 確認〕
※ 23 外務省：日米豪印首脳会合共同声明　https://www.mofa.go.jp/mofaj/fp/nsp/page1_001188.html〔2023/5/1 確認〕
※ 24 https://security-portal.nisc.go.jp/cybersecuritymonth/2023/〔2023/5/1 確認〕
※ 25 https://security-portal.nisc.go.jp/cybersecuritymonth/2023/quad/index.html〔2023/5/1 確認〕
※ 26 内閣府：戦略的イノベーション創造プログラム（SIP）第2期（平成 30 年～）課題一覧　https://www8.cao.go.jp/cstp/gaiyo/sip/sip2nd_list.html〔2023/5/1 確認〕
※ 27 SIP：イベントレポート　https://www.sip.go.jp/event-report/〔2023/5/1 確認〕
※ 28 https://www.nisc.go.jp/pdf/policy/kihon-1/awareness2022.pdf〔2023/5/1 確認〕
※ 29 内閣府：経済施策を一体的に講ずることによる安全保障の確保の推進に関する法律（経済安全保障推進法）　https://www.cao.go.jp/keizai_anzen_hosho/index.html〔2023/5/1 確認〕
※ 30 内閣官房：特定重要物資の指定について【安定供給確保取組方針（概要案）】　https://www.cas.go.jp/jp/seisaku/keizai_anzen_hosyohousei/r4_dai4/siryou1.pdf〔2023/5/1 確認〕
※ 31 e-Gov 法令検索：経済施策を一体的に講ずることによる安全保障の確保の推進に関する法律施行令　https://elaws.e-gov.go.jp/document?lawid=504CO0000000394_20221223_000000000000000〔2023/5/1 確認〕
※ 32 www.meti.go.jp/policy/economy/economic_security/cloud/torikumihoshin_cloudprogramme.pdf〔2023/5/1 確認〕
※ 33 認定供給確保事業者：特定重要物資等の安定供給確保のための取組みに関する計画を主務大臣に提出し認定を受けた者（経済安保推進法９条１項及び 10 条１項）。
※ 34 https://www.ipa.go.jp/security/keihatsu/sme/guideline/〔2023/5/1 確認〕
※ 35 内閣官房：国家安全保障戦略について　https://www.cas.go.jp/jp/siryou/221216anzenhoshou.html〔2023/5/1 確認〕
※ 36 デジタル庁：国等の情報システムの統括・監理　https://www.digital.go.jp/policies/development_management/〔2023/4/28 確認〕
※ 37 https://www.digital.go.jp/assets/contents/node/basic_page/field_ref_resources/06ecbaa1-128e-4435-856d-591adb3369ea/20211224_development_management_01.pdf〔2023/4/28 確認〕
※ 38 https://www.nisc.go.jp/policy/group/general/kijun.html〔2023/4/28 確認〕
※ 39 https://www.digital.go.jp/resources/standard_guidelines/〔2023/4/28 確認〕
※ 40 https://www.digital.go.jp/assets/contents/node/basic_page/field_ref_resources/e2a06143-ed29-4f1d-9c31-0f06fca67afc/2a169f83/20220630_resources_standard_guidelines_guidelines_01.pdf〔2023/4/28 確認〕
※ 41 https://www.digital.go.jp/assets/contents/node/basic_page/field_ref_resources/e2a06143-ed29-4f1d-9c31-0f06fca67afc/5efa5c3b/20220630_resources_standard_guidelines_guidelines_04.pdf〔2023/4/28 確認〕
※ 42 https://www.digital.go.jp/assets/contents/node/basic_page/field_ref_resources/e2a06143-ed29-4f1d-9c31-0f06fca67afc/85a62078/20220630_resources_standard_guidelines_guidelines_06.pdf〔2023/4/28 確認〕
※ 43 https://www.digital.go.jp/assets/contents/node/basic_page/field_ref_resources/e2a06143-ed29-4f1d-9c31-0f06fca67afc/3bc45d3c/20220630_resources_standard_guidelines_guidelines_08.pdf〔2023/4/28 確認〕
※ 44 https://www.digital.go.jp/assets/contents/node/basic_page/field_ref_resources/e2a06143-ed29-4f1d-9c31-0f06fca67afc/1b65a1dc/20230411_resources_standard_guidelines_guideline_01.pdf〔2023/4/28 確認〕
※ 45 NIST：Framework for Improving Critical Infrastructure Cybersecurity　https://nvlpubs.nist.gov/nistpubs/CSWP/NIST.CSWP.04162018.pdf〔2023/4/28 確認〕
※ 46 https://www.digital.go.jp/assets/contents/node/basic_page/field_ref_resources/e2a06143-ed29-4f1d-9c31-0f06fca67afc/a84dbb17/20230411_resources_standard_guidelines_guideline_05.pdf〔2023/4/28 確認〕
※ 47 https://www.digital.go.jp/assets/contents/node/basic_page/field_ref_resources/e2a06143-ed29-4f1d-9c31-0f06fca67afc/9f746654/20230411_resources_standard_guidelines_guideline_07.pdf〔2023/4/28 確認〕
※ 48 https://www.digital.go.jp/assets/contents/node/basic_page/field_ref_resources/e2a06143-ed29-4f1d-9c31-0f06fca67afc/e5b49450/20230411_resources_standard_guidelines_guideline_03.pdf〔2023/4/28 確認〕
※ 49 デジタル庁：CRSA プログラム　常時リスク診断・対処（CRSA）　https://www.digital.go.jp/policies/security/crsa/〔2023/6/7 確認〕
※ 50 https://www.meti.go.jp/shingikai/mono_info_service/sangyo_cyber/pdf/001_05_00.pdf〔2023/4/28 確認〕
※ 51 経済産業省：第７回 産業サイバーセキュリティ研究会　https://www.meti.go.jp/shingikai/mono_info_service/sangyo_cyber/007.html〔2023/4/28 確認〕
※ 52 https://www.meti.go.jp/shingikai/mono_info_service/sangyo_cyber/pdf/002_03_00.pdf〔2023/4/28 確認〕
※ 53 CPSF の詳細については「情報セキュリティ白書 2020」(https://www.ipa.go.jp/publish/wp-security/sec-2020.html〔2023/4/28 確認〕)の「2.1.2(1)(a)WG1(制度・技術・標準化)」(p.69)を参照。
※ 54 SBOM（Software Bill of Materials）：ソフトウェア部品表。ソフトウェアに含まれるコンポーネントをデータベース化し、一覧で管理する手法の一つ。

PwC：SBOM 普及の本格化～ソフトウェアサプライチェーンの構造的な課題と解決策～ https://www.pwc.com/jp/ja/knowledge/column/awareness-cyber-security/vulnerability-management-sbom1.html〔2023/4/28 確認〕
※ 55 https://www.meti.go.jp/shingikai/mono_info_service/sangyo_cyber/wg_seido/pdf/006_05_00.pdf〔2023/4/28 確認〕
※ 56-1 https://www.meti.go.jp/shingikai/mono_info_service/sangyo_cyber/wg_seido/wg_building/20221024_report.html〔2023/4/28 確認〕
※ 56-2 経済産業省：ビルシステムにおけるサイバー・フィジカル・セキュリティ対策ガイドライン第 2 版 https://www.meti.go.jp/shingikai/mono_info_service/sangyo_cyber/wg_seido/wg_building/20230420_report.html〔2023/6/2 確認〕
※ 57 経済産業省：第 15 回 産業サイバーセキュリティ研究会 ワーキンググループ 1（制度・技術・標準化）電力サブワーキンググループ https://www.meti.go.jp/shingikai/mono_info_service/sangyo_cyber/wg_seido/wg_denryoku/015.html〔2023/4/28 確認〕
※ 58 https://www.meti.go.jp/shingikai/mono_info_service/sangyo_cyber/wg_seido/wg_uchu_sangyo/pdf/20220721_1.pdf〔2023/4/28 確認〕
※ 59-1 経済産業省：「工場システムにおけるサイバー・フィジカル・セキュリティ対策ガイドライン Ver 1.0」を策定しました https://www.meti.go.jp/press/2022/11/20221116004/20221116004.html〔2023/4/28 確認〕
※ 59-2 経済産業省：産業サイバーセキュリティ研究会 ワーキンググループ 1（制度・技術・標準化）宇宙産業サブワーキンググループ 民間宇宙システムにおけるサイバーセキュリティ対策ガイドライン Ver 1.1 https://www.meti.go.jp/shingikai/mono_info_service/sangyo_cyber/wg_seido/wg_uchu_sangyo/20230331_report.html〔2023/6/2 確認〕
※ 60 経済産業省：第 7 回『第 2 層：フィジカル空間とサイバー空間のつながり』の信頼性確保に向けたセキュリティ対策検討タスクフォース https://www.meti.go.jp/shingikai/mono_info_service/sangyo_cyber/wg_seido/wg_bunyaodan/dainiso/007.html〔2023/4/28 確認〕
※ 61 https://www.meti.go.jp/policy/netsecurity/wg1/IoT-SSF_ver1.0.pdf〔2023/4/28 確認〕
※ 62 経済産業省：IoT セキュリティ・セーフティ・フレームワーク Version 1.0 1 適用実証報告書 https://www.meti.go.jp/shingikai/mono_info_service/sangyo_cyber/wg_seido/wg_bunyaodan/dainiso/pdf/007_s01_00.pdf〔2023/4/28 確認〕
※ 63 https://www.meti.go.jp/policy/netsecurity/wg1/IoT-SSF_ver1.0_UseCase.pdf〔2023/4/28 確認〕
※ 64 経済産業省：第9回 サイバー・フィジカル・セキュリティ確保に向けたソフトウェア管理手法等検討タスクフォース https://www.meti.go.jp/shingikai/mono_info_service/sangyo_cyber/wg_seido/wg_bunyaodan/software/009.html〔2023/4/28 確認〕
※ 65 https://www.meti.go.jp/shingikai/mono_info_service/sangyo_cyber/wg_keiei/pdf/008_03_00.pdf〔2023/4/28 確認〕
※ 66 経済産業省：サイバーセキュリティ経営ガイドラインと支援ツール https://www.meti.go.jp/policy/netsecurity/mng_guide.html〔2023/4/28 確認〕
※ 67 IPA：サイバーセキュリティ経営可視化ツール https://www.ipa.go.jp/security/economics/checktool/index.html〔2023/4/28 確認〕
※ 68 地域セキュリティコミュニティ【地域 SECUNITY】：地域の民間企業、行政機関、教育機関、関係団体等が、セキュリティについて語り合い、「共助」の関係を築くコミュニティ。
※ 69 経済産業省：地域 SECUNITY（セキュリティ・コミュニティ） https://www.meti.go.jp/policy/netsecurity/secunity.html〔2023/4/28 確認〕
※ 70-1 IPA：地域 SECUNITY 形成促進 WG https://www.ipa.go.jp/security/sc3/activities/secunityWG/〔2023/4/28 確認〕
※ 70-2 経済産業省：事務局説明資料 産業サイバーセキュリティ研究会 WG3（サイバーセキュリティビジネス化）第7回 https://www.meti.go.jp/shingikai/mono_info_service/sangyo_cyber/wg_cybersecurity/pdf/007_03_00.pdf〔2023/4/28 確認〕
※ 71 経済産業省：情報セキュリティサービス基準 第 2 版 https://www.meti.go.jp/policy/netsecurity/shinsatouroku/zyouhoukizyun2.pdf〔2023/4/28 確認〕
※ 72 株式会社三菱総合研究所：「開発段階における IoT 機器の脆弱性検証促進事業」（経済産業省事業）において IoT 機器の脆弱性検証を希望する中小企業の募集のご案内について https://pubpjt.mri.co.jp/publicoffer/20220425_2.html〔2023/4/28 確認〕
※ 73 経済産業省：第 2 回 産業サイバーセキュリティ研究会 ワーキンググループ 3 IoT 製品に対するセキュリティ適合性評価制度構築に向けた検討会 https://www.meti.go.jp/shingikai/mono_info_service/sangyo_cyber/wg_cybersecurity/iot_security/002.html〔2023/4/28 確認〕
※ 74 IPA：第 23 回コラボレーション・プラットフォーム 開催レポート https://www.ipa.go.jp/files/000103489.pdf〔2023/4/28 確認〕
※ 75 IPA：第 24 回コラボレーション・プラットフォーム 開催レポート https://www.ipa.go.jp/files/000107058.pdf〔2023/4/28 確認〕
※ 76 https://www.meti.go.jp/shingikai/mono_info_service/credit_card_payment/pdf/20230120_1.pdf〔2023/4/28 確認〕
※ 77 経済産業省：技術情報管理認証制度（トップページ） https://www.meti.go.jp/policy/mono_info_service/mono/technology_management/index.html〔2023/4/28 確認〕
※ 78 経済産業省：技術情報管理認証制度 専門家派遣事業のご案内 https://r4.outreach.go.jp/tics-haken.html〔2023/4/28 確認〕
※ 79 経済産業省：情報セキュリティサービス審査登録制度 https://www.meti.go.jp/policy/netsecurity/shinsatouroku/touroku.html〔2023/4/28 確認〕
※ 80 経済産業省：「情報セキュリティサービス基準第 2 版」及び「情報セキュリティサービスに関する審査登録機関基準第 2 版」を公表しました https://www.meti.go.jp/press/2021/01/20220131003/20220131003.html〔2023/4/28 確認〕
※ 81 審査登録機関：「情報セキュリティサービスに関する審査登録機関基準」に適合するとIPA が確認した機関。なお、申請事業者が「情報セキュリティサービス基準」に適合するか否かの審査・判定は、各審査登録機関がその責任において実施する。
※ 82 IPA：情報セキュリティサービス基準適合サービスリスト https://www.ipa.go.jp/security/service_list.html〔2023/4/28 確認〕
※ 83 https://www.nisc.go.jp/pdf/policy/general/guider3_2.pdf〔2023/4/28 確認〕
※ 84 経済産業省：「情報セキュリティサービス基準第 3 版」を公表しました https://www.meti.go.jp/press/2022/03/20230330002/20230330002.html〔2023/4/28 確認〕
※ 85 SIG（Special Interest Group）：「特定の分野（各業界におけるサイバー攻撃に関する情報）について、情報を交換するグループ」という意味で、J-CSIP では各業界の参加組織の集合体を SIG と呼んでいる。
※ 86 セプターカウンシル：各重要インフラ分野で整備されたセプターの代表で構成される協議会で、セプター間の情報共有等を行う、分野横断的な情報共有体制。
※ 87 IPA：サイバー情報共有イニシアティブ（J-CSIP）運用状況［2023 年 1 月～ 3 月］ https://www.ipa.go.jp/security/j-csip/ug65p9000000nkvm-att/fy22-q4-report.pdf〔2023/5/5 確認〕
※ 88 「マルウェア」等の用語を混在して使用すると、読者を混乱させる可能性があるため、本白書では特に断りのない限り、または文献引用上の正確性を期す必要のない限り、総称して「ウイルス」と表現する。
※ 89 IPA：サイバーレスキュー隊 J-CRAT（ジェイ・クラート）について https://www.ipa.go.jp/security/j-crat/about.html〔2023/4/27 確認〕
IPA：J-CRAT 標的型サイバー攻撃特別相談窓口 https://www.ipa.go.jp/security/todokede/tokubetsu.html〔2023/4/27 確認〕
※ 90 https://www.soumu.go.jp/main_content/000829941.pdf〔2023/4/28 確認〕
※ 91 https://www.soumu.go.jp/main_content/000761893.pdf〔2023/4/28 確認〕
※ 92 NISC：電気通信事業法の一部改正案について https://www.nisc.go.jp/pdf/council/cs/dai17/17sankou02.pdf〔2023/4/28 確認〕
※ 93 https://notice.go.jp/〔2023/4/28 確認〕
※ 94 NOTICE：IoT 機器調査及び利用者への注意喚起の実施状況（2022 年 12 月度） https://notice.go.jp/docs/status202212.pdf〔2023/4/28 確認〕
※ 95 「実施状況」（https://notice.go.jp/status〔2023/4/28 確認〕）に掲載された「IoT 機器調査及び利用者への注意喚起の実施状況（2022 年 1 月度）」～「IoT 機器調査及び利用者への注意喚起の実施状況（2022 年 12 月度）」を基に IPA がグラフを作成した。
※ 96 https://www.nicter.jp/〔2023/4/28 確認〕
※ 97 https://csl.nict.go.jp/report/NICTER_report_2022.pdf〔2023/4/28 確認〕
※ 98 https://cynex.nict.go.jp/〔2023/4/28 確認〕
※ 99 SOC（Security Operation Center）：サイバー攻撃の検知や分析、対策等を専門に行う組織。
※ 100 AJCCBC：NEWS https://www.ajccbc.org/news.html〔2023/4/28 確認〕
AJCCBC：https://www.facebook.com/AJCCBC/posts/pfbid02EUcRfHjRsXhgjo7M65HtU2ws2duhz5DtVs4dc1hMajfNfVTDEM4aZcPdKbAiPcdl〔2023/4/28 確認〕
※ 101 警察庁：警察におけるサイバー戦略について（依命通達） https://www.npa.go.jp/bureau/cyber/pdf/202204_senryaku.pdf〔2023/4/28 確認〕
※ 102 警察庁：サイバー重点施策について（通達） https://www.npa.

go.jp/bureau/cyber/pdf/202204_jyuten.pdf〔2023/4/28 確認〕
※ 103 https://www.npa.go.jp/publications/statistics/cybersecurity/data/R04_cyber_jousei.pdf〔2023/4/28 確認〕
※ 104 https://www.npa.go.jp/hakusyo/r04/index.html 〔2023/4/28 確認〕
※ 105 https://www.npa.go.jp/bureau/cyber/index.html 〔2023/5/9 確認〕
※ 106 https://www.kanto.npa.go.jp/about/syoukai10.html 〔2023/5/9 確認〕
※ 107 重大サイバー事案：「令和4年版 警察白書」の「第 1 部 第 1 節 技術革新に伴う現代社会における脅威」では、「国若しくは地方公共団体の重要な情報システムの運用や重要インフラ事業者の事業の実施に重大な支障が生じ、若しくは生じるおそれのある事案、高度な技術的手法が用いられるなどの事案（マルウェア事案等）、又は国外に所在するサイバー攻撃者による事案」としている。
※ 108 https://www.npa.go.jp/bureau/cyber/what-we-do/cyberforce.html〔2023/5/9 確認〕
※ 109 警察庁：ASEAN＋3国際犯罪閣僚会議及び日・ASEAN国際犯罪閣僚会議の開催について https://www.npa.go.jp/bureau/soumu/kokusai/ammtc2022.html〔2023/4/28 確認〕
※ 110 2022 年 6 月末時点で全国約 8,400 事業者。
※ 111 警察庁：サイバー犯罪に対する警察と民間事業者の共同対処の推進について（通達） https://www.npa.go.jp/laws/notification/seian/jyohotaisaku/20190327kanminrenkei.pdf〔2023/4/28 確認〕
※ 112 警察庁：ランサムウェア被害防止対策 https://www.npa.go.jp/bureau/cyber/countermeasures/ransom.html〔2023/4/28 確認〕
※ 113 警察庁：マルウェア Emotet の新たな手口に係る注意喚起について https://www.npa.go.jp/bureau/cyber/pdf/20220428press.pdf〔2023/4/28 確認〕
※ 114 警察庁：Emotet の解析結果について https://www.npa.go.jp/bureau/cyber/koho/detect/20201211.html〔2023/4/28 確認〕
※ 115 警察庁：令和 4 年上半期におけるサイバー空間をめぐる脅威の情勢等について https://www.npa.go.jp/publications/statistics/cybersecurity/data/R04_kami_cyber_jousei.pdf〔2023/4/28 確認〕
※ 116 警察庁：不正アクセス行為対策等の実態調査 アクセス制御機能に関する技術の研究開発の状況等に関する調査 調査報告書 https://www.npa.go.jp/bureau/cyber/pdf/R3countermeasures.pdf 〔2023/4/28 確認〕
※ 117 https://www.npa.go.jp/news/release/2023/r4_report.pdf〔2023/4/28 確認〕
※ 118 デジタル庁・総務省・経済産業省：電子政府における調達のために参照すべき暗号のリスト（CRYPTREC 暗号リスト） https://www.cryptrec.go.jp/list/cryptrec-ls-0001-2022.pdf〔2023/4/28 確認〕
※ 119 https://www.cryptrec.go.jp/list/cryptrec-ls-0003-2022r1.pdf〔2023/4/28 確認〕
※ 120 https://www.ipa.go.jp/security/crypto/guideline/gmcbt80000005u7d-att/ipa-cryptrec-gl-3002-1.0.pdf〔2023/4/28 確認〕
※ 121 NIST：Finalists https://csrc.nist.gov/Projects/lightweight-cryptography/finalists〔2023/4/28 確認〕
※ 122 CRYPTREC：CRYPTREC シンポジウム 2022 https://www.cryptrec.go.jp/events/cryptrec_symposium2022_presentation.html〔2023/4/28 確認〕
※ 123 外務省：G7 首脳テレビ会議 https://www.mofa.go.jp/mofaj/ecm/ec/page6_000665.html〔2023/4/17 確認〕
外務省：ロシア連邦軍によるウクライナ侵攻に関する首脳声明 https://www.mofa.go.jp/mofaj/files/100306591.pdf〔2023/4/17 確認〕
※ 124 外務省：ロシアによるウクライナへの軍事行動の開始を受けた制裁措置（外務大臣談話） https://www.mofa.go.jp/mofaj/press/danwa/page6_000666.html〔2023/4/17 確認〕
※ 125 出入国在留管理庁：ウクライナ避難民の受入れ・支援等の状況について https://www.moj.go.jp/isa/content/001388202.pdf〔2023/4/17 確認〕
※ 126 外務省：日・ウクライナ外相会談 https://www.mofa.go.jp/mofaj/erp/c_see/ua/page6_000684.html〔2023/4/17 確認〕
外務省：日・ポーランド外相会談 https://www.mofa.go.jp/mofaj/erp/c_see/pl/page6_000685.html〔2023/4/17 確認〕
※ 127 European Council：EU-Japan summit, 12 May 2022 https://www.consilium.europa.eu/en/meetings/international-summit/2022/05/12/〔2023/4/17 確認〕
※ 128 外務省：日米首脳会談 https://www.mofa.go.jp/mofaj/na/na1/us/page3_003322.html〔2023/4/17 確認〕
※ 129 UN News：General Assembly resolution demands end to Russian offensive in Ukraine https://news.un.org/en/story/2022/03/1113152〔2023/4/17 確認〕
JETRO：国連総会がロシア非難決議を採択、クアッド首脳会談でウクライナ情勢を議論 https://www.jetro.go.jp/biznews/2022/03/7f12ab7c19f6b58e.html〔2023/4/17 確認〕
※ 130 REUTERS：ロシア、ウクライナ 4 州併合手続き完了 プーチン氏が法案署名 https://jp.reuters.com/article/russia-ukraine-annex-idJPKBN2R00IE〔2023/4/17 確認〕
※ 131 UN News：Ukraine: UN General Assembly demands Russia reverse course on 'attempted illegal annexation' https://news.un.org/en/story/2022/10/1129492〔2023/4/17 確認〕
※ 132 外務省：G7 首脳声明 https://www.mofa.go.jp/mofaj/ecm/ec/page4_005524.html〔2023/4/17 確認〕
※ 133 外務省：G7 首脳会合 https://www.mofa.go.jp/mofaj/ecm/ec/page6_000680.html〔2023/4/17 確認〕
※ 134 外務省：G7 エルマウ・サミット（概要） https://www.mofa.go.jp/mofaj/ecm/ec/page4_005632.html〔2023/4/17 確認〕
※ 135 外務省：G7 エルマウサミットにおけるインフラ投資に関するサイドイベント 岸田総理発言内容 https://www.mofa.go.jp/mofaj/files/100370514.pdf〔2023/4/17 確認〕
※ 136 外務省：ウクライナ支援に関する G7 首脳声明 https://www.mofa.go.jp/mofaj/files/100364086.pdf〔2023/4/17 確認〕
※ 137 外務省：G7 首脳コミュニケ https://www.mofa.go.jp/mofaj/files/100376624.pdf〔2023/4/17 確認〕
※ 138 外務省：G7 首脳声明 https://www.mofa.go.jp/mofaj/files/100396844.pdf〔2023/4/17 確認〕
※ 139 外務省：G7 首脳声明 https://www.mofa.go.jp/mofaj/files/100315216.pdf〔2023/4/17 確認〕
※ 140 外務省：日米豪印首脳会合 https://www.mofa.go.jp/mofaj/fp/nsp/page1_001186.html〔2023/4/17 確認〕
※ 141 外務省：日米豪印サイバーセキュリティ・パートナーシップ：共同原則 https://www.mofa.go.jp/mofaj/files/100347973.pdf〔2023/4/17 確認〕
※ 142 外務省：重要技術サプライチェーンに関する原則の共通声明 https://www.mofa.go.jp/mofaj/files/100347897.pdf 〔2023/4/17 確認〕
※ 143 外務省：「責任あるサイバー習慣を促進するための協力に関する日米豪印共同声明」の発出 https://www.mofa.go.jp/mofaj/fp/es/page3_003615.html〔2023/4/17 確認〕
※ 144 外務省：日米首脳会談 https://www.mofa.go.jp/mofaj/na/na1/us/page1_001403.html〔2023/4/17 確認〕
※ 145 内閣官房：国家安全保障戦略について https://www.cas.go.jp/jp/siryou/221216anzenhoshou/nss-j.pdf〔2023/4/17 確認〕
※ 146 外務省：日米安全保障協議委員会（日米「2＋2」）（概要） https://www.mofa.go.jp/mofaj/na/fa/page4_005748.html 〔2023/4/17 確認〕
※ 147 外務省：日米経済政策協議委員会（経済版「2＋2」） https://www.mofa.go.jp/mofaj/na/na2/us/page6_000720.html 〔2023/4/17 確認〕
※ 148 外務省：第 28 回日 EU 定期首脳協議 https://www.mofa.go.jp/mofaj/erp/ep/page4_005605.html〔2023/4/17 確認〕
※ 149 外務省：デジタルパートナーシップ文書 https://www.mofa.go.jp/mofaj/files/100343686.pdf〔2023/4/17 確認〕
※ 150 外務省：日英首脳会談 https://www.mofa.go.jp/mofaj/erp/we/gb/page1_001467.html〔2023/4/17 確認〕
※ 151 外務省：第 7 回日英サイバー協議の開催 https://www.mofa.go.jp/mofaj/press/release/press3_001059.html〔2023/4/17 確認〕
※ 152 外務省：日仏首脳会談 https://www.mofa.go.jp/mofaj/erp/we/fr/shin4_000041.html〔2023/4/17 確認〕
※ 153 外務省：第 6 回日仏サイバー協議の開催 https://www.mofa.go.jp/mofaj/press/release/press3_000873.html〔2023/4/17 確認〕
※ 154 外務省：日仏首脳夕食会及び会談 https://www.mofa.go.jp/mofaj/erp/we/fr/page4_005745.html〔2023/4/17 確認〕
※ 155 外務省：日印首脳会談 https://www.mofa.go.jp/mofaj/s_sa/sw/in/page1_001542.html〔2023/4/17 確認〕
※ 156 外務省：日・ウクライナ首脳会談 https://www.mofa.go.jp/mofaj/erp/c_see/ua/page4_005820.html〔2023/4/17 確認〕
※ 157 外務省：日本とウクライナとの間の特別なグローバル・パートナーシップに関する共同声明 https://www.mofa.go.jp/mofaj/files/100478708.pdf〔2023/4/17 確認〕
※ 158 https://aseanregionalforum.asean.org/〔2023/4/17 確認〕
※ 159 外務省：議長声明 https://www.mofa.go.jp/mofaj/files/100381268.pdf〔2023/4/17 確認〕
※ 160 外務省：第 25 回日 ASEAN 首脳会議 https://www.mofa.go.jp/mofaj/a_o/rp/page1_001395.html〔2023/4/17 確認〕
※ 161 経済産業省：第 15 回 日・ASEAN サイバーセキュリティ政策会議の結果 https://www.meti.go.jp/press/2022/10/20221006001/

20221006001.html〔2023/4/17 確認〕
※ 162 経済産業省：「インド太平洋地域向け日米 EU 産業制御システムサイバーセキュリティウィーク」を実施しました https://www.meti.go.jp/press/2022/10/20221031001/20221031001.html〔2023/4/17 確認〕
※ 163 The Washington Post：MIDTERM ELECTIONS 2022 https://www.washingtonpost.com/elections/midterms-2022/〔2023/4/17 確認〕
投票結果は上院が民主党 51、共和党 49、下院が民主党 213、共和党 222 で確定した。
※ 164 The White House：Executive Order on Improving the Nation's Cybersecurity https://www.whitehouse.gov/briefing-room/presidential-actions/2021/05/12/executive-order-on-improving-the-nations-cybersecurity/〔2023/4/17 確認〕
※ 165 The New York Times：Nancy Pelosi Arrives in Taiwan, Drawing a Sharp Response From Beijing https://www.nytimes.com/2022/08/02/us/politics/nancy-pelosi-taiwan-beijing.html?action=click&module=RelatedLinks&pgtype=Article〔2023/4/17 確認〕
The Washington Post：Those Pelosi-inspired cyberattacks in Taiwan probably weren't all they were cracked up to be https://www.washingtonpost.com/politics/2022/08/03/those-pelosi-inspired-cyberattacks-taiwan-probably-werent-all-they-were-cracked-up-be/〔2023/4/17 確認〕
※ 166 The White House：Executive Order on the Implementation of the CHIPS Act of 2022 https://www.whitehouse.gov/briefing-room/presidential-actions/2022/08/25/executive-order-on-the-implementation-of-the-chips-act-of-2022/〔2023/4/17 確認〕
※ 167 The New York Times：Lawmakers Blast TikTok's C.E.O. for App's Ties to China, Escalating https://www.nytimes.com/2023/03/23/technology/tiktok-hearing-congress-china.html〔2023/4/17 確認〕
※ 168 2020 年 12 月、ネットワーク管理ツールベンダ SolarWinds Worldwide LLC のネットワーク管理システム Orion へのサイバー攻撃によりサービス対象の 18,000 社に影響があったとされる事案。「情報セキュリティ白書 2021」（https://www.ipa.go.jp/publish/wp-security/sec-2021.html〔2023/4/17 確認〕）の「2.2.2（3）SolarWinds 事案とその対応」（p.104）を参照。
※ 169 The White House：Memorandum on Improving the Cybersecurity of National Security, Department of Defense, and Intelligence Community Systems https://www.whitehouse.gov/briefing-room/presidential-actions/2022/01/19/memorandum-on-improving-the-cybersecurity-of-national-security-department-of-defense-and-intelligence-community-systems/〔2023/4/17 確認〕
※ 170 National Security Agency：President Biden Signs Cybersecurity National Security Memorandum https://www.nsa.gov/Press-Room/News-Highlights/Article/Article/2904637/president-biden-signs-cybersecurity-national-security-memorandum/〔2023/4/17 確認〕
※ 171 The White House：Executive Order on Prohibition on Use by the United States Government of Commercial Spyware that Poses Risks to National Security https://www.whitehouse.gov/briefing-room/presidential-actions/2023/03/27/executive-order-on-prohibition-on-use-by-the-united-states-government-of-commercial-spyware-that-poses-risks-to-national-security/〔2023/4/17 確認〕
※ 172 The New York Times：Biden Acts to Restrict U.S. Government Use of Spyware https://www.nytimes.com/2023/03/27/us/politics/biden-spyware-executive-order.html〔2023/4/17 確認〕
※ 173 The White House：FACT SHEET: Biden-Harris Administration Announces National Cybersecurity Strategy https://www.whitehouse.gov/briefing-room/statements-releases/2023/03/02/fact-sheet-biden-harris-administration-announces-national-cybersecurity-strategy/〔2023/4/17 確認〕
※ 174 European Commission：The EU's Cybersecurity Strategy for the Digital Decade https://digital-strategy.ec.europa.eu/en/library/eus-cybersecurity-strategy-digital-decade-0〔2023/4/17 確認〕
※ 175 NIST：Critical Software Definition https://www.nist.gov/itl/executive-order-improving-nations-cybersecurity/critical-software-definition〔2023/4/17 確認〕
※ 176 NIST：Security Measures for "EO-Critical Software" Use https://www.nist.gov/itl/executive-order-improving-nations-cybersecurity/security-measures-eo-critical-software-use-2〔2023/4/17 確認〕
※ 177 NIST：Secure Software Development Framework (SSDF) Version 1.1: Recommendations for Mitigating the Risk of Software Vulnerabilities https://csrc.nist.gov/publications/detail/sp/800-218/final〔2023/4/17 確認〕
※ 178 NIST：Software Supply Chain Security Guidance Under Executive Order (EO) 14028 Section 4e https://www.nist.gov/system/files/documents/2022/02/04/software-supply-chain-security-guidance-under-EO-14028-section-4e.pdf〔2023/4/17 確認〕
※ 179 NIST は 2021 年 5 月 12 日、EO 14028 で特定されるソフトウェア（EO-Critical Software）が満たすべきセキュリティ要件として Security Measures for EO-Critical Software（https://www.nist.gov/itl/executive-order-improving-nations-cybersecurity/security-measures-eo-critical-software-use〔2023/4/17 確認〕）を公開している。
※ 180 NIST：Cybersecurity Supply Chain Risk Management Practices for Systems and Organizations Share to Facebook https://csrc.nist.gov/publications/detail/sp/800-161/rev-1/final〔2023/4/17 確認〕
※ 181 The White House：Enhancing the Security of the Software Supply Chain to Deliver a Secure Government Experience https://www.whitehouse.gov/omb/briefing-room/2022/09/14/enhancing-the-security-of-the-software-supply-chain-to-deliver-a-secure-government-experience/〔2023/4/17 確認〕
※ 182 NIST：Recommended Criteria for Cybersecurity Labeling for Consumer Internet of Things (IoT) Products https://csrc.nist.gov/publications/detail/white-paper/2022/02/04/criteria-for-cybersecurity-labeling-for-consumer-iot-products/final〔2023/4/17 確認〕
NIST：Recommended Criteria for Cybersecurity Labeling of Consumer Software https://nvlpubs.nist.gov/nistpubs/CSWP/NIST.CSWP.02042022-1.pdf〔2023/4/17 確認〕
※ 183 NIST：Report for the Assistant to the President for National Security Affairs (APNSA) on Cybersecurity Labeling for Consumers https://www.nist.gov/system/files/documents/2022/05/24/Cybersecurity%20Labeling%20for%20Consumers%20under%20Executive%20Order%2014028%20on%20Improving%20the%20Nation%27s%20Cybersecurity%20Report%20%28FINAL%29.pdf〔2023/4/17 確認〕
※ 184 The White House：Statement by NSC Spokesperson Adrienne Watson on the Biden-Harris Administration's Effort to Secure Household Internet-Enabled Devices https://www.whitehouse.gov/briefing-room/statements-releases/2022/10/20/statement-by-nsc-spokesperson-adrienne-watson-on-the-biden-harris-administrations-effort-to-secure-household-internet-enabled-devices/〔2023/4/17 確認〕
※ 185 https://www.energystar.gov/〔2023/4/17 確認〕
※ 186 NIST：Trusted Internet of Things (IoT) Device Network-Layer Onboarding and Lifecycle Management https://www.nccoe.nist.gov/sites/default/files/2022-12/iot-onboarding-nist-sp1800-36a-preliminary-draft.pdf〔2023/4/17 確認〕
※ 187 NIST：Request for Information about Evaluating and Improving Cybersecurity Resources: The Cybersecurity Framework and Cybersecurity Supply Chain Risk Management https://www.nist.gov/cyberframework/request-information-about-evaluating-and-improving-cybersecurity-resources〔2023/4/17 確認〕
※ 188 NIST：Updating the NIST Cybersecurity Framework – Journey To CSF 2.0 https://www.nist.gov/cyberframework/updating-nist-cybersecurity-framework-journey-csf-20〔2023/4/17 確認〕
※ 189 NIST：Initial Summary Analysis of Responses to the Request for Information (RFI) Evaluating and Improving Cybersecurity Resources: The Cybersecurity Framework and Cybersecurity Supply Chain Risk Management https://www.nist.gov/system/files/documents/2022/06/03/NIST-Cybersecurity-RFI-Summary-Analysis-Final.pdf〔2023/4/17 確認〕
※ 190 NIST：Privacy Framework https://www.nist.gov/privacy-framework/privacy-framework〔2023/4/17 確認〕
※ 191 NIST：Workforce Framework for Cybersecurity (NICE Framework) Share to Facebook https://csrc.nist.gov/publications/detail/sp/800-181/rev-1/final〔2023/4/17 確認〕
※ 192 NIST：Journey to the NIST Cybersecurity Framework (CSF) 2.0 ¦ Workshop #1 https://www.nist.gov/news-events/events/2022/08/journey-nist-cybersecurity-framework-csf-20-workshop-1〔2023/4/17 確認〕
※ 193 NIST：NIST Cybersecurity Framework 2.0 Concept Paper: Potential Significant Updates to the Cybersecurity Framework https://www.nist.gov/system/files/documents/2023/01/19/

CSF_2.0_Concept_Paper_01-18-23.pdf〔2023/4/17 確認〕
※ 194 NIST：SP 800-207 https://csrc.nist.gov/publications/detail/sp/800-207/final〔2023/4/17 確認〕
※ 195 NIST：AI RISK MANAGEMENT FRAMEWORK https://www.nist.gov/itl/ai-risk-management-framework〔2023/4/17 確認〕
※ 196 CISA：CPG March 2023 Update https://www.cisa.gov/sites/default/files/2023-03/CISA_CPG_REPORT_v1.0.1_FINAL.pdf〔2023/4/17 確認〕
※ 197 CISA：Executive Order on Improving the Nation's Cybersecurity https://www.cisa.gov/executive-order-improving-nations-cybersecurity〔2023/4/17 確認〕
※ 198 FedRAMP（Federal Risk and Authorization Management Program）：米国政府の採用する「クラウドサービスに関するセキュリティ評価・認証の統一ガイドライン」及びその運営組織（https://www.fedramp.gov/〔2023/4/17 確認〕）。
※ 199 CISA：CISA Releases Second Version of Guidance for Secure Migration to the Cloud https://www.cisa.gov/news-events/news/cisa-releases-second-version-guidance-secure-migration-cloud〔2023/4/17 確認〕
※ 200 CISA：CISA, NSA, and ODNI Release Guidance for Customers on Securing the Software Supply Chain https://www.cisa.gov/news-events/alerts/2022/11/17/cisa-nsa-and-odni-release-guidance-customers-securing-software-supply〔2023/4/17 確認〕
※ 201 CISA：Software Bill of Materials (SBOM) https://www.cisa.gov/sbom〔2023/4/17 確認〕
※ 202 CISA：Cyber Safety Review Board (CSRB) https://www.cisa.gov/resources-tools/groups/cyber-safety-review-board-csrb〔2023/4/17 確認〕
※ 203 CSRB：Review of the December 2021 Log4j Event https://www.cisa.gov/sites/default/files/publications/CSRB-Report-on-Log4-July-11-2022_508.pdf〔2023/4/17 確認〕
※ 204 DHS：Cyber Safety Review Board to Conduct Second Review on Lapsus$ https://www.dhs.gov/news/2022/12/02/cyber-safety-review-board-conduct-second-review-lapsus〔2023/4/17 確認〕
※ 205 CISA：Federal Government Cybersecurity Incident and Vulnerability Response Playbooks https://www.cisa.gov/resources-tools/resources/federal-government-cybersecurity-incident-and-vulnerability-response-playbooks〔2023/4/17 確認〕
※ 206 CISA：Karakurt Data Extortion Group https://www.cisa.gov/news-events/cybersecurity-advisories/aa22-152a〔2023/4/17 確認〕
※ 207 CISA：North Korean State-Sponsored Cyber Actors Use Maui Ransomware to Target the Healthcare and Public Health Sector https://www.cisa.gov/news-events/cybersecurity-advisories/aa22-187a〔2023/4/17 確認〕
※ 208 CISA：#StopRansomware: Cuba Ransomware https://www.cisa.gov/news-events/cybersecurity-advisories/aa22-335a〔2023/4/17 確認〕
※ 209 CISA：ESXiArgs Ransomware Virtual Machine Recovery Guidance https://www.cisa.gov/news-events/cybersecurity-advisories/aa23-039a〔2023/4/17 確認〕
※ 210 CISA：#StopRansomware - Ransomware Attacks on Critical Infrastructure Fund DPRK Espionage Activities https://www.cisa.gov/news-events/alerts/2023/02/09/stopransomware-ransomware-attacks-critical-infrastructure-fund-dprk-espionage-activities〔2023/4/17 確認〕
※ 211 CISA：#StopRansomware: Royal Ransomware https://www.cisa.gov/news-events/cybersecurity-advisories/aa23-061a〔2023/4/17 確認〕
※ 212 CISA：BINDING OPERATIONAL DIRECTIVE 22-01- REDUCING THE SIGNIFICANT RISK OF KNOWN EXPLOITED VULNERABILITIES https://www.cisa.gov/binding-operational-directive-22-01〔2023/4/17 確認〕
※ 213 CISA：Known Exploited Vulnerabilities Catalog https://www.cisa.gov/known-exploited-vulnerabilities-catalog〔2023/4/17 確認〕
※ 214 CISA：Continuous Diagnostics and Mitigation (CDM) Program https://www.cisa.gov/cdm〔2023/4/17 確認〕
※ 215 CISA：Binding Operational Directive 23-01 https://www.cisa.gov/news-events/directives/binding-operational-directive-23-01〔2023/4/17 確認〕
※ 216 HOMELAND SECURITY TODAY.US：Shields Up: CISA Recommends All Organizations Adopt Heightened Cybersecurity Posture https://www.hstoday.us/federal-pages/dhs/shields-up-cisa-recommends-all-organizations-adopt-heightened-cybersecurity-posture/〔2023/4/17 確認〕
※ 217 CISA：Alert (AA22-047A) Russian State-Sponsored Cyber Actors Target Cleared Defense Contractor Networks to Obtain Sensitive U.S. Defense Information and Technology https://www.cisa.gov/uscert/ncas/alerts/aa22-047a〔2023/4/17 確認〕
※ 218 CISA：CISA and FBI Publish Advisory to Protect Organizations from Destructive Malware Used in Ukraine https://www.cisa.gov/news/2022/02/26/cisa-and-fbi-publish-advisory-protect-organizations-destructive-malware-used〔2023/4/17 確認〕
※ 219 CISA：SHIELDS UP https://www.cisa.gov/shields-up〔2023/4/17 確認〕
※ 220 https://www.cisa.gov/news-events/news/shields-technical-guidance〔2023/4/17 確認〕
※ 221 The White House：Statement by President Biden on our Nation's Cybersecurity https://www.whitehouse.gov/briefing-room/statements-releases/2022/03/21/statement-by-president-biden-on-our-nations-cybersecurity/〔2023/4/17 確認〕
※ 222 U.S. Cyber Command：Before the Invasion: Hunt Forward Operations in Ukraine https://www.cybercom.mil/Media/News/Article/3229136/before-the-invasion-hunt-forward-operations-in-ukraine/〔2023/4/17 確認〕
U.S. Cyber Command：U.S. Cyber Command 2022 Year in Review https://www.cybercom.mil/Media/News/Article/3256645/us-cyber-command-2022-year-in-review/〔2023/4/17 確認〕
※ 223 U.S. Cyber Command：CYBER 101 - Defend Forward and Persistent Engagement https://www.cybercom.mil/Media/News/Article/3198878/cyber-101-defend-forward-and-persistent-engagement/〔2023/4/17 確認〕
※ 224 Department of Defense：Biden Signs National Defense Authorization Act Into Law https://www.defense.gov/News/News-Stories/Article/Article/3252968/biden-signs-national-defense-authorization-act-into-law/〔2023/4/17 確認〕
U.S. Senate Committee on Armed Services：Summary of the Fiscal Year 2023 National Defense Authorization Act https://www.armed-services.senate.gov/imo/media/doc/fy23_ndaa_agreement_summary.pdf〔2023/5/9 確認〕
※ 225 Department of Defense：Strategic Direction for Cybersecurity Maturity Model Certification (CMMC) Program https://www.defense.gov/News/Releases/Release/Article/2833006/strategic-direction-for-cybersecurity-maturity-model-certification-cmmc-program/#.YYQzOVm7t84.facebook〔2023/4/17 確認〕
※ 226 Department of Defense：Department of Defense Releases Zero Trust Strategy and Roadmap https://www.defense.gov/News/Releases/Release/Article/3225919/department-of-defense-releases-zero-trust-strategy-and-roadmap/〔2023/4/17 確認〕
※ 227 The New York Times：Ukraine War Plans Leak Prompts Pentagon Investigation https://www.nytimes.com/2023/04/06/us/politics/ukraine-war-plan-russia.html〔2023/4/17 確認〕
※ 228 REUTERS：U.S. arrests 21-year-old National Guardsman for online intelligence leaks https://www.reuters.com/world/us/us-air-national-guardsman-suspected-leaking-intel-be-arrested-thursday-source-2023-04-13/?utm_source=Sailthru&utm_medium=Newsletter&utm_campaign=Daily-Briefing&utm_term=041423〔2023/4/17 確認〕
※ 229 https://www.ipa.go.jp/publish/wp-security/sec-2022.html〔2023/4/17 確認〕
※ 230 The White House：FACT SHEET: The United States and G7 to Take Further Action to Support Ukraine and Hold the Russian Federation Accountable https://www.whitehouse.gov/briefing-room/statements-releases/2022/06/27/fact-sheet-the-united-states-and-g7-to-take-further-action-to-support-ukraine-and-hold-the-russian-federation-accountable/〔2023/4/17 確認〕
※ 231 U.S. Department of the Treasury：OFAC Food Security Fact Sheet: Russia Sanctions and Agricultural Trade https://ofac.treasury.gov/media/924341/download?inline〔2023/4/17 確認〕
※ 232 JETRO：バイデン米政権、ロシアによるウクライナの一部併合受け新たな制裁 https://www.jetro.go.jp/biznews/2022/10/108159a8328d9915.html〔2023/4/17 確認〕
※ 233 U.S. Department of State：The United States Imposes Sanctions on Russian Naval Entities https://www.state.gov/the-united-states-imposes-sanctions-on-russian-naval-entities-2/〔2023/4/17 確認〕
※ 234 U.S. Department of the Treasury：Treasury Sanctions Russian

Proxy Wagner Group as a Transnational Criminal Organization https://home.treasury.gov/news/press-releases/jy1220〔2023/4/17 確認〕
※ 235 The White House：FACT SHEET: On One Year Anniversary of Russia's Invasion of Ukraine, Biden Administration Announces Actions to Support Ukraine and Hold Russia Accountable https://www.whitehouse.gov/briefing-room/statements-releases/2023/02/24/fact-sheet-on-one-year-anniversary-of-russias-invasion-of-ukraine-biden-administration-announces-actions-to-support-ukraine-and-hold-russia-accountable/〔2023/4/17 確認〕
U.S. Department of State：The United States Imposes Additional Sweeping Costs on Russia https://www.state.gov/the-united-states-imposes-additional-sweeping-costs-on-russia/〔2023/4/17 確認〕
※ 236 U.S. Department of State：$1.85 Billion in Additional U.S. Military Assistance, Including the First Transfer of Patriot Air Defense System https://www.state.gov/1-85-billion-in-additional-u-s-military-assistance-including-the-first-transfer-of-patriot-air-defense-system/〔2023/4/17 確認〕
※ 237 U.S. Department of State：U.S. Action to Strengthen Ukraine's Economy https://www.state.gov/u-s-action-to-strengthen-ukraines-economy/〔2023/4/17 確認〕
※ 238 The White House：Joe Biden on Travel to Kyiv, Ukraine https://www.whitehouse.gov/briefing-room/statements-releases/2023/02/20/statement-from-president-joe-biden-on-travel-to-kyiv-ukraine/〔2023/4/17 確認〕
※ 239 The New York Times：U.S. House Election Results: Republicans Win https://www.nytimes.com/interactive/2022/11/08/us/elections/results-house.html〔2023/4/17 確認〕
※ 240 TIME：Biden Defense Officials Grilled by GOP Congress on Ukraine Aid https://time.com/6259244/ukraine-aid-corruption-weapons/〔2023/4/17 確認〕
※ 241 REUTERS：Don't 'play with fire' over Taiwan, China's Xi warns in call with Biden https://jp.reuters.com/article/us-usa-china-biden-xi-idAFKBN2P30A0〔2023/4/17 確認〕
※ 242 REUTERS：Pelosi arrives in Taiwan vowing U.S. commitment; China enraged https://www.reuters.com/world/asia-pacific/pelosi-expected-arrive-taiwan-tuesday-sources-say-2022-08-02/〔2023/4/17 確認〕
※ 243 読売新聞:中国軍 300 機、台湾海峡中間線越え「重要軍事演習」1か月 https://www.yomiuri.co.jp/world/20220903-OYT1T50068/〔2023/4/17 確認〕
※ 244 REUTERS：Biden and Xi clash over Taiwan in Bali but Cold War fears cool https://www.reuters.com/world/ahead-tense-g20-summit-biden-xi-meet-talks-2022-11-14/〔2023/4/17 確認〕
※ 245 REUTERS：Blinken postpones trip to China after spy balloon detected in U.S. -reports https://www.reuters.com/world/us/blinken-postpones-visit-china-after-spy-balloon-flies-over-us-abc-news-2023-02-03/〔2023/4/17 確認〕
※ 246 REUTERS：U.S. fighter jet shoots down suspected Chinese spy balloon https://www.reuters.com/world/us/biden-says-us-is-going-take-care-of-chinese-balloon-2023-02-04/〔2023/4/17 確認〕
※ 247 The New York Times：China Says U.S. Regularly Sends Balloons Into Its Airspace https://www.nytimes.com/2023/02/13/world/asia/china-us-balloons-airspace.html〔2023/4/17 確認〕
※ 248 REUTERS：Xi clinches third term as China's president amid host of challenges https://www.reuters.com/world/china/chinas-parliament-elects-xi-jinping-chinas-president-2023-03-10/〔2023/4/17 確認〕
※ 249 The Washington Post：Xi and Putin sign agreements as Japan' s leader visits Ukraine https://www.washingtonpost.com/world/2023/03/21/russia-ukraine-war-latest-updates-putin-xi/〔2023/4/17 確認〕
※ 250 The New York Times：Germany puts a stop to Nord Stream 2, a key Russian natural gas pipeline. https://www.nytimes.com/2022/02/22/business/nord-stream-pipeline-germany-russia.html〔2023/4/25 確認〕
※ 251 eurostat：Annual inflation more than tripled in the EU in 2022 https://ec.europa.eu/eurostat/web/products-eurostat-news/w/DDN-20230309-2〔2023/4/25 確認〕
※ 252 FRANCE24：Macron stripped of majority after crushing blow in parliamentary elections https://www.france24.com/en/europe/20220620-macron-stripped-of-majority-after-crushing-blow-in-parliamentary-elections〔2023/4/25 確認〕
※ 253 REUTERS：Right-wing Meloni sworn in as Italy's first woman prime minister https://www.reuters.com/world/europe/italys-meloni-sworn-head-right-wing-government-2022-10-22/〔2023/4/25 確認〕
※ 254 JETRO：長引く価格高騰の現状（英国） https://www.jetro.go.jp/biz/areareports/special/2022/0802/10ef622a79674333.html〔2023/4/25 確認〕
※ 255 REUTERS：UK's Boris Johnson and the 'partygate' scandal https://www.reuters.com/world/uk/uks-boris-johnson-partygate-scandal-2023-03-03/〔2023/4/25 確認〕
※ 256 The Guardian：Boris Johnson resigns as Conservative leader after cabinet revolt https://www.theguardian.com/politics/2022/jul/07/boris-johnson-resigns-as-conservative-leader-after-cabinet-revolt〔2023/4/25 確認〕
※ 257 REUTERS：Pound drops more than 1% as Bank of England steps into bond market https://www.reuters.com/markets/currencies/pound-drops-much-1-volatile-trade-against-dollar-after-boe-announcement-2022-09-28/〔2023/4/25 確認〕
BBC NEWS JAPAN：英イングランド銀が市場介入、国債購入へ 現状は英財政の安定に「リスク」 https://www.bbc.com/japanese/63070465〔2023/4/25 確認〕
※ 258 REUTERS：焦点：ポンド急落、英新政権の経済政策に市場失望 回復のめど見えず https://jp.reuters.com/article/sterling-analysis-idJPKBN2QS07Y〔2023/4/25 確認〕
※ 259 The Guardian：Liz Truss abandons plan to scrap 45p top rate of income tax amid Tory revolt https://www.theguardian.com/politics/2022/oct/03/liz-truss-abandon-plan-scrap-45p-top-rate-income-tax-tory-revolt-kwasi-kwarteng-chancellor〔2023/4/25 確認〕
※ 260 REUTERS：UK's Truss says she will resign as PM https://jp.reuters.com/article/britain-politics-truss-resignation-idCAKBN2RF168〔2023/4/25 確認〕
※ 261 TIME：Why the 'Windsor Framework' Could Resolve Brexit's Thorniest Issue https://time.com/6258503/northern-ireland-brexit-deal/〔2023/4/25 確認〕
※ 262 The Guardian：UK joins Asia-Pacific CPTPP trade bloc that includes Japan and Australia https://www.theguardian.com/business/2023/mar/31/uk-joins-asia-pacific-cptpp-trade-bloc-that-includes-japan-and-australia〔2023/4/25 確認〕
※ 263 European Commission：EU Digital COVID Certificate https://ec.europa.eu/info/live-work-travel-eu/coronavirus-response/safe-covid-19-vaccines-europeans/eu-digital-covid-certificate_en#what-is-the-eu-digital-covid-certificate〔2023/4/25 確認〕
※ 264 BBC：Covid: England ending isolation laws and mass free testing https://www.bbc.com/news/uk-60467183〔2023/4/25 確認〕
※ 265 JETRO：フランス、3 月 14 日からワクチン・パスを解除 https://www.jetro.go.jp/biznews/2022/03/a364af6f1e9b7197.html〔2023/4/25 確認〕
※ 266 European Council：COVID-19: Council updates travel recommendations to lift all travel restrictions https://www.consilium.europa.eu/en/press/press-releases/2022/12/13/covid-19-council-updates-travel-recommendations-to-lift-all-travel-restrictions/〔2023/4/25 確認〕
※ 267 Oxford Academic：COVID-19 Vaccination Passports: Are They a Threat to Equality? https://academic.oup.com/phe/article/15/1/51/6576090〔2023/4/25 確認〕
※ 268 ENISA：NIS directive https://www.enisa.europa.eu/topics/cybersecurity-policy/nis-directive-new〔2023/4/25 確認〕
※ 269 European Parliament：The NIS2 Directive A high common level of cybersecurity in the EU https://www.europarl.europa.eu/RegData/etudes/BRIE/2021/689333/EPRS_BRI(2021)689333_EN.pdf〔2023/4/25 確認〕
※ 270 EU-CyCLONe のミッションは加盟国サイバーリスク管理組織間の調整、及び EU-CSIRT と政府レベルとの調整とされ、ENISA が運用を担当する。
ENISA：EU CyCLONe https://www.enisa.europa.eu/topics/incident-response/cyclone〔2023/4/25 確認〕
※ 271 European Council：Strengthening EU-wide cybersecurity and resilience – provisional agreement by the Council and the European Parliament https://www.consilium.europa.eu/en/press/press-releases/2022/05/13/renforcer-la-cybersecurite-et-la-resilience-a-l-echelle-de-l-ue-accord-provisoire-du-conseil-et-du-parlement-europeen/〔2023/4/25 確認〕

※ 272 European Council：EU decides to strengthen cybersecurity and resilience across the Union: Council adopts new legislation https://www.consilium.europa.eu/en/press/press-releases/2022/11/28/eu-decides-to-strengthen-cybersecurity-and-resilience-across-the-union-council-adopts-new-legislation/〔2023/4/25 確認〕
※ 273 ENISA：Cybersecurity Certification: Candidate EUCC Scheme https://www.enisa.europa.eu/publications/cybersecurity-certification-eucc-candidate-scheme〔2023/4/25 確認〕
※ 274 ENISA：Cybersecurity Certification: Candidate EUCC Scheme V1.1.1 https://www.enisa.europa.eu/publications/cybersecurity-certification-eucc-candidate-scheme-v1-1.1〔2023/4/25 確認〕
※ 275 European Commission：Cyber Resilience Act https://digital-strategy.ec.europa.eu/en/library/cyber-resilience-act〔2023/4/25 確認〕
※ 276 JETRO：欧州委、デジタル製品のサイバーセキュリティー対応を義務付ける法案発表 https://www.jetro.go.jp/biznews/2022/09/27fcc2dec113fddc.html〔2023/4/25 確認〕
※ 277 BEUC：Position papers Cyber Resilience Act proposal https://www.beuc.eu/position-papers/cyber-resilience-act-proposal〔2023/4/25 確認〕
※ 278 ENISA：ENISA Threat Landscape for Ransomware Attacks https://www.enisa.europa.eu/publications/enisa-threat-landscape-for-ransomware-attacks〔2023/4/25 確認〕
※ 279 https://www.nomoreransom.org/ja/index.html〔2023/4/25 確認〕
※ 280 European commission：European data strategy https://commission.europa.eu/strategy-and-policy/priorities-2019-2024/europe-fit-digital-age/european-data-strategy_en〔2023/4/25 確認〕
※ 281 European Commission：Data Act: Commission proposes measures for a fair and innovative data economy https://ec.europa.eu/commission/presscorner/detail/en/ip_22_1113〔2023/4/25 確認〕
※ 282 European Council：Council approves Data Governance Act https://www.consilium.europa.eu/en/press/press-releases/2022/05/16/le-conseil-approuve-l-acte-sur-la-gouvernance-des-donnees/〔2023/4/25 確認〕
※ 283 European Commission：Digital Markets Act: rules for digital gatekeepers to ensure open markets enter into force https://digital-strategy.ec.europa.eu/en/news/digital-markets-act-rules-digital-gatekeepers-ensure-open-markets-enter-force〔2023/4/25 確認〕
※ 284 The European Commission：Digital Services Act: EU's landmark rules for online platforms enter into force https://ec.europa.eu/commission/presscorner/detail/en/IP_22_6906〔2023/4/25 確認〕
※ 285 JETRO:EU 理事会、仲介サービス事業者を規制するデジタルサービス法案を採択 https://www.jetro.go.jp/biznews/2022/10/aedc2a77de60a2db.html〔2023/4/25 確認〕
※ 286 European Commission：REGULATION OF THE EUROPEAN PARLIAMENT AND OF THE COUNCIL LAYING DOWN HARMONISED RULES ON ARTIFICIAL INTELLIGENCE (ARTIFICIAL INTELLIGENCE ACT) AND AMENDING CERTAIN UNION LEGISLATIVE ACTS https://eur-lex.europa.eu/legal-content/EN/TXT/HTML/?uri=CELEX:52021PC0206&from=EN〔2023/4/25 確認〕
※ 287 中国が試行している行動履歴情報等による個人格付けは民主主義にとって脅威である、との判断によると思われる。
※ 288 Digital Europe：DIGITALEUROPE's initial findings on the proposed AI Act https://www.digitaleurope.org/resources/digitaleuropes-initial-findings-on-the-proposed-ai-act/〔2023/4/25 確認〕
European Commission：Feedback from Google https://ec.europa.eu/info/law/better-regulation/have-your-say/initiatives/12527-Artificial-intelligence-ethical-and-legal-requirements/F2662492_en〔2023/4/25 確認〕
European Tech Alliance：EUTA Reaction to Commission's Artificial Intelligence Act proposal https://eutechalliance.eu/ai-euta-reaction-to-commissions-artificial-intelligence-act-proposal/〔2023/4/25 確認〕
日本経済団体連合会：欧州 AI 規制法案に対する意見 https://www.keidanren.or.jp/policy/2021/069.html?v=p〔2023/4/25 確認〕
※ 289 総務省：EU の AI 規則案の概要 https://www.soumu.go.jp/main_content/000842190.pdf〔2023/4/25 確認〕
※ 290 European Council：Artificial Intelligence Act: Council calls for promoting safe AI that respects fundamental rights https://www.consilium.europa.eu/en/press/press-releases/2022/12/06/artificial-intelligence-act-council-calls-for-promoting-safe-ai-that-respects-fundamental-rights/〔2023/4/25 確認〕
Cyber Risk GmbH：The EU Artificial Intelligence Act https://www.artificial-intelligence-act.com/〔2023/4/25 確認〕
※ 291 The White House：Blueprint for an AI Bill of Rights https://www.whitehouse.gov/ostp/ai-bill-of-rights/〔2023/4/25 確認〕
※ 292 The New York Times：E.U. Court Strikes Down Trans-Atlantic Data Transfer Pact https://www.nytimes.com/2020/07/16/business/eu-data-transfer-pact-rejected.html〔2023/4/25 確認〕
※ 293 European Commission：European Commission and United States Joint Statement on Trans-Atlantic Data Privacy Framework https://ec.europa.eu/commission/presscorner/detail/en/ip_22_2087〔2023/4/25 確認〕
※ 294 The White House：FACT SHEET: President Biden Signs Executive Order to Implement the European Union-U.S. Data Privacy Framework https://www.whitehouse.gov/briefing-room/statements-releases/2022/10/07/fact-sheet-president-biden-signs-executive-order-to-implement-the-european-union-u-s-data-privacy-framework/〔2023/4/25 確認〕
※ 295 European Commission：Data protection: Commission starts process to adopt adequacy decision for safe data flows with the US https://ec.europa.eu/commission/presscorner/detail/en/IP_22_7631〔2023/4/25 確認〕
※ 296 DLA Piper：DLA Piper GDPR Fines and Data Breach Survey: January 2023 https://www.dlapiper.com/en-ae/insights/publications/2023/01/dla-piper-gdpr-fines-and-data-breach-survey-january-2023〔2023/4/25 確認〕
DLA Piper：DLA Piper GDPR fines and data breach survey: January 2022 https://www.dlapiper.com/en-ae/insights/publications/2022/1/dla-piper-gdpr-fines-and-data-breach-survey-2022〔2023/4/25 確認〕
※ 297 Data Protection Commission：Data Protection Commission announces conclusion of two inquiries into Meta Ireland https://www.dataprotection.ie/en/news-media/data-protection-commission-announces-conclusion-two-inquiries-meta-ireland〔2023/4/25 確認〕
META 社の欧州拠点である META Platforms Ireland Ltd. が摘発の対象となっている。
※ 298 TechCrunch：Meta's New Year kicks off with $410M+ in fresh EU privacy fines https://techcrunch.com/2023/01/04/facebook-instagram-gdpr-forced-consent-final-decisions/〔2023/4/25 確認〕
※ 299 CMS：GDPR Enforcement Tracker ETid1176 https://www.enforcementtracker.com/ETid-1176〔2023/4/25 確認〕
※ 300 CMS：GDPR Enforcement Tracker ETid1373 https://www.enforcementtracker.com/ETid-1373〔2023/4/25 確認〕
※ 301 CMB：GDPR Enforcement Tracker ETid1448 https://www.enforcementtracker.com/ETid-1448〔2023/4/25 確認〕
※ 302 CMS：GDPR Enforcement Tracker ETid1502 https://www.enforcementtracker.com/ETid-1502〔2023/4/25 確認〕
META 社の欧州拠点である META Platforms Ireland Ltd. が摘発の対象となっている。
※ 303 CMS：GDPR Enforcement Tracker ETid1730 https://www.enforcementtracker.com/ETid-1730〔2023/4/25 確認〕
※ 304 JETRO：EU、対ロシア制裁パッケージ第 6 弾を採択、提案から 1 カ月要す https://www.jetro.go.jp/biznews/2022/06/c827010981e7b09c.html〔2023/4/25 確認〕
※ 305 REUTERS：Russian banks play down impact of latest Western sanctions https://www.reuters.com/markets/europe/russian-banks-play-down-impact-latest-western-sanctions-2023-02-27/〔2023/4/25 確認〕
※ 306 European Council：Russian oil: EU agrees on level of price cap https://www.consilium.europa.eu/en/press/press-releases/2022/12/03/russian-oil-eu-agrees-on-level-of-price-cap/〔2023/4/25 確認〕
※ 307 European Council：Infographic - Impact of sanctions on the Russian economy https://www.consilium.europa.eu/en/infographics/impact-sanctions-russian-economy/〔2023/4/25 確認〕
※ 308 The Guardian：UK confirms it will send Challenger 2 tanks to Ukraine and pressures Germany to increase support – as it happened https://www.theguardian.com/world/live/2023/jan/16/russia-ukraine-war-belarus-begins-air-force-drills-with-

russia-dnipro-strike-death-toll-rises-to-35-live〔2023/4/25 確認〕
※ 309 The Guardian：Germany announces it will supply Leopard 2 tanks to Ukraine　https://www.theguardian.com/world/2023/jan/25/germany-leopard-2-tanks-ukraine〔2023/4/25 確認〕
※ 310 FINNISH GOVERNMENT：Finland and Nato　https://valtioneuvosto.fi/en/finland-and-nato〔2023/4/25 確認〕
※ 311 AP News：Finland joins NATO in major blow to Russia over Ukraine war　https://apnews.com/article/nato-finland-russia-ukraine-membership-enlargement-c703d23a8423d89577d5b752d69d76eb〔2023/4/25 確認〕
※ 312 Global Times：China-France-EU trilateral talks set right course for ties　https://www.globaltimes.cn/page/202304/1288674.shtml〔2023/4/25 確認〕
※ 313 朝日新聞デジタル：「世界の多極化へ重要な存在」　マクロン氏訪中に透ける中国の思惑　https://digital.asahi.com/articles/ASR4652RKR46UHBI019.html〔2023/4/25 確認〕
※ 314 POLITICO：Europe must resist pressure to become 'America' s followers,' says Macron　https://www.politico.eu/article/emmanuel-macron-china-america-pressure-interview/〔2023/4/25 確認〕
※ 315 National CSIRT：国や地域の窓口としてインシデント対応を行うCSIRT。
※ 316 CERT-In：Directions under sub-section (6) of section 70B of the Information Technology Act, 2000 relating to information security practices, procedure, prevention, response and reporting of cyber incidents for Safe & Trusted Internet.　https://www.cert-in.org.in/PDF/CERT-In_Directions_70B_28.04.2022.pdf〔2023/4/28 確認〕
※ 317 DataGuidance：Vietnam: MIC announces cybersecurity strategy 2025-2030　https://www.dataguidance.com/news/vietnam-mic-announces-cybersecurity-strategy-2025-2030〔2023/4/28 確認〕
※ 318 CERT Tonga：Tongan Cybersecurity Workforce Development Program Launches with Support from New Zealand　https://www.cert.gov.to/?page_id=1562〔2023/4/28 確認〕
※ 319 ACSC：Cyber Incident Response Plan　https://www.cyber.gov.au/acsc/view-all-content/publications/cyber-incident-response-plan〔2023/4/28 確認〕
※ 320 ACSC：Vulnerability Disclosure Programs Explained　https://www.cyber.gov.au/resources-business-and-government/governance-and-user-education/governance/vulnerability-disclosure-programs-explained〔2023/4/28 確認〕
※ 321 https://www.apcert.org/〔2023/4/28 確認〕
※ 322 APCERT：Member Teams　https://www.apcert.org/about/structure/members.html〔2023/4/28 確認〕
※ 323 APCERT：APCERT CYBER DRILL 2022 "DATA BREACH THROUGH SECURITY MALPRACTICW"　https://www.apcert.org/documents/pdf/APCERTDrill2022PressRelease.pdf〔2023/4/28 確認〕
※ 324 APCERT：Documents　https://www.apcert.org/documents/index.html〔2023/4/28 確認〕
※ 325 https://www.cybersecurity.my/en/index.html〔2023/4/28 確認〕
※ 326 https://www.cert.org.cn/publish/english/index.html〔2023/4/28 確認〕
※ 327 https://www.cyber.gov.au/〔2023/4/28 確認〕
※ 328 https://krcert.or.kr〔2023/4/28 確認〕
※ 329 https://www.twncert.org.tw/〔2023/4/28 確認〕
※ 330 CSA：ESTABLISHMENT OF ASEAN REGIONAL COMPUTER EMERGENCY RESPONSE TEAM (CERT)　https://www.csa.gov.sg/News-Events/Press-Releases/2022/establishment-of-asean-regional-computer-emergency-response-team〔2023/4/28 確認〕
※ 331 https://www.meti.go.jp/press/2021/04/20210426002/20210426002-1.pdf〔2023/4/26 確認〕
※ 332 ITSS+（セキュリティ）：第 4 次産業革命で求められる新たな IT 領域学びなおしの指針である ITSS+ のうち、セキュリティ領域に関するもの。
※ 333 https://www.isc2.org//-/media/ISC2/Research/2022-WorkForce-Study/ISC2-Cybersecurity-Workforce-Study.ashx〔2023/4/26 確認〕
※ 334 https://www5.cao.go.jp/keizai-shimon/kaigi/cabinet/honebuto/2022/2022_basicpolicies_ja.pdf〔2023/6/27 確認〕
※ 335 https://www.cas.go.jp/jp/seisaku/digital_denen/dai3/siryou7.pdf〔2023/4/26 確認〕
※ 336 総務省統計局：平成 27 年国勢調査　https://www.stat.go.jp/data/kokusei/2015/〔2023/6/5 確認〕
※ 337 https://manabi-dx.ipa.go.jp/〔2023/4/26 確認〕
※ 338 https://www.meti.go.jp/shingikai/mono_info_service/digital_suishin/pdf/001_02_02.pdf〔2023/4/26 確認〕
※ 339 https://www.ipa.go.jp/jinzai/skill-standard/dss/ps6vr700000080fg-att/000106869.pdf〔2023/4/26 確認〕
※ 340 https://www.ipa.go.jp/jinzai/skill-standard/dss/ps6vr700000083ki-att/000106871.pdf〔2023/4/26 確認〕
※ 341 https://nvlpubs.nist.gov/nistpubs/SpecialPublications/NIST.SP.800-181r1.pdf〔2023/4/26 確認〕
※ 342 NSA：National Centers of Academic Excellence in Cybersecurity　https://www.nsa.gov/Academics/Centers-of-Academic-Excellence/〔2023/4/26 確認〕
※ 343 https://www.nist.gov/itl/applied-cybersecurity/nice〔2023/4/26 確認〕
※ 344-1 NIST：Workforce Framework for Cybersecurity (NICE Framework)　https://csrc.nist.gov/publications/detail/sp/800-181/rev-1/final〔2023/4/26 確認〕
※ 344-2　https://www.nist.gov/system/files/documents/2023/06/05/NICE Framework (NIST SP 800-181)_one-pager_508Compliant.pdf〔2023/6/20 確認〕
※ 345 NSA：Designation Requirements and Application Process For CAE-Cyber Defense (CAE-CD)　https://dl.dod.cyber.mil/wp-content/uploads/cae/pdf/unclass-cae-cd_designation_requirements.pdf〔2023/6/5 確認〕
※ 346 NSA：Proposed Designation Requirements and Application Process For CAE-Cyber Research (CAE-R)　https://dl.dod.cyber.mil/wp-content/uploads/cae/pdf/unclass-cae-r_proposed_designation_requirement.pdf〔2023/6/5 確認〕
※ 347 NSA：Designation Requirements and Application Process For CAE Cyber Operations (CAE-CO)　https://dl.dod.cyber.mil/wp-content/uploads/cae/pdf/unclass_cae-cyber-operations-program-guidance.pdf〔2023/6/5 確認〕
※ 348 このほかに、身体の不自由等により CBT 方式の受験ができない方を対象とした筆記試験を、春期 4 月 17 日及び秋期 10 月 9 日に実施。
※ 349 IPA：情報処理技術者試験 情報処理安全確保支援士試験 統計資料 令和 4 年度試験 全試験区分版　https://www.ipa.go.jp/shiken/reports/hjuojm000000lkt4-att/toukei_r04.pdf〔2023/5/1 確認〕
※ 350 CBT（Computer Based Testing）方式：試験会場に設置されたコンピュータを利用して実施する試験方式のこと。受験者はコンピュータに表示された試験問題に対して、マウスやキーボードを用いて解答する。
※ 351 IPA：情報処理技術者試験における出題範囲・シラバス等の変更内容の公表について（基本情報技術者試験、情報セキュリティマネジメント試験の通年試験化）　https://www.ipa.go.jp/news/2022/shiken/henkou20220425.html〔2023/5/1 確認〕
※ 352 IPA：国家資格「情報処理安全確保支援士」2023 年 4 月 1 日付登録者 1,152 名の内訳　https://www.ipa.go.jp/jinzai/riss/reports/data/20230401newriss.html〔2023/4/28 確認〕
※ 353 IPA：情報処理安全確保支援士（登録セキスペ）の受講する講習について　https://www.ipa.go.jp/jinzai/riss/forriss/koushu.html〔2023/5/1 確認〕
※ 354 IPA：業界別サイバーレジリエンス強化演習（CyberREX）情報処理安全確保支援士向けご案内　https://www.ipa.go.jp/jinzai/ics/short-pgm/cyberrex/riss.html〔2023/5/1 確認〕
※ 355 IPA：制御システム向けサイバーセキュリティ演習（CyberSTIX）情報処理安全確保支援士向けご案内　https://www.ipa.go.jp/jinzai/ics/short-pgm/cyberstix/riss.html〔2023/5/1 確認〕
※ 356 経済産業省：情報処理安全確保支援士特定講習　https://www.meti.go.jp/policy/it_policy/jinzai/tokutei.html〔2023/5/1 確認〕
※ 357 IPA：セキュリティ・キャンプ全国大会 2022 オンライン　https://www.ipa.go.jp/jinzai/security-camp/2022/zenkoku/index.html〔2023/5/1 確認〕
※ 358 IPA：セキュリティ・ネクストキャンプ 2022　https://www.ipa.go.jp/jinzai/security-camp/2022/next/index.html〔2023/5/1 確認〕
※ 359 セキュリティ・キャンプ協議会：地方大会　https://www.security-camp.or.jp/minicamp/index.html〔2023/5/1 確認〕
※ 360 セキュリティ・キャンプ協議会：セキュリティ・ミニキャンプオンライン 2022　https://www.security-camp.or.jp/minicamp/online2022.html〔2023/5/1 確認〕
※ 361 セキュリティ・キャンプ協議会：セキュリティ・ミニキャンプ in 山梨 2022　https://www.security-camp.or.jp/minicamp/yamanashi2022.html〔2023/5/1 確認〕
セキュリティ・キャンプ協議会：セキュリティ・ミニキャンプ in 広島 2022（一般講座）　https://www.security-camp.or.jp/minicamp/hiroshima2022.html〔2023/5/1 確認〕
セキュリティ・キャンプ協議会：セキュリティ・ミニキャンプ in 東京 2022

https://www.security-camp.or.jp/minicamp/tokyo2022.html〔2023/5/1 確認〕
セキュリティ・キャンプ協議会：セキュリティ・ミニキャンプ in 大阪 2022（一般講座） https://www.security-camp.or.jp/minicamp/osaka2022.html〔2023/5/1 確認〕
※ 362 セキュリティ・キャンプ協議会：GCC 2023 Singapore - Global Cybersecurity Camp 2023 Singapore https://www.security-camp.or.jp/event/gcc_singapore2023.html〔2023/5/1 確認〕
※ 363 ハッカソン：ハック（hack）とマラソン（marathon）を組み合わせた造語で、開発者たちが集まり、開発の実施や成果を共有するイベント。
※ 364 NICT：SecHack365 https://sechack365.nict.go.jp/〔2023/5/1 確認〕
※ 365 セキュリティ・キャンプ協議会：ICC（International Cybersecurity Challenge）2022 が開催されました https://blog.security-camp.or.jp/posts/icc-2022-report/〔2023/5/1 確認〕
※ 366 SecCap 事務局：enPiT-Security SecCap https://www.seccap.jp/gs/〔2023/5/1 確認〕
※ 367 Basic SecCap コンソーシアム：enPiT-Security 連携校（実施学部等） https://www.seccap.jp/basic/university.html〔2023/5/1 確認〕
※ 368 enPiT Pro Security：https://www.seccap.pro/〔2023/5/1 確認〕
※ 369 SECCON：SECCON 実行委員会／WG メンバー https://www.seccon.jp/2022/seccon/executivecommittee.html〔2023/5/1 確認〕
※ 370 SECCON：SECCON とは https://www.seccon.jp/2022/seccon/about.html〔2023/5/1 確認〕
※ 371 SECCON：SECCON 2022 電脳会議 https://www.seccon.jp/2022/ep230211.html〔2023/5/1 確認〕
※ 372 SECCON：SECCON Beginners https://www.seccon.jp/2022/seccon-beginners/〔2023/5/1 確認〕
※ 373 SECCON：CTF for GIRLS とは https://www.seccon.jp/2022/girls/ctf-for-girls.html〔2023/5/1 確認〕
※ 374 JNSA：交流会に参加しよう！－「産学情報セキュリティ人材育成交流会」 https://www.jnsa.org/internship/event.html〔2023/5/1 確認〕
※ 375 東京工業大学大学院：お知らせ https://www.academy.titech.ac.jp/cumot/cy/index.html〔2023/5/1 確認〕
※ 376 国立高専機構：Topics & News 一覧 https://k-sec.kochi-ct.ac.jp/topics-news/index.html〔2023/5/1 確認〕
※ 377 NICT：CYNEX とは https://cynex.nict.go.jp/index.html〔2023/5/1 確認〕
※ 378 NICT：サイバーセキュリティ演習基盤 CYROP のオープン化トライアルを開始 https://www.nict.go.jp/press/2022/02/03-1.html〔2023/5/1 確認〕
※ 379 IPA：中核人材育成プログラム 卒業プロジェクト一覧 第 5 期生 https://www.ipa.go.jp/jinzai/ics/core_human_resource/final_project/2022/list.html〔2023/5/1 確認〕
※ 380 IPA：中核人材育成プログラム修了者コミュニティ「叶会（かなえかい）」 https://www.ipa.go.jp/jinzai/ics/core_human_resource/kanaekai.html〔2023/5/1 確認〕
※ 381 IPA：2022 年度「インド太平洋地域向け日米 EU 産業制御システムサイバーセキュリティウィーク」を実施 https://www.ipa.go.jp/jinzai/ics/global/ics20221031.html〔2023/5/1 確認〕
※ 382 IPA：責任者向けプログラム サイバー危機対応机上演習（CyberCREST）2022 年度 https://www.ipa.go.jp/jinzai/ics/short-pgm/cybercrest/2022.html〔2023/5/1 確認〕
※ 383 IPA：責任者向けプログラム 業界別サイバーレジリエンス強化演習（CyberREX）2022 年度 https://www.ipa.go.jp/archive/jinzai/ics/short-pgm/cyberrex/2022.html〔2023/5/1 確認〕
※ 384 IPA：戦略マネジメント系セミナー 2022 年度 https://www.ipa.go.jp/jinzai/ics/short-pgm/strategic_management/2022.html〔2023/5/1 確認〕
※ 385 IPA：実務者向けプログラム 制御システム向けサイバーセキュリティ演習（CyberSTIX）2022 年度 https://www.ipa.go.jp/archive/jinzai/ics/short-pgm/cyberstix/2022.html〔2023/5/1 確認〕
※ 386 IPA：実務者向けプログラム ERAB サイバーセキュリティトレーニング 2022 年度 https://www.ipa.go.jp/jinzai/ics/short-pgm/erab/2022.html〔2023/5/1 確認〕
※ 387 https://www.meti.go.jp/shingikai/mono_info_service/sangyo_cyber/wg_seido/wg_denryoku/pdf/007_05_04.pdf〔2023/5/1 確認〕
※ 388 株式会社日経リサーチ：CISO/CSO 相当の設置率は約 7 割、自社サプライチェーンに「サイバー攻撃を受けた」は約 4 割 https://www.nikkei-r.co.jp/news/release/id=8556〔2023/5/12 確認〕
※ 389 https://www.nri-secure.co.jp/download/insight2022-report〔2023/5/12 確認〕
※ 390 https://juas.or.jp/cms/media/2022/04/JUAS_IT2022.pdf〔2023/5/12 確認〕
※ 391 https://www.ipa.go.jp/security/economics/checktool.html〔2023/5/12 確認〕
※ 392 https://www.nri-secure.co.jp/news/2022/1213〔2023/5/12 確認〕
※ 393 https://www.meti.go.jp/policy/netsecurity/tebikihontai2.pdf〔2023/5/12 確認〕
※ 394 https://www.nca.gr.jp/activity/imgs/recruit-hr20201211.pdf〔2023/5/12 確認〕
※ 395 https://www.nca.gr.jp/activity/imgs/development-hr20220331.pdf〔2023/5/12 確認〕
※ 396 https://www.sonpo.or.jp/sme_insurance/pdf/sme_report2022.pdf〔2023/5/12 確認〕
※ 397 株式会社日本政策金融公庫:中小企業に求められるサイバーセキュリティ対策の強化 https://www.jfc.go.jp/n/findings/pdf/soukenrepo_22_01_31.pdf〔2023/5/12 確認〕
※ 398 IPA：「令和 4 年度中小企業等に対するサイバー攻撃の実態調査」調査実施報告書について https://www.ipa.go.jp/security/reports/sme/cyberkogeki2022.html〔2023/5/12 確認〕
※ 399 https://www.ipa.go.jp/security/reports/sme/ps6vr7000001b5t7-att/Kougeki-jittai-houkoku2023.pdf〔2023/5/12 確認〕
※ 400 https://www.ipa.go.jp/security/sc3/〔2023/5/12 確認〕
※ 401 https://www.meti.go.jp/policy/netsecurity/index.html#partnership〔経済産業省 HP、2023/5/12 確認〕
https://www.jftc.go.jp/dk/guideline/unyoukijun/cyber_security.html〔公正取引委員会 HP、2023/5/12 確認〕
※ 402 IPA：SC3 中小企業対策強化ワーキング・グループ主催 中小企業が取り組むべき“旬のセキュリティ対策”オンラインセミナー https://www.ipa.go.jp/security/sc3/activities/chushoWG/07_seminar.html〔2023/5/12 確認〕
※ 403 公益財団法人全国中小企業振興機関協会：「パートナーシップ構築宣言」ポータルサイト https://www.biz-partnership.jp/〔2023/5/12 確認〕
※ 404 https://www.ipa.go.jp/security/security-action/index.html〔2023/5/12 確認〕
※ 405 https://www.ipa.go.jp/security/guide/sme/about.html〔2023/5/12 確認〕
※ 406 https://www.ipa.go.jp/security/guide/sme/ug65p90000019cbk-att/000055520.pdf〔2023/5/12 確認〕
※ 407 https://www.ipa.go.jp/security/sme/otasuketai-about.html〔2023/5/12 確認〕
※ 408 一般社団法人サービスデザイン推進協議会：IT 導入補助金サイバーセキュリティ対策推進枠 https://www.it-hojo.jp/security/〔2023/5/12 確認〕
※ 409 https://www.ipa.go.jp/security/guide/vuln/guideforecsite.html〔2023/5/12 確認〕
※ 410 https://www.jnsa.org/result/west/2022/index.html〔2023/5/12 確認〕
※ 411 https://school-security.jp/wp/wp-content/uploads/2022/11/2021.pdf〔2023/5/15 確認〕
※ 412 1 件の事故で複数の経路・媒体から漏えいした場合は、それぞれの経路・媒体に含まれていた個人情報漏えい人数を合算している。
※ 413 1 件の事故で複数の媒体から漏えいした場合は、漏えいしたすべての媒体の数を加えている。
※ 414 https://www.mext.go.jp/content/20221125-mxt_jogai02-000003278_001.pdf〔2023/5/15 確認〕
※ 415 https://www.mext.go.jp/kaigisiryo/content/20221111-mxt_jogai02-000025824_03.pdf〔2023/5/15 確認〕
※ 416 文部科学省：【資料 2】令和 4 年度第 2 次補正予算（案） https://www.mext.go.jp/kaigisiryo/content/20221111-mxt_jogai02-000025824_002.pdf〔2023/5/15 確認〕
※ 417 文部科学省：GIGA スクール構想の実現へ https://www.mext.go.jp/content/20200625-mxt_syoto01-000003278_1.pdf〔2023/5/15 確認〕
※ 418 https://www.soumu.go.jp/main_content/000878730.pdf〔2023/5/15 確認〕
※ 419 https://www.soumu.go.jp/main_content/000762715.pdf〔2023/5/15 確認〕
※ 420 デジタル庁：地方公共団体のガバメントクラウド利用に関する検討状況 https://www.soumu.go.jp/main_content/000818879.pdf〔2023/5/15 確認〕
※ 421 IPA：「2022 年度情報セキュリティに対する意識調査【倫理編】【脅威編】」報告書 https://www.ipa.go.jp/security/reports/

economics/ishiki2022.html〔2023/5/15 確認〕
※ 422 2020 年度調査まではスマートデバイス（タブレット及びスマートフォン）利用者を対象としていたが、2021 年度調査からスマートフォン利用者のみを対象にした。
※ 423 総務省：情報通信白書令和 4 年版 https://www.soumu.go.jp/johotsusintokei/whitepaper/index.html〔2023/5/15 確認〕
※ 424 「2022 年度情報セキュリティの脅威に対する意識調査」（パソコン利用者、及びスマートフォン利用者）の Q6 において保有するアカウント数を尋ねた結果、「1 個」及び「0 個（自分以外の家族や契約者が管理しているなど）」を除いた割合。
※ 425 朝日新聞デジタル：広域強盗、関連する事件は 50 件以上と判明 すでに 60 数人逮捕 https://www.asahi.com/articles/ASR283G90R28UTIL004.html〔2023/5/15 確認〕
※ 426 NHK：＃闇バイトに注意 https://www.nhk.or.jp/aomori-blog2/2600/461911.html〔2023/5/15 確認〕
※ 427 NHK：「闇バイト」書き込みも「有害情報」に 対策強化前倒し 警察庁 https://www3.nhk.or.jp/news/html/20230215/k10013980841000.html〔2023/5/15 確認〕
※ 428 https://www.kagaiboushi.metro.tokyo.lg.jp/〔2023/5/15 確認〕
※ 429 https://www.youtube.com/@user-rc1kz5eh8b〔2023/5/15 確認〕
※ 430 https://www.youtube.com/watch?v=PaxdkEb836s〔2023/5/15 確認〕
※ 431 朝日新聞デジタル：「国際ロマンス詐欺」容疑、手配の 58 歳男を逮捕 ガーナから関空へ https://www.asahi.com/articles/ASQ885TWWQ88PTIL00L.html〔2023/5/15 確認〕
※ 432 独立行政法人国民生活センター：「愛してるから投資して」っておかしくない!?ーマッチングアプリ等で知り合った人に騙されないためのチェックリストー https://www.kokusen.go.jp/news/data/n-20221221_1.html〔2023/5/15 確認〕
※ 433 https://www.bohan.or.jp/protect/pdf/saigekitaibook_page.pdf〔2023/5/15 確認〕
※ 434 朝日新聞デジタル:出頭の 19 歳、共通テスト流出の関与認める「とんでもないことした」 https://www.asahi.com/articles/ASQ1W6KWFQ1WUTIL030.html〔2023/5/15 確認〕
※ 435 文部科学省：大学入学者選抜における不正行為防止に係る周知について（依頼） https://www.mext.go.jp/nyushi/#tsuchi〔2023/5/15 確認〕
※ 436 https://www.mext.go.jp/content/221221_mxt_daigakuc02_000005144-07.pdf〔2023/5/15 確認〕
※ 437 独立行政法人大学入試センター：大学入学共通テストにおける電子機器類を使用した不正行為の防止策について https://www.dnc.ac.jp/albums/abm.php?d=31&f=abm00000285.pdf&n= 大学入学共通テストにおける電子機器類を使用した不正行為の防止策について.pdf〔2023/5/15 確認〕
※ 438 読売新聞オンライン：企業のウェブ適性検査で「替え玉受検」、就活女子大生ら300人から報酬か…関電社員逮捕 https://www.yomiuri.co.jp/national/20221121-OYT1T50310/〔2023/5/15 確認〕
※ 439 株式会社学情：「2023 年卒の採用活動における『オンライン』の導入状況」に関する企業調査（2022 年 2 月） https://service.gakujo.ne.jp/220228〔2023/5/15 確認〕
※ 440 産経新聞：静岡「水害」虚偽画像が拡散 AIで作成 https://www.sankei.com/article/20220928-SZC5MBDOKROBPMVJVR5TZS4L4E/〔2023/5/15 確認〕
※ 441 https://factcheckcenter.jp/〔2023/5/15 確認〕
※ 442 弁護士ドットコム株式会社：ChatGPT は日本の司法試験に合格できるか 弁護士ドットコムが実験 https://www.bengo4.com/c_18/n_15648/〔2023/5/15 確認〕
※ 443 朝日新聞デジタル：「アバター中傷は名誉毀損」 V チューバーの訴え認め情報開示命令 https://www.asahi.com/articles/ASQ806WCBQ80PTIL01S.html〔2023/5/15 確認〕
※ 444 カバー株式会社、ANYCOLOR 株式会社：共同声明文 https://cover-corp.com/news/detail/20221205_announcement/〔2023/5/15 確認〕
※ 445 https://www.mext.go.jp/moral/#/〔2023/5/15 確認〕
※ 446 一般社団法人インターネットコンテンツ審査監視機構：青少年向け教材 https://i-roi.jp/seisyonen-kyozai〔2023/5/15 確認〕
※ 447 https://line-mirai.org/ja/events/detail/68〔2023/5/15 確認〕
※ 448 内閣府：令和 4 年「春のあんしんネット・新学期一斉行動」 https://www8.cao.go.jp/youth/kankyou/internet_use/r04/index.html〔2023/5/15 確認〕
※ 449 公益社団法人日本消費生活アドバイザー・コンサルタント・相談員協会：ネット取引・デジプラなんでも 110 番報告書 https://nacs.or.jp/honbu/wp-content/uploads/2022/12/2022 年度なんでも 110 番報告書 .pdf〔2023/5/15 確認〕
※ 450 内閣府：普及啓発リーフレット集 https://www8.cao.go.jp/youth/kankyou/internet_use/leaflet.html〔2023/5/15 確認〕
※ 451 https://www.npa.go.jp/policy_area/no_cp/uploads/r4_s.pdf〔2023/5/15 確認〕
※ 452 NISC：サイバーセキュリティ対策 9 か条 https://security-portal.nisc.go.jp/guidance/cybersecurity9principles.html〔2023/5/15 確認〕
※ 453 https://nettv.gov-online.go.jp/prg/prg25924.html〔2023/5/15 確認〕
※ 454 https://nettv.gov-online.go.jp/prg/prg25742.html〔2023/5/15 確認〕
※ 455 https://www.soumu.go.jp/use_the_internet_wisely/〔2023/5/15 確認〕
※ 456 https://www.soumu.go.jp/use_the_internet_wisely/special/nisegojouhou/〔2023/5/15 確認〕
※ 457 https://www.soumu.go.jp/main_content/000707803.pdf〔2023/5/15 確認〕
※ 458 https://www.soumu.go.jp/use_the_internet_wisely/special/noheartnosns/〔2023/5/15 確認〕
※ 459 宮崎県企業・警察サイバーセキュリティ連携協議会：諸塚村で「子どもとシニアのための安心・安全なインターネット利用教室」を開催しました! https://mics.miyazaki.jp/2023/01/30/ 諸塚村にて子供とシニアのための安心・安全なイ /〔2023/5/15 確認〕
※ 460 総務省：令和3年通信利用動向調査ポイント https://www.soumu.go.jp/johotsusintokei/statistics/data/220527_1.pdf〔2023/5/15 確認〕
※ 461 経済産業省：経済秩序の激動期における経済産業政策の方向性 https://www.meti.go.jp/shingikai/sankoshin/sokai/pdf/030_02_00.pdf〔2023/5/11 確認〕
※ 462 日本産業標準調査会 第 5 回基本政策部会 配布資料の「参考資料 3 CSO ワークショップの概要」を参照した。資料は「日本産業標準調査会 議事要旨、議事録、配布資料」（https://www.jisc.go.jp/app/jis/general/GnrMeetingDistributedDocumentMenu?show〔2023/5/11 確認〕）の「基本政策部会」の第 5 回の「配布資料」ページで公開されている。
※ 463 経済産業省：産業標準化法に基づく認定産業標準作成機関に関するガイドライン（第3版） https://www.meti.go.jp/policy/economy/hyojun-kijun/jisho/pdf/ninteikikan-guideline_rev3.pdf〔2023/5/11 確認〕
※ 464 日本産業標準調査会 第 3 回基本政策部会 配布資料の「資料 3 標準を取り巻く環境・構造変化及びこれまでの取組について」を参照した。資料は「日本産業標準調査会 議事要旨、議事録、配布資料」（https://www.jisc.go.jp/app/jis/general/GnrMeetingDistributedDocumentMenu?show〔2023/5/11 確認〕）の「基本政策部会」の第 3 回の「配布資料」ページで公開されている。
※ 465 日本産業標準調査会 第 8 回基本政策部会 配布資料の「資料 2 一般財団法人日本規格協会説明資料」を参照した。資料は「日本産業標準調査会 議事要旨、議事録、配布資料」（https://www.jisc.go.jp/app/jis/general/GnrMeetingDistributedDocumentMenu?show〔2023/5/11 確認〕）の「基本政策部会」の第 8 回の「配布資料」ページで公開されている。
※ 466 ISO：ISO/IEC JTC 1 https://www.iso.org/committee/45020.html〔2023/5/11 確認〕
※ 467 JISC：JISC について https://www.jisc.go.jp/jisc/index.html〔2023/5/11 確認〕
※ 468 ITU：SG17: Security https://www.itu.int/en/ITU-T/studygroups/2017-2020/17/Pages/default.aspx〔2023/5/11 確認〕
※ 469 IETF：Security Area https://trac.ietf.org/trac/sec/wiki〔2023/5/11 確認〕
※ 470 TCG：Welcome to Trusted Computing Group https://trustedcomputinggroup.org/work-groups/regional-forums/japan〔2023/5/11 確認〕
※ 471 https://www.jisc.go.jp/international/iso-prcs.html〔2023/5/11 確認〕
※ 472 NIST：Post-Quantum Cryptography Standardization https://csrc.nist.gov/Projects/post-quantum-cryptography/post-quantum-cryptography-standardization〔2023/5/12 確認〕
※ 473 ISO：ISO/IEC 15408-1:2022 https://www.iso.org/standard/72891.html〔2023/5/15 確認〕
ISO：ISO/IEC 15408-2:2022 https://www.iso.org/standard/72892.html〔2023/5/15 確認〕
ISO：ISO/IEC 15408-3:2022 https://www.iso.org/standard/72906.html〔2023/5/15 確認〕
ISO：ISO/IEC 15408-4:2022 https://www.iso.org/standard/72913.html〔2023/5/15 確認〕
ISO：ISO/IEC 15408-5:2022 https://www.iso.org/standard/

72917.html〔2023/5/15 確認〕
※ 474 ISO：ISO/IEC 18045:2022 https://www.iso.org/standard/72889.html〔2023/5/15 確認〕
※ 475 IoT 推進コンソーシアム・総務省・経済産業省：IoT セキュリティガイドライン ver 1.0 https://www.soumu.go.jp/main_content/000428393.pdf〔2023/5/15 確認〕
※ 476 https://www.iso.org/standard/44373.html〔2023/5/15 確認〕
※ 477 https://www.iso.org/standard/80136.html〔2023/5/15 確認〕
※ 478 https://www.iso.org/standard/78572.html〔2023/5/15 確認〕
※ 479 経済産業省：サイバー・フィジカル・セキュリティ対策フレームワーク https://www.meti.go.jp/policy/netsecurity/wg1/cpsf.html〔2023/5/15 確認〕
※ 480 https://www.meti.go.jp/policy/netsecurity/cclistmetisec2018.pdf〔2023/5/15 確認〕
※ 481 https://www.commoncriteriaportal.org/〔2023/5/15 確認〕
※ 482 IPA：認証プロテクションプロファイルリスト https://www.ipa.go.jp/security/jisec/pps/certified-pps/〔2023/5/15 確認〕
※ 483-1 Common Criteria：collaborative Protection Profile for Hardcopy Devices https://www.commoncriteriaportal.org/files/ppfiles/cPP_HCD_V1.0.pdf〔2023/5/15 確認〕
※ 483-2 Common Criteria：Common Criteria for Information Technology Security Evaluation Part 4: Framework for the specification of evaluation methods and activities https://www.commoncriteriaportal.org/files/ccfiles/CC2022PART4R1.pdf〔2023/5/26 確認〕
※ 484 物理攻撃：IC チップのパッケージを除去して内部回路にアクセスすることにより、内部信号の暴露や回路の動作の改変等を試みる攻撃。
※ 485 サイドチャネル攻撃：暗号演算中の消費電力・電磁場・実行時間等を測定することにより得られる、アルゴリズム実装からの漏えい情報を利用して暗号鍵等の秘密情報の暴露を試みる攻撃。
※ 486 IPA：セキュア暗号ユニット搭載 シングルチップマイクロコントローラ プロテクションプロファイル バージョン 1.20 https://www.ipa.go.jp/security/jisec/pps/certified-pps/c0764_it1797.html〔2023/5/15 確認〕
※ 487 NIST：Cryptographic Module Validation Program https://csrc.nist.gov/projects/cryptographic-module-validation-program〔2023/5/15 確認〕
※ 488 https://cio.go.jp/sites/default/files/uploads/documents/hyoujun_guideline_honninkakunin_20190225.pdf〔2023/5/15 確認〕
※ 489 IPA・JISEC：「ハードコピーデバイスのプロテクションプロファイル」適合の申請案件についてのガイドライン 第 1.8 版 https://www.ipa.go.jp/security/jisec/shinsei/cdk3vs000000260p-att/guidelineforHCD-PP_1.8.pdf〔2023/5/15 確認〕
※ 490 https://www.ipa.go.jp/security/jisec/pps/certified-pps/c0553_pp.pdf〔2023/5/15 確認〕
※ 491 JCMVP の「暗号モジュール試験及び認証制度（JCMVP）に関連する ISO/IEC 規格」ページ（https://www.ipa.go.jp/security/jcmvp/kikaku.html〔2023/5/15 確認〕）の「本制度に関連する日本産業規格(JIS)」参照。
※ 492 JCMVP の「暗号モジュール試験及び認証制度（JCMVP）に関連する ISO/IEC 規格」ページ（https://www.ipa.go.jp/security/jcmvp/kikaku.html〔2023/5/15 確認〕）の「本制度に関連する ISO/IEC 規格」参照。
※ 493 JISC：意見受付公告（JIS） https://www.jisc.go.jp/app/jis/general/GnrOpinionReceptionNoticeList?show〔2023/5/15 確認〕
※ 494 JISC：JIS の制定等のプロセス https://www.jisc.go.jp/jis-act/cap_process.html〔2023/5/15 確認〕
※ 495 経済産業省：「政府情報システムのためのセキュリティ評価制度（ISMAP）」の運用を開始しました https://www.meti.go.jp/press/2020/06/20200603001/20200603001.html〔2023/5/15 確認〕
※ 496 https://cio.go.jp/sites/default/files/uploads/documents/cloud_policy_20210330.pdf〔2023/5/15 確認〕
※ 497 総務省・経済産業省：クラウドサービスの安全性評価に関する検討会について https://www.meti.go.jp/shingikai/mono_info_service/cloud_services/pdf/001_02_00.pdf〔2023/5/15 確認〕
※ 498 https://www.soumu.go.jp/main_content/000666496.pdf〔2023/5/15 確認〕
※ 499 https://www.nisc.go.jp/pdf/policy/general/wakugumi2021.pdf〔2023/5/15 確認〕
※ 500 NISC：「政府機関等のサイバーセキュリティ対策のための統一基準群」 https://www.nisc.go.jp/policy/group/general/kijun.html〔2023/5/15 確認〕
※ 501 サイバーセキュリティ対策推進会議・各府省情報化統括責任者（CIO）連絡会議：政府情報システムのためのセキュリティ評価制度（ISMAP）の暫定措置の見直しについて https://www.nisc.go.jp/pdf/policy/general/ismap_minaoshi.pdf〔2023/5/15 確認〕
※ 502 https://www.ismap.go.jp/csm?id=kb_article_view&sysparm_article=KB0010005〔2023/5/15 確認〕
※ 503 https://www.ismap.go.jp〔2023/5/15 確認〕
※ 504 ISMAP：【クラウドサービス事業者様向け】各種お手続きについて https://www.ismap.go.jp/csm?id=kb_article_view&sysparm_article=KB0010010&sys_kb_id=75335994db21d110d2b773f4f39619eb&spa=1〔2023/5/15 確認〕
※ 505 https://www.nisc.go.jp/pdf/policy/infra/shishin5.pdf〔2023/5/15 確認〕
※ 506 IPA：「企業における営業秘密管理に関する実態調査 2020」報告書 https://www.ipa.go.jp/security/reports/economics/ts-kanri/20210318.html〔2023/5/12 確認〕
※ 507 IPA：組織における内部不正防止ガイドライン https://www.ipa.go.jp/security/guide/insider.html〔2023/5/12 確認〕
※ 508 IPA：「企業の内部不正防止体制に関する実態調査」報告書 https://www.ipa.go.jp/security/reports/economics/ts-kanri/20230406.html〔2023/5/12 確認〕
※ 509 https://security-portal.nisc.go.jp/guidance/pdf/law_handbook/law_handbook.pdf〔2023/5/12 確認〕
※ 510 AES（Advanced Encryption Standard）：米国で NIST により標準化された共通鍵暗号。
※ 511 Asiacrypt 2022:2022 年 12 月 5 ～ 9 日に台湾で行われた学会。International Association for Cryptologic Research：ASIACRYPT 2022 https://asiacrypt.iacr.org/2022/〔2023/4/19 確認〕
※ 512 Patrick Derbez, Marie Euler, Pierre-Alain Fouque, Phuong Hoa Nguyen：Revisiting Related-Key Boomerang attacks on AES using computer-aided tool https://eprint.iacr.org/2022/725.pdf〔2023/5/15 確認〕
※ 513 ChaCha:Daniel J. Bernstein によって開発されたストリーム暗号。Chacha20 は ChaCha を基にした暗号であり、これとメッセージ認証子である Poly1305 とを組み合わせた ChaCha20-Poly1305 は、CRYPTREC の推奨候補暗号リストとなっている。
※ 514 Eurocrypt 2022：2022 年 5 月 30 日～6 月 3 日にノルウェーで行われた学会。
International Association for Cryptologic Research：Eurocrypt 2022 https://eurocrypt.iacr.org/2022/〔2023/4/19 確認〕
※ 515 RSA：素因数分解問題が困難であることを安全性の根拠とした公開鍵暗号。
※ 516 CRT-RSA 指数：RSA 暗号の復号時の計算量を下げる際に用いられる、秘密鍵に付随する付加情報。
※ 517 NIST：Fourth PQC Standardization Conference https://csrc.nist.gov/events/2022/fourth-pqc-standardization-conference〔2023/5/15 確認〕
※ 518 Crypto 2022:2022 年 8 月 13～18 日にアメリカで行われた学会。
International Association for Cryptologic Research：Crypto 2022 https://crypto.iacr.org/2022/〔2023/4/19 確認〕
※ 519 PQCrypto 2022：2022 年 9 月 28～30 日にオンラインで行われた学会。
PQCrypto 2022：https://2022.pqcrypto.org/〔2023/4/19 確認〕
※ 520 NIST：Lightweight Cryptography https://csrc.nist.gov/projects/lightweight-cryptography〔2023/5/15 確認〕
※ 521 ECDSA（Elliptic Curve Digital Signature Algorithm）：楕円曲線暗号を用いたデジタル署名アルゴリズム。
※ 522 CHES 2022：2022 年 9 月 18 ～ 21 日にベルギーで行われた学会。
International Association for Cryptologic Research：CHE 2022 https://ches.iacr.org/2022/〔2023/4/19 確認〕
※ 523 Chao Sun, Thomas Espitau, Mehdi Tibouchi and Masayuki Abe：Guessing Bits: Improved Lattice Attacks on (EC)DSA with Nonce Leakage https://tches.iacr.org/index.php/TCHES/article/view/9302/8868〔2023/5/15 確認〕
※ 524 Hadi Soleimany, Nasour Bagheri, Hosein Hadipour, Prasanna Ravi, Shivam Bhasin and Sara Mansouri：Practical Multiple Persistent Faults Analysis https://tches.iacr.org/index.php/TCHES/article/view/9301/8867〔2023/5/15 確認〕

# 第3章
# 個別テーマ

本章では個別テーマとして、制御システム、IoT、クラウドのセキュリティについて、インシデントや攻撃の実態、脆弱性や脅威の動向、国の施策や対策状況等を解説する。また、米国大統領選挙の妨害活動や新型コロナウイルスのインフォデミック、ウクライナ侵攻に関連したサイバー情報戦等における、Disinformation やフェイクニュースといった虚偽情報の生成と拡散について、事例や脅威、その対策を取り上げた。

## 3.1 制御システムの情報セキュリティ

制御システム（ICS：Industrial Control System）は、電力、ガス、水道、輸送・物流、製造ライン等、我々の生活を支える重要インフラ※1 を管理し、制御するシステムである。従来、制御システムの多くは独立したネットワーク、固有のプロトコル、事業者ごとに異なる仕様で構築・運用されており、外部からサイバー攻撃を行うことは困難と考えられていた。しかし、近年、ネットワーク化やオープン化（標準プロトコル・汎用製品の利用）が進んだこと、10 ～ 20 年に及ぶライフサイクルの長さ故に、外部との接続やサイバー攻撃を想定していない制御システムが今なお多数稼働していること、攻撃者にとって価値の高い標的であること、地政学的緊張の高まり等から、制御システムに対するサイバー脅威は年々高まっている。また、実際に社会経済活動に大規模な被害が出たインシデントが世界各地で相次いで発生している。

本節では、制御システムのセキュリティの動向と主な取り組みについて述べる。

### 3.1.1 インシデントの発生状況と動向

調査会社による制御システムユーザー等へのアンケート調査において、2021 年同様、2022 年も制御システムへの侵入や運用障害が発生したという回答が一定数以上あった。

例えば、米国、ドイツ、日本の製造、電力、石油・ガス業界の従業員 1,000 人以上の組織に所属する IT 及び制御・運用技術（OT：Operational Technology）の専門家 900 名を対象とした調査結果では、回答者の 89% が、過去 12 ヵ月間にサイバー攻撃によって生産またはエネルギー供給が影響を受けた、と回答している。そのうち 56% が、制御システム及び OT システムの運用が 4 日以上停止する被害に至った、と回答している※2。米国、欧州 12 ヵ国、オーストラリアの政府、製造、エネルギー、通信、建設、農業、医療等の様々な分野の IIoT（Industrial Internet of Things）及び OT 担当者 800 名を対象とした調査結果では、回答者の 94% が、過去 12 ヵ月間にセキュリティインシデントを経験し、そのうちの 87% は、1 日以上業務が影響を受けた、と回答している※3。

2022 年に公になった重要インフラ分野のインシデントには、ロシアのウクライナ侵攻に伴うサイバー攻撃、重要インフラの制御システムを侵害した攻撃、生産や重要サービスに影響を与えたサイバー攻撃、政府や自治体を標的とした攻撃、医療機関への攻撃、ウイルス※4 に感染した USB メモリーやパソコンを接続することによる侵害、という六つの特徴が見られた。以下、この六つの特徴について述べる。

#### (1) ロシアのウクライナ侵攻に伴うサイバー攻撃

2022 年 2 月 24 日のロシアのウクライナ侵攻に伴い、両国及び支援国におけるサイバー攻撃が増加した。

侵攻初日、米国の大手衛星通信事業者 Viasat, Inc. の通信衛星 KA-SAT の消費者向け衛星ブロードバンドサービスがサイバー攻撃を受け、欧州全土の多くのユーザーがインターネットにアクセスできなくなった※5。攻撃者は、VPN 機器の設定ミスを悪用して地上の管理ネットワークに侵入し、多くの住宅用モデムに対して破壊的な管理コマンドを実行した※6。結果として何万台ものモデムが KA-SAT ネットワークから切断され、再接続できなくなった。また、この障害によって、ドイツの Enercon GmbH 製風力タービン 5,800 基の遠隔監視及び制御に障害が発生した※[7]。

全球測位衛星システム（GNSS：Global Navigation Satellite System）信号に対する妨害も増加した。欧州航空安全機関（EASA：European Union Aviation Safety Agency）が2022年3月17日に発行した安全情報公報によると、カリーニングラード地域、バルト海周辺及び近隣諸国、フィンランド東部、黒海、東地中海地域で、GNSSのスプーフィング（なりすまし）やジャミング（電波妨害）が増加した※[8]。エストニアの首都タリンからフィンランド南東部のサヴォンリンナへの航空機は、3日間運行できなくなった※[9]。

### (2) 重要インフラの制御システムが侵害された事例

2022年も引き続き、重要インフラの制御システムが侵害されたインシデントが世界各地で発生した。

2022年6月27日、イランの鉄鋼会社3社がサイバー攻撃を受けた。被害企業の一つであるKhouzestan Steel Companyでは、Siemens AGのプロセス制御システムSIMATIC PCS7が侵害され、攻撃者は、工場の床に溶鋼が噴出した監視カメラの映像、及び制御システムのスクリーンショットをSNSに投稿した。同社の生産ラインは数日間停止した※[10]。

2022年8月15日、英国イングランド中部の小規模水道事業者South Staffordshire Water PLCの親会社South Staffordshire PLCが、ランサムウェア攻撃グループによる攻撃を受けた※[11]。セーフティシステムや配水システムは正常に稼働し続け、160万人に毎日3億3,000万リットル供給している水の供給と品質には影響はなかったが、攻撃者は同社業務を監視・制御するために使用されているSCADA（Supervisory Control And Data Acquisition）システムの文書及び2枚のスクリーンショットを公開し、水道水の化学物質のレベルを操作できた、と主張した。

また、2022年9月、イスラエルの複数組織で使用されているBerghof Automation GmbHのPLC（Programmable Logic Controller）55台が侵害された。攻撃者は、PLCの管理パネルへのログインに成功したことを示す動画と、PLCの遮断を含む攻撃の一部の段階を示すHMI（Human Machine Interface）画面のスクリーンショットを公開した。管理パネルからはプロセスにある程度影響を与えることは可能であるが、実際のプロセス設定は管理パネルからだけでは不可能であった。攻撃者はデフォルトの認証情報を使用して、PLCの管理パネルにアクセスしたと考えられており、この事例は、インターネットへの資産の公開を禁止し、パスワードポリシーの徹底、特にデフォルトのログイン情報を変更することで防ぐことが可能であった※[12]。

### (3) 生産や重要サービスに影響を与えたサイバー攻撃の事例

制御システムにおいて最も重要視される「可用性（Availability）」に影響を与えたインシデントも、世界中で相次いだ。

表3-1-1に、2022年に公にされた、生産や重要サービ

| 被害企業 | 発生国 | 発生年月（報道年月） | 内容・影響・被害 |
|---|---|---|---|
| 大手農業機械メーカー | 米国 | 2022年5月 | ランサムウェアによる攻撃を受け、一部の生産施設が影響を受けた※[13]。 |
| 航空会社 | インド | 2022年5月 | ランサムウェアによる攻撃を受け、一部のシステムが影響を受け、航空機の運行に遅延が発生した※[14]。 |
| 電子機器受託生産大手 | メキシコ | 2022年5月 | 生産施設の一つがランサムウェアによる攻撃を受け、停止した※[15]。 |
| 自動車用ホース製造会社 | 米国 | 2022年6月 | ランサムウェアによる攻撃を受け、ネットワーク及び生産管理システムが停止した※[16]。 |
| 新聞社 | ドイツ | 2022年10月 | ランサムウェアによる攻撃を受け、印刷システムが機能しなくなったため、紙の新聞を発行できず、電子版を発行した※[17]。 |
| 鉄道会社 | デンマーク | 2022年11月 | 鉄道会社にITサービスを提供しているプロバイダーがサイバー攻撃を受け、サーバーをシャットダウンした。運転士に制限速度や鉄道のメンテナンス等の運行上重要な情報を提供しているソフトウェアが使用できなくなった※[18]。 |
| 複数の消防署を運営する会社 | オーストラリア | 2022年12月 | サイバー攻撃を受け、予防措置としてネットワーク全体をシャットダウンした。「広範囲なIT機能停止」が発生し、メール、電話、及び消防士の仕事を自動化する緊急通報システムが影響を受けた※[19]。 |
| 鉱業会社 | カナダ | 2022年12月 | 本社オフィスのITシステムがランサムウェアによる攻撃を受け、制御システムへの影響を判断するための予防措置として、鉱山の操業を停止した※[20]。 |

■表3-1-1　2022年に公にされた、生産や重要サービスに影響を与えたサイバー攻撃のインシデント事例

スに影響を与えたサイバー攻撃のインシデント事例を示す。

### (4) 政府や自治体が標的となった事例

政府や自治体を標的としたサイバー攻撃も、世界中で相次いだ。攻撃によって、重要なサービスの機能停止や情報の漏えいといった影響が発生している。

表 3-1-2 に、2022 年に公にされた、政府や自治体が標的となったインシデント事例を示す。

### (5) 医療機関が標的となった事例

医療機関を標的としたサイバー攻撃も、世界中で相次いだ。医療機関のコンピューターがランサムウェアに感染すると、保有している情報資産（データ等）が暗号化され、電子カルテシステムが利用できなくなり診療に支障が生じたり、患者の個人情報が窃取されたりする等の深刻な被害をもたらす可能性がある。最悪の場合は、人命に関わる（国内の事例については「1.2.1 (2) (b) 医療機関における被害事例」参照）。

インシデントの一例としては、2022 年 12 月、フランスの病院 Hospital Centre of Versailles がランサムウェアによる攻撃を受け、コンピューターシステムがダウンした。手術が中止され、患者 6 名（集中治療室の 3 名、新生児室の 3 名）が他の病院に移送された[※31]。

米国の医療機関の IT 及びセキュリティ担当者 641 名を対象に実施した調査によると、調査対象組織の 89% が過去 12 ヵ月間に平均 43 回と、ほぼ 1 週間に 1 回の割合でサイバー攻撃を受けていた。また、最も一般的な 4 種類の攻撃（クラウドの侵害、ランサムウェア攻撃、サプライチェーン攻撃、ビジネスメール詐欺（BEC）／スプーフィング／フィッシング）にあった組織の 20% 以上が、患者の死亡率の上昇を経験していた[※32]。

国内では、厚生労働省が、「医療情報システムの安全管理に関するガイドライン 第 5.2 版」を 2022 年 3 月に策定した[※33]。また、医療機関等におけるサイバーセキュリティ対策の強化について、2022 年 11 月に注意喚起を行っている[※34]（「2.1.1 (2) 国民が安全で安心して暮らせるデジタル社会の実現」参照）。

### (6) ウイルスに感染した USB メモリーやパソコンを接続することによる侵害

業務用に持ち込んだ USB メモリーやパソコンを接続することによるウイルス感染も、継続して発生している。

Honeywell International Inc. のレポート「Industrial Cybersecurity USB Threat Report 2022[※35]」によると、USB メモリーを悪用する脅威は、同社が世界中の生産施設で検知・ブロックした脅威のうち 52% を占め、2021 年の 37% から増加している。また、SANS Institute のレポート「The State of ICS/OT Cybersecurity in 2022 and Beyond[※36]」によると、制御システム及び OT のセキュリティインシデントにおける最初の攻撃手段で最

| 発生国・地域 | 発生年月（報道年月） | 内容・影響・被害 |
|---|---|---|
| フィンランド | 2022 年 4 月 | 国防省と外務省の Web サイトが DoS 攻撃を受けてダウンし、1 時間後に復旧した[※21]。 |
| イタリア | 2022 年 6 月 | シチリア州の州都パレルモの行政機関においてランサムウェアによる攻撃によりデータセンターの情報通信インフラが影響を受け、サービスが全面中断した[※22]。 |
| ノルウェー | 2022 年 6 月 | 政府の公共サービスポータルが DDoS 攻撃を受け、重要な Web サイトやオンラインサービスの一部がアクセス不能となった[※23]。 |
| アルバニア | 2022 年 7 月 | 政府の電子サービスがランサムウェア及びデータを破壊するワイパー型ウイルスによる攻撃を受け、首相と議会の Web サイト、及び政府の電子サービスポータルサイトがオフラインとなった[※24]。 |
| モンテネグロ | 2022 年 8 月 | 政府のデジタルインフラがサイバー攻撃を受け、公共サービス提供会社（電力・ガス・水道等）、交通機関（国境通過、空港を含む）、通信分野が影響を受けた[※25]。 |
| 台湾 | 2022 年 8 月 | 総統府、外務省、その他の政府ポータルの Web サイトが DDoS 攻撃を受け、断続的に機能が停止した[※26]。 |
| チリ | 2022 年 9 月 | 政府機関が運用する Microsoft Windows サーバー及び Linux VMware ESXi マシンがランサムウェアによる攻撃を受け、政府機関の業務及びオンラインサービスが影響を受けた[※27]。 |
| バヌアツ | 2022 年 11 月 | ランサムウェアによる攻撃を受け、政府のサーバー及び Web サイトがダウンした[※28]。 |
| ニュージーランド | 2022 年 12 月 | マネージドサービスプロバイダーがランサムウェアによる攻撃を受け、複数の政府機関や公的機関を含む国内の数十の組織が影響を受けた[※29]。 |
| ベルギー | 2022 年 12 月 | アントワープ市の行政ソフトウェアを提供する企業のサーバーがランサムウェアによる攻撃を受け、市のデジタルサービスが影響を受け、パスポートや ID カード情報を含むデータ 557GB が窃取された[※30]。 |

■表 3-1-2　2022 年に公にされた、政府や自治体が標的となったインシデント事例

も多かったのは「ITの侵害」(40.8%) だったが、次いで多かったのが「リムーバブルメディアを介した侵害」(36.7%)だった。

組織は、外部から持ち込む情報端末・機器や媒体に対する明確なセキュリティポリシーを確立し、管理策を策定し、継続的に取り組むことが重要である。

## 3.1.2 脆弱性及び脅威の動向

本項では、2022年に見られた、制御システムの脆弱性及び脅威の動向について述べる。

### (1)脆弱性の動向

2022年も、制御システムの脆弱性が多く公開された。制御システムの脆弱性情報を収集・公開している代表的な組織である米国国土安全保障省（DHS：Department of Homeland Security）のNCCIC（National Cybersecurity and Communications Integration Center）が、2022年に公開したアドバイザリーは370件で、2021年の369件から横ばいであった（図3-1-1)。一方で、アドバイザリーで特定された共通脆弱性識別子CVE（Common Vulnerabilities and Exposures)の件数は613件から778件へと増加しており、分野別に見ると、基幹製造業に影響を与える可能性があるものが最も多く、次いで、エネルギー、上下水道、医療、交通システムだった[※37]。

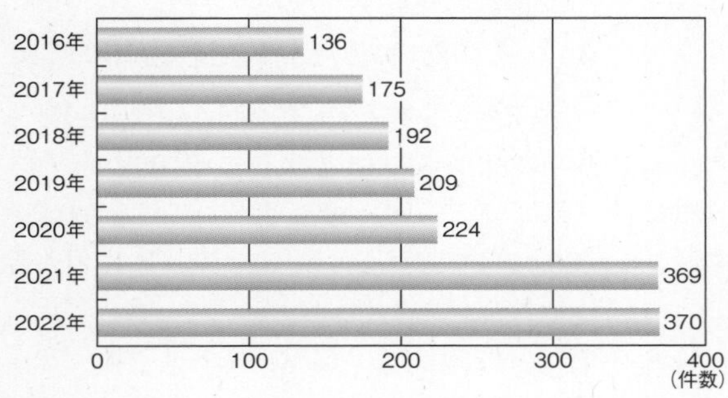


■図3-1-1 NCCICが公開した脆弱性アドバイザリーの件数（2016～2022年）
（出典）NCCICの公開情報[※38]を基にIPAが作成

非常に影響の大きい脆弱性及び脆弱性を悪用した攻撃手法も発見されている。以下では、それらについて解説する。

#### (a)Access:7

Axeda Corporation（現、Parametric Technology Corporation(以下、PTC社)の一部門)の医療機器及びIoT機器の遠隔管理ツールAxedaに七つの深刻な脆弱性「Access:7」が発見された。Axedaは、機器の機械やセンサー等のネットワークに接続された機器に製造業者が遠隔でアクセスし、管理できるように設計されている。これらの脆弱性を悪用すると、標的となる機器にネットワーク経由でアクセスできる攻撃者が、遠隔でコードを実行したり、ファイルシステムにアクセスしたり、システム設定を変更したりすることが可能となる。これらの脆弱性によって、100社以上のベンダーの150種以上の機器が影響を受け、それらの機器のベンダーの大半は医療分野（55%）で、次いで、IoT（24%)、IT（8%)、金融サービス（5%)、製造業（4%）となっている。Axedaは製造終了となっているが、PTC社は修正プログラム及び緩和策や回避策を公開している[※39]（脆弱性の詳細については「3.2.3(1)(b)Access:7」参照)。

#### (b)OT:ICEFALL

米国のサイバーセキュリティ企業Forescout Technologies, Inc.は、世界的なメーカー10社のOTシステムに、56件の脆弱性を発見した[※40]。「OT:ICEFALL」と総称されたこれらの脆弱性は、世界中の同社顧客のOT機器だけで、少なくとも3万台以上の機器、324の組織に影響するという。56件の脆弱性のうち、38%はユーザーのログイン認証情報を侵害するために悪用される可能性があり、21%は悪用された場合、不正侵入者がファームウェアを操作でき、14%は遠隔でのコード実行が可能になる。これらの脆弱性の中には、共通脆弱性評価システムCVSS（Common Vulnerability Scoring System)の深刻度スコア（最大値10.0）が9.8と高いものもある。影響を受ける機器は、石油・ガス、化学、原子力、発電・配電、製造、水処理・配水、鉱業、建築、オートメーション等の重要インフラで使用されており、悪用されると、電気や水道の停止、食糧供給の停止、成分の比率が変更されて有毒な混合物が生成される等の可能性がある。

#### (c)Evil PLC攻撃

イスラエルのサイバーセキュリティ企業Claroty Ltd.は、PLCを武器化し、エンジニアリングワークステーションに最初の足場を築き、OTネットワークに侵入する新たな攻撃手法に関する研究論文を発表した[※41]。「Evil PLC」と名付けられたこの攻撃は、まず攻撃者が、インターネットに接続されたPLCに故意に誤動作を誘発する。これに対処するエンジニアは、エンジニアリングワークステーション（EWS）ソフトウェアをトラブルシューティングツールとして使用し、侵害されたPLCに接続する。エンジニアが既存のPLCロジックの作業コピーを取得するためにアップロード操作を行うと、攻撃者はEWSソフトウェアの脆弱性を悪用して、ワークステーション上で悪意のあるコードを実行し、OTネットワーク上の他の機器（他のPLCを含む）にアクセスする。同社は、この攻撃で悪用される脆弱性のあるEWSソフトウェアのベンダー7社に報告し、ほとんどのベンダーは修正プログラム、パッチ、または緩和策を公開した。

### (2) 脅威の動向

2022年の脅威の動向としては、2021年に引き続き、ランサムウェアによる攻撃の増加が挙げられる。

米国のサイバーセキュリティ企業Dragos, Inc.（以下、Dragos社）が2022年に追跡調査した、産業組織に対するランサムウェア攻撃は605件で、2021年から87%増加している[※42]。攻撃の72%が製造分野、9%が食品及び飲料分野、5%がエネルギー分野、4%が医薬品分野、3%が石油・天然ガス分野を標的としていた。

ランサムウェアの脅威への対策として、基本的なウイルス対策、通信制御による対策、重要なデータのバックアップが適切に実施されているかの確認等、感染や脅迫に備えたリスク管理対策を徹底することが推奨される。

また、2022年には、制御システムを標的とする新たなウイルスが二つ確認された。

#### (a) Industroyer2

スロバキアのサイバーセキュリティ企業ESET, spol. s r.o.が、ウクライナのコンピューター緊急対応チーム（CERT-UA）と共同で、ウクライナのエネルギー企業に対する2022年4月の攻撃を分析したところ、ワイパー型ウイルスとともに、2016年にウクライナで大規模停電を引き起こした、制御システムを標的としたウイルス「Industroyer」（「Crash Override」とも呼ばれる）[※43]をカスタマイズした新バージョン「Industroyer2」を発見した[※44]。攻撃者はウクライナの高圧変電所に「Industroyer2」を展開しようとしていたが、同社とCERT-UAはこの攻撃を阻止した。

#### (b) Pipedream/Incontroller

米国の連邦捜査局（FBI：Federal Bureau of Investigation）、DHSのサイバーセキュリティ・インフラストラクチャセキュリティ庁（CISA：Cybersecurity and Infrastructure Security Agency）、米国家安全保障局（NSA:National Security Agency）、及びエネルギー省（DOE：Department of Energy）は、複数の制御システム及びSCADA機器へフルアクセスできる攻撃ツールセットに関する共同サイバーセキュリティアドバイザリーを2022年4月13日に発表した[※45]。このツールセットをDragos社は「Pipedream」[※46]、脅威情報及びインシデント対応企業Mandiant, Inc.は「Incontroller」[※47]と命名した。「Pipedream/Incontroller」は、モジュール式の制御システム攻撃フレームワークとカスタムメイドの攻撃ツールセットで、低スキルのサイバー攻撃者が、高度なスキルを持った攻撃者を模倣した操作を実施することを可能にする。こうした攻撃から制御システム及びSCADA機器を保護するための対策として、制御システムのネットワークへのリモートアクセスに多要素認証を導入すること、制御システム及びSCADA機器とシステムのデフォルトパスワードを変更すること、OT監視ソリューションを使って悪意のある行動や攻撃の指標を検知すること等が推奨されている。

## 3.1.3 海外の制御システムのセキュリティ強化の取り組み

本項では、海外における制御システムを含む、重要インフラサービスのセキュリティ強化に関する取り組みについて述べる。

### (1) 米国CISAの取り組み

重要インフラ部門にサイバーセキュリティインシデントや身代金の支払いをCISAに報告することを義務付ける規則を、CISAが策定し実施するよう指示した法律「Cyber Incident Reporting for Critical Infrastructure Act of 2022（CIRCIA）[※48]」が、2022年3月に制定された。CISAは規則の策定にあたって、2022年9月12日から11月14日までパブリックコメントを募集した。

米国のJoseph Biden大統領が2021年7月に署名した、重要インフラの制御システムのためのサイバーセキュリティの改善に関する国家安全保障に関する覚書[※49]では、CISAが米国国立標準技術研究所（NIST：National Institute of Standards and Technology）及び省庁間コミュニティと連携して、すべての重要インフラ部門に一貫性のあるサイバーセキュリティの基本パフォーマンス目標を策定することを要求しており、これに応じて、CISAは「Cross-Sector Cybersecurity Performance Goals（CPGs）」を2022年11月に発表した[※50]。CPGsは、重要インフラ部門全体の最も一般的で影響の大きいいくつかのサイバーリスクを軽減することを目的としており、明確に定義され、簡単に実施でき、取り掛かりやすい、優先順位付けされたセキュリティプラクティスを提供している。

### (2) 米国 Biden 政権の取り組み

米国の Biden 政権は、重要インフラ事業者と政府の連携を推進する「産業用制御システムサイバーセキュリティイニシアティブ」を2021年7月に立ち上げ、米国内の16の重要インフラ部門において、1部門ずつサイバー対策を強化する100日間の取り組みを実施している。これまで電力、石油・ガス部門を対象に実施してきたが、2022年1月27日に水道部門※51、2022年10月26日に化学部門を対象とした取り組みを開始した※52。

NISTは、産業用制御システム環境のサイバーセキュリティを向上させる支援に焦点を当てたガイダンス SP1800-10「Protecting Information and System Integrity in Industrial Control System Environments: Cybersecurity for the Manufacturing Sector」を2022年3月に公開した※53。本ガイダンスは、一般的な攻撃シナリオを説明し、破壊的なウイルス、内部脅威、不正なソフトウェア、不正なリモートアクセス、異常なネットワークトラフィック、履歴データの損失、不正なシステム変更等から制御システムを保護するために、製造業者が実施可能なソリューションの例を示している※54。

NISTのNational Cybersecurity Center of Excellence (NCCoE)は、ハイブリッド衛星ネットワーク向けのサイバーセキュリティフレームワークプロファイルを2022年11月に公開した※55。本プロファイルは、PNT (Positioning, Navigation and Timing：測位、ナビゲーション、タイミング)、リモートセンシング、気象観測、画像処理のための衛星ベースのシステム等のサービスを提供するハイブリッド衛星ネットワークのサイバーセキュリティ体制を評価する手法を識別することを目的としている。

DOEは、エネルギー業界と電力網へのサイバー脅威に対するエンジニアリング、トレーニング、ツール、実践の枠組みの提供に焦点を当てた戦略「National Cyber-Informed Engineering Strategy (CIE)」を2022年6月15日に発表した。この新戦略は、認識、教育、開発、現在のインフラ、将来のインフラの五つの柱で構成されている※56。

運輸保安庁 (TSA：Transportation Security Administration) は、旅客・貨物鉄道事業者に対し、パフォーマンスベースの対策に重点を置いてサイバーセキュリティのレジリエンスを強化するよう求めるサイバーセキュリティ指令を、2022年10月18日に発表した (10月24日から1年間有効)※57。本指令は、CISAや運輸省 (DOT：Department of Transportation) の連邦鉄道局 (FRA：Federal Railroad Administration) 等、業界関係者や連邦政府のパートナーからの幅広い意見に従って作成された。

### (3) 欧州連合 (EU) の取り組み

欧州議会 (European Parliament) は、「ネットワークと情報システムのセキュリティに関する指令 (NIS指令)」(NIS Directive：Network and Information Systems Directive) を置き換える新たなサイバーセキュリティ指令 (NIS 2)を2022年11月に採択した※58。本指令は、重要な分野で活動する中・大規模組織を対象とし、公共電子通信サービス、デジタルサービス、廃水・廃棄物管理、重要製品の製造、郵便・宅配便サービス、医療、行政等のプロバイダーが含まれている。また、新たな条項には、重大なインシデントの認知から24時間以内に、欧州連合 (EU：European Union) 全体に「早期警告」を提出し、その後72時間以内にインシデント通知を行う義務、ソフトウェアの脆弱性にパッチを当てること、リスク管理策を準備すること、が含まれている。更に、より厳格な実施要件を設け、加盟国間の制裁体制を一致させることも目的としており、重要なサービスを提供する事業者は、これに従わなかった場合、制裁金を科される。本指令は、欧州委員会 (European Commission) でも正式に採択された。この後、加盟国は21ヵ月以内に新しい要件を国内法に反映させる必要がある (「2.2.3 (3) (a) 重要インフラのセキュリティ規格改定」参照)。

### (4) 英国政府の取り組み

英国デジタル・文化・メディア・スポーツ省 (DCMS：Department for Digital, Culture, Media & Sport) は、ブロードバンド及び携帯通信事業者に対し、サイバー攻撃に対するネットワークセキュリティの強化を求める新たな規則を、2022年8月に発表した※59。この規則は3年以上かけて策定され、ネットワークの構築と運用だけでなく、その上で実行されるサービスも対象とする包括的なものである。新しい要件は、公衆電気通信ネットワーク及びサービスのプロバイダーがインフラやサービスを調達する方法 (及び調達先)、活動やアクセスを監視する方法、セキュリティやデータ保護への投資とそれを監視する方法、データ漏えいやネットワーク停止の結果を関

第3章 個別テーマ

係者に通知する方法等を対象としている。違反した場合、年間収益の最大10%の罰金が、違反が続くと1日あたり10万ポンド(約1,600万円)の罰金が科されるとしている。通信規制当局の英国情報通信庁(Ofcom:Office of Communications)は、英国サイバーセキュリティセンター(NCSC:National Cyber Security Centre)と協力して、新たな規制と実践規範を策定し、それを執行し罰金を科す。この規則は2022年10月から導入され、通信事業者は2024年3月までに新しい手続きを完全に実施することが求められている。

### (5) オーストラリア政府の取り組み

オーストラリア連邦議会は、重要インフラ部門のセキュリティとレジリエンス力を強化し、オーストラリア国民が依存する重要なサービスを物理的、サプライチェーン、サイバー、人的な脅威から保護するための法律「Security Legislation Amendment (Critical Infrastructure Protection) Bill 2022」(SLACIP法)を2022年3月31日に可決し、同法律は2022年4月2日に施行された※60。本法律によって、重要インフラ資産の所有者と運営者がリスク管理プログラムを作成・維持する義務と、国家的な重要性を有するシステムまたは重要インフラ資産の運用者に求められるサイバーセキュリティ義務強化のための新たな枠組みが導入される。SLACIP法は、「重要インフラ安全保障法(Security of Critical Infrastructure Act 2018)」改正の第2部にあたるもので、第1部は「Security Legislation Amendment (Critical Infrastructure) Bill 2021」として制定され、2021年12月2日に施行された。

## 3.1.4 国内の制御システムのセキュリティ強化の取り組み

本項では、制御システムを含む、重要インフラサービスのセキュリティ強化に関する国内の主な取り組みの概要を紹介する。

### (1) 日本政府の取り組み

包括的な重要インフラのセキュリティ政策については、「2.1.1 政府全体の政策動向」及び「2.1.3 経済産業省の政策」で取り上げているので、そちらを参照されたい。ここでは特に、制御システムのセキュリティ強化に関連する取り組みについて触れる。

内閣官房情報セキュリティセンター(NISC:National Information Security Center)が、2021年度における我が国を取り巻くサイバーセキュリティに関する情勢、及び自由、公正かつ安全なサイバー空間実現のために取り組む施策の実施状況等をまとめた「サイバーセキュリティ2022(2021年度年次報告・2022年度年次計画)※61」を2022年6月に発表した。NISCの重要インフラグループは、重要インフラの情報セキュリティ対策を推進するため、2018年策定の「サイバーセキュリティ戦略」及び2017年策定の「重要インフラの情報セキュリティ対策に係る第4次行動計画※62」に基づき、安全基準等の整備及び浸透、情報共有体制の強化、障害対応体制の強化、リスクマネジメント、防護基盤の強化、の五つの施策を進めており、「重要インフラのサイバーセキュリティに係る行動計画※63」を2022年6月に発表した。

経済産業省は、業界団体や企業が自らの工場を取り巻く環境を整理し、必要な工場のセキュリティ対策を企画・実行していく際に役立つガイドライン「工場システムにおけるサイバー・フィジカル・セキュリティ対策ガイドライン Ver 1.0」を2022年11月に策定した※64。

経済産業省とIPA産業サイバーセキュリティセンター(ICSCoE:Industrial Cyber Security Center of Excellence)は、米国政府(CISA、DOE、国務省(DOS:United States Department of State)、アイダホ国立研究所(INL:Idaho National Laboratory))及びEU政府(欧州委員会通信ネットワーク・コンテンツ・技術総局)と連携し、2022年10月24~28日まで、日米EUの専門家による制御システムのサイバーセキュリティに関する人材育成イベント「インド太平洋地域向け日米EU産業制御システムサイバーセキュリティウィーク」を実施した※65(「2.2.1(5)(d)インド太平洋地域に向けたサイバー演習」参照)。2018年に開始され、4回目となるこのイベントでは、インド太平洋地域の重要インフラ事業者や国のCSIRT(Computer Security Incident Response Team)におけるOT・ITのサイバーセキュリティ担当者や、関連する政府機関の政策担当者を対象として、ハンズオン演習が行われた。

「経済施策を一体的に講ずることによる安全保障の確保の推進に関する法律(経済安全保障推進法)」が2022年5月11日に成立し、同月18日に公布された※66(「2.1.1(5)経済安全保障推進法の制定」参照)。本法律は四つの柱で構成され、その一つとして、電気、ガス、水道、通信、鉄道等の基幹インフラサービスが安定的に提供されるよう、重要インフラ企業のサイバーセキュリティを確保するための制度が導入される。例えば、重要インフラ企業は、インフラサービスの提供に重要なシステム

（ハードウェア・ソフトウェア）を導入する場合、事前に政府に届け出て審査を受ける必要がある。2024 年 2 月までに本制度の適用が開始される予定となっている。

### (2) IPA の取り組み

2022 年度、IPA では制御システムのセキュリティに関して、大きく三つの取り組みを行った。

#### (a) 制御システムのセキュリティリスクアセスメント普及活動

制御システムに対するセキュリティリスクアセスメントの普及を目的として、「制御システムのセキュリティリスク分析ガイド」（以下、リスク分析ガイド）※67 を用いてリスク分析手法を解説するオンラインセミナーを、2022 年 6 ～ 9 月と 2022 年 12 月～ 2023 年 3 月の 2 回開催した。同セミナーでは、約 500 社・団体の受講者が、リスク分析ガイドを解説した合計約 3 時間の講義動画の視聴や、電子メールによる質疑応答を行った。

また、国内の重要インフラ業界のセキュリティ対策の支援を目的として、「スマート工場のセキュリティリスク分析調査」調査報告書を 2022 年 6 月に公開した※68。本調査は、IoT 機器（LPWA（Low Power Wide Area）、Wi-Fi 等の無線を含む）、クラウド、AI・ビッグデータ活用等により、生産性、設備稼働率、品質及び保守性等の向上を図る「スマート工場化」を検討中または実施中の企業が、スマート工場化に伴って発生するセキュリティリスクを正しく把握し、対策しやすくすることを目的として実施された。

#### (b) 制御システム向け侵入検知製品の実装技術の調査報告書の公開

制御システムを保有する事業者のセキュリティ対策支援を目的として、「産業用制御システム向け侵入検知製品の実装技術の調査」調査報告書を 2022 年 9 月に公開した※69。本報告書は、制御システムに侵入検知製品導入を検討しようとしている事業者において円滑な導入方法や有効な運用方法等、導入に役立つ情報を提供している。

#### (c) 制御システムのサイバーセキュリティ人材の育成

ICSCoE では、模擬プラントを用いた演習や、攻撃防御の実践経験、最新のサイバー攻撃情報の調査・分析等を通じて、社会インフラ・産業基盤のサイバーセキュリティリスクに対応する人材の育成を支援している（「2.3.3 (2) 産業サイバーセキュリティ人材育成のための活動」参照）。

# 3.2 IoTの情報セキュリティ

IoT(Internet of Things)技術の普及とともに、セキュリティ設定が不十分なまま、あるいは脆弱性を有したままインターネットに接続されたコンピューター以外の機器（IoT機器）が増大することにより、サイバー攻撃の対象となる脅威が拡大傾向にある。2022年2月24日に開始されたロシアによるウクライナ侵攻の前後において、ウクライナ及びロシア双方のWebサイトへのDDoS(Distributed Denial of Service）攻撃が観測されているが、本攻撃にIoT機器によるボットネットが悪用されていることが報告されている※70。日本国内においても、2022年4月以降、韓国製DVR/NVR(Digital Video Recorder/Network Video Recorder)のウイルス感染の急増が観測されている※71。

本節では、「IoTに対するセキュリティ脅威の動向」「進化の止まらないIoTウイルスの動向」「IoTセキュリティのサプライチェーンとEOLのリスク」「脆弱なIoT機器のウイルス感染と感染機器悪用の実態」「各国のセキュリティ対策強化の取り組み」について述べる。

なお、本節で記載される脆弱性のうち、脆弱性データベースの登録IDを記載しているものについては、表3-2-1に記載の各データベースで検索することによって、概要、詳細情報、関連情報へのリンク等を確認できる。

| 登録IDの表記例 | 登録先データベース |
|---|---|
| CVE-20xx-xxxxx | NVD※72 |
| JVNDB-20xx-xxxxxx | JVN iPedia※73 |
| EDB-ID: xxxxx | Exploit Database※74 |

■表3-2-1　脆弱性の登録IDの表記例と登録先データベース

## 3.2.1 IoTに対するセキュリティ脅威の動向

2022年はルーター、DVR/NVRに加えて、NAS(Network Attached Storage）に対する脅威が多く観測された。本項では、サイバー攻撃対象のIoT機器及びそれらにより構成されるシステムの観点から、2022年に観測されたセキュリティ脅威の動向を紹介する。

### (1) NASに対する脅威

NASの脆弱性を狙い、ランサムウェアの感染を試みる脅威が増加した。ベンダーとエンドユーザーの両方に身代金を要求する悪質なケースも発生している。

#### (a) QNAP社製NASに対する脅威

QNAP Systems, Inc.（威聯通科技股份有限公司。以下、QNAP社）は、同社製NASを狙う脅威に対して積極的にサポートを提供し、2022年をとおして対応に追われた。表3-2-2に主な脅威とその対応を示す。

| 月日 | 脅威と対応 |
|---|---|
| 1/7 | QNAP社がインターネットに接続されたNASを保護するための設定手順を説明※75 |
| 1/26 | QNAP社がランサムウェアDeadBoltによるゼロデイ攻撃対策として、セキュリティ設定とファームウェア更新を推奨※76 |
| 2/14 | QNAP社が一部の生産終了モデルのテクニカルサポートとセキュリティ更新の延長を発表※77 |
| 3/14 | QNAP社がLinuxカーネルの脆弱性Dirty Pipe※78（CVE-2022-0847）に対するアドバイザリーを公表※79 |
| 3/29 | QNAP社がOpenSSLの無限ループの脆弱性（CVE-2022-0778（JVNDB-2022-001476））に対するアドバイザリーを公表※80 |
| 4/20 | QNAP社がApache HTTP Serverの複数の脆弱性（CVE-2022-22719、CVE-2022-22720、CVE-2022-22721、CVE-2022-23943（JVNDB-2022-001478～001481））に対するアドバイザリーを公表※81 |
| 4/25 | QNAP社がNetatalkの複数の脆弱性に対するアドバイザリーを公表※82 |
| 6/17 | QNAP社がランサムウェアDeadBoltの新たなキャンペーンに対するアドバイザリーを公表※83 |
| 6/18 | ランサムウェアeCh0raixがQNAP社製NASを再び標的としているとBleeping Computerが報道※84 |
| 6/22 | QNAP社がPHPのリモートコード実行の脆弱性（CVE-2019-11043（JVNDB-2019-011337））に対するアドバイザリーを公表※85 |
| 7/7 | QNAP社が新しいランサムウェアCheckmateに対するアドバイザリーを公表※86 |
| 9/3 | QNAP社がアプリケーションPhoto Stationのランサムウェア DeadBolt対策としてアドバイザリーを公表※87 |
| 10/29 | Group-IBがランサムウェアDeadBoltの活動（QNAP社製NASのゼロデイ脆弱性を悪用して、QNAP社とエンドユーザーの両方を脅迫）を報告※88 |

■表3-2-2　2022年QNAP社製NASに発生した主な脅威と対応

#### (b) ASUSTOR社製NASに対する脅威

2022年2月24日、ASUSTOR Inc.（華芸科技股份有限公司。以下、ASUSTOR社）製NASのゼロデイ脆弱性を狙うランサムウェア「DeadBolt」の攻撃が報告された※89。同月21日の時点でASUSTOR社からファームウェアの更新が公開されている※90。

#### (c) TerraMaster 社製 NAS に対する脅威

2022 年 3 月 7 日、TerraMaster Technology Co., Ltd.(深圳市图美电子技术有限公司。以下、TerraMaster 社)製 NAS 用のオペレーティングシステム TOS の脆弱性(CVE-2022-24989、CVE-2022-24990)を悪用した非認証のリモートコード実行で感染を試みるランサムウェア DeadBolt の活動が報告された[※91]。同月 1 日の時点で TerraMaster 社からファームウェアの更新が公開されている[※92]。

#### (d) Western Digital 社製 NAS に対する脅威

2022 年 3 月 24 日、Western Digital Corporation(以下、Western Digital 社)は、同社製 NAS のファームウェアである My Cloud OS 5 のアップデートを公開した[※93]。VFS(Virtual File System)モジュール vfs_fruit を使用する samba にヒープ範囲外の読み取り/書き込みの脆弱性(CVE-2021-44142(JVNDB-2022-001296))が存在し、攻撃者が管理者権限で任意のコード実行できる可能性があった。

#### (e) Synology 社製 NAS に対する脅威

2022 年 4 月 28 日、Synology Inc.(群暉科技股份有限公司。以下、Synology 社)は、同社製 NAS のオペレーティングシステムに含まれる、AFP(Apple Filing Protocol)によるファイルサーバー機能を提供するオープンソースソフトウェアである Netatalk の複数の脆弱性(CVE-2022-0194、CVE-2022-23121 ~ 23125)に関するアドバイザリーを公開した[※94]。攻撃者によるリモートコード実行と機密情報の窃取の可能性があった。

#### (f) バッファロー社製 NAS に対する脅威

2022 年 8 月 31 日、株式会社バッファローは、同社製 NAS における AFP の脆弱性とその対処方法(ファームウェアの更新または AFP 機能の無効化)を公開した[※95]。

#### (g) Zyxel 社製 NAS に対する脅威

2022 年 9 月 6 日、Zyxel Networks Corporation(合勤科技股份有限公司。以下、Zyxel 社)は、同社製 NAS のリモートコード実行の脆弱性(CVE-2022-34747)に関するアドバイザリーを公開した[※96]。

### (2) ルーターに対する脅威

ウイルス感染させた機器を乗っ取り、第三者への攻撃に悪用する目的で、ルーターの脆弱性を狙う脅威が継続している。

#### (a) D-Link 社製ルーターに対する脅威

2022 年 1 月、D-Link Corporation(友讯科技股份有限公司。以下、D-Link 社)製ルーターのコマンドインジェクション脆弱性(CVE-2015-2051)を狙った攻撃が多く観測された[※97]。

2022 年 8 月上旬、D-Link 社製ルーターの下記の 4 種類の脆弱性を狙う Mirai の亜種 Moobot の攻撃が観測された[※98]。

- CVE-2015-2051(JVNDB-2015-001591)
- CVE-2018-6530(JVNDB-2018-002681)
- CVE-2022-26258(リモートコマンド実行の脆弱性)
- CVE-2022-28958(リモートコード実行の脆弱性)

#### (b) MikroTik 社製ルーターに対する脅威

2022 年 3 月 16 日、SIA Mikrotīkls(以下、MikroTik 社)製ルーターを C&C サーバー[※99]のプロキシーとして悪用するウイルス TrickBot の活動が報告された[※100]。また、これらの攻撃に対するフォレンジックを行うためのオープンソースのツール RouterOS Scanner が公開された[※101]。

#### (c) ASUS 社製ルーターに対する脅威

2022 年 3 月 17 日、ASUSTeK Computer Inc.(華碩電脳股份有限公司。以下、ASUS 社)製ルーターがロシアの国家支援型ボットネット「Cyclops Blink」の攻撃対象となっていることが報告された[※102]。同月 25 日、ASUS 社はアドバイザリーを公開した後、4 月 1 日に更新ファームウェアの提供を開始した[※103]。

#### (d) DrayTek 社製ルーターに対する脅威

2022 年 8 月 3 日、DrayTek Corporation(居易科技中国分公司。以下、DrayTek 社)製ルーターの非認証のリモートコード実行の脆弱性(CVE-2022-32548)が発見された[※104]。この時点では、世界中で 20 万台以上の該当機器がインターネットに接続されていることが確認されており、翌 4 日、DrayTek 社は更新ファームウェアを含むアドバイザリーを公開した[※105]。

#### (e) NETGEAR 社製ルーターに対する脅威

2022 年 9 月 15 日、NETGEAR, Inc.(以下、NETGEAR 社)製ルーターで用いられているサードパーティ(Xiamen Xunwang Network Technology Co.,

Ltd.）製のゲーム高速化モジュール FunJSQ の脆弱性（任意のコード実行の可能性、CVE-2022-40619、CVE-2022-40620）が報告された[※106]。同月8日の時点で、NETGEAR 社からアドバイザリーが公開されている[※107]。

同年12月2日、NETGEAR 社製 Nighthawk RAX30（AX2400）ルーターにおいて、IPv4 トラフィックに適用されるアクセス制限が IPv6 トラフィックに適用されない誤設定と思われる脆弱性（CVE-2022-4390）が報告された[※108]。同月1日の時点で NETGEAR 社から Hot Fix が公開されているが、脆弱性の詳細は非公開であった[※109]。

#### (f) 各社製ルーターに対する脅威

2022年6月28日、ASUS 社、Cisco Systems, Inc.（以下、Cisco 社）、DrayTek 社、NETGEAR 社等の SOHO（Small Office Home Office）ルーターに感染するウイルス「ZouRAT」の情報が公開された[※110]。ZouRAT は、Mirai を大幅に変更した亜種と考えられている。

### (3) DVR/NVR に対する脅威

ルーターと同様に、ウイルス感染させた機器を乗っ取り、第三者への攻撃に悪用する目的で、DVR/NVR の脆弱性を狙う脅威が継続している。

#### (a) QNAP 社製ビデオ監視システムに対する脅威

2022年5月6日、QNAP 社は、ビデオ監視システム QVR が動作する同社製 NVR のコマンドインジェクションの脆弱性（CVE-2022-27588（JVNDB-2022-001795））について、アドバイザリー（更新ファームウェアを含む）を公開した[※111]。

#### (b) 韓国製 DVR/NVR に対する脅威

2022年4月以降、国内において韓国製 DVR/NVR のウイルス感染が急増した（「3.2.4 (2) 国内における感染急増」参照）。

### (4) コネクテッドカーに対する脅威

自動車をインターネットと接続して付加価値を提供するコネクテッドカー技術に対する脅威が発生している。

#### (a) Honda 社のリモートキーレスエントリーシステムに対する脅威

2022年3月、本田技研工業株式会社（以下、Honda 社）製の一部自動車のリモートキーレスエントリーシステムの脆弱性（CVE-2022-27254）を研究者が公開した[※112]。中間者攻撃で得た RF（Radio Frequency）信号を基にリプレイ攻撃を行うことで、ロック解除やエンジン始動が可能であるという。

同年7月、Honda 社製のほぼすべて（2012～2022年製）の自動車のリモートキーレスエントリーシステムの脆弱性（CVE-2021-46145（JVNDB-2021-017766））を悪用して、ロック解除やエンジン始動を可能とする Rolling-PWN Attack を研究者が公開した[※113]。

#### (b) トヨタ自動車の T-Connect に関する情報漏えいの脅威

2022年10月、トヨタ自動車株式会社（以下、トヨタ自動車）は、同社のコネクテッドサービス T-Connect のユーザーサイトのソースコードの一部が誤って GitHub 上で公開された結果、ソースコード中のデータベースへのアクセスキーを悪用することで、サービス契約者のメールアドレスと顧客管理番号が漏えいした可能性があることを発表して謝罪した[※114]。開発委託先企業におけるソースコードの不適切な取り扱いが原因とされている。

#### (c) GPS トラッカーに対する脅威

2022年7月19日、169ヵ国で約150万台の自動車に搭載されている Shenzhen Micodus Electronic Technology Co., Ltd.（以下、MiCODUS 社）製 GPS（Global Positioning System）トラッカー MV720 の以下に示す5種類の脆弱性が報告された[※115]。

- CVE-2022-2107（ハードコードされた認証情報の使用の脆弱性）
- CVE-2022-2141（不適切な認証の脆弱性）
- CVE-2022-2199（クロスサイトスクリプティングの脆弱性）
- CVE-2022-34150（ユーザー制御の鍵による認証回避の脆弱性）
- CVE-2022-33944（ユーザー制御の鍵による認証回避の脆弱性）

通常、GPS トラッカーはリアルタイムで位置と速度、過去のルートを監視し、盗難が発生した場合にリモートで燃料を遮断する。しかし、攻撃者が当該脆弱性を悪用すると、搭載車両に対する不正な追跡に加えて、不正に SMS（Short Message Service）でコマンドを送信し、搭載車両を突然停止させる攻撃が可能となる。同社製 GPS トラッカーは、欧米の政府機関・軍隊・法執行機関・重要インフラ事業者等で用いられており、国家安全保障上の影響が大きい。発見者と米国 DHS 傘下の CISA は MiCODUS 社と情報共有しようと繰り返し試みたが無視された※115。同日、CISA は ICS アドバイザリーを公開した※116。

### (5) その他の IoT 機器に対する脅威

様々な IoT 機器に対する脆弱性、及びそれらの脆弱性を狙う脅威が報告されている。

#### (a) 医療機器に対する脅威

2023 年 3 月 2 日、スマート輸液ポンプ（ネットワーク接続機能を有する輸液ポンプ）のセキュリティ調査結果が報告された※117。医療機関のネットワークに接続された 20 万台以上のスマート輸液ポンプをスキャンした結果、その 75% において、約 40 種類存在する既知の脆弱性のいずれかを有すること、あるいは、約 70 種類存在する既知の IoT 機器のセキュリティアラートの対象となっていることが確認された。スキャンされた輸液ポンプにおいて発見された脆弱性の上位 10 種類を表 3-2-3 に示す。

| 順位 | 脆弱性 ID | 該当比率 |
|---|---|---|
| 同率1位 | CVE-2019-12255（JVNDB-2019-007841） | 52.11% |
| | CVE-2019-12264（JVNDB-2019-007544） | |
| 同率3位 | CVE-2016-9355（JVNDB-2016-008012） | 50.39% |
| | CVE-2016-8375（JVNDB-2016-008011） | |
| 5 位 | CVE-2020-25165（JVNDB-2020-009572） | 39.54% |
| 6 位 | CVE-2020-12040（JVNDB-2020-007531） | 17.83% |
| 同率7位 | CVE-2020-12047（JVNDB-2020-007458） | 15.23% |
| | CVE-2020-12045（JVNDB-2020-007457） | |
| | CVE-2020-12043（JVNDB-2020-007456） | |
| | CVE-2020-12041（JVNDB-2020-007455） | |

■表 3-2-3　スマート輸液ポンプで発見された上位 10 種類の脆弱性
（出典）パロアルトネットワークス株式会社「医療機関にセキュリティを：調査対象輸液ポンプの 75% に脆弱性かアラート※117」を基に IPA が編集

#### (b) UPS に対する脅威

2022 年 3 月、Schneider Electric SE（以下、シュナイダー社）の APC Smart-UPS の下記 3 種類の脆弱性が発見され、TLStorm と名付けられた※118。

- CVE-2022-22806（TLS 認証バイパスの脆弱性）
- CVE-2022-22805（TLS バッファーオーバーフローの脆弱性）
- CVE-2022-0715（JVNDB-2022-001579）

脆弱性の原因は、Mocana Corporation（以下、Mocana 社）製の組み込み用 TLS（Transport Layer Security）である NanoSSL ライブラリの誤用である。シュナイダー社の APC ブランドの UPS（Uninterruptible Power System：無停電電源装置）は全世界で 2,000 万台以上提供されており、これらの脆弱性を悪用してリモートから完全な乗っ取りが可能であると指摘された。

#### (c) ビデオ会議デバイスに対する脅威

2022 年 6 月 3 日、Owl Labs 製ビデオ会議デバイス Meeting Owl Pro 及び Whiteboard Owl の脆弱性（CVE-2022-31459 ～ 31463）が報告された※119。これらの脆弱性を攻撃して Wi-Fi ネットワーク上の不正なアクセスポイントとすることで、利用者のネットワークに対するバックドアとして悪用可能であった。同月 6 日及び 23 日、Owl Labs は二回に分けて更新ファームウェアを公開した※120。

#### (d) 産業用位置情報デバイス／システムに対する脅威

2022 年 8 月 15 日、産業用位置情報システム RTLS（Real-Time Locating Systems）及びそのデバイスのゼロデイ脆弱性が報告された※121。中間者攻撃によって位置情報を改ざんすることで、追跡タグを装備した作業員を危険なエリアに誘導すること等が可能であった。この脆弱性を報告した研究者らは、Sewio Networks s.r.o. 製 Indoor Tracking RTLS UWB Wi-Fi kit 及び Avalue Technology Incorporation（安勤科技股彬有限公司）製 Renity Artemis Enterprise kit を用いて実証実験を行い、攻撃可能性を検証した。

#### (e) 航空機内インターネット接続に対する脅威

2022 年 9 月、株式会社コンテック（以下、コンテック社）製の航空機内インターネット接続用無線 LAN アクセスポイント FLEXLAN FX3000/2000 シリーズの脆弱性（CVE-2022-36158 ～ 36159（JVNDB-2022-002346））が報告された※122。非公開の開発用 Web 設定ページが残存したまま出荷されており、データの窃取・改ざん、システムの破壊及び任意のコマンド実行が可能となっていた。同月、コンテック社は、更新ファームウェア及び回避策を公開した※123。

#### (f) IP 電話機に対する脅威

2022 年 12 月 8 日、Cisco 社は、同社製 IP 電話機 Cisco IP Phone 7800/8800 シリーズのスタックオーバーフローの脆弱性（CVE-2022-20968）に関するアドバイザリーを公開した※124。2023 年 1 月、同社はファームウェアの更新を公開した。

**(g) スマートスピーカーに対する脅威**

2022年12月26日、Google LLC（以下、Google社）製スマートスピーカーGoogle Homeシリーズの脆弱性情報が公開された※125。2021年1月に発見された脆弱性により、遠隔操作用バックドアアカウントを作成し、盗聴や内部データの読み書きが可能であった。発見者はGoogle社から10万7,500ドルの報奨金を受け取った。

## 3.2.2 進化の止まらないIoTウイルスの動向

前項で述べたように、IoT機器やシステムにおいて、次々と新たな脆弱性が発見されており、これらを狙うウイルスによる攻撃手段としての取り込みが続いている。本項では、ウイルスの進化の観点から、2022年に観測された脅威の動向を紹介する。

### (1) Miraiとその亜種

2016年9月に出現し、同月末にソースコードが公開された「Mirai」は、2022年も新たな亜種が発生して感染活動を継続している。

**(a) Spring4Shellの脆弱性を狙うMiraiの亜種**

2022年4月、前日にアドバイザリーが公開されたばかりのJavaアプリケーションのオープンソースフレームワークSpring Frameworkのゼロデイ脆弱性「Spring4Shell」（CVE-2022-22965（JVNDB-2022-001498））を感染拡大に悪用するMiraiの亜種が観測された※126。

**(b) RapperBot**

2022年8月3日、6月中旬から観測されているMiraiの亜種「RapperBot」の活動が報告された※127。従来のMiraiの典型的な亜種と異なり、以下に示す特徴を有する。

- パスワード認証を受け入れるように設定されたSSH（Secure Shell）サーバーに対してブルートフォース攻撃を仕掛ける。このため、ウイルス内部にSSH 2.0クライアント機能が実装されている。
- ブルートフォース攻撃に用いる認証情報のリストは、当初はウイルス内部に保持していたが、7月以降はC&Cサーバーのポート番号4343～4345から最新のリストを取得するように変更された。
- 感染後、SSHサーバーに攻撃者のSSH公開鍵をコピーしたり、管理者権限のユーザー「suhelper」を追加したりすることで、機器の再起動後やウイルス削除後もSSH経由で感染機器の乗っ取り継続を試みる。
- 自分自身を識別する文字列をウイルス内部に含まず、亜種の特定を回避しようと試みる。

1ヵ月半の間にRapperBotの感染拡大活動と思われる3,500以上のIPアドレスが観測された。その国・地域別分布を表3-2-4に示す。

| 順位 | 国／地域 | 全体に占める割合 |
|---|---|---|
| 同率1位 | 台湾 | 18% |
| | 米国 | 18% |
| 3位 | 韓国 | 16% |
| 4位 | ドイツ | 8% |
| 5位 | 日本 | 6% |
| 6位 | 中国 | 5% |
| 同率7位 | オーストラリア | 3% |
| | メキシコ | 3% |
| | カナダ | 3% |
| | ロシア | 3% |

■表3-2-4　感染活動が確認されたRapperBotの国・地域別分布
（出典）Fortinet, Inc.「So RapperBot, What Ya Bruting For? ※127」を基にIPAが作成

### (2) EnemyBot

2022年3月、IoT機器を含むLinuxが実装された機器を感染対象とする新たなボットネットが発見され、ウイルスのダウンロードURLの一部文字列から「EnemyBot」と名付けられた※128。同年4月12日、EnemyBotは主にGafgytのソースコードから派生してMiraiのソースコードから複数のモジュールを流用していること、接続経路を匿名化するTor（The Onion Router）ネットワーク上のC&Cサーバーに接続することでボットネットの停止（テイクダウン）を困難としていること等、詳細な分析結果が報告された※129。同年5月26日、EnemyBotの新たな亜種が発見され、様々な機器やWebサーバーの脆弱性（次ページ表3-2-5）を攻撃する24種類のエクスプロイトを含むWebスキャン機能が追加されていた※130。

### (3) その他の新たなウイルス

既存のウイルスの技術（ソースコードの一部や脆弱性の悪用方法等）を流用しつつ、新たなウイルスを開発する試みが継続している。

| 脆弱性 ID | 影響を受ける機器とその脆弱性 |
|---|---|
| CVE-2021-44228<br>CVE-2021-45046<br>(JVNDB-2021-005429) | Apache Log4J RCE[※131] |
| CVE-2022-1388 | F5 BIG-IP RCE |
| EDB-ID: 50781 | Adobe ColdFusion 11 RCE |
| CVE-2020-7961<br>(JVNDB-2020-003135) | Liferay Portal 信頼性のないデータのデシリアライゼーションの脆弱性 |
| EDB-ID: 50872 | PHP Scriptcase 9.7 RCE |
| CVE-2021-4039 | Zyxel NWA-1100-NH コマンドインジェクションの脆弱性 |
| EDB-ID: 50865 | Razer Sila コマンドインジェクションの脆弱性 |
| CVE-2022-22947 | Spring Cloud Gateway コードインジェクションの脆弱性 |
| CVE-2022-22954 | VMWare Workspace One RCE |
| CVE-2021-36356<br>(JVNDB-2021-011319)<br>CVE-2021-35064<br>(JVNDB-2021-009127) | Kramer VIAware RCE |
| EDB-ID: 50844 | WordPress Video Sync PDF plugin ローカルファイルインクルードの脆弱性 |
| EDB-ID: 50775 | Dbltek GoIP ローカルファイルインクルードの脆弱性 |
| EDB-ID: 50843 | WordPress Cab fare calculator plugin ローカルファイルインクルードの脆弱性 |
| EDB-ID: 50665 | Archeevo 5.0 ローカルファイルインクルードの脆弱性 |
| CVE-2018-16763<br>(JVNDB-2018-009581) | Fuel CMS 1.4.1 RCE |
| CVE-2020-5902<br>(JVNDB-2020-007318) | F5 BIG-IP RCE |
| EDB-ID: 46150 | ThinkPHP 5.X RCE |
| EDB-ID: 43055 | Netgear DGN1000 1.1.00.48 'Setup.cgi' RCE |
| CVE-2022-25075 | TOTOLINK A3000RU コマンドインジェクションの脆弱性 |
| CVE-2015-2051<br>(JVNDB-2015-001591) | D-Link HNAP SOAP Action-Header コマンドインジェクションの脆弱性 |
| CVE-2014-9118<br>(JVNDB-2014-008410) | Zhone zNID GPON 2426A ルーター ファームウェア S3.0.501 未満 RCE |
| CVE-2017-18368<br>(JVNDB-2017-014439) | Zyxel P660HN 非認証のコマンドインジェクションの脆弱性 |
| CVE-2020-17456<br>(JVNDB-2020-010180) | Seowon SLR 120 ルーター RCE |
| CVE-2018-10823<br>(JVNDB-2018-013710) | D-Link DWR シリーズ コマンドインジェクションの脆弱性 |

■表 3-2-5　EnemyBot の新たな亜種が攻撃する脆弱性
（出典）AT&T Inc.「Rapidly evolving IoT malware EnemyBot now targeting Content Management System servers and Android devices[※130]」を基に IPA が編集

#### (a) B1txor20

2022 年 3 月 15 日、Apache Log4j の脆弱性[※132]を狙う新たなウイルスの活動が観測され、「B1txor20」と名付けられた[※133]。B1txor20 は、ARM 及び X64 アーキテクチャの Linux 搭載機器を感染対象としており、C&C サーバーとの通信に DNS（Domain Name System）トンネリングを用いていることを特徴とする。

#### (b) Fodcha

2022 年 4 月 13 日、インターネット上で急速に拡散している DDoS ボットネットの情報が公開され、「Fodcha」と名付けられた[※134]。Fodcha は、主に以下に示す脆弱性と Telnet/SSH の脆弱なパスワードを感染拡大に悪用する。

- EDB-ID: 39328
  （Android ADB Debug Server リモートペイロード実行の脆弱性）
- CVE-2021-22205（JVNDB-2021-006131）
  （GitLab CE/EE の不適切な入力確認の脆弱性）
- CVE-2021-35394（JVNDB-2021-010965）
  （Realtek Jungle SDK のコマンドインジェクション及び境界外書き込みの脆弱性）
- EDB-ID: 41471
  （MVPower DVR のシェルコマンド実行の脆弱性）
- LILIN DVR のコマンドインジェクションの脆弱性等[※135]
- EDB-ID: 37770
  （TOTOLINK ルーターのバックドアの脆弱性）
- CVE-2014-9118（JVNDB-2014-008410）
  （Zhone zNID GPON 2426A ルーターファームウェア S3.0.501 未満のリモートコマンド実行の脆弱性）

同年 3 月 29 日から 4 月 10 日までに 6 万 2,000 台以上の感染が観測されており、中国国内に 1 万台以上のアクティブな感染機器（ボット）が存在し、毎日 100 を超える被害者が DDoS 攻撃を受けていた。

同年 10 月 31 日、Fodcha の新しいバージョンの活動が報告された[※136]。ファイル及びトラフィックレベルでの検出を回避するために機密リソースとネットワーク通信が暗号化されており、C&C サーバーはプライマリとバックアップのデュアル C2 スキームが採用されていた。6 万台以上のアクティブな感染機器、40 台以上の C&C サーバーから成り、1Tbps を超える DDoS 攻撃能力を有していること、1 日平均 100 以上の標的を攻撃し、10 月 11 日には 1,396 の標的に対する DDoS 攻撃が観測された。標的の大半は、中国及び米国である。6月29日から10月21日までの週に観測された攻撃対象の国と標的数の上位10ヵ国は、中国（標的数156,440、全体比率78.2%（以下同様））、米国（19,992、10.0%）、シンガポール（4,274、2.1%）、日本（3,176、1.6%）、ロシア（2,832、1.4%）、ドイツ（2,032、1.0%）、フランス（1,938、1.0%）、英国（1,718、0.9%）、カナダ（1,624、0.8%）、オランダ（1,496、0.7%）であった。

#### (c) Shikitega

2022年9月6日、Linux搭載端末及びIoT機器を感染対象とする、新たなウイルス「Shikitega」の情報が公開された※137。Shikitegaは、使用する度に異なる符号化結果を生成するポリモーフィックエンコーダーであるSGN（Shikata Ga Nai）※138を用いてウイルスを段階的に配信することで、パターンマッチング方式によるウイルス検知を回避する。また、脆弱性CVE-2021-4034（JVNDB-2021-018119）及びCVE-2021-3493（JVNDB-2021-005708）を悪用して管理者権限を取得し、crontabを用いた永続性を実現しつつ、最終的に暗号資産Moneroのマイニングプログラム XMRigをダウンロードして実行する。

#### (d) Chaos

2022年9月28日、プログラミング言語Goで記述された新たなウイルス「Chaos」の情報が公開された※139。Chaosは、WindowsまたはLinuxが動作するSOHOルーターからエンタープライズサーバーまで広範囲の機器を感染対象とする。ウイルス内部に中国語の文字列を含み、中国国内のインフラストラクチャーがC&Cサーバーに悪用されている。感染機器から窃取したRSA秘密鍵の悪用、典型的なパスワードのリストを悪用したブルートフォース攻撃、または既知の脆弱性（Huawei HG532ルーターにおける任意のコード実行の脆弱性（CVE-2017-17215（JVNDB-2017-013014））やZyxel Firewallにおける非認証のリモートコマンドインジェクションの脆弱性※140（CVE-2022-30525））を感染拡大に悪用する。6月中旬から7月中旬に数百台の感染、イタリアを中心とした欧州、米国及び中国での分布、様々な事業体を標的とするDDoS攻撃の実施が確認されている。

## 3.2.3 IoTセキュリティのサプライチェーンとEOLのリスク

IoT機器の開発に用いられる共通コンポーネントや標準プロトコルに起因する脆弱性（IoT機器のサプライチェーンリスク）、サポートが終了したEOL（End-of-life）ステータスにあるIoT機器における脆弱性の発見（EOLのリスク）が引き続き発生している。本項では、これらのリスク事例を紹介する。

### (1) サプライチェーンのリスク

複数のIoT機器の開発に用いられている共通のソフトウェアコンポーネントやハードウェア部品（チップセットやSoC（System on a Chip））において、引き続き脆弱性が発見されており、広範囲にわたる影響やセキュリティ対策の困難性が生じている。

#### (a) KCodes NetUSBの脆弱性

2022年1月11日、KCodes Corporation（盈碼科技股彬有限公司。以下、KCodes社）製NetUSBのカーネルモジュールにおけるリモートコード実行の脆弱性（CVE-2021-45608（JVNDB-2021-017175））が開示された※141。NetUSBは、ルーターのUSBポートに接続した機器をネットワーク上からローカルのUSBポートに接続されているかのようにアクセス可能とする（USB Over IP）製品であり、以下に示す各社のルーターで採用されている。

- NETGEAR社
- TP-Link Technologies Co., Ltd.（普联技术有限公司。以下、TP-Link社）
- Shenzhen Tenda Technology Co., Ltd.（深圳市吉祥腾达科技有限公司。以下、Tenda社）
- Edimax Technology Co., Ltd.（訊舟科技股份有限公司）
- D-Link社
- Western Digital社

なお、2021年9月20日以降、発見者からKCodes社への脆弱性情報開示後、同年11月19日までにKCodes社から各ベンダーにパッチを送信済みであり、同年12月20日までに各ベンダーは更新ファームウェアをリリースした。

#### (b) Access:7

2022年3月8日、PTC社が提供するAxeda agent及びAxeda Desktop Server等に7種類の脆弱性（次ページ表3-2-6）が報告され、「Access:7」と名付けられた※142。Axedaのソリューションは、IoT機器の製造業者による遠隔管理機能を提供しており、ヘルスケア分野・

金融サービス・製造業等において用いられており、100社以上のベンダーが提供する150種以上の機器が影響を受けるとされている（「3.1.2(1)(a)Access:7」参照）。

| 脆弱性 ID | 脆弱性の概要 |
|---|---|
| CVE-2022-25249（JVNDB-2022-001521） | Axeda Agent におけるパストラバーサルの脆弱性 |
| CVE-2022-25250（JVNDB-2022-001520） | Axeda Agent における重要な機能に対する認証の欠如の脆弱性 |
| CVE-2022-25251（JVNDB-2022-001519） | Axeda Agent における重要な機能に対する認証の欠如の脆弱性 |
| CVE-2022-25246（JVNDB-2022-001525） | Axeda Desktop Server におけるハードコードされた認証情報の使用の脆弱性 |
| CVE-2022-25248（JVNDB-2022-001523） | ERemoteServer（Agent 構成時にベンダーが使用するツール）における情報漏えいの脆弱性 |
| CVE-2022-25247（JVNDB-2022-001524） | ERemoteServer における重要な機能に対する認証の欠如の脆弱性 |
| CVE-2022-25252（JVNDB-2022-001528） | Axeda Agent 及び Axeda Desktop Server（で用いられる xBase39 ライブラリ）における例外に対する不適切なチェックの脆弱性 |

■表 3-2-6　Access:7 の脆弱性
（出典）Forescout Technologies, Inc.「Access:7 - How Supply Chain Vulnerabilities Can Allow Unwelcomed Access to Your Medical and IoT Devices[※142]」を基に IPA が編集

同日、CISA はアドバイザリー（ICSA-22-067-01[※143]）を、PTC 社はアドバイザリー及びサポート情報[※144]を公開した。

### (c) TLStorm 2.0

2022年5月、Aruba Networks（現、Hewlett Packard Enterprise Co. の一部門）及び Avaya Inc. のネットワーク事業部門（現、Extreme Networks, LLC の一部門）製のネットワークスイッチにおける下記5種類の脆弱性が発見され、TLStorm 2.0 と名付けられた[※145]。TLStorm[※118]（「3.2.1(5)(b)UPS に対する脅威」参照）同様、脆弱性の原因の一部は、Mocana 社製 NanoSSL ライブラリの誤用である。

- Aruba
  - CVE-2022-23677（NanoSSL 誤用に起因するリモートコード実行の脆弱性）
  - CVE-2022-23676（RADIUS クライアントのメモリ破壊の脆弱性）
- Avaya
  - CVE-2022-29860（CVE-2022-22805 と同様）
  - CVE-2022-29861（HTTP ヘッダ解析におけるスタックオーバーフロー）
  - CVE 未採番（HTTP POST リクエスト処理におけるヒープオーバーフロー）

### (d) uClibc DNS の脆弱性

2022年5月2日、組み込み Linux システム開発用 C 言語ライブラリ「uClibc[※146]」及び「uClibc-ng[※147]」の DNS 実装における、DNS request の transaction ID パラメータを予測可能な脆弱性（CVE-2022-30295（JVNDB-2022-001736））が報告された[※148]。攻撃者が偽造した DNS response を送信して不正な DNS キャッシュを登録させることで、ユーザーを悪意のあるサイトへ誘導する DNS キャッシュポイズニング攻撃が可能となる。

uClibc は、Linksys Holdings, Inc.、NETGEAR 社、Axis Communications AB（2010年の製品まで）等のベンダーのルーターで使用されているが、2012年5月15日以降は更新が停止されている。

uClibc-ng は、様々なルーターで用いられている組み込みシステム用 Linux ディストリビューション OpenWrt で採用されている。2022年5月20日、脆弱性を修正した version 1.0.41 が公開された[※147]。

### (e) スマートフォン用チップセットの脆弱性

2022年6月2日、Unisoc (Shanghai) Technologies Co., Ltd.（紫光展锐（上海）科技有限公司。以下、UNISOC 社）製スマートフォン用チップセットにおける脆弱性（CVE-2022-20210）が報告された[※149]。NAS（非アクセス層）メッセージ処理において長さチェックが省略されているため、ヒープオーバーフロー攻撃が可能となっており、リモートからのサービス停止（DoS：Denial of Services）やコード実行を引き起こす。UNISOC 社のチップセットは低価格であるため、アフリカやアジアを中心に世界4位（2022年の市場占有率：9～11%）のシェアを占めており、多くの Android 機器に影響を与えた。UNISOC 社製チップセットに関しては、同年3月にも遠隔制御可能な脆弱性（CVE-2022-27250）が発見されている。

### (f) Realtek 社製 SoC 及び SDK の脆弱性

2022年3月25日、Realtek Semiconductor Corp.（瑞昱半導體股份有限公司。以下、Realtek 社）は、

同社製RTL819x SoC及びeCos SDK（Software Development Kit）を用いたルーターのバッファーオーバーフローの脆弱性（CVE-2022-27255）に関するアドバイザリーを公開した※150。同年8月12日、DEF CON 30カンファレンスにおいて、発見者が攻撃コード（PoC※151）を含む技術的な詳細を公開した※152。

### (2) EOLのリスク

サポートが終了して更新ソフトウェアが提供されないIoT機器や共通コンポーネントにおいて、新たな脆弱性が発見されている。特に共通コンポーネントの場合は、サプライチェーンのリスクも生じ、深刻な影響を与えることとなる。

#### (a) 家庭用ゲーム機の周辺機器のEOL

2022年7月20日、任天堂株式会社は、2005年及び2008年に発売した「ニンテンドーWi-Fi USBコネクタ」「ニンテンドーWi-Fiネットワークアダプタ」の使用中止を呼びかけた※153。無線LANの暗号化方式としてWEP（Wired Equivalent Privacy）のみをサポートしているため、通信データの改ざんや漏えい、ネットワークの乗っ取りや不正アクセスの恐れが存在し、市販のネットワーク機器への切り替えを要望した。同年8月1日、ニンテンドーWi-Fiネットワークアダプタには、以下に示す脆弱性（JVNDB-2022-000056）が存在することも追加公開された。

- CVE-2022-36293（バッファーオーバーフローの脆弱性）
- CVE-2022-36381（OSコマンドインジェクションの脆弱性）

家庭用ゲーム機の周辺機器として販売されたこれらの製品は、発売から10年以上を経過しても使用し続けられており、機器提供者の対応の難しさを象徴する例となった。

#### (b) Cisco社製EOLルーターのゼロデイ脆弱性

2022年9月7日、Cisco社は、同社製中小企業向けルーターRV110W、RV130、RV130W及びRV215WのIPsec VPNサーバー認証機能における認証バイパスの脆弱性（CVE-2022-20923）の存在を公表した※154。同社は、これらが2019年9月2日にEOLを表明し、同年12月2日に販売を終了した製品※155であることから、更新ファームウェアを提供しないこと、及び回避策が存在しないことを宣言した。近年、Cisco社はEOL製品に対する脆弱性が発見されても更新ファームウェアを提供しない傾向があることが指摘されている※156。

#### (c) Boa Web Server

2022年11月22日、同年1～2月にインドの配電網に対して実施されたサイバー攻撃において、組み込み用オープンソースのWebサーバーBoaを実装したIoT機器を標的としていたことが報告された※157。Boaは2005年2月23日を最後に開発中止となっていたが、依然として様々なIoT機器や組み込み用SDKで実装されており、既知の脆弱性（CVE-2009-4496（JVNDB-2010-003631）等）が攻撃者によって狙われて、サプライチェーン及びEOLのリスクが生じている。

## 3.2.4 脆弱なIoT機器のウイルス感染と感染機器悪用の実態

IoT機器／システムに対する脅威が継続・拡大傾向にある中、脆弱なIoT機器とウイルス感染の実態はどうなっているのか。サイバー攻撃によって感染機器はどのように悪用されているのか。本項では、セキュリティ対策強化の取り組みやセキュリティベンダーによる公開情報から、これらの実態について考察する。

### (1) 国内における実態調査と注意喚起

総務省及び国立研究開発法人情報通信研究機構（NICT：National Institute of Information and Communications Technology）は、2019年2月20日以降、インターネット接続事業者と連携し、サイバー攻撃に悪用される恐れのあるIoT機器の調査及び当該機器の利用者への注意喚起を行う取り組み「NOTICE（National Operation Towards IoT Clean Environment）※158」を継続中である（NOTICEについては「2.1.4（2）（b）IoTにおけるサイバーセキュリティの確保」参照）。2022年2月22日以降は、HTTP（S）に対するポートスキャンに加えて、HTTP（S）上のパスワードを入力可能な機器に対して容易に推測可能なID・パスワードを入力し、サイバー攻撃に悪用される恐れのある機器の特定を開始した。2023年3月の時点で、NOTICE参加インターネットサービスプロバイダー（ISP：Internet Service Provider）は75社、調査対象IPアドレスは約1.12億アドレスである。2022年1月以降の取り組み結果を表3-2-7（次ページ）に示す。

- 「NOTICE注意喚起」（ログイン可能機器利用者への注意喚起）は、2022年6月以降に大幅な増加が見られるが、これは調査対象プロトコル（HTTP(S)）の追加によるものであり、実態として一年間をとおして大きな変化はないと考えられる。

| 年月 | NOTICE 注意喚起（ログイン可能機器） | NICTER 注意喚起（ウイルス感染機器） |
|---|---|---|
| 2022 年 1 月 | 1,665 件 | 平均 198 件／日 |
| 2 月 | 1,686 件 | 平均 231 件／日 |
| 3 月 | 1,664 件 | 平均 193 件／日 |
| 4 月 | 1,585 件 | 平均 376 件／日 |
| 5 月 | 1,564 件 | 平均 1,025 件／日 |
| 6 月 | 4,504 件 | 平均 2,489 件／日 |
| 7 月 | 4,506 件 | 平均 2,250 件／日 |
| 8 月 | 4,381 件 | 平均 1,550 件／日 |
| 9 月 | 4,394 件 | 平均 1,023 件／日 |
| 10 月 | 4,327 件 | 平均 817 件／日 |
| 11 月 | 4,430 件 | 平均 560 件／日 |
| 12 月 | 4,416 件 | 平均 670 件／日 |
| 2023 年 1 月 | 4,254 件 | 平均 772 件／日 |
| 2 月 | 4,136 件 | 平均 650 件／日 |
| 3 月 | 4,176 件 | 平均 516 件／日 |

■表 3-2-7　国内における注意喚起の取り組みの実施結果
（出典）NOTICE サポートセンター「実施状況※159」を基に IPA が作成

- 「NICTER 注意喚起」（ウイルス感染機器利用者への注意喚起）は、2022 年 4 月下旬以降急増し、6 月 6 日に過去最大値（3,288 件／日）を記録した。同年 6 ～ 7 月をピークに減少に転じたものの、2022 年 3 月以前と比較して約 3 ～ 4 倍という高い値が継続している。これは、Mirai の亜種の活動活発化の影響を受けて、国内の脆弱な機器（主に DVR/NVR）の感染が拡大したと考えられる（同時期の国内における感染急増については次項を参照）。

### (2) 国内における感染急増

2022 年 4 月 24 日以降、国内における Mirai の亜種に感染した IoT 機器の急増が観測され、Pinetron Co., Ltd（파인트론。現、파인티앤에스。以下、Pinetron 社）製の DVR/NVR が 300 台以上感染していることが判明した※160。5 月 11 日、更なる感染拡大が観測され、約 800 台の感染 DVR/NVR 中、約 600 台が Pinetron 社製であった※161。

6 月に入ると、FOCUS H&S Co., Ltd.（주식회사 포커스에이치엔에스。以下、FOCUS H&S 社）製 DVR/NVR の感染急増が観測された※162。当該機器には、パスワード変更や無効化ができないバックドアアカウントの脆弱性（CVE-2022-35733）が存在しており、国内の販売代理店であるユニモテクノロジー株式会社は 2022 年 1 月に更新ファームウェアを提供していた※163が、適用されていない多くの機器が存在したと考えられる。最も多かった 6 月 28 日には、5,137 台の IoT 機器の感染が観測されており、4 月の感染拡大時には Pinetron 社に加えて CTRing Co., Ltd.、6 月の感染拡大時には FOCUS H&S 社に加えて Rifatron Co., Ltd.(이화트론) と、韓国製 DVR/NVR の感染増加が確認された※71。

### (3) 国内における攻撃の観測

株式会社インターネットイニシアティブが国内における攻撃の観測情報及び分析結果による月次観測レポートを公開している※164。2022 年 1 ～ 12 月の報告内容から IoT 関連で観測された攻撃を抽出した結果を表 3-2-8 に示す。

| 年月 | 観測された主な攻撃 |
|---|---|
| 2022 年 1 月 | D-Link ルーターの脆弱性を狙った攻撃※97 |
| 2 月 | Mozi の感染活動、NETGEAR ルーターや MVPower DVR の脆弱性を悪用した通信※165 |
| 3 月 | MVPower DVR の Wget コマンドインジェクション脆弱性を悪用した通信※166 |
| 4 月 | Wget コマンドインジェクション脆弱性を悪用した通信※167 |
| 5 月 | Mozi の感染活動、NETGEAR ルーターや MVPower DVR の脆弱性を悪用した通信※168 |
| 7 月 | Netis ルーターや Netcore ルーターの脆弱性を狙った攻撃※169 |
| 8 月 | Netis ルーターや Netcore ルーターの脆弱性を悪用した通信※170 |
| 10 月 | Netis ルーターや Netcore ルーターの脆弱性を狙った攻撃※171 |
| 11 月 | Netis ルーターや Netcore ルーターの脆弱性を狙った攻撃※172 |
| 12 月 | Realtek Jungle SDK の脆弱性を狙った攻撃※173 |

■表 3-2-8　国内において観測された主な攻撃
（出典）株式会社インターネットイニシアティブ「wizSafe Security Signal 観測レポート※164」を基に IPA が作成

### (4) 感染機器のサイバー攻撃への悪用の実態

IoT 機器に感染する「機器乗っ取り型ウイルス※174」は、ウイルス感染した機器を、主に第三者へのサイバー攻撃に悪用する傾向がある。ここでは、具体的な悪用事例を紹介する。

#### (a) DDoS 攻撃への悪用

2022 年 6 月 27 日、ウイルス感染したルーター、ネットワークカメラ、侵害されたサーバー等、180 ヵ国以上（大半は米国、インドネシア、ブラジル）の約 17 万の異なる IP アドレスからなるボットネットによる中国の電気通信会社への DDoS 攻撃が発生した※175。攻撃者は HTTP/2 多重化リクエストを用いて、平均180万RPS（リクエスト／秒）、最大390万RPSの攻撃を実施し、4時間で合計253億のリクエストを送信し、当該事業者に対してDDoS緩和ソリューションを提供しているセキュリティ会社の過去最大の記録となった。

同年10月12日、インターネットセキュリティサービス事業者による2022年第3四半期DDoS脅威レポートが公開された[※176]。Miraiの亜種のボットネットによるオンラインゲームサーバーへの最大2.5TbpsのDDoS攻撃が観測され、UDPフラッドとTCPフラッドのマルチベクトル攻撃によるものであった。

同年12月15日、クロスプラットフォームで構成されるボットネット「MCCrash」の観測が報告された[※177]。このボットネットはまず、違法なWindowsライセンス取得を目的とした悪意のクラッキングツールのインストールによってWindowsパソコンに感染した後、SSH対応のLinuxベースの機器（IoT機器を含む）にデフォルト認証情報の辞書攻撃を仕掛けることで感染を拡大する。感染機器の大半がロシアに存在しており、他にカザフスタン、ウズベキスタン、ウクライナ、ベラルーシ、チェコ、イタリア、インド、インドネシア、ナイジェリア、カメルーン、メキシコ及びコロンビアで発見されている。米国を中心として世界各国に存在するプライベートのオンラインゲームサーバーに対してDDoS攻撃を行うことを目的としており、サーバーをクラッシュさせるための内部コマンド名ATTACK_MCCRASHからMCCrashと命名された。

#### (b) プロキシーとしての悪用

2022年8月18日、FBIは、サイバー犯罪者による米国企業に対するクレデンシャル・スタッフィング攻撃[※178]において、プロキシーの悪用について警告した[※179]。攻撃者の発信元を隠蔽し、または特定地域から発信のブロックによる防御を回避するために、residential proxy（ウイルス感染によりプロキシーサーバーとして悪用されているIoT機器、または悪用されることを承知の上で個人が提供するプロキシーサーバー）が用いられている、と指摘した。

同年12月1日、サイバー犯罪者に提供することを目的とした、大規模なプロキシーサービス「BlackProxies」が発見された[※180]。世界中の100万以上のresidential proxyを提供可能と主張しており、2022年秋の時点で18万以上のIPアドレスのプールが表示されている。

#### (c) 標的型攻撃やOTに対する攻撃への悪用

2022年5月2日、サイバー攻撃者集団UNC3524（その後の調査により、同年11月、ロシアが支援する集団APT29と同一と判定）によるスパイ活動において、セキュリティ対策が不十分なネットワーク機器、IoT機器及びOT機器に対する攻撃と悪用が報告された[※181]。これらの機器にバックドアを設置することで検知を困難とし、C&Cサーバーには、ウイルス感染させたLifeSize, Inc.製会議室カメラシステムやD-Link社のネットワークカメラを悪用していることが確認されている。

2022年6月1日、ネットワークカメラやNAS等のIoT機器を侵入口として、ITネットワーク（リモートデスクトップサービスの動作するWindowsパソコンやドメインコントローラー、Windowsサーバー）に横展開した後、OT機器に対してDoS攻撃を仕掛けるランサムウェアの活動「R4IoT」が報告された[※182]。

#### (d) 中国の国家支援型サイバー攻撃への悪用

2022年6月7日、CISA、NSA及びFBIは、中国が支援するサイバー攻撃者の活動に関して、共同でサイバーセキュリティアドバイザリーを公開した[※183]。2020年以降、攻撃者はSOHOルーターやNASの既知の脆弱性を悪用して、C&Cサーバーへの通信をルーティングするためのアクセスポイントとして追加し、他へ侵入するための攻撃拠点としている。攻撃者によって悪用された上位の脆弱性を、表3-2-9（次ページ）に示す。

### (5) P2Pボットネットの現状

2022年11月3日、P2P（Peer-to-Peer）プロトコルを用いるボットネットの現状が報告された[※184]。Linuxベースの IoT機器を感染対象とするウイルスHajime、Mozi、Pinkの現状を以下に示す。

- Hajime[※185]は、2018年5月以降は更新が停止したと考えられているが、依然として2万台前後の感染が継続している。感染台数上位国は、イラン、中国、インド、ロシア、ブラジル、ベネズエラ、インドネシア、イタリア、英国、パレスチナである。
- Mozi[※186]は、2021年7月の作者逮捕後も活動が継続しており、2万8,000台以上の感染が確認されている。感染台数上位国は、中国、インド、ロシア、パキスタン、ボリビア、イラン、モロッコ、アルゼンチン、ベネズエラ、ブラジルである。
- Pink[※187]は、そのほとんど（98.1%）が中国内のIoT機器に感染しているウイルスである。ピーク時には160

| ベンダー名 | 脆弱性 ID | 脆弱性の概要 |
|---|---|---|
| Cisco | CVE-2018-0171 | RCE |
| | CVE-2019-15271 | |
| | CVE-2019-1652 | |
| Citrix | CVE-2019-19781 | RCE |
| DrayTek | CVE-2020-8515 | RCE |
| D-Link | CVE-2019-16920 | RCE |
| Fortinet | CVE-2018-13382 | 認証バイパスの脆弱性 |
| MikroTik | CVE-2018-14847 | 認証バイパスの脆弱性 |
| NETGEAR | CVE-2017-6862 | RCE |
| Pulse | CVE-2019-11510 | 認証バイパスの脆弱性 |
| | CVE-2021-22893 | RCE |
| QNAP | CVE-2019-7192 | 権限昇格の脆弱性 |
| | CVE-2019-7193 | リモートインジェクションの脆弱性 |
| | CVE-2019-7194 | XML ルーティング迂回攻撃の脆弱性 |
| | CVE-2019-7195 | |
| Zyxel | CVE-2020-29583 | 認証バイパスの脆弱性 |

■表 3-2-9　中国の国家支援型サイバー攻撃で悪用された上位の脆弱性
(出典) CISA「People's Republic of China State-Sponsored Cyber Actors Exploit Network Providers and Devices※183」を基に IPA が編集

万台以上の感染が確認されていたが、2020 年 7 月以降、機器ベンダーのクリーンアップの取り組みの結果、14 万 5,881 台（7 月 12 日）から 2 万 9,956 台（8 月 20 日）へと大幅に減少した。

## 3.2.5 各国のセキュリティ対策強化の取り組み

これまで述べたように、脆弱性を有したままインターネットに接続された IoT 機器はサイバー攻撃の対象となり、機器の利用者や第三者に被害を及ぼすこととなる。場合によっては、国家間の戦争に悪用される恐れもあり、IoT 機器のセキュリティ対策強化は必須となっている。本項では、対策を検討・推進する上で参考となるセキュリティガイドラインや手引き等の発行状況や国内外の取り組みについて紹介する。

### (1) IoT 関連のガイドラインや手引き等の改訂・新規発行

これまでに公開された IoT セキュリティに関するガイドラインや手引き等の改訂版、新たなガイドライン等が引き続き公開されている。2022 年以降に国内及び海外で公開されたガイドラインや手引き等を、表 3-2-10（次ページ）と表 3-2-11（次ページ）に示す。

### (2) IoT 製品のセキュリティラベリング

一定のセキュリティ基準を満たす IoT 製品に対して、各国政府及びその傘下の認証機関がお墨付きを与えるセキュリティラベリングは、欧米を中心に検討・導入が進められており、各国間の協調も始まりつつある。国内でも制度構築に向けた検討会が開始された。

#### (a) ドイツにおける対象製品拡大

2022 年 5 月 6 日、ドイツ連邦政府・情報セキュリティ庁（BSI：Bundesamt für Sicherheit in der Informationstechnik）は、2021 年 5 月 7 日に承認された IT セキュリティ法 2.0（IT-Sicherheitsgesetz 2.0）において消費者保護を目的として導入された IT セキュリティラベル（IT-Sicherheitskennzeichen）制度の対象製品の拡大を発表した※188。2021 年 11 月からブロードバンドルーターと電子メールサービスの二つのカテゴリで申請受付を開始していたが、新たにスマートカメラ、スマートスピーカー、スマート掃除機及びガーデニングロボット、スマートトイ、スマートテレビを対象に追加した。

#### (b) 共通ガイドラインに基づく国際間の協調

2022 年 10 月 20 日、ドイツ BSI とシンガポール首相官邸傘下の CSA（Cyber Security Agency of Singapore）は、IT セキュリティラベリングの相互承認に関する二国間協定に署名したと発表した※189。これは、両国のラベリング制度が、ETSI（European Telecommunications Standards Institute：欧州電気通信標準化機構）が制定した欧州標準 ETSI EN 303 645（CYBER; Cyber Security for Consumer Internet of Things: Baseline Requirements）※190 に基づいていることによる。

#### (c) 国内における適合性評価制度構築に向けた検討開始

2022 年 11 月 1 日、経済産業省が主催する産業サイバーセキュリティ研究会ワーキンググループ 3（サイバーセキュリティビジネス化）傘下の「IoT 製品に対するセキュリティ適合性評価制度構築に向けた検討会」の第 1 回会合が開催された※191。IoT 製品の安全性確保のため、製品ベンダーにおけるセキュリティ対策の取り組みは必要不可欠であるが、既存制度では取り組み状況を調達者や消費者にアピールすることができず、対策コストを製品価格に反映することは困難である。そこで、「一定のセキュリティ要求基準に対するセキュリティ対策の適合性を評価しその結果を利用者や調達者が分かる形で可視化する制度（適合性評価制度）」を構築すべく、現状の

| 公開機関・団体 | 公開資料名 | 対象読者 | 主な内容 | 公開年月 |
|---|---|---|---|---|
| IPA | IoT 開発におけるセキュリティ設計の手引き（2023 年３月版）※193 | IoT 開発におけるセキュリティ設計担当者 | 具体的な設計手法（脅威分析、対策検討、脆弱性対策） | 2023 年３月 |
| | ETSI EN 303 645 V2.1.1 (2020-06) サイバーセキュリティ技術委員会（CYBER）；民生用 IoT 機器のサイバーセキュリティ：ベースライン要件［翻訳版］※194 | コンシューマ向け IoT 機器の開発者・製造者 | ETSI EN 303 645※190 の日本語訳 | 2023 年３月 |
| 一般社団法人日本クラウドセキュリティアライアンス（CSA-JC：Cloud Security Alliance Japan Chapter） | CSA IoT Controls Matrix v3 ガイド※195 | IoT システムの設計者、開発者、評価者 | フレームワークスプレッドシートを用いた IoT システムの評価・実装方法 | 2022 年４月（英語版）<br>2022 年６月（日本語版） |
| | CSA IoT Controls Matrix v3（EXCEL）※196 | | IoT システムの評価・実装に利用可能なセキュリティコントロール | |
| 一般社団法人セキュア IoT プラットフォーム協議会（SIOTP：Secure IoT Platform Consortium） | IoT セキュリティ手引書 Ver2.0※197 | IoT 機器の製造事業者、IoT システムの提供に関わる事業者 | IoT 機器に求められるセキュリティ対策について、製品ライフサイクルの各分類における業界基準の解釈と検証結果 | 2022 年１月 |

■表 3-2-10　2022 年以降に国内で新規公開・改訂された IoT 関連のガイドラインや手引き等
（出典）各団体の公開情報を基に IPA が作成

| 公開機関・団体 | 公開資料名 | 対象読者 | 主な内容 | 公開年月 |
|---|---|---|---|---|
| NIST（National Institute of Standards and Technology：米国国立標準技術研究所） | NISTIR 8349 (Draft): Methodology for Characterizing Network Behavior of Internet of Things Devices※198 | IoT 機器の製造者及び開発者、ネットワーク管理者、脆弱性研究者 | IoT 機器のネットワーク通信動作を MUD（Manufacturer Usage Description）仕様に基づいて文書化する方法 | 2022 年１月 |
| | NISTIR 8425: Profile of the IoT Core Baseline for Consumer IoT Products※199 | IoT 機器の製造者、小売業者、インテグレーター、試験・認証機関 | 消費者向け IoT 機器のセキュリティ機能のコアとなるベースライン | 2022 年９月 |
| | NISTIR 8431: Workshop Summary Report for "Building on the NIST Foundations: Next Steps in IoT Cybersecurity"※200 | IoT 機器の製造者、セキュリティアーキテクト、テスト・評価の専門家、市場関係者 | IoT 製品のサイバーセキュリティ基準に関する NIST Cybersecurity for IoT プログラムの作業に寄せられたフィードバック | |
| | NIST SP 1800-36 (Draft): Trusted Internet of Things (IoT) Device Network-Layer Onboarding and Lifecycle Management: Enhancing Internet Protocol-Based IoT Device and Network Security (Preliminary Draft)※201 | IoT 機器の利用者 | 組織が IoT 機器とネットワークの両方を保護する方法 | 2023 年５月 |
| DSCI（Data Security Council of India） | IoT Security Guidebook※202 | IoT セキュリティの関係者全般 | IoT に関する幅広い技術的な視点、包括的なアドバイス | 2022 年８月 |
| | IoT Security Best Practices Document※203 | | 消費者向け IoT セキュリティ、産業用 IoT セキュリティ及びクラウド IoT セキュリティのベストプラクティス | |

■表 3-2-11　2022 年以降に海外で新規公開・改訂された IoT 関連のガイドラインや手引き等
（出典）各団体の公開情報を基に IPA が作成

課題、制度構築の目的、構築すべき制度等について議論を開始した。

### (3) ボットネットの解体

2022 年 6 月 16 日、米国司法省（United States Department of Justice）は、ドイツ・オランダ・英国の法執行機関のパートナーとともに、世界中の数百万台のハッキングされたコンピューターや電子機器で構成されたボットネット「RSOCKS」を解体したと発表した※192。RSOCKS は、ロシアのサイバー犯罪組織により運営されており、当初は産業用制御システムの構成機器、タイムレコーダー、ルーター、オーディオビデオストリーミング機器、スマートガレージオープナー等の様々なIoT機器を標的として構築を開始し、その後、Android端末やコンピューターに感染を拡大していた。解体には、脅威インテリジェンスの民間企業 Black Echo LLCも協力し、官民連携のもとで実施された。

COLUMN

## 情報セキュリティポリシー見直しのススメ ～「とりあえずセキュリティ」からの脱却～

日本において、「情報セキュリティポリシー」という言葉が企業や組織に認知され始めたのは、2002年にISMS適合性評価制度が正式にスタートして以降でしょう。ISMS認証登録数は、2016年に5,000件を超え、2022年には7,000件を超えていますので、多くの企業や組織において、情報セキュリティポリシーが策定され、基本方針に基づく対策基準や実施手順が整備されていると考えられます。情報セキュリティポリシーは、どのような情報資産をどのような脅威からどのように守るのかといった「基本方針」、情報セキュリティを確保するための体制や具体的な規則を示す「対策基準」、対象者や用途によって必要な規程や手続き等を明確にした「実施手順」の3階層で構成されるのが一般的です。

さて、この「情報セキュリティポリシー」ですが、皆さんの組織では適切に見直されていますでしょうか。昨今のDX推進やクラウドファーストという流れがある中で、セキュリティ規程が足かせとなって、DXが進まない、クラウドサービスを利用したくても利用できない、組織内のIT関連申請の手続きが煩雑で業務効率が下がっている、というような悩みを抱えている組織がかなりあるという声が聞こえてきます。本来、業務を安全・安心に進めて、企業としての利益や組織の成果に貢献することが目的であるはずのセキュリティが、業務改革の妨げになったり、業務効率を下げるようなことになっているとすれば、それは残念なことです。

このような組織でよく見られることは、「とりあえずセキュリティ」という考え方です。例えば、ISMS認証に登録するためには、「適用宣言書」という自組織に適用するセキュリティ対策の項目と、除外する項目及び除外理由を記した文書を作成する必要がありますが、除外項目が多いと審査の際に不利になるのではないかとか、適切な除外理由が見当たらないのでとりあえず採用した方がよいのではないかということで、セキュリティ対策を決定し、それに関する規程や手続きを整備し、運用しているケースがあるのではないでしょうか。セキュリティポリシーを運用する組織に所属する人は、万一のことを考えて、どうしてもセキュリティが目的になってしまいがちです。そうなると、「とりあえず禁止する」「とりあえず許可制にする」「とりあえず記録を残す」といった「とりあえずセキュリティ」が横行する可能性が高まります。

それでは、自組織内で、この「とりあえずセキュリティ」が見られる場合、どうしたらよいのでしょうか。もちろん、「対策基準」や「実施手順」を見直すことが必要なのですが、その前に「基本方針」を見直すことをお勧めします。昔作られた「基本方針」は、とにかく「守る」ことに主眼がおかれたものが多いはずです。これを、IT活用や情報資産活用、ひいては業務改革・改善を目的としたものに変えることで、経営者の意思として、「攻めの」セキュリティの基本的な考え方を示すことができます。これが「とりあえずセキュリティ」から脱却するための近道になるのではないでしょうか。

# 3.3 クラウドの情報セキュリティ

クラウドサービス（SaaS：Software as a Service、PaaS：Platform as a Service、IaaS：Infrastructure as a Service 等）の利用は、その利便性の高さから、年々増加の傾向にある。一般社団法人日本情報システム・ユーザー協会（JUAS：Japan Users Association of Information Systems）の「企業 IT 動向調査報告書 2022※204」によれば、1,132 社を対象とする調査において、「パブリッククラウド（SaaS）」を「導入済み」と回答した企業が 53.6%、「パブリッククラウド（IaaS、PaaS）」を「導入済み」と回答した企業が 44.6% であり、多くの企業がクラウドサービスを導入している。

クラウドサービスは、オンプレミスのシステムに比べて、導入が容易であり、必要な機能を必要なだけ利用できることがメリットである。しかし、オンプレミスのシステムと異なり、クラウドサービスでは利用者側がカスタマイズできることには制限がある。セキュリティ対策の検討や実装についてはクラウドサービス事業者（以下、事業者）が主体的に実施するため、クラウドサービス利用者（以下、利用者）の求める強度の対策がとられていなかったり、詳細な対策内容を利用者が容易に確認できないため十分であるか判断がしにくかったりというデメリットがある。安全、安心にクラウドサービスを利用するためには、利用の成功事例・課題解決事例や事業者が公開している情報を収集したり、セキュリティ対策に必要な情報を事業者に問い合わせる等、利用者側の積極的な活動も必要となる。

クラウドサービスの導入が増加する一方で、利用者の設定ミスにより、第三者から情報が閲覧可能な状態となっていたり、不正にアクセスされて情報が漏えいしたりというインシデントも後をたたない。Fortinet, Inc. が 2022 年 3 月に、全世界 823 人のサイバーセキュリティの専門家を対象にした調査結果によると、パブリッククラウド環境のセキュリティ対策状況について回答者の 95% が「懸念がある」と回答した（「中程度に懸念」「非常に懸念」「極めて強い懸念」の合計）。また、最も懸念しているクラウドセキュリティの脅威については、62% が「クラウドの設定ミス／セットアップの間違い」であると回答した※205。

総務省からも「クラウドサービス利用・提供における適切な設定のためのガイドライン」（「3.3.4 クラウドサービスの情報セキュリティに対する政府・関連団体の取り組み」参照）が公開されており、クラウドサービスを利用する上での適切な設定が促進され利用者が安全、安心にクラウドサービスを利用できることが望まれる。

本節では、クラウドサービスの設定ミスを中心にクラウドサービスの利用の現状、インシデント被害、課題と対策、セキュリティの政策等について述べる。

## 3.3.1 クラウドサービスの利用状況

総務省の「令和 3 年 通信利用動向調査報告書（企業編）※206」によれば、従業員 100 人以上の企業 2,396 社について、クラウドサービスを利用していると回答した割合は 70.2%、2020 年の 68.5% より 1.7 ポイント増加した（図 3-3-1）。更にサービス利用の効果について「非常に効果があった」または「ある程度効果があった」と回答した企業は 2020 年の 82.5% より 2.4 ポイント増加した（図 3-3-2）。クラウサービスの利用状況及び利用効果は堅調に推移しており、今後もクラウドサービスの利用は増加していくと考えられる。

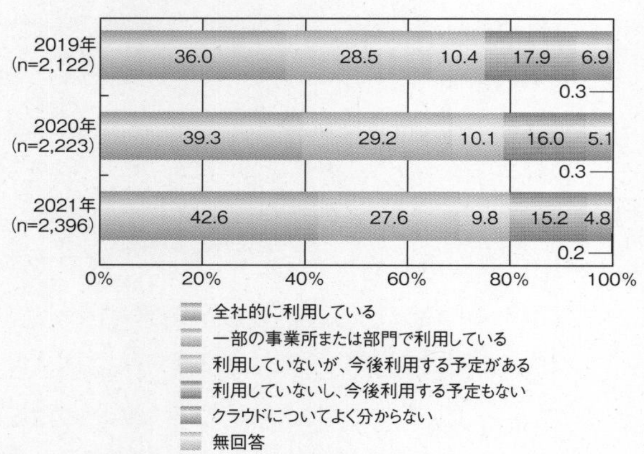


■図 3-3-1　クラウドサービスの利用状況の推移
（出典）総務省「令和 3 年 通信利用動向調査報告書（企業編）」を基に IPA が編集

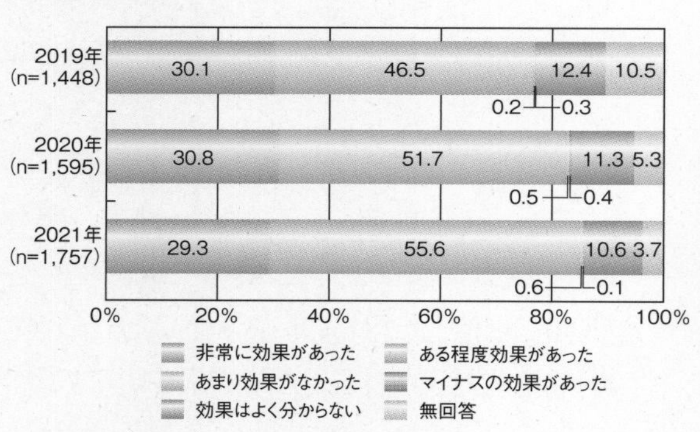


■図 3-3-2　クラウドサービスの効果の推移
（出典）総務省「令和 3 年 通信利用動向調査報告書（企業編）」を基に IPA が編集

総務省の「令和４年版 情報通信白書[※207]」によると、クラウドで利用しているサービスの種類は「ファイル保護・データ共有」（61.0%）が最も高く、「電子メール」（52.6%）、「社内情報共有・ポータル」（52.0%）と続く。回答した半数以上の企業が日常業務で必須となるデータの共有や電子メールにクラウドサービスを活用しており、企業活動において、クラウドサービスが重要な役割を果たしていることが見て取れる（図 3-3-3）。

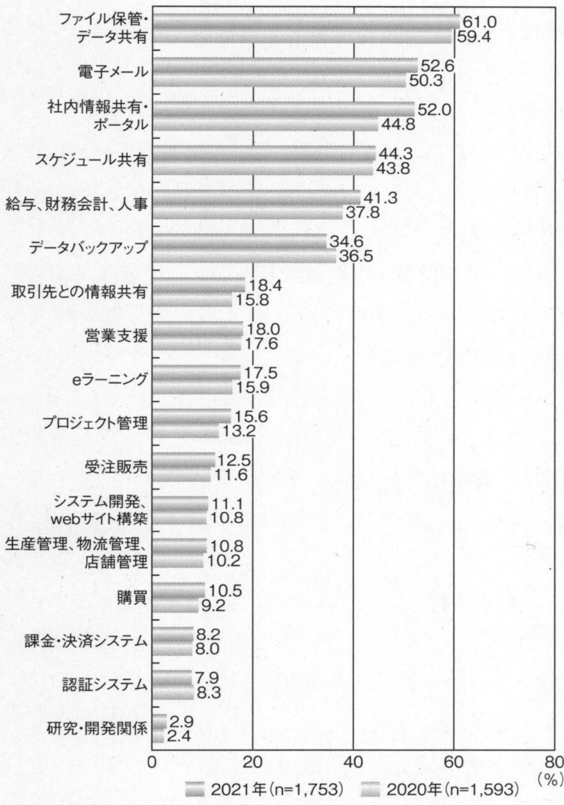


■図 3-3-3　クラウドサービスの利用内訳
（出典）総務省「令和４年版 情報通信白書[※207]」を基に IPA が編集

JUAS の「企業 IT 動向調査報告書 2022」によると、SaaS を 2021 年度より前から利用している企業の割合は「1 兆円以上」（80%）、「1000 億～1 兆円未満」（70.8%）、「100 億円～1000 億円未満」（41.9%）、「100 億円未満」（33.9%）となっており、売上高規模が大きい企業程、先行して活用している状況が確認された。クラウドサービスの利用料は従量制のため、企業規模によらずクラウドの恩恵を大いに受け、サービスを速やかに効率的に提供／利用できるはずだが、既存のシステムがある企業ではクラウドサービスに移行するためのリソースやコスト等がボトルネックとなり、クラウドサービスの活用を進められない状況が推察されると報告している（図 3-3-4）。

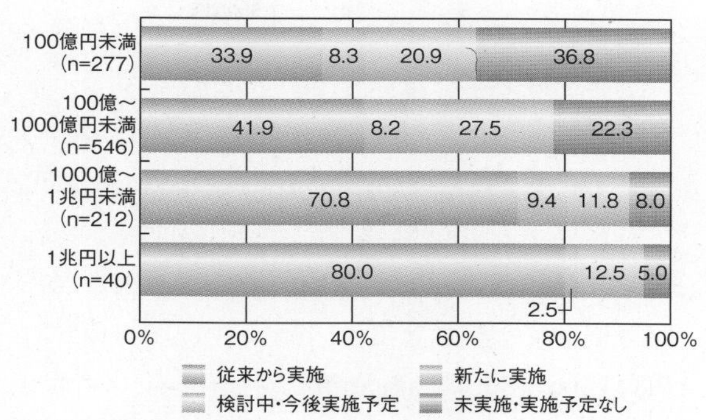


■図 3-3-4　売上高別 SaaS 活用状況
（出典）JUAS「企業 IT 動向調査報告書 2022」を基に IPA が編集

IDC Japan 株式会社によると、日本のパブリッククラウドサービス市場は、2021 年は 1 兆 5,879 億円（前年比 28.5%増）となっており[※208-1]、「令和４年版 情報通信白書[※208-2]」によれば、新型コロナウイルス感染症（以下、新型コロナウイルス）の感染拡大を契機としたオフィスの移転・縮小に伴うクラウドへの移行や、DX、データ駆動型ビジネスを進めるためにクラウドを活用した ICT 基盤の強化が進むこと等によって今後も拡大が予想されるという。

## 3.3.2 クラウドサービスのインシデント事例

2022 年も 2021 年に引き続き、クラウドサービスの利用者の設定ミスに起因するインシデントが多く見られた。原因の特定や対策が速やかに行えているように見える一方、発覚の経緯が外部からの連絡である事案が多く見られた。

この項では、クラウドサービスのインシデント発生状況及び主に 2022 年に発生したクラウドサービスに関連するインシデント事例について紹介する。

### （1）クラウドサービスのインシデント状況

Sophos Ltd. が、IaaS を利用している 31 ヵ国の中堅・中小企業（SMB：Small and Medium Business）の IT 担当者 4,984 名に対して実施したクラウドセキュリティに関する調査[※209]によると、2022 年に経験したサイバー攻撃に次のような変化があったという。

- 56% のユーザーが、組織に対する攻撃の量が増加したと回答
- 59% のユーザーが、組織に対する攻撃がより複雑になっていると回答
- 53% のユーザーが、組織に対する攻撃の影響が増加したと回答
- 67% のユーザーが、自社がランサムウェアの被害を受

第3章 個別テーマ

けたと回答

このように半数以上の回答者が攻撃の増加、複雑化、組織への影響の増加を感じ、ランサムウェアの被害を受けている。しかし、IaaS の保護に不正侵入防止システム（IPS：Intrusion Prevention System）を導入していると回答した人の割合は 40%、Web アプリケーションと API（Application Programming Interface）の保護に WAF（Web Application Firewall）を使用していると回答した人の割合は 44% となっており、対策が十分でないことが分かった。また、IaaS のリソースの設定ミスを追跡・検出していると回答した人の割合は 37%、IaaS のリソースのソフトウェア脆弱性を定期的にスキャンしていると回答した人の割合は 47% にとどまり、設定ミスや脆弱性の放置により、攻撃されやすい環境になっていることが分かった。

トレンドマイクロ株式会社の「2022 年上半期サイバーセキュリティレポート[※210]」によると、2022 年上半期には Web やクラウドのシステムからの情報漏えいは 38 件確認され、公表内容等から漏えい情報の件数を合計すると全体で 430 万件の情報が漏えいした可能性があり、これらの事例の発生原因としては、約 7 割が脆弱性であったという。

これらの調査結果から、クラウドサービスにおいても多くのインシデントが発生しており、その原因として設定ミスや脆弱性が挙げられていること、そして、その対策が十分でないことが読み取れる。設定ミスに起因するインシデントは、社内で設定ミスを事前に発見すれば防止できたものである。例えばクラウドサービスを利用した情報管理を行う際には公開範囲の設定が適切であるか十分注意を払う必要がある。

### (2) 設定ミスに起因するインシデント

ゲームコンテンツ、情報サイト、EC サイト等の企画・開発・運営を行う IT 企業である株式会社エイチームにおいて、2022 年 4 月 7 日、採用に関する情報がインターネット上で閲覧可能になっているとの指摘がエイチーム監査役から社長室長、管理部長、IT システム部門マネージャーに報告された。調査の結果、一部の個人情報がインターネット上で最長 6 年以上閲覧可能な状態にあったことが発覚した[※211]。

閲覧可能となっていた個人情報は新卒採用イベントやインターンシップに参加した学生 4,588 名の氏名、学校名等、グループ従業員 161 名分の氏名、所属部署、顔写真等、2016 ～ 2017 年に実施した中途採用イベントの参加者 30 名の氏名、メールアドレス、職業等、2017 年 8 月～ 2021 年 10 月に面接等の交通費を支給した 1,078 名の氏名、振込先口座番号等であった。2022 年 5 月 16 日の時点で、個人情報を閲覧できる状態は解消したこと、また不正使用等の被害は確認されていないことを発表している。

クラウドサービスを利用して作成した個人情報を含むファイルに対して、閲覧範囲の公開設定を「このリンクを知っているインターネット上の全員が閲覧できます」としたことが原因であり、個人情報を含むすべてのファイルに閲覧制限を実施したとしている。

更に同社は、本件に関して個人情報保護委員会へ報告するとともに、クラウドサービスを利用したファイルのアクセス範囲設定の見直し、個人情報を含むすべてのデータへのアクセスの制限を実施した。今後は、個人アカウントを用いてクラウドサービス上に作成したファイルの業務での利用を禁止し、法人アカウントでクラウドサービス上に作成したファイルのみ業務で利用可能にするという。加えて、社内でのチェック体制の強化、個人情報に関する管理体制の強化、情報管理に関する規程やルール等の見直し及び社内周知の徹底等の再発防止に努めるとしている。

一般社団法人シェアリングエコノミー協会において、同協会が主催するイベントの申込者の個人情報が、2022 年 7 月 1 日～同月 20 日 11 時 53 分ごろまでの間、第三者が閲覧可能となっていたことが判明した[※212]。

2022 年 7 月 1 日、同協会が主催するイベントの申込フォームを Web ページに掲載したところ、7 月 20 日 10 時 24 分に申込者から他人の申込情報を閲覧できるとのメールを受信、同メールの状況を 11 時 53 分に確認した。直ちに第三者が他人の申込情報を閲覧できないようイベントシステムの設定を変更、16 時 30 分に個人情報漏えいの可能性に関するお知らせとお詫びのお知らせを Web ページで公表した。2022 年 7 月 20 日時点で、漏えいによる被害の発生は確認できていないとしている。

本イベントの申し込みに利用した Google フォームの設定ミスにより、106 名の申し込み情報（氏名、電話番号、メールアドレス等）が第三者から閲覧できる状態になっていたことが原因であった。

同社は、2022 年 7 月 20 日に個人情報保護委員会に報告するとともに、個人情報が漏えいした可能性のある申込者 106 名へメールによる連絡を実施し、再発防止対策として、申込フォーム公開時のチェック体制の強化、事務局に対するセキュリティ研修を実施するとしている。

このほか、2022年6月にもライフイズテック株式会社でGoogleフォームの設定ミスにより個人情報が閲覧可能であったというインシデントが発生している[※213]。

### (3) 委託先の設定ミスに起因するインシデント

2020年6月4日、ヘルスケアサービス関連事業を行うケアプロ株式会社(以下ケアプロ社)において、同社の委託先のデータベース上で管理されている顧客情報が第三者から閲覧できる状態になっていたことが判明した[※214]。

第三者から参照可能となっていた情報は2012年1月18日から2019年12月20日までに同社でイベントを開催した顧客の情報(イベント開催場所、物品配送情報、物品受渡担当者名等622件)であった。

ケアプロ社の物流委託先のアカウントの一つが不正利用された可能性があると、委託先が利用するAmazon Web Services (AWS) から連絡を受けて調査を行った結果、委託先の自社サーバーからAWSサーバーへの移行時に、AWSのストレージに同社のデータをバックアップとして保管しており、委託先がストレージの設定を公開設定としたため、第三者に閲覧可能となっていたことが判明した。AWSと委託先の調査によれば不正利用の形跡はなかったという。2020年1月9日、警視庁渋谷警察署生活安全課保安係サイバー担当に経緯を相談し対応策の指示を受け、対応を行ったとしている。

ケアプロ社の委託先では、再発防止策としてクラウドサービス利用者のアカウント・パスワードが適切に管理されていること(使いまわしの見直し、アカウント削除を含むID管理の徹底等) の確認、すべてのパソコンから重要情報が漏えいしないよう、ハードディスクの暗号化や、セキュリティソフトの導入を確認するとともに、AWSサポートと連携し、不正利用覚知の迅速化のため、海外で利用されていないかを利用履歴により継続的に確認することとした。

またケアプロ社は、二次被害等が発生した場合は、関係官庁や警察機関との連携を取りながら対応を進めるとしている。

## 3.3.3 クラウドサービスのセキュリティの課題と対策

企業・組織ではクラウドサービスが事業活動で利用されるだけでなく、企業・組織の基幹システムとして利用されることも多くなっている。そのため、クラウドサービスに関連するシステムの停止や脆弱性はビジネスへの影響が大きくなってきている。本項では、クラウドサービスのセキュリティの課題と対策について述べる。

### (1) クラウドサービスのセキュリティの課題と対策

オンプレミスのセキュリティ対策とは異なるクラウド特有のセキュリティ対策が求められる。その代表が事業者と利用者がそれぞれに責任を分担し、全体としてセキュリティを確保する責任共有モデルの考え方である。総務省「クラウドサービス提供における情報セキュリティ対策ガイドライン (第3版)[※215]」でも取り挙げられ、SaaSにおける管理と責任共有については、「情報セキュリティ白書2022[※216]」の「3.3.3 クラウドサービスのセキュリティの課題と対策」にも記載した。概念は浸透しつつあると考えられるが実践する上での課題はいくつか残っている。

「3.3.1 クラウドサービスの利用状況」に述べたようにクラウドサービスの利用は拡大しており、1社が複数のクラウドサービスを組み合わせて利用し、管理が複雑になっていることが推定される。このような状況では、設定ミスを発見したり、脆弱性の有無を判断して対応したりといった対策を人手で実施することは限界があるため、管理ツールやサービスの利用が有効である。サイバー攻撃の手口等は日々変化をしているので、ツールやサービスの検討には利用しているクラウドサービスの内容やビジネス環境も考慮し、守るべきものが何か、最もリスクが高まっているのはどこかを見極めることが重要である。

ツールやサービスの利用により設定ミスや脆弱性が検知されれば対策も取りやすくなることが期待されるが、最終的に人が判断する側面は残っており、またそもそも、何を検知する、何に対応するというルールは人が策定すべきである。SaaSの場合は、責任範囲がデータとアプリケーションの利用者アカウント管理に限定されることから、保守体制を持たない、あるいは、利用部門が管理することも多くなる。そのため、クラウドのセキュリティ対策について十分な知識がなく、また対策が十分であるかを確認できないまま利用せざるを得ないことが懸念される。「3.3.2 (2) 設定ミスに起因するインシデント」に挙げた事例でも、情報の開示範囲は利用者が設定し、サービス開始後も開示範囲を確認することが求められていた。しかし、結果として公開された状態で放置されてしまっていた。

対策としては、オンプレミスのシステムを利用していたときと同様に、情報システム部門の管理下でのみ利用を認めるという方法も有効である。しかし、企業、組織内の体制見直しがクラウド導入の理由であったり、利用部門からの様々なクラウド利用要望が拡大したりといった状況においては、特定の部門の管理下に制限するよりも、社内のどの組織においても、安全・安心にクラウドが利用できるように明確なルールを定め、そのルールを順守できるよう従業員を教育することが求められる。ルールには導入する際に事業者に確認するべきことや利用時に問題を発見したときの報告先等を最低限含めるべきである。

#### (a) 事業継続上のリスクへの対応

クラウドサービスにおける責任分担モデルでは、セキュリティを確保する責任は利用者に残っている。インシデントが発生した際の事業継続についても、クラウドサービスを利用していたからと言って、自社の責任を免れるものではない。クラウドサービスを利用していたからと言って、自社の責任を免れるものではない。

クラウドサービス事業者はあらかじめ責任範囲や補償範囲、SLA（Service Level Agreement：サービス品質保証）等を詳細に規定しており、クラウドサービス利用者にどのような被害、影響があったとしても、この規定の範囲でしか補償を行わない。2022 年 7 月、Microsoft Corporation が提供する Microsoft Teams 等のサービス群において障害が発生し、同サービスを利用できない事態が続くというインシデントが発生した[※217]。この障害は復旧までに約 5 時間を要した。サービスが停止した約 5 時間は Microsoft Corporation が事前に告知していた SLA 99.99% の補償範囲内であるため、利用できなかったことに対して利用者への損害賠償等はされなかった。SLA の補償範囲内であろうと業務時間内にサービスが停止した場合、どのような影響が見込まれるのか、代替手段はあるのか、そこでの営業損失等は容認可能なものか、事業継続の観点からも検討が必要となる。

#### (b) 海外データ保管のガバナンスリスクへの対応

クラウドサービスを利用することで新たに考慮すべき事象を含めたセキュリティ対策要件の検討が必要である。例えば、自社内で保管していたデータをクラウドサービス上に保管する際、保管先が国内のデータセンターとは限らない。個人情報保護法 28 条では、「個人情報取扱事業者は外国にある第三者に個人データを提供する場合、これについての本人の同意が必要」と規定している。利用したいサービスに個人データが含まれるか、クラウドサービス事業者が個人データを取り扱うサービスについて本人の同意を得ているのか等、あらかじめ確認すべきことがある。クラウドサービスで個人情報を扱う場合は、個人情報保護委員会が公開している法令、ガイドライン及び「『個人情報の保護に関する法律についてのガイドライン』に関する Q&A[※218]」等を確認することが必要である。また、個人情報の有無にかかわらず、データセンター所在国の法規制が適用されることも考慮する必要がある。米国、英国、中国等では政府、あるいは規制当局による閲覧や差し押さえが起こり得る。2009 年には米国で FBI が調査のためにデータセンターの機材をすべて押収し、顧客約 50 社が電子メールやデータベースにアクセスできなくなる事案が発生している[※219]。

事業者側には約款や利用規則、SLA を順守する責任はあるが、それが利用者の求めるセキュリティ強度を満たしているのかは、利用者が判断しなければならない。もしも、使いたいクラウドサービスのセキュリティ対策が、自社の求めるレベルに至っていなければ、そのサービスを利用しない、対策を追加で実施する、あるいはそのサービスを使うリスクを許容する、等を判断しなければならない。

### (2) 安全・安心にクラウドを利用するために

「3.3.2 クラウドサービスのインシデント事例」で述べたように、設定ミスがクラウドサービスのインシデント原因として注目されているが、利用者の設定ミスは、利用者の認識不足や知識不足によるところも大きい。安全・安心にクラウドサービスを利用するためには、事業者が適切な情報を開示し、利用者がその情報を利用して必要な行動をとることが必要である。情報開示と利用のポイントを IPA の調査結果を基に述べる。

#### (a) クラウドサービスの情報開示、情報利用の実態

パブリッククラウドのサービスでは、事業者が用意したサービスのメニューから利用者が利用したいものを選択してそのまま利用する。通常は利用者ごとのカスタマイズはできない。クラウドサービスを選定するために必要な情報は利用者が公開情報から入手したり、事業者のカタログやパンフレットを読んだり、営業担当者の話を聞いたり、事業者に問い合わせをしたりといった方法によって利用者自らが収集する必要がある。

総務省は、クラウドサービスの安全・信頼性を向上させるため、利用者によるクラウドサービスの比較・評価・選択等に資する情報の開示項目を示した「クラウドサービスの安全・信頼性に係る情報開示指針」（以下、情報開示指針）を公表している[※220]。

IPA は 2022 年に「クラウドサービス（SaaS）のサプライチェーンリスクマネジメント実態調査[※221]」（以下、2022

年クラウド調査）で、事業者の情報開示、利用者の情報入手の項目や方法について調査した。情報開示指針から、IPA が選定した 26 情報について、企業・組織で 2020 年 4 月以降クラウドサービスの選定や運用に携わった経験のある利用者に契約前（選定時）に情報を収集・利用しているかを質問した。各情報について 57.8 ～ 69.4% の範囲で収集していると回答した（図 3-3-5）。

事業者に対しても同様の情報について情報開示の状況を質問したところ、66.0 ～ 98.8% の範囲で情報開示をしていると回答した。事業者の情報開示は、約款や利用規約、Web ページ等で誰でも閲覧できるようにしている場合（公開情報による対応）と、チェックリストや質問票、問い合わせ等により情報提供を要求された場合に個別に対応する場合（個別要求への対応）があり、情報によってそのどちらかあるいは両方を行っていることが分かった（図 3-3-6）。

■図 3-3-5　契約前（選定時）の情報収集・利用状況（利用者）
（出典）IPA「クラウドサービス（SaaS）のサプライチェーンリスクマネジメント実態調査」を基に編集

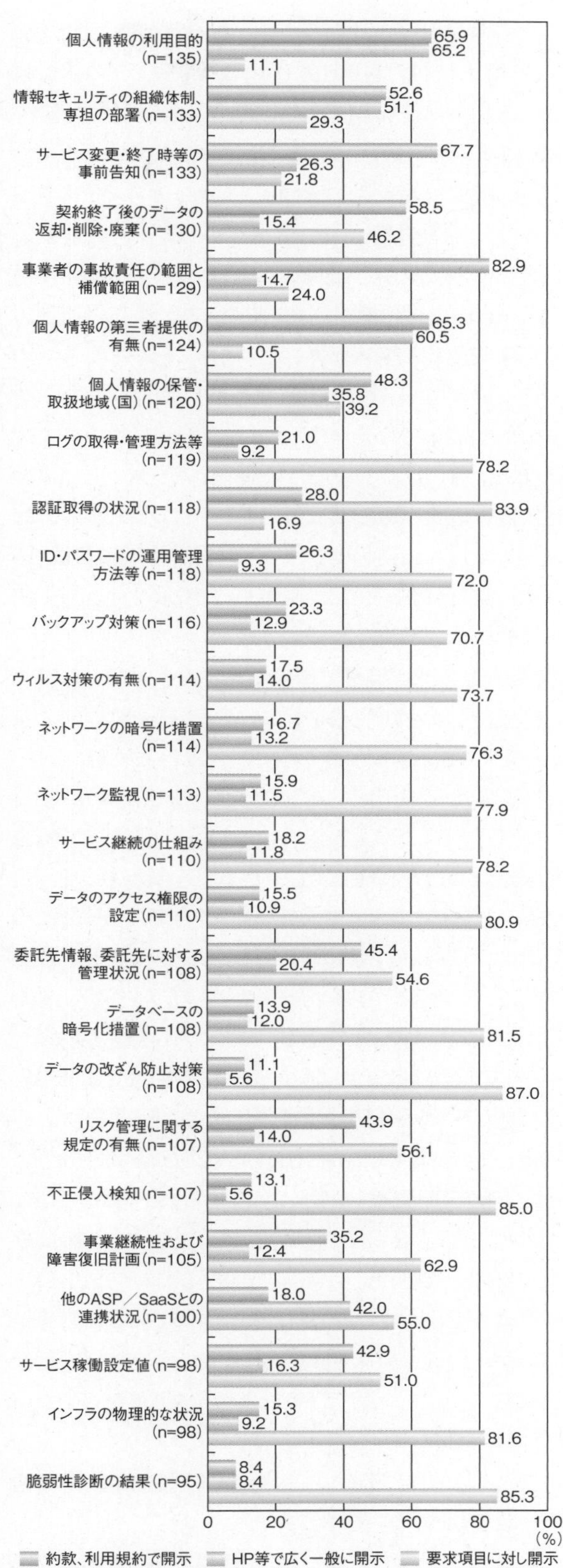


■図 3-3-6　契約前（選定時）の情報開示の方法（事業者）
（出典）IPA「クラウドサービス（SaaS）のサプライチェーンリスクマネジメント実態調査」を基に編集

第3章 個別テーマ

「公開情報による対応」を行っている代表的な情報には、「個人情報の利用目的」「情報セキュリティの組織体制、専担の部署」「個人情報の第三者提供の有無」等、個人情報の取り扱い上法律やガイドラインで公表が求められる情報、「認証取得の状況」等サービスの信頼性をアピールできる情報、「サービス変更・終了時等の事前告知」「契約終了後のデータの返却・削除・廃棄」「事業者の自己責任の範囲と補償範囲」等、事業者の責任範囲を明示する情報があった。また、「個別要求への対応」を行っている情報には、データ、ネットワーク、インフラ等の技術的対策が多く含まれていた。利用者に開示する情報にはセキュリティ対策上やビジネス上で機密性の高い情報が含まれることがある。そのため事業者は、情報が攻撃に悪用されたり、ビジネス上の不利益を生じたりすることがないように、情報ごとに開示の可否や方法を変えていることが分かった。

2022年クラウド調査で事業者に、セキュリティに関する情報を開示することにより、攻撃を受けやすくなると思うか質問したところ、「全くそう思わない、どちらかというとそう思わない」と回答した割合が28.4%であるのに対し、「強くそう思う」「どちらかというとそう思う」と回答した割合の合計は46.1%に達し、17.7ポイントも差があった。情報開示に起因したサイバー攻撃を懸念する回答が多かったことに対して、攻撃につながるような情報は出す必要がない、その上で公開は企業のセキュリティへの姿勢を示すもので大切だ、といった有識者からの意見もあった。

一方、選定時にどのような方法で前述の26情報を入手しているのかを利用者に質問したところ、「約款、利用規約」から入手していると回答したのは最大で52.7%、「HP等の公開情報」から入手していると回答したのは最大で37.5%、「要求して収集」していると回答したのは最大で20.3%であった。図3-3-6(前ページ)に示したように、事業者が公開している情報は利用されている可能性が高いが、個別に要求されなければ開示しない技術的な対策について、利用者は十分な情報を入手していない可能性がある。

2022年クラウド調査で、利用者の情報収集、情報利用の課題について質問したところ、「強くそう思う・どちらかというとそう思う」割合は、「情報収集・利用する情報が多すぎる」が39.2%と最も高く、「情報収集・利用に対応する工数がかけられない」(38.5%)、「情報収集・利用についてルールがない」(35.9%)、「事業者からの情報をどのように利用してよいかわからない」(35.9%)、「事業者からどんな情報を得たらよいのかわからない」

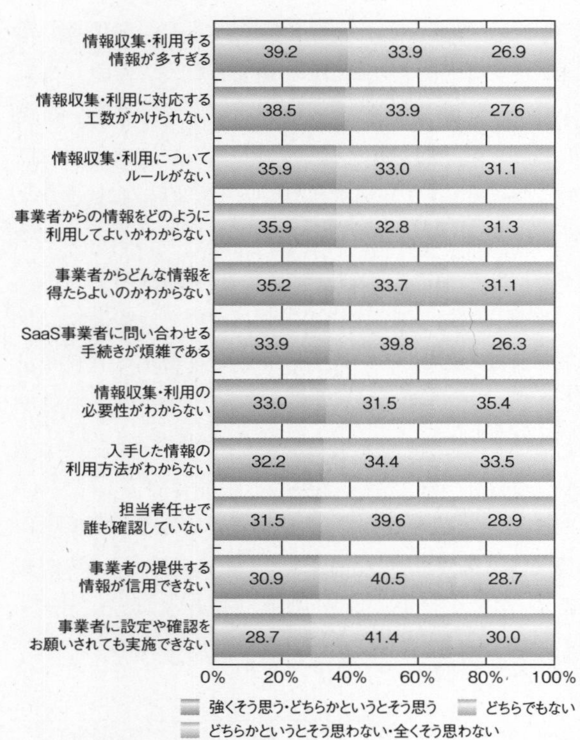


■図3-3-7　SaaSの情報収集・利用における課題(利用者 n=457)
(出典)IPA「クラウドサービス(SaaS)のサプライチェーンリスクマネジメント実態調査」を基に編集

(35.2%)が続いた(図3-3-7)。

事業者の情報開示の課題について同様に質問したところ、「強くそう思う・どちらかというとそう思う」割合は、「情報開示・情報提供に対応する工数がかけられない」が40.3%と最も高く、「情報開示・提供の手続きが煩雑すぎる」(32.6%)、「開示・提供する情報が多すぎる」(30.6%)、「情報開示・提供についてルールが明文化されていない」(30.6%)、「利用者にご覧いただけているかわからない」(30.6%)、「利用者にご利用いただけているかわからない」(28.5%)が続いた(次ページ図3-3-8)。

調査の結果から、利用者、事業者ともに対応工数、情報量、ルールについての課題が上位であることが分かった。また事業者の課題は、利用者が何を見て、どう利用しているのか分かっていない、情報の送り手としての実態把握ができていないことであることが分かった。利用者の課題は何を得て、どう利用したらよいか分かっていない、情報の受け手としての知識が不足していることであることが分かった。

### (b) クラウドサービスのセキュリティチェック項目

IPAの2022年クラウド調査で、利用者に選定時に収集する情報について参照しているガイドラインがあるかを質問したところ、「他社の事例や、コンサルタントなどの

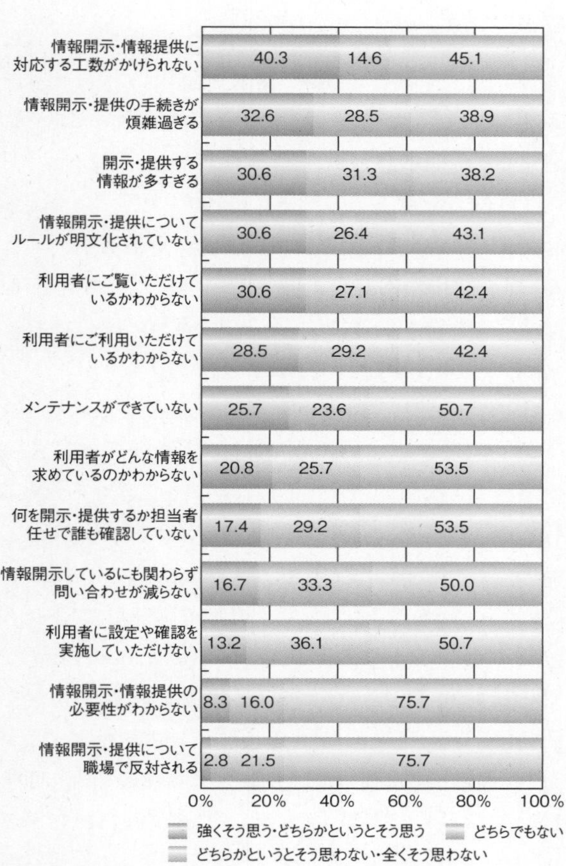


■図 3-3-8 SaaS の情報収集・利用における課題（事業者 n=144）
（出典）IPA「クラウドサービス（SaaS）のサプライチェーンリスクマネジメント実態調査」を基に編集

情報を参考にしている」（37.9%）、「総務省の情報開示指針」（21.2%）、「情報開示指針以外の基準・ガイド・チェックリスト」（1.3%）（複数回答可）という結果であった。同調査で事業者に情報開示・情報提供を行う内容を決定する際に参照しているガイドラインがあるかを質問したところ、「他社が開示している情報を参考にしている」（53.5%）、「総務省の情報開示指針」（44.4%）、「参照するものはなく担当者の判断で行っている」（25.0%）、「情報開示指針以外の基準・ガイド・チェックリスト」（15.3%）（複数回答可）という結果であった。つまり、どんな情報を収集、開示するかについては利用者も事業者も他社の様子をうかがいながら判断しているという回答が最も多いが、総務省の情報開示指針を参照している割合が、他の基準・ガイド等を参照している割合より多いということが分かった。まずは現在収集、開示している項目が情報開示指針の項目を含んでいるかを確認することが利用者、事業者ともに推奨される。

事業者は約款や利用規約、あるいは、インターネット上に情報を開示し、いつでも、誰でも内容が確認できることが望ましい。ここで、機密性の高いセキュリティ対策の詳細やセキュリティの設定情報等、攻撃等に悪用される恐れがある項目は実施の有無程度の記載にとどめる、あるいは、個別の問い合わせがあった場合の回答のルールを決めておくこと等が重要である。

利用者は公開情報だけでは、自社に必要なセキュリティ対策が実施されていることを確認できないことがある。そのような場合は、チェックリスト等により事業者に直接問い合わせる方法がよく利用される。チェックリストは複数の候補に対して同じ観点で比較ができることから、調達の手順の中にチェックリストの利用を規定し、自社のセキュリティポリシーやクラウド利用方針に基づくチェックリストを用意することは有効である。ただし、チェックリストは共通的な確認項目だけでなく、利用したいクラウドサービスに固有のセキュリティ要件について項目を付加したり、より詳細な回答を求めたりといった運用をすることが必要である。



チェックリストの作成でも参考にされることが多い情報セキュリティマネジメントシステムの国際規格であるISO/IEC 27001は2022年10月25日に改訂され、「A.5.23 クラウドサービス利用のための情報セキュリティ」が追加された。この新しい管理基準では組織固有の情報セキュリティ要件に関連し、クラウドサービスの取得、使用、管理、及び終了に必要なプロセスを概説している。2022年10月以降のチェックリスト見直しにおいてぜひ参考にしていただきたい。

またIPAでは2023年4月26日、「中小企業の情報セキュリティ対策ガイドライン」を第3.1版に改訂した[※222]。同ガイドラインではクラウドサービスを安全に利用するための留意事項を示すとともに、付録として新たに「中小企業のためのクラウドサービス安全利用の手引き[※223]」を追加した。サプライチェーンの弱点を突いた攻撃で中小企業が狙われる恐れがあり、対策の強化が望まれる。中小企業に向けた支援策については「2.4.2 中小企業に向けた情報セキュリティ支援策」を参照いただきたい。

## 3.3.4 クラウドサービスの情報セキュリティに対する政府・関連団体の取り組み

クラウドサービスのセキュリティ対策向上のため、政府や団体が2022年度に公表・改訂したガイドラインやクラウドサービスの選定時に利用者が参考にできる認証・認定制度について主なものを述べる。なお、その他にも多数のクラウドサービスに関連する国内外の制度・ガイドラインが発行、改訂されている[※224]。

### (1) クラウドに関する主なセキュリティガイドライン

2022年6月「デジタル社会の実現に向けた重点計画」の中で、「政府情報システムのためのセキュリティ評価制度(ISMAP)において、セキュリティリスクの小さい業務・情報を扱うシステムが利用するクラウドサービスに対する仕組みを、令和4年(2022年)中に策定し、当該仕組みを利用したクラウドサービスの申請受付を開始するなど、クラウド・バイ・デフォルトの拡大を推進する」ことが閣議決定した。この施策の一環として、2022年11月NISC、デジタル庁、総務省、経済産業省は「ISMAP-LIUクラウドサービス登録規則[※225]」を発行した。

総務省は、2022年10月「クラウドサービス利用・提供における適切な設定のためのガイドライン」(以下、設定ガイドライン)を公表した[※226]。設定ガイドラインは、2021年9月に総務省が改訂した「クラウドサービス提供における情報セキュリティ対策ガイドライン(第3版)」をベースに「クラウドサービスの設定」に特化し、事業者、利用者それぞれに対して、実施することが望ましい対策を記載している。設定ガイドラインの公表により、今後クラウドサービスの適切な設定の促進が図られることが期待される。また、設定ガイドラインの公表と同時に「ASP・SaaSの安全・信頼性に係る情報開示指針(ASP・SaaS編)」も第3版に改訂された。総務省が2007年から推進している情報開示指針の策定活動の一環である。サービスの種類別にこれまで8種類の情報開示指針が公表されている[※220]。

### (2) クラウドに関連する認定制度

2022年11月、上記「ISMAP-LIUクラウドサービス登録規則」の発行と同時に「ISMAP-LIU」(イスマップ・エルアイユー:ISMAP for Low-Impact Use)の運用が開始された[※227]。ISMAPは2020年10月に運用を開始した制度で、対象はクラウドサービス全般に及ぶが、ISMAP-LIUはセキュリティリスクが低い業務や情報の処理に使うSaaSに限定した認定制度である(「2.7.3 政府情報システムのためのセキュリティ評価制度(ISMAP)」参照)。政府調達においては、ISMAPに登録されていることが条件となるが、登録されるサービスは政府だけでなく、企業や組織でも利用可能なものであり、機密性の高い情報を取り扱う業務等においては、ISMAPの登録の有無を選定の際の参考情報として利用できる。

一般社団法人日本クラウド産業協会(ASPIC[※228])は、総務省等が定めた各種ガイドライン、情報開示指針を基に、ASP・SaaS等、クラウドサービスの活用を考えている企業や地方公共団体等が、事業者やサービスを比較、評価、選択する際に必要な安全・信頼性に係る情報を適切に開示し、かつ一定の要件を満たすサービスを認定する情報開示認定制度を運営している。2022年7月には累積認定数が300サービスを越えた[※229]。認定されたサービスは、ASPICのサイト上に事業者名、サービス名及び申請内容が公開されている[※230]。申請内容は情報開示指針を基にしているので選定の際の参考情報として利用することができる。

CSA Security, Trust & Assurance Registry(以下、STAR認証)はCloud Security Alliance(CSA)が事業者のセキュリティ対応の透明性を確保するために行っている活動である[※231]。事業者は、CSAが提供しているCAIQ(Consensus Assessments Initiative Questionnaire)に基づいて、チェックリスト形式でCSAの提供するクラウド統制表(CCM:Cloud Control Matrix)に準拠しているかを自己評価し、そのレポートを公開している。CAIQの評価項目は日本語で読むことができ、登録情報も英語だけでなく、日本語の登録も可能となっている。2023年4月には「グローバルプロバイダが日本語CAIQ評価レポートを登録する方法」が公開された[※232]。グローバルにクラウドサービスの選定を行う際に、チェックリストとして参考にしたり、評価レポートを見比べたりすることができる。

2022年クラウド調査によると、利用者のSaaSに関連する認定・認証制度の参照度合いは図3-3-9(次ページ)のとおりである。選定の条件としているという回答が最も多かったのはASPICが行っている「ASP・SaaSの情報開示認定制度」(20.6%)であり、その他は20%未満と低いことが分かった。しかし、「知っており、選定時に参考にしている」と「参考にしていないが今後は参考にしたい」を合計するといずれも50%を超えており、徐々に選定での利用が進むことが期待される。

事業者のSaaSに関連する認定・認証制度の取得状況は図3-3-10(次ページ)のとおりである。「ISMS(JIS Q 27001)」と「プライバシーマーク」については半数以上の事業者が取得済みであり、全体的に「取得に向けて準備している」という回答は少ない。ISMSやプライバシーマークは必要最低限取得したほうがいいが、その他の制度については様子を見ているように見受けられる。

認定・認証制度については、利用者側からは今後いろいろな制度も選定に利用していきたいという意識が見られたが、事業者側はISMSとプライバシーマーク以外は検討もされていないようである。認定・認証は、ある基

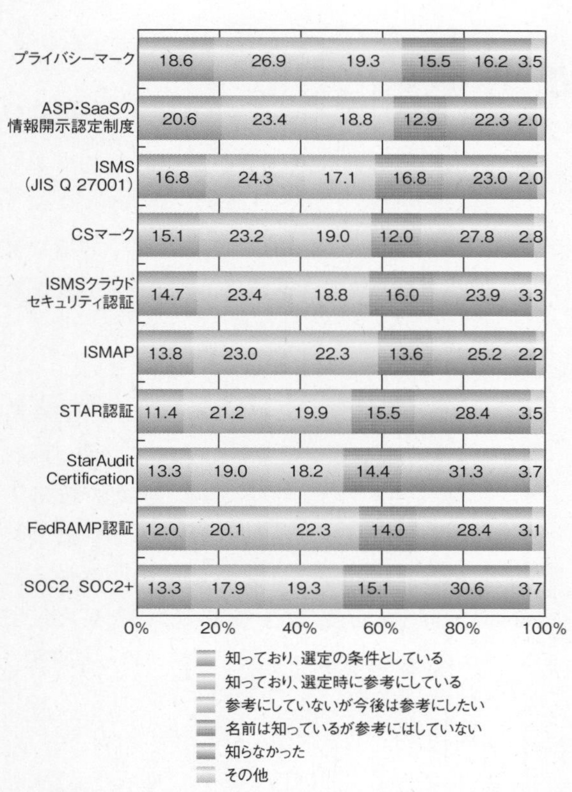


**■図 3-3-9　SaaS に関連する認定・認証制度の参照度合い（利用者 n=457）**

（出典）IPA「クラウドサービス（SaaS）のサプライチェーンリスクマネジメント実態調査」を基に編集

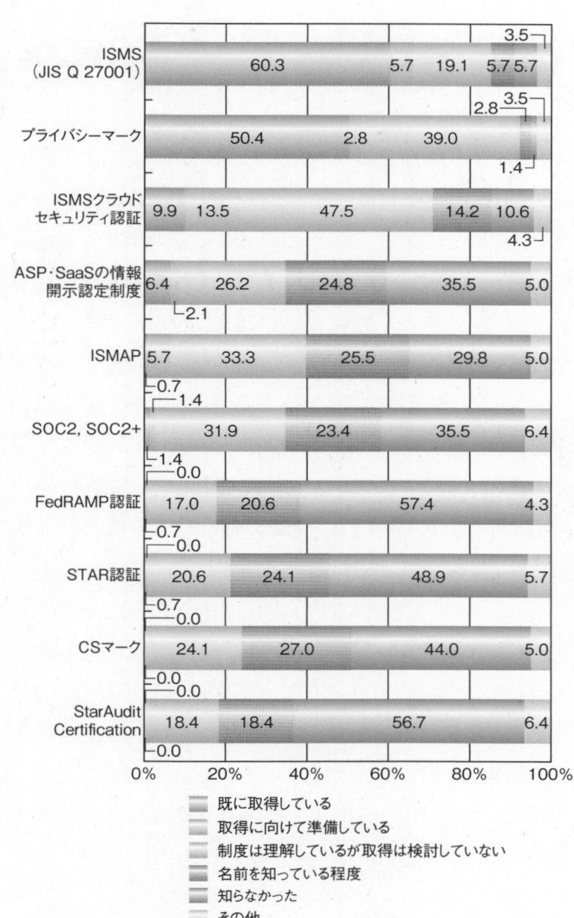


**■図 3-3-10　SaaS に関連する認定・認証制度の取得度合い（事業者 n=141）**

（出典）IPA「クラウドサービス（SaaS）のサプライチェーンリスクマネジメント実態調査」を基に編集

準に対する準拠度合いを示すものとして有効であり、特にセキュリティの知識が事業者程ない利用者にとっては、安心・安全なクラウドサービス選定の一助となる。事業者も利用者も魅力的なサービスの一項目としてセキュリティをとらえ、ガイドラインや認定・認証制度を活用することで、より安心、安全にクラウドサービスを利用できることが期待される。

# 3.4 虚偽情報拡散の脅威と対策の状況

ネット上の虚偽情報、あるいは真偽不明な情報の生成・拡散(特定の意図による拡散を含む)による社会の混乱や分断、対立は、近年その深刻さを増している。この脅威について、2010年代前半までは意図的または自然発生的なデマ、差別・犯罪助長等の有害情報、詐欺的な購買行動への誘導等が問題視されてきた。2016年の米国大統領選挙以降は、世界各国で世論誘導や選挙における中傷・扇動、新型コロナウイルス対策に関する混乱、ウクライナ侵攻におけるサイバー情報戦等の脅威が連続して発生し、虚偽、あるいは真偽不明な情報の生成・拡散にどう対応すべきか、課題となっている。

更に近年、生成系AI(Generative AI)と呼ばれるAIによるコンテンツ生成技術が急速に向上し、事実に見せかけた架空のコンテンツ、あるいは不正確なコンテンツが容易に作れる事態となり、生成系AIの利用の在り方の議論も始まっている。本項ではこうした虚偽あるいは真偽不明な情報の生成・拡散について、その脅威と対応の状況を述べる。

## 3.4.1 虚偽情報とは

「虚偽情報」とは何だろうか。単純な意味では事実と異なる、あるいは不正確な情報を指すが、近年、特にネット上で意図的に広められる当該情報が「Disinformation」あるいは「フェイクニュース(Fake news)」と呼ばれている。以下では虚偽情報の整理を試みる。なお、私怨等の個人的な理由で他者・組織を貶める虚偽情報は除外する。

### (1) 虚偽情報の類型

虚偽情報に関連して用いられる用語を以下に整理する。

- Disinformation
  意図的に広められる虚偽情報。ここで意図とは、特定の組織・個人に利益または不利益をもたらすことが想定され、特に政治的な主張や攻撃、対立扇動の意図がある場合にDisinformationが用いられることが多い。国家安全保障に関わる虚偽情報にこの用語を用いるべき、との意見もある※233。
- フェイクニュース
  Disinformationと同様に意図的に広められる虚偽情報であるが、国内ではこの用語が定着している。ニュースの体裁は必要なく、SNS上の個人の言説もフェイクニュースとなり得る。政治的意図はないが、内容がセンセーショナルで話題性や経済的利益を狙った虚偽情報もフェイクニュースと呼ばれることがある※234。
- Misinformation
  誤解・誤認・伝聞等による誤り、あるいは不正確な情報を指す。拡散意図は無関係とされる※235が、国内ではその拡散を「デマ」と呼び、自然発生的であることが多い。ただし、Disinformation・フェイクニュースを正しいと信じ込み、自身の思いを付け加えたMisinformationを拡散する場合、結果としてDisinformation・フェイクニュース拡散の一端を担ってしまう。
- Malinformation
  差別、権利侵害、犯罪助長等、倫理的に許されない情報や、危害を与える情報、誤解を招くような情報を指す。武器作成手法、プライバシー暴露等、虚偽でない情報も含まれる。国内でこれに近い言葉に「有害情報」がある。Disinformationの中には、例えば他者を差別、抑圧する言説でMalinformationとみなされるものもある。

上記のように各用語のカテゴリは重なり合っており、実際の虚偽情報拡散では各カテゴリの言説が混ざり合うことが想定される。そこで本項では、虚偽情報を特定カテゴリに絞ることはせず、Disinformation、フェイクニュースと呼ばれる情報を主体とするが、それらの拡散で派生的に生まれるMisinformation、Malinformationも包含する言葉として議論を進める※236。

なお情報の「虚偽性」については、以下の類型があると考えられる。

- 内容が事実でない、あるいは不正確なこと
  最も単純な虚偽である。
- 内容を拡大解釈、誇張すること
  宣伝、他者攻撃等でよく用いられる。
- 飛躍した論理で情報を関係させること
  無関係な事実や虚偽を並べ、推定に過ぎないストーリーを正しいストーリーに見せる、等。これは、「ナラティブ(Narrative)」と呼ばれる共感を呼びやすいストーリーに基づいた拡散手法として用いられる。

- 情報伝達の意図を誤らせること
  情報の本来の意図を錯誤させる。最も端的な例は宣伝を宣伝に見せずに人を誘導すること（ステルスマーケティング等）である。

### (2) 脅威の類型

以下では、虚偽情報拡散による脅威の類型を整理する。

- 事実の捏造による他者攻撃・評価棄損
  最も直接的な形の脅威である。虚偽情報の内容は時々のイベントに基づき、イベントに関わった組織・個人の評価を棄損するコンテンツが捏造される。棄損の影響は時間的には限定される。報道機関やSNS事業者、第三者監視機関等のファクトチェックで対応可能と思われるが、2017年、Deepfake技術によるBarack Obama前大統領の虚偽動画のデモンストレーション[※237]が公開されて以降、対象コンテンツは動画・音声に及ぶこととなった。その真贋を一般利用者が判定することは難しく、一定の割合でそれを信用する利用者が出るリスクがある。
- 根拠不明な主張の浸透による対立・分断
  正しさの根拠を明らかにしない主張、誇張を含む主張は即座に虚偽と判定しにくいが、組織的・継続的に行うことで支持に至ることがある。2020年11月の米国大統領選挙において、Donald Trump大統領は選挙で不正が行われたと根拠を示さないまま繰り返した。Trump支持派は裁判所に選挙無効を訴え、すべて却下されたにもかかわらず、共和党支持者の多くが選挙不正を信じる結果となり、米国世論の分断は深まった。
  このように、対立構造が明快な問題について、根拠不明瞭な主張はプロパガンダに利用され、浸透するリスクがある。
- 虚偽情報の連鎖による行動の暴発
  一定の支持者を得る虚偽情報がSNS上で拡散し、それが新たな虚偽情報を連鎖的に発生させ、大きな流れを作ることがある。2016年、民主党大統領候補だったHillary Clinton氏が「小児性愛者グループの中心だ」という中傷がTwitterで拡散し、その「証拠」とされる情報が続々と投稿され、小児性愛のナラティブが作り上げられた末、Clinton派と関係があるとされたピザ店が市民の襲撃を受けた（ピザゲート事件）[※238]。
  このように、特定のナラティブに共感するSNSグループで虚偽情報の連鎖がエスカレートし、暴発することがある。ピザゲート事件の場合は極右団体QAnonの陰謀論[※239]と結びついたとされる。
- 災害時等の対応混乱・不安拡大
  災害・パンデミック等の社会不安が発生した場合、不安を解消するため、その要因を根拠なく特定して排除または攻撃する虚偽情報が拡散することがある。2020年の新型コロナウイルスの拡大期には、医学的に根拠のない対症療法等がSNS上で拡散された。また、2020年後半からのワクチン接種について、これに強く反発する団体等から「殺人ワクチン」等の主張とともに反対運動が起こった。これらの影響は限定的だったと見られるが、災害・パンデミック時の虚偽情報拡散は生命に関わることがあり、拡散の程度によらず注意すべきとの意見もある[※240]。
- 戦争における宣伝戦のエスカレート
  ウクライナ侵攻では、2種類のサイバー空間の戦いが現実のものとなった。一つはウクライナの重要ITインフラに対するサイバー攻撃と防御、もう一つがネット上での虚偽情報拡散を含む宣伝戦（認知空間の戦い）である。後者について、ロシアは多くの虚偽情報による宣伝戦を仕掛けた。Joseph Biden大統領は、米国のインテリジェンス情報を開示して対抗した。ウクライナも、Volodymyr Zelenskyy大統領が首都キーウから逃亡した等の虚偽情報に対抗してSNSで「自分はここにいる」と表明[※241]、影響を封じた。
  ロシアはまた、宣伝戦に前述のナラティブの手法を用いた。ナラティブは「人々に強い感情･共感を生み出す、真偽や価値判断が織り交ざる伝播性の高い物語」と定義され[※242]、例えば陰謀論「Aの元凶はB」もナラティブである。ウクライナ侵攻の場合「ロシアとウクライナは歴史的に不可分」「ウクライナ政府はネオナチ」がナラティブである。戦争や国家間の紛争においては、ナラティブと虚偽情報を交えた認知空間の戦いがエスカレートすることとなる。

## 3.4.2 虚偽情報生成･拡散の事例

本項では、2016年以降に起きた虚偽情報拡散の大規模事案を参考に、関係組織、情報生成及び拡散の仕組みを整理する。

### (1) 2016年米国大統領選挙の妨害活動

2016年米国大統領選挙の妨害活動事案の内容、関係組織、手口、影響について述べる。

- 事案の内容
2016 年 11 月の米国大統領選挙において、民主党へのサイバー攻撃による情報窃取・暴露、Clinton 民主党候補の中傷を含む Disinformation による選挙介入工作があったとされる。
- 関係組織
米国 ODNI（Office of the Director of National Intelligence）は、ロシア政府と Internet Research Agency（IRA）等の親ロシア系宣伝・情報操作企業による工作があったと断定した[※243]。IRA と関係者は 2018 年、選挙妨害により米国で起訴された。また、民間選挙コンサルティング企業の工作関与も報じられた（後述）。
- 手口
IRA 等による情報操作では、Facebook 等の SNS アカウントを用いたインフルエンサーへのなりすまし、「Troll」と呼ばれる炎上投稿、政治広告出稿等があったという[※244]。また、SNS 拡散を効率化するボット[※245]も活用されたという[※246]。
上記とは別に、選挙コンサルティング企業 Cambridge Analytica Ltd. による選挙介入工作が発覚した。2018 年 4 月、同社のデータアナリストが選挙工作のために Facebook, Inc.（現、Meta Platforms, Inc.）の個人情報 8,700 万人分を不正流用したことを認めた[※247]。Facebook 利用者の政治志向等を分析してメッセージを送るため、マイクロターゲティングと呼ばれる個人を特定した広告手法が活用されたという。同社へのロシア、Trump 陣営の関与も報じられたが、Trump 陣営の選挙介入工作への関与は明らかではない。
- 影響
情報の暴露や中傷等の工作により Clinton 候補は打撃を受け、Trump 候補に有利に働いたとされる。一方、マイクロターゲティングによる工作はどの程度あったか、実際に効果はあったかは明らかでない[※248]。
副次的な影響としては、デジタルによる選挙干渉が安全保障の問題と認識され、米国・欧州では敵対国家とその支援勢力の情報工作を規制する法制整備につながった。また SNS 事業者もファクトチェック等の規制を強めた。2018 年 11 月の米国中間選挙においては、米国サイバー軍（U.S. Cyber Command）が IRA の不正アクセスを遮断、選挙妨害を防いだとされる[※249]。

### (2) Brexit に関わるポスト真実政治言説

Brexit に関わるポスト真実政治言説事案の内容、関係組織、手口、影響について述べる。

- 事案の内容
2016 年 6 月 23 日の国民投票により、英国の EU 離脱（Brexit）が決定、2020 年 12 月 31 日に離脱が完了した。この間、残留派・離脱派による自派擁護・他派攻撃等の虚偽情報が蔓延した。客観的事実よりも個人の感情・信条に訴える政治的言説は「ポスト真実政治（Post truth politics）」と呼ばれた。
- 関係組織
2017 年 11 月の時点で、欧州全体においてロシアによる虚偽情報を用いた工作は Brexit に関するものも含め拡大した、とされた[※250]。しかし、2020 年 7 月の英国議会情報セキュリティ委員会（Intelligence and Security Committee of Parliament）の報告では、Brexit に関するロシアの妨害活動を特定できなかった[※251]。虚偽情報の多くは英国内の残留派・離脱派によるポスト真実政治言説だったと思われる。
- 手口
SNS を中心に虚偽情報が拡散された。虚偽情報には、3 年前の画像を現在の画像に見せる投稿、根拠のない離脱賛否情報を含む動画等、ファクトチェックで検知可能なものが多かった。また、「EU に巨額のお金を貢ぐのをやめ、自国で使おう」「Johnson 首相は EU との妥協なしの Brexit を実施、金融事業者と利益を得ることを画策」等のナラティブも発生、関連する虚偽情報が拡散した[※252]。
- 影響
虚偽情報そのものの影響は自明ではないが、上記のポスト真実政治への傾向が強まったと思われる。実際、EU に対する英国政府の支出は全支出の 1% に過ぎない、という事実は説得力を持たなかった[※253]。こうした事実軽視、自身の信条に近い主張の選好は 2020 年の米国大統領選挙や 2022 年のウクライナ侵攻等でも世界的に見られる、との分析もある[※254]。

### (3) 新型コロナウイルスのインフォデミック

新型コロナウイルスのインフォデミック事案の内容、関係組織、手口、影響について述べる。

- 事案の内容
2020 年 1 月に新型コロナウイルスが中国で蔓延してから、2021 年末までの約 2 年間、新型コロナウイルス関連の虚偽情報が SNS、報道等で拡散し続けた。主な虚偽情報・不確定情報の類型は以下のようになる。
①発生源・感染主体に関する不確定情報

発生源は中国武漢市の市場あるいはウイルス研究所である可能性が高いとの西側メディアの報道が2023年4月時点も継続している※255。中国政府は強く否定している。感染主体については「アジア系の人々が感染を起こした」とのナラティブがヘイトスピーチとなって欧米で急拡散し、市民の暴力行為に発展した。インドではイスラム系の人々へのヘイトスピーチも拡散した。

②感染対処法に関するデマ

発生直後、根拠不明の多くの対処法が拡散した。多くがデマであったと考えられ、これらを否定する情報も拡散した。国内調査によれば、情報に接した多くの人がこれを疑ったが、一定の割合で信じてしまった人もいた※256。

③対策に関する詐欺情報

発生直後から、世界各国で詐欺情報が横行した。具体的には、関係省庁の注意喚起を装うフィッシングメール、マスク・新薬・ワクチン接種等に関する金銭詐欺、給付金支給に関する個人情報詐取等様々であった※257。

④ワクチン接種に関する不正確な主張

新型コロナウイルスワクチン接種に反対する人々は、医学的合理性が確認されていない「ワクチンによって死亡者が出た」等の言説によって反対運動を展開した。国内の反ワクチン運動については、政府のワクチン政策に対する不信がある、との分析もなされた※258。

- 関係組織

「コロナ禍は○○のせい」「ワクチンは陰謀」等のナラティブに共鳴したグループは、SNS等で虚偽情報の増幅・拡散を行ったと思われる。2021年4月、EUは、中国・ロシアが欧米のワクチン接種のリスクに関する虚偽情報をオンライン上で拡散しているとの見解を示した※259が、確証はない。

- 手口

デマ・詐欺情報の多くはSNSによる拡散であり、状況に応じて自然発生的に生じたと考えられる。ただし、ヘイトスピーチの拡散ではボットの利用が確認され※260、共鳴するグループが組織的に拡散したケースがあることがうかがわれる。各国は特定の発信源を統制するという対策を取れず、ファクトチェック・注意喚起が対策の柱となった。

- 影響

世界同時的な社会不安の発生に伴い、虚偽情報・根拠不明情報の同時蔓延も生じ、インフォデミック(Infodemic)という言葉が生まれた。便乗詐欺、ヘイトスピーチの標的となった人々には影響が出た。一方で、国内調査では、根拠不明な情報の拡散について多くのSNS利用者がこれを冷静に受け取ったとの結果もある※256。

なお、虚偽情報により、例えばワクチン忌避者の増加に影響があったか等は明らかでない。

### (4)2020年米国大統領選挙の不正選挙キャンペーン

2020年米国大統領選挙の不正選挙キャンペーン事案の内容、関係組織、手口、影響について述べる。

- 事案の内容

2020年11月の米国大統領選挙において、郵便投票に集計等の不正があったとTrump大統領が主張したことにより、関連する根拠不明な主張、虚偽情報が拡散した。Trump陣営は選挙結果が無効であるとしてミシガン州連邦地方裁判所等に提訴したが、根拠不十分で棄却され、更に最高裁判所に上告した接戦4州についても棄却された※261。選挙不正を信じるTrump支持派ではこれらの結果に対する不満が高まり、2021年1月6日、一部支持者が連邦議会を占拠、その鎮圧において死者5名が出る異常事態となった※262。

選挙不正を訴える主張は報道にも及び、保守系メディアのFox Newsの報道に対して、カリフォルニア州ロサンゼルス郡で使用された投票システムを納入した企業Smartmatic Corp.、ジョージア州で使用された電子投票機を製造した企業Dominion Voting Systems Corp.が、報道内容は虚偽であり名誉棄損であるとして提訴した。Fox NewsはDominion Voting Systems Corp.に関する報道の誤りを認め、2023年4月18日、同社に和解金7億8,750万ドルを支払うことで合意した※263。

- 関係組織

2020年9月、DHSは郵便投票の不正に関するロシアの虚偽情報拡散(結果としてTrump大統領支持)を警告した※264。しかし、2016年大統領選挙に比較するとロシアによる工作の影響は小さく、政府やSNS事業者のIRA監視等の対策がある程度有効だったと見られる※265。情報拡散の主体となったのは「盗まれた選挙」ナラティブに共鳴したTrump支持派であった。

- 手口

第3章 個別テーマ

Trump 大統領の Twitter 発信を起点とする SNS 利用が中心だが、前述のように保守系メディアの報道にもファクトチェックがずさんな例があった。

なお、「盗まれた選挙」ナラティブは、投票用紙を封入した郵便物の紛失や配達遅延等、各州の郵便投票制度に不備があったことも説得力を持った一因とされる。民主党や非保守系メディアが各州の郵便投票制度の不備に触れずに「盗まれた選挙」を虚偽と決めつけたことも問題をエスカレートさせたとの見方がある[※266]。

- 影響

「盗まれた選挙」ナラティブを信じた共和党員と虚偽であるとした民主党員の亀裂は大きく、米国世論を分断する状況を深めてしまったと思われる。また、ナラティブが QAnon のような過激主義と結びついた場合に暴力が発生してしまうこと、SNS はその増幅器となってしまうことも明らかになった。

一方で、本事案への対応は言論の自由と規制の問題も提起した。Fox News の報道への提訴について、Fox News は当初言論の自由を盾に「報道する価値があるものに対する提訴は無効」と主張したが、提訴を受け司会者の降板等を行った。また SNS 事業者はファクトチェック等の不正コンテンツ規制対策を既に実践していたが、連邦議会占拠事案の発生により、Twitter, Inc.（現、X Corp.）は Trump 大統領のアカウントを停止、同大統領の情報発信を事実上封じた。この結果、Trump 大統領発信による虚偽情報による混乱は収束したが、報道提訴や民間企業の判断によるアカウント停止等がどのような場合に許されるのか、課題として残った。2022 年 11 月 19 日、Twitter, Inc. のオーナーとなった Elon Musk CEO は「言論の自由を守る」として Trump 氏のアカウントを復活した[※267]。

### (5) ウクライナ侵攻におけるサイバー情報戦

ウクライナ侵攻におけるサイバー情報戦の内容、関係組織、手口、影響について述べる。

- 情報戦の内容

2022 年 2 月 24 日のウクライナ侵攻の準備、及び侵攻後のサイバー情報戦として、ロシアはナラティブや虚偽情報拡散による宣伝戦・サイバー攻撃を仕掛けた。対象は主としてウクライナだが、報道機関・SNS 等による世界的な宣伝・情報工作も行われた。これらの総体は、ロシアの安全保障政策に基づくサイバー情報戦の一環であり、2014 年のクリミア併合時点から継続している[※268]。ウクライナからロシアに対するサイバー情報戦も活発に行われているが、ここではロシアの活動に注目する。

- 関係組織

ロシアのサイバー情報戦の主体は政府、ロシア軍、RT（旧称、Russia Today）や SPUTNIK 等の親ロシア系報道機関、既出の IRA 等の親ロシア系宣伝・情報操作企業、親ロシア系ハッカーとされる。親ロシア系の第三国からの拡散もあるという[※269]。

- 手口

Web サイトハッキングによる情報改ざん・偽サイトによる拡散を始め、様々な媒体を通じた工作が行われている。ウクライナ侵攻で特徴的な活動としては以下がある。

①世界的なサイバーインフルエンス工作

Microsoft Corporation の調査によると、ロシアは国内・ウクライナ・西側諸国・非同盟国それぞれに、SNS 等に事前に配置した宣伝メッセージを一斉に拡散、自国・ウクライナ・非同盟国からの支持強化、及び西側諸国の分断誘発を図った[※270]。

②ウクライナ政府の評価を棄損する虚偽情報

宣伝メッセージにおいて、「ウクライナ政府はネオナチ」とする中傷、Zelenskyy ウクライナ大統領の虚偽動画、「同大統領が首都キーウを脱出」等の虚偽情報が用いられた。ただし、容易に見破れる内容が多く、Zelenskyy 政権の機敏な対応で直後に虚偽と判明した情報もある。

③偽旗作戦（False Flag Operation）

侵攻以前から「ウクライナ東部のロシア系住民が迫害された」「親ロシア勢力が攻撃された」等の情報が SNS 等で拡散した[※271]。米国はこれを、侵攻を正当化するロシアの「偽旗作戦」と断じ、Biden 大統領が公表するという異例の措置を取った[※272]が、侵攻は防げなかった。

④ SNS「Telegram」の主戦場化

Telegram はロシアで誕生した守秘性の高い SNS であり、ロシア・ウクライナ双方で多くの人が利用している。2013 年のサービス開始以来、監視等の機能がないために極右・過激主義・反体制集団等が宣伝を行っていたが、政府の規制は免れていた[※273]。2022 年以降、Telegram はロシア、ウクライナ双方の政府及び政府支援グループが虚偽情報拡散・宣伝を行う主戦場となった。ロシア国民は自国に加え、ウクライナ及び西側諸国の拡散情報を自由に見ることができる[※274]。ロシア政府には Telegram 規制が自国に有利でない、という判断があると思われる。Telegram上では相手国政府にサイバー攻撃を行う「サイバー義勇軍」の勧誘も行われたという。

- 影響

ロシア政府の情報戦は、自国民の支持強化には成功した。肝心な対ウクライナについて、侵攻当初、ロシア政府は大半のウクライナ国民が支持または無関心の態度を取ると想定したと見られるが、彼らは反ロシアに回った。ウクライナに対する情報戦は失敗であったといえる。西側諸国の分断に対しても、ロシア政府の思惑は外れた※275。これらの誤算については、ウクライナ政府のSNS等による情報戦が巧みであったこと、2014年のクリミア侵攻の成功でロシアに楽観が生まれたこと、等が指摘されている。一方で、西側諸国や中国・ロシア陣営に与しないグローバルサウス諸国の支持については一定の効果があったものと見られる。

### (6) 台湾における中国の情報工作

台湾における中国の情報工作事案の内容、関係組織、手口、影響について述べる。

- 事案の内容

台湾政府の政策実施を妨害し選挙に介入する、あるいは台湾政府・関係者の評価を棄損する虚偽情報の拡散が大量に行われている。台湾・日本・米国政府は台湾統一を目指す中国の情報戦の一環であるとしている。2022年8月のPelosi米国下院議長の台湾訪問では、台湾近海での軍事演習に加え、Pelosi議員及び台湾政府に対する誹謗や台湾からの中国人退去、中国国営メディアCCTVの記者による「中国軍機が台湾海峡横断」とのブログ投稿※276等の虚偽情報が大量に拡散した。

- 関係組織

情報工作の主体は、中国共産党中央宣伝部、中国共産主義青年団、中国人民解放軍、中国ネット民(Chinese netizen)、政治関連のコンテンツファーム※277等であるとされる※278。

- 手口

SNSが主体であるが、ロシアの情報戦のやり方を参考にしているといわれる。台湾の半導体企業に関する米国報道を曲解し、台湾政府与党が企業を米国に売ったという虚偽情報が大量に拡散された等の調査例がある※279。また2019年以降は、YouTube動画を含むFacebookを利用した拡散が増えている※278。2022年のPelosi米国下院議長訪問時の拡散ではYouTubeと掲示板型ソーシャルニュースサイトのRedditを使った拡散が確認されており、複数のSNSを使用することでコンテンツを一斉に削除されないようにしている、との見方がある※280。

- 影響

2022年11月の台湾統一地方選挙では、中国との対決姿勢を前面に出した与党・民進党は敗北し、蔡英文総統は党首を辞任した※281。中国の情報戦の影響は明らかではないが、工作に勢いがつくことが予想される。台湾は世界で最も虚偽情報の拡散に晒されているとされ※282、市民はSNS上で正しい情報を得ることは難しくなったと感じるという。

もう一つの影響として、日本への虚偽情報拡散がある。台湾海峡の力による現状変更に反対し続ける日本にも中国は情報戦を仕掛けているとされ、例えば在日米軍基地を抱えて世論が分断しやすい沖縄での工作、あるいは台湾有事における日本の介入について日本国内を分断する工作等が懸念されている※283。

## 3.4.3 虚偽情報生成･拡散の流れ

以上の事例を基に、虚偽情報の生成・拡散の流れを整理した結果を図3-4-1(次ページ)に示す。

### (1) 生成・拡散の流れ

組織が自身の主張を基に優位を確立するため、宣伝、あるいは虚偽を含む情報拡散を行う。共感を得やすいナラティブがあると、それと虚偽情報を組み合わせる。共感した支持者、あるいはアクセス数や広告収入増加等の利益(アテンションエコノミー)を意図した第三者が増幅・拡散を行う。虚偽情報単独での拡散は限定的だが、ナラティブと結びついて共感性が増すと、少なくとも共感した支持者は拡散情報の事実性を重視しなくなると考えられる。

### (2) 流れを加速するIT基盤の進化

近年のIT基盤の進化は、2016年以降の虚偽情報の生成・拡散のコストを大幅に削減する機能を結果的に担っている。虚偽情報を拡散したい組織を支援するアンダーグラウンド組織は、この基盤を活用して生成・拡散エコシステムを形成している。技術面では、以下の要素が高度化・自動化したことが重要である。

- 情報窃取・悪意の拡散

サイバー攻撃による不正アクセス等で評価棄損対象と

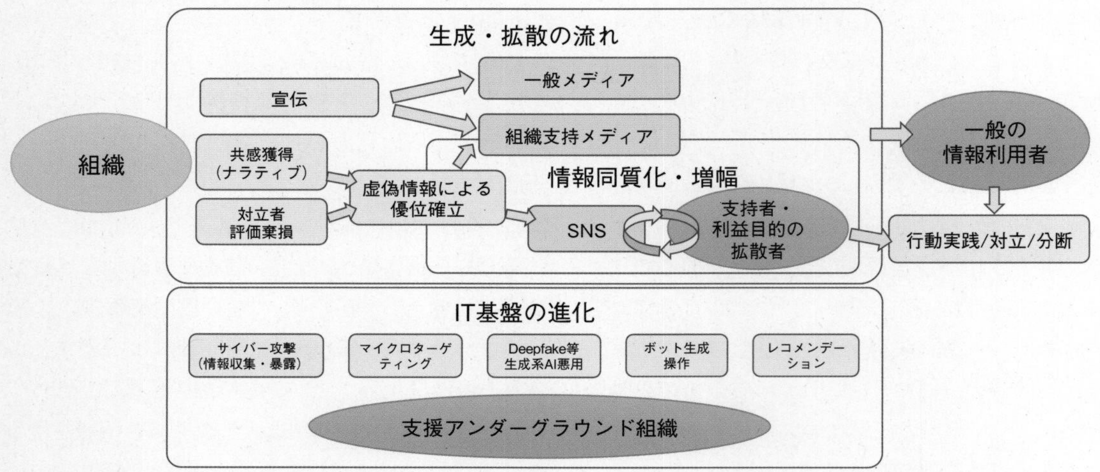


■図 3-4-1　虚偽情報生成・拡散の流れ

する組織・個人の情報を窃取する。また大量のボットにより、虚偽情報拡散を自動化する。

- コンテンツ生成
  生成系 AI による「事実とは似て非なるコンテンツ」の生成は、政治家のフェイク動画拡散等で悪用が懸念されている。2020 年以降急速に普及している大規模言語モデル（LLM：Large Language Model）を用いた対話型 AI では、例えばナラティブと虚偽を交えたコンテンツが簡単に作れる、等のリスクが考えられるが、詳細はまだ明らかでない。
- 広告関連機能による拡散・増幅
  マイクロターゲティング技術の悪用は、個人を特定した虚偽情報生成・配信を容易にする。また、検索エンジン等で用いられるレコメンデーションアルゴリズムは、特定志向を持つグループに彼らが好む情報ばかりを提示し、虚偽情報の増幅（エコーチェンバー現象※[284]）を容易にする。この結果、情報の同質化が進む。

## 3.4.4 日本国内の状況

2023 年 4 月時点で、日本国内に世論を二分するような対立はなく、付随する虚偽情報の大規模拡散はないと見られる。しかし、災害や政治的事件に関する虚偽情報、特定集団や個人に対する差別・ヘイト情報等の拡散等が SNS 上で続いている。以下では、「生成・配信の方法が不適切」とみなされた事例も含め、国内の状況を説明する。

### (1) 2016 年以降の虚偽情報拡散の傾向

米国大統領選挙の行われた 2016 年以降、国内でも虚偽情報拡散に対する関心は急速に高まった。2016 年には、特定ジャンルの情報を整理するキュレーションサイトにおける虚偽の医療情報配信が問題となった。配信時のファクトチェックがずさんであり、サイト運営者である株式会社ディー・エヌ・エーはメディア事業者として内容に責任を持つべき、とされた※[285]。同サイトは著作権の取り扱い等についても問題を起こしており、2016 年 12 月に閉鎖に追い込まれた※[286]。

総務省のプラットフォームサービスに関する研究会では、2020 年に拡散された虚偽情報の分析結果が報告されている※[287]。それによると、新型コロナウイルス対策のフェイクニュースについては、調査対象者の 58.9% が偽情報と気づいている。一方、国内政治関連のフェイクニュースについては、偽情報と気づいた人は 18.8% にとどまった。新型コロナウイルス関連の虚偽情報は一般にも知られていたために多くの人が疑ったと思われる。

### (2) 政治的な虚偽情報拡散

2018 年 9 月、米軍基地をめぐる対立構造が明確な沖縄県知事選挙において、選挙関連サイトや SNS 上で立候補者や前知事を貶めるような情報が多数配信された。沖縄県の新聞社である沖縄タイムスは、候補者の「フェイクニュース」を報道したと認め、その経緯を検証している※[288]。更に、2022 年 9 月の沖縄県知事選挙に関しても組織的と思われる虚偽情報・ミスリードを誘発する情報の拡散が報じられた。報道機関のファクトチェックによると、虚偽情報には 4 年前の沖縄県知事選挙の動画転用、等が含まれていた。こうした沖縄県における虚偽情報拡散については、琉球帰属論※[289] 等に基づいて世論分断を図る中国の工作の影響が懸念されている※[233]。

2020年米国大統領選挙の不正選挙ナラティブについては、日本国内でもこれに共感し、不正選挙やTrump支持を訴える人々が一定の割合で出現した。米国のTrump支持派が組織的に日本で拡散したわけではなく、むしろアクセス増による広告収入増等の動機で拡散された情報が、ボトムアップ的に共感を得たものと見られる。また、こうした組織的でない拡散はコロナ禍やウクライナ侵攻に関する虚偽情報についても同様に観察された※290。ウクライナ侵攻時には、在日ロシア大使館のTwitterが虚偽情報拡散の中心となり、その後国内で共感者が拡散したと見られる※291。

#### (3) 個人を対象とする誹謗中傷・虚偽情報

国内の虚偽情報拡散で特徴的なのは、組織ではなく個人を対象とする誹謗中傷が報じられる点である。2020年4～5月、SNS上である人物への誹謗中傷投稿が集中、炎上し、被害者の自殺事件が発生した。ここではナラティブと呼ぶような共感を呼ぶ仕掛けがない代わりに、SNS利用者の「正義感」が多くの誹謗中傷を招いた、と分析された※287。こうした誤った「正義感」は、コロナ禍のような社会不安状況下では「自粛警察」のようなレッテル貼り、差別に結びついてしまうリスクがある※292。

### 3.4.5 虚偽情報の対応状況

虚偽情報の拡散抑制や影響の低減に向けた民間事業者、政府の対応について以下に整理する。

#### (1) ファクトチェックの強化

ファクトチェックは、配信される情報が事実に基づいているか、法規・倫理規定に違反しないものであるか等を調査し、結果を公表することとされ、虚偽情報対策の基本である。報道機関は自身の報道の検証手段として、また米国のPolitiFact.com※293等の第三者機関はSNS上の政治的言説のチェックを実施してきたが、2016年以降、SNS事業者自身も含め、対応が強化されている。例えばMeta Platforms, Inc.は、Facebook、Instagramの投稿(写真・動画・音声を含む)について、虚偽の引用、虚偽に基づく主張、陰謀論、不正サイト参照、虚偽または誤解を招く捏造・改変・一部削除、誤解を招く風刺等をチェックする、としている。このプロセスは、利用者フィードバックによるフェイクニュース(虚偽情報)特定、ファクトチェック、審議、コンテンツラベリング、利用者への周知、配信制限へと進む。ファクトチェックは、国際的なファクトチェックネットワーク（IFCN：The International Fact-Checking Network）※294が認定した80以上の第三者機関と提携し、60以上の言語について実施している※295。しかし、新型コロナウイルスワクチンに関する医療ジャーナル記事がFacebookで虚偽と誤判定され、正規のアクセスが制限された※296等、虚偽情報の急増に対応できていないという指摘もある。

Twitterは、新オーナーのMusk CEOが公共政策チームの解雇を続けており、民主主義・人権等の観点からのファクトチェック機能の弱体化が懸念されている※297。一方で、Musk CEOはクラウドベースツールCommunity Notesの試験導入を進めている。Community Notesは誤解を招くと思われるツイートに対して違う視点からのメモを追加できる機能で、効果的だとするファクトチェック専門家もいる※298。

急増する音声・動画のファクトチェックも課題である。YouTubeは近年ニュースソースとして一定の位置を占めているが、2022年1月、80以上のファクトチェック団体がYouTubeに対し、「コロナ禍や大統領選挙関連を含むデマと誤報の温床になっており、コンテンツ削除や常習犯対策等の改善を求める」と連名で主張、AIを用いた虚偽情報対策にも言及した※299。音声・動画のファクトチェックには、AIを用いた認識・言語化※300、虚偽動画等の自動検知※301が試みられている。AI利用による効率化への期待が大きい反面、精度向上等には時間が必要と思われる。この間、生成系AIの普及によりチェックが必要なコンテンツが爆発的に増えてしまうと、対応が非常に難しくなる可能性がある。

#### (2) 配信の統制強化

組織的拡散への対策の柱として、拡散の中心となる組織や個人の配信を制限する方法がある。顕著な例として、2020年米国大統領選挙におけるTrump大統領のTwitterアカウント停止は不正選挙キャンペーンの混乱を一気に収束させ、2022年のウクライナ侵攻におけるRT、SPUTNIK及び関連事業者に対する配信停止措置は、米欧におけるロシアの情報工作妨害に効果があったとされる※302。なお、ロシア政府も2022年3月4日にフェイクニュース法を成立させ、国内独立系報道機関、西側報道機関の活動を厳しく規制した※303。ただし、Telegramを介した西側報道へのアクセスは可能であり、徹底したものではない(「3.4.2 (5) ウクライナ侵攻におけるサイバー情報戦」参照)。

配信停止措置は、「3.4.2 (4) 2020年米国大統領選挙

の不正選挙キャンペーン」で述べたように、個人の私権や表現の自由を制限する側面があるため、法律や規定に基づく、等の慎重な対応が必要である。個人のレベルでは、通常のSNS投稿が倫理規定に反したとしてアカウントを停止される、等でトラブルになるケースがある。

### (3) アンダーグラウンド組織の諜報・攻撃対策

米国大統領選挙やウクライナ侵攻で見られたように、国家レベルの虚偽情報拡散では対象組織の情報収集、効率的な拡散インフラ構築等が組み合わされ、実施される。これを支援するアンダーグラウンド組織の活動監視・サイバー攻撃防御は虚偽情報拡散対策としても重要である。

### (4) 政府の虚偽情報関連政策

米欧の西側諸国は、以前から旧ソ連・ロシアの情報宣伝戦に対峙し、2022年以降は親ロシア報道機関のコンテンツ配信停止等でも連携しているが、自国内から発信されたネット上の虚偽情報対策に関してはアプローチが異なる。米国ではプラットフォーム事業者の自主規制に任されてきたが、2016年以降、選挙への介入も含めた選挙セキュリティが政府の重要課題となった。テキサス、カリフォルニアの2州は選挙妨害目的のDeepfake動画利用を禁じた※304ものの、連邦政府レベルでは強い規制はまだなく、CISAが選挙セキュリティ対策として州政府への支援等を行っている。2022年3月、CISAは選挙虚偽情報対策の政府機関・関係事業者向けガイドラインを示した※305が、NISTの選挙関連の規格化は電子投票システム関係にとどまっている。外国政府が関与している選挙介入にはサイバー軍も出動する一方、国内発の情報の規制には連邦政府は慎重なスタンスであることがうかがわれる。

一方欧州は、政府の統制が前面に出ている。EUでは、欧州デジタル市場の安全な利用に関する統制の一環としてデジタルサービス法（DSA：Digital Services Act）※306を策定、プラットフォーム事業者（gatekeeper）に対して違法コンテンツ対応義務を明確化した（「2.2.3 (3) (d) データ利用とガバナンスに関する規格策定」参照）。EUはまた、2024年に完全施行予定のAIの安全な利用に関する規則案（「2.2.3 (3) (e) AI法の策定」参照）について、生成系AI利用システムに関する追加規定を審議し、2023年6月には生成系AIの生成物であることの表示や、学習等に用いたコンテンツの情報公開を義務化する規制を追加した修正案を採択した※307。

### (5) 日本国内の対応

以下では、日本国内の官民による虚偽情報拡散防止の対応状況についてまとめる。

- プラットフォームサービスに関する検討会

  総務省の同検討会は2018年10月、プラットフォーム事業者の利用者情報の適切な管理を検討する場として設置されたが、2020年以降は誹謗中傷、Deepfake等の虚偽画像・フェイクニュースの拡散に対して取るべき施策も議論され、2023年度も継続中である※308。国内の違法・有害情報流通の実態調査※309等の報告もなされ、事業者の監視・統制と通信の秘密・表現の自由との兼ね合い等が議論されている。事業者が申告した取り組み事例によれば、普及啓発・注意喚起がメインであり、ファクトチェックは目立っていない※310。また、配信規制のような厳しい統制には言及されていない。

  なお総務省の情報通信審議会情報通信政策部会が2023年5月2日に公表した「『2030年頃を見据えた情報通信政策の在り方』部会報告書（原案）」には、偽情報・誤情報対策が明記された※311。

- Disinformation対策フォーラム

  同フォーラムは、プラットフォームサービスに関する研究会の検討結果を受け、一般社団法人セーファーインターネット協会が設置した会議体で、ファクトチェック機能強化・虚偽情報リテラシーの強化を二本柱とする対策を検討、2022年3月に報告書を公開した※312。なお、議論開始の時期がウクライナ侵攻前であったため、報告書には侵攻関連の知見は含まれない。

- ファクトチェック機関の活動

  2017年6月、有志による特定非営利活動法人ファクトチェック・イニシアティブ（FIJ：FactCheck Initiative Japan）※313が発足し、2017年の総選挙ファクトチェックプロジェクト、国内SNS事業者との連携、支援システムの開発、海外ファクトチェック機関との連携等を推進する等、国内のファクトチェック活動を先導している。また2022年10月、日本ファクトチェックセンター※314が発足、動画・音声を含むSNS等のファクトチェック結果を公開している。ただし、こうした活動は海外（韓国、台湾を含む）に比べ十分でなく、資金面、人材面に課題があるとされる※315。日本ファクトチェックセンターは学生を採用し、ファクトチェック人材育成をスコープとしているが、AI利用によるチェック効率化等、課題は多いと思われる。

- 消費者庁の活動

ネット上のインフルエンサーが報酬をもらい、虚実を交えて行うステルスマーケティングは、その情報が広告勧誘目的であると認識しない利用者を欺くものとして問題視されてきたが、国内では規制が遅れていた。2022年9月、消費者庁はステルスマーケティングに関する検討会を開催し※316、同検討会はこれを規制すべきとの提言を取りまとめた※317。これらを踏まえて消費者庁は2023年3月28日に景品表示法の不当表示を改訂、同年10月から実施することとした。違反した広告依頼事業者には公表措置が、悪質な場合は懲役または罰金が科されることとなる※318。

- 生成系AIへの対応

2023年4月25日、政府は生成系AIについて「規制は避け、産業界の応用に向けた環境整備を行う」方針を示した※319。民間からは、ビジネスや業務の在り方、開発の在り方を変えるゲームチェンジャーとしての期待とともに、虚偽情報の拡散、情報漏えい、プライバシー侵害、知財権侵害等のリスクについて懸念の声が上がっている。知財権侵害については、日本の著作権法が機械学習によるコンテンツ解析を無条件に認めている点が懸念事項とされている※320。大学等からは生成系AIの研究・教育への利用に関し意見が公開されている※321。総じて「強い規制はせず、課題を明らかにしつつ正しく利用する方法を見出すべき」という意見が多い。ただし、虚偽情報・AI利用に関するリテラシー教育プログラムは国内ではまだ整備されていない。また、米国Biden政権の「AI権利章典」のような、人権・プライバシーに配慮した開発原則は、2023年4月時点で政府は公表していない（AI権利章典については「2.2.3 (3) (e) AI法の策定」参照）。

2023年4月30日、高崎市にて開催されたG7技術・デジタル大臣会合の閣僚宣言に「責任あるAIとAIガバナンスの推進」が明記され、生成系AIについてG7あるいはOECD（Organisation for Economic Cooperation and Development）等で議論の場を持つことが合意された※322。政府の統制を強めたいEUと、民間の自主規制にとどめたい米・日とのすり合わせが注目される。

- 国家安全保障戦略

2022年12月16日に公表された国家安全保障戦略※323において、日本を取り巻く環境では偽情報の拡散等を通じた情報戦等が恒常的に生起しているとし、偽情報等の拡散を含め認知領域における情報戦への対応能力を強化するため、外国による偽情報等に関する情報の集約・分析、対外発信の強化、政府外の機関との連携の強化等のための新たな体制を政府内に整備するとされた（「2.1.1 (6) 安全保障関連3文書の改訂」参照）。

## 3.4.6 まとめと今後の見通し

ここまで、虚偽情報拡散の脅威の現状と対策をみてきた。本項ではこれをまとめ、虚偽情報拡散対策の今後の見通しについて検討する。

### (1) 状況のまとめ

虚偽情報拡散は国家レベルの組織的・政治的なもの、陰謀論・差別・偏見等、社会に根強くあるナラティブの威を借りて虚偽のストーリーが作られるもの、災害・パンデミック・金融不安等の社会不安を契機とする突発的なもの、更にこれらの組み合わせや、これらによって経済的利益を得ようとするもの、等が確認できる。拡散を容易にしてしまうのが現在のITプラットフォームで、SNS・ターゲティング・レコメンデーション等による情報同質化（フィルターバブル）と増幅（エコーチェンバー現象）が懸念される。

ITサービス提供者の側では、過度のビジネス重視による不正コンテンツ放置が問題化し、ファクトチェック強化やEUによる規制強化が進んでいるが、生成系AI等による真偽不明なコンテンツの急増は新たな懸念となる。中心的な拡散力のある組織・個人の配信規制は沈静化に有効であるが、法的な裏付け等、慎重な運用が必要である。

ITサービス利用者の側では、真偽不明情報の拡散についての意識向上が求められる。アクセス数・広告収入増加等を目当てに虚偽と思われる情報を拡散した結果、一定の割合でそれを信じる人が現われたと報告されている※324。また国内においては、過剰な正義感あるいは使命感がナラティブとなって、他者の人権を否定、あるいは誹謗中傷する言説を拡散する傾向が見られる。こうした虚偽情報や拡散抑制に関するリテラシーについて、官民の教育プログラムは十分に整備されていない。

### (2) 今後の見通し

虚偽情報の拡散は、社会の分断や対立を求める力が働く限り、今後も継続すると思われる。検討されている対応策を整理すると、以下のようになる。

- ファクトチェック機能強化
  急増するコンテンツのチェック自動化等の技術支援が必要と思われる。また、「この話題は虚偽情報が確認されている」というリスク情報の開示も、利用者への注意喚起のために重要と思われる。
- 配信元の規制
  犯罪目的・武力行使正当化・差別等の情報拡散については火急の対応が必要である。一方で、憲法で保障されている表現の自由と配信規制の折り合いについては継続的な議論が必要と思われる。
- 利用者のリテラシー向上
  教育プログラムの拡充が必要である。例えば、以下の情報を周知することは意味があると考えられる。
  - 虚偽情報拡散の流れと、増幅する仕組みの問題点
  - ファクトチェックの重要性
  - 特定の情報ソースに依存しないことの重要性
  - あるナラティブに共感するか、関連する真偽不明情報を興味本位で利用すると、誰でも拡散に加担する可能性があることのリスク
  - 各人が持っている価値観での「正義感」による拡散は要注意であり、かえって悪意を増長する可能性があることのリスク
- 生成系 AI の利用ルール策定
  現在は人権への配慮が注目されているが、虚偽情報を激増させない生成・利用ルールの早期の策定も望まれる。生成系 AI はそのメリットも大きいため、一律規制ではない対応が重要である。
- ナラティブに基づく拡散対応
  あるナラティブ（A は B のせいだ、等）に共感してしまうと関連情報の事実性が重視されなくなることが確認されており、ファクトチェックが機能しないリスクがある。拡散されたナラティブに対する有効な対応は難しく、中長期的な課題と考えられる。
- アンダーグラウンド組織への対応
  IT プラットフォームのサイバーセキュリティ確保が重要な対策であることは言うまでもないが、拡散を支援するアンダーグラウンド組織が AI 技術を悪用した場合、この対処は非常に難しくなると予想される[※325]。AI 技術の悪用を防止し、当該組織の活動をいかに抑止するかが重要課題となる。

※1　NISC が重要インフラの運営を担う事業者と、そこで行われるセキュリティ対策を支援する所管省庁が参照すべき指針として公表している「重要インフラの情報セキュリティ対策に係る行動計画」では、「重要インフラ」として 14 分野が定義されている。
NISC：重要インフラグループ　https://www.nisc.go.jp/policy/group/infra/index.html〔2023/5/19 確認〕
※2　トレンドマイクロ株式会社：Whitepaper: The State of Industrial Cybersecurity　https://resources.trendmicro.com/Industrial-Cybersecurity-WP.html〔2023/5/19 確認〕
※3　Barracuda Networks, Inc.：The State of Industrial Security in 2022　https://assets.barracuda.com/assets/docs/dms/NetSec_Report_The_State_of_IIoT_final.pdf〔2023/5/19 確認〕
※4　「マルウェア」等の用語を混在して使用すると、読者を混乱させる可能性があるため、本白書では特に断りのない限り、または文献引用上の正確性を期す必要のない限り、総称して「ウイルス」と表現する。
※5　MENAFN：Thousands without internet after massive 'Cyber attack' in Europe　https://menafn.com/qn_news_story_s.aspx?storyid=1103810157&title=Thousands-without-internet-after-massive-Cyber-attack-in-Europe&source=30〔2023/5/19 確認〕
※6　Viasat, Inc.：KA-SAT Network cyber attack overview　https://www.viasat.com/about/newsroom/blog/ka-sat-network-cyber-attack-overview/〔2023/5/19 確認〕
※7　REUTERS：Satellite outage knocks out thousands of Enercon's wind turbines　https://www.reuters.com/business/energy/satellite-outage-knocks-out-control-enercon-wind-turbines-2022-02-28/〔2023/5/19 確認〕
※8　EASA：EASA publishes SIB to warn of intermittent GNSS outages near Ukraine conflict areas　https://www.easa.europa.eu/newsroom-and-events/news/easa-publishes-sib-warn-intermittent-gnss-outages-near-ukraine-conflict〔2023/5/19 確認〕
※9　FLYING：Pilots In Eastern Finland Warned Of GPS Interference Near Russian Border　https://www.flyingmag.com/pilots-in-eastern-finland-warned-of-gps-interference-near-russian-border/〔2023/5/19 確認〕
※10 CyberScoop：Iranian steel facilities suffer apparent cyberattacks　https://cyberscoop.com/iran-cyberattack-israel-hacktivist-steel-ics/〔2023/5/19 確認〕
Cyber Law Toolkit：Predatory Sparrow operation against Iranian steel maker (2022)　https://cyberlaw.ccdcoe.org/wiki/Predatory_Sparrow_operation_against_Iranian_steel_maker_(2022)〔2023/5/19 確認〕
※11 Bleeping Computer：Hackers attack UK water supplier but extort wrong company　https://www.bleepingcomputer.com/news/security/hackers-attack-uk-water-supplier-but-extort-wrong-company/〔2023/5/19 確認〕
SCADAfence：Understanding The South Staffordshire Water Cyber Attack　https://blog.scadafence.com/south-staffs-water-attack〔2023/5/19 確認〕
Forescout Technologies, Inc.：Analysis of Clop's Attack on South Staffordshire Water – UK　https://www.forescout.com/blog/analysis-of-clops-attack-on-south-staffordshire-water-uk/〔2023/5/19 確認〕
※12 Security Affairs：Pro-Palestinian group GhostSec hacked Berghof PLCs in Israel　https://securityaffairs.co/wordpress/135656/hacktivism/ghostsec-hacked-berghof-plcs-israel.html〔2023/5/19 確認〕
OTORIO Ltd.：Pro-Palestinian Hacking Group Compromises Berghof PLCs in Israel　https://www.otorio.com/blog/pro-palestinian-hacking-group-compromises-berghof-plcs-in-israel/〔2023/5/19 確認〕
※13 Security Affairs：US agricultural machinery manufacturer AGCO suffered a ransomware attack　https://securityaffairs.co/wordpress/131058/cyber-crime/agco-suffered-ransomware-attack.html〔2023/5/19 確認〕
※14 Bleeping Computer：SpiceJet airline passengers stranded after ransomware attack　https://www.bleepingcomputer.com/news/security/spicejet-airline-passengers-stranded-after-ransomware-attack/〔2023/5/19 確認〕
※15 Bleeping Computer：Foxconn confirms ransomware attack disrupted production in Mexico　https://www.bleepingcomputer.com/news/security/foxconn-confirms-ransomware-attack-disrupted-production-in-mexico/〔2023/5/19 確認〕
※16 Help Net Security：Automotive hose manufacturer hit by ransomware, shuts down production control system　https://www.helpnetsecurity.com/2022/06/23/nichirin-ransomware/〔2023/5/19 確認〕
株式会社ニチリン：当社米国子会社への不正アクセス発生について　https://www.nichirin.co.jp/news/20220622.pdf〔2023/5/19 確認〕
※17 Bleeping Computer：Ransomware attack halts circulation of some German newspapers　https://www.bleepingcomputer.com/news/security/ransomware-attack-halts-circulation-of-some-german-newspapers/〔2023/5/19 確認〕
※18 Cybernews：Cyberattack paralyzed Danish Railways for hours　https://cybernews.com/news/cyberattack-paralyzed-danish-railways/〔2023/5/19 確認〕
※19 The Record：Australian fire service operating 85 stations shuts down network after cyberattack　https://therecord.media/australian-fire-service-operating-85-stations-shuts-down-network-after-cyberattack/〔2023/5/19 確認〕
※20 Security Affairs：Canadian Copper Mountain Mining Corporation (CMMC) shut down the mill after a ransomware attack　https://securityaffairs.com/140282/cyber-crime/canadian-cmmc-ransomware-attack.html〔2023/5/19 確認〕
Industrial Cyber：Copper Mountain Mining resumes operational production, following ransomware attack　https://industrialcyber.co/critical-infrastructure/copper-mountain-mining-resumes-operational-production-following-ransomware-attack/〔2023/5/19 確認〕
※21 The Register：Finnish govt websites knocked down as Ukraine President addresses MPs　https://www.theregister.com/2022/04/09/dos_attacks_finland_russia/〔2023/5/19 確認〕
※22 BankInfoSecurity：Palermo Municipality Cyberattack Still Affecting Citizens　https://www.bankinfosecurity.com/palermo-municipality-cyberattack-still-affecting-citizens-a-19226〔2023/5/19 確認〕
IT Pro：Palermo ransomware attack: Vice Society claims responsibility as city details recovery strategy　https://www.itpro.co.uk/security/ransomware/368266/vice-society-ransomware-palermo-details-recovery-strategy〔2023/5/19 確認〕
※23 Bleeping Computer：Russian hacktivists take down Norway govt sites in DDoS attacks　https://www.bleepingcomputer.com/news/security/russian-hacktivists-take-down-norway-govt-sites-in-ddos-attacks/〔2023/5/19 確認〕
※24 GovInfoSecurity：Cyberattack Affects Albanian Government E-Services: Report　https://www.govinfosecurity.com/cyberattack-affects-albanian-government-e-services-report-a-19582〔2023/5/19 確認〕
※25 Security Affairs：Unprecedented cyber attack hit State Infrastructure of Montenegro　https://securityaffairs.co/wordpress/134900/cyber-warfare-2/montenegro-cyber-attack.html〔2023/5/19 確認〕
U.S. Embassy in Montenegro：Security Alert - Montenegro　https://me.usembassy.gov/security-alert-montenegro-august-26-2022/〔2023/5/19 確認〕
※26 Infosecurity Magazine：DDoS Attacks Pepper Taiwanese Government Sites　https://www.infosecurity-magazine.com/news/ddos-attacks-pepper-taiwanese/〔2023/5/19 確認〕
※27 Bleeping Computer：New ransomware hits Windows, Linux servers of Chile govt agency　https://www.bleepingcomputer.com/news/security/new-ransomware-hits-windows-linux-servers-of-chile-govt-agency/〔2023/5/19 確認〕
※28 SC Media：Government of Vanuatu offline since early November in suspected ransomware attack　https://www.scmagazine.com/news/ransomware/the-government-of-vanuatu-offline-since-early-november-in-suspected-ransomware-attack〔2023/5/19 確認〕
※29 The Record：Multiple government departments in New Zealand affected by ransomware attack on IT provider　https://therecord.media/multiple-government-departments-in-new-zealand-affected-by-ransomware-attack-on-it-provider/〔2023/5/19 確認〕
Te Whatu Ora：Cyber incident　https://www.tewhatuora.govt.nz/whats-happening/cyber-incident/〔2023/5/19 確認〕
※30 Bleeping Computer：Antwerp's city services down after hackers attack digital partner　https://www.bleepingcomputer.com/news/security/antwerps-city-services-down-after-hackers-attack-digital-partner/〔2023/5/19 確認〕
※31 The Record：French hospital complex suspends operations, transfers patients after ransomware attack　https://therecord.media/french-hospital-complex-suspends-operations-transfers-critical-patients-after-ransomware-attack/〔2023/5/19 確認〕

※ 32 HIT Consultant：Report: How Cyberattacks Hurts Patient Care and Mortality Rates　https://hitconsultant.net/2022/09/13/cyberattacks-hurts-patient-care-and-mortality-rates/〔2023/5/19 確認〕
Proofpoint, Inc.：Cyber Insecurity in Healthcare: The Cost and Impact on Patient Safety and Care　https://www.proofpoint.com/us/cyber-insecurity-in-healthcare〔2023/5/19 確認〕
※ 33 厚生労働省：医療情報システムの安全管理に関するガイドライン第 5.2 版（令和 4 年 3 月）https://www.mhlw.go.jp/stf/shingi/0000516275_00002.html〔2023/5/23 確認〕
※ 34 厚生労働省：医療機関等におけるサイバーセキュリティ対策の強化について（注意喚起）　https://www.mhlw.go.jp/content/10808000/001011666.pdf〔2023/5/19 確認〕
※ 35 https://www.honeywellforge.ai/us/en/campaigns/industrial-cybersecurity-threat-report-2022〔2023/5/19 確認〕
※ 36 https://www.nozominetworks.com/downloads/US/SANS-Survey-2022-OT-ICS-Cybersecurity-Nozomi-Networks.pdf〔2023/5/19 確認〕
※ 37 https://mysecuritymarketplace.com/mp-files/ot-iot-security-report-2022-2h-review.pdf/〔2023/5/19 確認〕
※ 38 ICS-CERT の Web サイトで暦年（1/1 ～ 12/31）ごとに公開された ICSA Advisories の件数をカウントした。ただし、ICSMA（医療機器の脆弱性）は除く。カウントは公表日ベースとした（公表日が 2022 年なら、採番年度が 2021（ICSA-2021-xxx-x）でも 2022 年でカウント）。
CISA：Cybersecurity Alerts & Advisories　https://www.cisa.gov/news-events/cybersecurity-advisories〔2023/5/19 確認〕
※ 39 SecurityWeek：Medical, IoT Devices From Many Manufacturers Affected by 'Access:7' Vulnerabilities　https://www.securityweek.com/medical-iot-devices-many-manufacturers-affected-access7-vulnerabilities〔2023/5/19 確認〕
Forescout Technologies, Inc.：Access:7　https://www.forescout.com/research-labs/access7/〔2023/5/19 確認〕
PTC 社：Security vulnerabilities identified in the Axeda agent and Axeda Desktop Server　https://www.ptc.com/en/support/article/CS363561〔2023/5/19 確認〕
CISA：PTC Axeda agent and Axeda Desktop Server (Update C)　https://www.cisa.gov/uscert/ics/advisories/icsa-22-067-01〔2023/5/19 確認〕
※ 40 The Register：CISA and friends raise alarm on critical flaws in industrial equipment, infrastructure　https://www.theregister.com/2022/06/21/56_vulnerabilities_critical_industrial/〔2023/5/19 確認〕
Forescout Technologies, Inc.：OT:ICEFALL　https://www.forescout.com/resources/ot-icefall-report/〔2023/5/19 確認〕
※ 41 Industrial Cyber：Evil PLC Attack weaponizes PLCs to exploit engineering workstations, breach OT and enterprise networks　https://industrialcyber.co/vulnerabilities/evil-plc-attack-weaponizes-plcs-to-exploit-engineering-workstations-breach-ot-and-enterprise-networks/〔2023/5/19 確認〕
Claroty Ltd.：Evil PLC Attack: Using a Controller as Predator Rather than Prey　https://claroty.com/team82/blog/evil-plc-attack-using-a-controller-as-predator-rather-than-prey/〔2023/5/19 確認〕
※ 42 Dragos 社：Dragos ICS/OT Cybersecurity Year in Review 2022　https://hub.dragos.com/hubfs/312-Year-in-Review/2022/Dragos_Year-In-Review-Report-2022.pdf?hsLang=en〔2023/5/19 確認〕
※ 43 IPA：制御システム関連のサイバーインシデント事例 2 ～ 2016 年ウクライナ マルウェアによる停電　https://www.ipa.go.jp/security/controlsystem/ug65p900000197wa-att/000076756.pdf〔2023/5/19 確認〕
※ 44 ESET, spol. s r.o.：ウクライナに大規模停電をもたらした「Industroyer」マルウェアの新バージョン「Industroyer2」確認　https://www.eset.com/jp/blog/welivesecurity/industroyer2-industroyer-reloaded/〔2023/5/19 確認〕
※ 45 CISA：APT Cyber Tools Targeting ICS/SCADA Devices　https://www.cisa.gov/uscert/ncas/alerts/aa22-103a〔2023/5/19 確認〕
※ 46 Dragos 社：PIPEDREAM: CHERNOVITE's Emerging Malware Targeting Industrial Control Systems　https://hub.dragos.com/whitepaper/chernovite-pipedream〔2023/5/19 確認〕
Dragos 社：Analyzing PIPEDREAM: Results from Runtime Testing　https://www.dragos.com/blog/analyzing-pipedream-results-from-runtime-testing/〔2023/5/19 確認〕
※ 47 Mandiant, Inc.：INCONTROLLER: New State-Sponsored Cyber Attack Tools Target Multiple Industrial Control Systems　https://www.mandiant.com/resources/blog/incontroller-state-sponsored-ics-tool〔2023/5/19 確認〕
※ 48 https://www.cisa.gov/circia〔2023/5/19 確認〕
※ 49 The White House：National Security Memorandum on Improving Cybersecurity for Critical Infrastructure Control Systems　https://www.whitehouse.gov/briefing-room/statements-releases/2021/07/28/national-security-memorandum-on-improving-cybersecurity-for-critical-infrastructure-control-systems/〔2023/5/19 確認〕
※ 50 CISA：Cross-Sector Cybersecurity Performance Goals　https://www.cisa.gov/cross-sector-cybersecurity-performance-goals〔2023/5/19 確認〕
※ 51 The White House：Fact Sheet: Biden-Harris Administration Expands Public-Private Cybersecurity Partnership to Water Sector　https://www.whitehouse.gov/briefing-room/statements-releases/2022/01/27/fact-sheet-biden-harris-administration-expands-public-private-cybersecurity-partnership-to-water-sector/〔2023/5/19 確認〕
※ 52 Axios：Exclusive: Biden admin launching new chemical sector cyber strategy　https://www.axios.com/2022/10/26/biden-admin-chemical-sector-cyber-strategy〔2023/5/19 確認〕
The White House：FACT SHEET: Biden-Harris Administration Expands Public-Private Cybersecurity Partnership to Chemical Sector https://www.whitehouse.gov/briefing-room/statements-releases/2022/10/26/fact-sheet-biden-harris-administration-expands-public-private-cybersecurity-partnership-to-chemical-sector/〔2023/5/19 確認〕
※ 53 NIST：SP 1800-10 -Protecting Information and System Integrity in Industrial Control System Environments: Cybersecurity for the Manufacturing Sector　https://csrc.nist.gov/publications/detail/sp/1800-10/final〔2023/5/19 確認〕
※ 54 SecurityWeek：NIST Releases ICS Cybersecurity Guidance for Manufacturers　https://www.securityweek.com/nist-releases-ics-cybersecurity-guidance-manufacturers〔2023/5/19 確認〕
※ 55 Industrial Cyber：NCCoE rolls out cybersecurity profile for hybrid satellite networks　https://industrialcyber.co/critical-infrastructure/nccoe-rolls-out-cybersecurity-profile-for-hybrid-satellite-networks/〔2023/5/19 確認〕
NIST：Now Available! Final Annotated Outline: Cybersecurity Framework Profile for Hybrid Satellite Networks　https://www.nccoe.nist.gov/news-insights/now-available-final-annotated-outline-cybersecurity-framework-profile-hybrid〔2023/5/19 確認〕
※ 56 DOE：National Cyber-Informed Engineering Strategy　https://www.energy.gov/sites/default/files/2022-06/FINAL%20DOE%20National%20CIE%20Strategy%20-%20June%202022_0.pdf〔2023/5/19 確認〕
※ 57 Industrial Cyber：New TSA security directive for railroad carriers focuses on performance-based measures　https://industrialcyber.co/transport/new-tsa-security-directive-for-railroad-carriers-focuses-on-performance-based-measures/〔2023/5/19 確認〕
TSA：Security Directive 1580-21-01A - Enhancing Rail Cybersecurity　https://www.tsa.gov/sites/default/files/sd-1580-21-01a.pdf〔2023/5/19 確認〕
※ 58 JD Supra：European Parliament Adopts "NIS2" Cybersecurity Directive　https://www.jdsupra.com/legalnews/european-parliament-adopts-nis2-2527500/〔2023/5/19 確認〕
欧州議会：Cybersecurity: Parliament adopts new law to strengthen EU-wide resilience　https://www.europarl.europa.eu/news/en/press-room/20221107IPR49608/cybersecurity-parliament-adopts-new-law-to-strengthen-eu-wide-resilience〔2023/5/19 確認〕
※ 59 TechCrunch：UK mobile and broadband carriers face fines of $117K/day, or 10% of sales, if they fail to follow new cybersecurity rules　https://techcrunch.com/2022/08/30/uk-mobile-and-broadband-carriers-face-fines-of-117k-day-or-10-of-sales-if-they-fail-to-follow-new-cybersecurity-rules/〔2023/5/19 確認〕
Legislation.gov.uk：Telecommunications (Security) Act 2021　https://www.legislation.gov.uk/ukpga/2021/31/enacted〔2023/5/19 確認〕
GOV.UK：Proposals for new telecoms security regulations and code of practice - government response to public consultation　https://www.gov.uk/government/consultations/proposal-for-new-telecoms-security-regulations-and-code-of-practice/outcome/proposals-for-new-telecoms-security-regulations-and-code-of-

practice-government-response-to-public-consultation〔2023/5/19 確認〕
※ 60 Industrial Cyber：Australia passes SLACIP Act to build security, resilience of nation's critical infrastructure sector https://industrialcyber.co/threats-attacks/australia-passes-slacip-act-to-build-security-resilience-of-nations-critical-infrastructure-sector/〔2023/5/19 確認〕
Department of Home Affairs：Security Legislation Amendment (Critical Infrastructure Protection) Act 2022 https://www.homeaffairs.gov.au/reports-and-publications/submissions-and-discussion-papers/slacip-bill-2022〔2023/5/19 確認〕
※ 61 https://www.nisc.go.jp/pdf/policy/kihon-s/cs2022.pdf〔2023/5/19 確認〕
※ 62 https://www.nisc.go.jp/pdf/policy/infra/infra_rt4.pdf〔2023/5/19 確認〕
※ 63 https://www.nisc.go.jp/pdf/policy/infra/cip_policy_2022.pdf〔2023/5/19 確認〕
※ 64 経済産業省：工場システムにおけるサイバー・フィジカル・セキュリティ対策ガイドライン https://www.meti.go.jp/policy/netsecurity/wg1/factorysystems_guideline.html〔2023/5/19 確認〕
※ 65 経済産業省：「インド太平洋地域向け日米 EU 産業制御システムサイバーセキュリティウィーク」を実施しました https://www.meti.go.jp/press/2022/10/20221031001/20221031001.html〔2023/5/19確認〕
※ 66 内閣府：経済施策を一体的に講ずることによる安全保障の確保の推進に関する法律（経済安全保障推進法）（令和4年法律第 43 号）https://www.cao.go.jp/keizai_anzen_hosho/index.html〔2023/5/19 確認〕
経済産業省：経済安全保障推進法 https://www.meti.go.jp/policy/economy/economic_security/index.html〔2023/5/19 確認〕
※ 67 IPA：「制御システムのセキュリティリスク分析ガイド 第 2 版 https://www.ipa.go.jp/security/controlsystem/riskanalysis.html〔2023/5/19 確認〕
※ 68 IPA：「スマート工場のセキュリティリスク分析調査」調査報告書 https://www.ipa.go.jp/security/reports/vuln/controlsystem-smartplant.html〔2023/5/19 確認〕
※ 69 IPA：「産業用制御システム向け侵入検知製品の実装技術の調査」調査報告書 https://www.ipa.go.jp/security/controlsystem/icsidsreport.html〔2023/5/19 確認〕
※ 70 Qihoo 360 Technology Co., Ltd.：Some details of the DDoS attacks targeting Ukraine and Russia in recent days https://blog.netlab.360.com/some_details_of_the_ddos_attacks_targeting_ukraine_and_russia_in_recent_days/〔2023/5/19 確認〕
※ 71 NICT：NICTER 観測統計 - 2022 年 4 月～6 月 https://blog.nicter.jp/2022/08/nicter_statistics_2022_2q/〔2023/5/19 確認〕
※ 72 NIST：National Vulnerability Database（NVD） https://nvd.nist.gov/〔2023/5/19 確認〕
※ 73 IPA：JVN iPedia 脆弱性対策情報データベース https://jvndb.jvn.jp/〔2023/5/19 確認〕
※ 74 OffSec Services Limited：Exploit Database https://www.exploit-db.com/〔2023/5/19 確認〕
※ 75 QNAP 社：Take Immediate Actions to Secure QNAP NAS https://www.qnap.com/en/security-news/2022/take-immediate-actions-to-secure-qnap-nas〔2023/5/19 確認〕
※ 76 QNAP 社：Take Immediate Actions to Stop Your NAS from Exposing to the Internet, and Update QTS to the latest available version. Fight Against Ransomware Together https://www.qnap.com/en/security-news/2022/take-immediate-actions-to-stop-your-nas-from-exposing-to-the-internet-and-update-qts-to-the-latest-available-version-fight-against-ransomware-together〔2023/5/19 確認〕
※ 77 QNAP 社：QNAP Extends Security Updates for EOL Products https://www.qnap.com/en/news/2022/qnap-extends-security-updates-for-eol-products〔2023/5/19 確認〕
※ 78 CM4all GmbH：The Dirty Pipe Vulnerability https://dirtypipe.cm4all.com/〔2023/5/19 確認〕
※ 79 QNAP 社：Local Privilege Escalation Vulnerability in Linux (Dirty Pipe) https://www.qnap.com/ja-jp/security-advisory/qsa-22-05〔2023/5/19 確認〕
※ 80 QNAP 社：Infinite Loop Vulnerability in OpenSSL https://www.qnap.com/en-in/security-advisory/qsa-22-06〔2023/5/19 確認〕
※ 81 QNAP 社：Multiple Vulnerabilities in Apache HTTP Server https://www.qnap.com/en-in/security-advisory/qsa-22-11〔2023/5/19 確認〕
※ 82 QNAP 社：Multiple Vulnerabilities in Netatalk https://www.qnap.com/en-in/security-advisory/qsa-22-12〔2023/5/19 確認〕
※ 83 QNAP 社：DeadBolt Ransomware https://www.qnap.com/en-in/security-advisory/qsa-22-19〔2023/5/19 確認〕
※ 84 Bleeping Computer：QNAP NAS devices targeted by surge of eCh0raix ransomware attacks https://www.bleepingcomputer.com/news/security/qnap-nas-devices-targeted-by-surge-of-ech0raix-ransomware-attacks/〔2023/5/19 確認〕
※ 85 QNAP 社：PHP Vulnerability https://www.qnap.com/en-in/security-advisory/qsa-22-20〔2023/5/19 確認〕
※ 86 QNAP 社：Checkmate Ransomware via SMB Services Exposed to the Internet https://www.qnap.com/en-in/security-advisory/qsa-22-21〔2023/5/19 確認〕
※ 87 QNAP 社：DeadBolt Ransomware https://www.qnap.com/en/security-advisory/qsa-22-24〔2023/5/19 確認〕
※ 88 Group-IB Global Private Limited：DeadBolt ransomware: nothing but NASty https://www.group-ib.com/blog/deadbolt-ransomware-decryption〔2023/5/19 確認〕
※ 89 The Hacker News：Warning - Deadbolt Ransomware Targeting ASUSTOR NAS Devices https://thehackernews.com/2022/02/warning-deadbolt-ransomware-targeting.html〔2023/5/19 確認〕
※ 90 ASUSTOR 社：ADM リリースノート ADM 4.0.6.REG2 (2023-02-20) https://www.asustor.com/service/release_notes#adm4〔2023/5/19 確認〕
※ 91 Octagon Networks, Inc.：CVE-2022-24990: TerraMaster TOS unauthenticated remote command execution via PHP Object Instantiation https://octagon.net/blog/2022/03/07/cve-2022-24990-terrmaster-tos-unauthenticated-remote-command-execution-via-php-object-instantiation/〔2023/5/19 確認〕
※ 92 TerraMaster 社：TOS 4.2.30 is released for update! https://forum.terra-master.com/en/viewtopic.php?f=28&t=3030〔2023/5/19 確認〕
※ 93 Western Digital 社：My Cloud OS 5 Firmware 5.21.104 https://www.westerndigital.com/support/product-security/wdc-22006-my-cloud-os5-firmware-5-21-104〔2023/5/19 確認〕
※ 94 Synology 社：Synology-SA-22:06 Netatalk https://www.synology.com/en-us/security/advisory/Synology_SA_22_06〔2023/5/19 確認〕
※ 95 株式会社バッファロー：【更新】NAS 商品における AFP の脆弱性とその対処方法 https://www.buffalo.jp/news/detail/20230410-01.html〔2023/5/19 確認〕
※ 96 Zyxel 社：Zyxel security advisory for format string vulnerability in NAS https://www.zyxel.com/global/en/support/security-advisories/zyxel-security-advisory-for-format-string-vulnerability-in-nas〔2023/5/19 確認〕
※ 97 株式会社インターネットイニシアティブ：wizSafe Security Signal 2022 年 1 月 観測レポート https://wizsafe.iij.ad.jp/2022/02/1348/〔2023/5/19 確認〕
※ 98 Palo Alto Networks, Inc.：Mirai Variant MooBot Targeting D-Link Devices https://unit42.paloaltonetworks.com/moobot-d-link-devices/〔2023/5/19 確認〕
パロアルトネットワークス株式会社：D-Link の機器を狙う Mirai 亜種 MooBot https://unit42.paloaltonetworks.jp/moobot-d-link-devices/〔2023/5/19 確認〕
※ 99 C&C サーバー：Command and Control サーバーの略。ウイルス等により乗っ取ったコンピューター等に対し、遠隔から命令を送り制御するサーバー。
※ 100 Microsoft Corporation：Uncovering Trickbot's use of IoT devices in command-and-control infrastructure https://www.microsoft.com/en-us/security/blog/2022/03/16/uncovering-trickbots-use-of-iot-devices-in-command-and-control-infrastructure/〔2023/5/19 確認〕
※ 101 Microsoft Corporation：microsoft / routeros-scanner https://github.com/microsoft/routeros-scanner〔2023/5/19 確認〕
※ 102 Trend Micro Incorporated：Cyclops Blink Sets Sights on Asus Routers https://www.trendmicro.com/en_us/research/22/c/cyclops-blink-sets-sights-on-asus-routers--.html〔2023/5/19 確認〕
※ 103 ASUS 社：ASUS Product Security Advisory https://www.asus.com/content/asus-product-security-advisory/〔2023/5/19 確認〕
※ 104 Musarubra US LLC：Unauthenticated Remote Code Execution in a Wide Range of DrayTek Vigor Routers https://www.trellix.com/en-us/about/newsroom/stories/research/rce-in-dratyek-routers.html〔2023/5/19 確認〕
Musarubra Japan 株式会社：複数の DrayTek 製 Vigor ルーターに認証なしのリモートコード実行が可能な脆弱性 https://blogs.trellix.jp/rce-

in-dratyek-routers〔2023/5/19 確認〕
※ 105 DrayTek 社：Security Advisory: DrayTek Router unauthenticated remote code execution vulnerability (CVE-2022-32548) https://www.draytek.co.uk/support/security-advisories/kb-advisory-aug2022-cve-2022-32548〔2023/5/19 確認〕
※ 106 ONEKEY GmbH：Security Advisory: NETGEAR Routers FunJSQ Vulnerabilities https://onekey.com/blog/security-advisory-netgear-routers-funjsq-vulnerabilities/〔2023/5/19 確認〕
※ 107 NETGEAR 社：Security Advisory for Vulnerabilities in FunJSQ on Some Routers and Orbi WiFi Systems, PSV-2022-0117 https://kb.netgear.com/000065132/Security-Advisory-for-Vulnerabilities-in-FunJSQ-on-Some-Routers-and-Orbi-WiFi-Systems-PSV-2022-0117〔2023/5/19 確認〕
※ 108 Tenable, Inc.：NETGEAR Nighthawk WiFi6 Router Network Misconfiguration https://www.tenable.com/security/research/tra-2022-36〔2023/5/19 確認〕
※ 109 NETGEAR 社：RAX30 Firmware Version 1.0.9.90 - Hot Fix https://kb.netgear.com/000065411/RAX30-Firmware-Version-1-0-9-90-Hot-Fix〔2023/5/19 確認〕
※ 110 Lumen Technologies, Inc.：ZuoRAT Hijacks SOHO Routers To Silently Stalk Networks https://blog.lumen.com/zuorat-hijacks-soho-routers-to-silently-stalk-networks/〔2023/5/19 確認〕
※ 111 QNAP 社：Vulnerability in QVR https://www.qnap.com/en/security-advisory/qsa-22-07〔2023/5/19 確認〕
※ 112 HackingIntoYourHeart / Unoriginal-Rice-Patty https://github.com/HackingIntoYourHeart/Unoriginal-Rice-Patty〔2023/5/19 確認〕
nonamecoder/CVE-2022-27254：https://github.com/nonamecoder/CVE-2022-27254〔2023/5/19 確認〕
※ 113 Rolling Pwn Attack https://rollingpwn.github.io/rolling-pwn/〔2023/5/19 確認〕
※ 114 トヨタ自動車：お客様のメールアドレス等の漏洩可能性に関するお詫びとお知らせについて https://global.toyota/jp/newsroom/corporate/38095972.html〔2023/5/19 確認〕
※ 115 BitSight Technologies, Inc.：BitSight Discovers Critical Vulnerabilities in Widely Used Vehicle GPS Tracker https://www.bitsight.com/blog/bitsight-discovers-critical-vulnerabilities-widely-used-vehicle-gps-tracker〔2023/5/19 確認〕
※ 116 CISA：MiCODUS MV720 GPS tracker (Update A) https://www.cisa.gov/news-events/ics-advisories/icsa-22-200-01〔2023/5/19 確認〕
※ 117 Palo Alto Networks, Inc.：Know Your Infusion Pump Vulnerabilities and Secure Your Healthcare Organization https://unit42.paloaltonetworks.com/infusion-pump-vulnerabilities/〔2023/5/19 確認〕
パロアルトネットワークス株式会社：[2022-03-04 14:30 PST の内容を反映 ] 医療機関にセキュリティを：調査対象輸液ポンプの 75% に脆弱性かアラート https://unit42.paloaltonetworks.jp/infusion-pump-vulnerabilities/〔2023/5/19 確認〕
※ 118 Armis Security Ltd.：TLStorm 2.0 https://www.armis.com/research/tlstorm/〔2023/5/19 確認〕
※ 119 modzero AG：Meeting Owl – Security Disclosure Report https://www.modzero.com/static/meetingowl/Meeting_Owl_Pro_Security_Disclosure_Report_RELEASE.pdf〔2023/5/19 確認〕
※ 120 Owl Labs：Meeting Owl Pro Software Release Notes https://support.owllabs.com/s/knowledge/Meeting-Owl-Pro-Software-Release-Notes〔2023/5/19 確認〕
Owl Labs：Whiteboard Owl Software Release Notes https://support.owllabs.com/s/knowledge/Whiteboard-Owl-Software-Release-Notes〔2023/5/19 確認〕
※ 121 Nozomi Networks Inc.：Nozomi Networks Researchers Reveal Zero-Day RTLS Vulnerabilities at Black Hat 22 https://www.nozominetworks.com/blog/nozomi-networks-researchers-reveal-zero-day-rtls-vulnerabilities-at-black-hat-22/〔2023/5/19 確認〕
Nozomi Networks Inc.：UWB Real Time Locating Systems: How Secure Radio Communications May Fail in Practice https://www.nozominetworks.com/downloads/US/Nozomi-Networks-WP-UWB-Real-Time-Locating-Systems.pdf〔2023/5/19 確認〕
※ 122 NeroTeam Security Labs S.A.S.：[CVE-2022-36158 / CVE-2022-36159] Contec FLEXLAN FXA2000 and FXA3000 series vulnerability report. https://neroteam.com/blog/contec-flexlan-fxa2000-and-fxa3000-series-vulnerability-repo〔2023/5/19 確認〕
※ 123 コンテック社：FLEXLAN FX3000 および FX2000 シリーズの脆弱性と対策について https://www.contec.com/-/media/Contec/jp/support/security-info/contec_security_flexlan_ja_220901.pdf〔2023/5/19 確認〕
※ 124 Cisco 社：Cisco IP Phone 7800 and 8800 Series Cisco Discovery Protocol Stack Overflow Vulnerability https://sec.cloudapps.cisco.com/security/center/content/CiscoSecurityAdvisory/cisco-sa-ipp-oobwrite-8cMF5r7U〔2023/5/19 確認〕
※ 125 Matt's internet home：Turning Google smart speakers into wiretaps for $100k https://downrightnifty.me/blog/2022/12/26/hacking-google-home.html〔2023/5/19 確認〕
※ 126 Qihoo 360 Technology Co., Ltd.：What Our Honeypot Sees Just One Day After The Spring4Shell Advisory https://blog.netlab.360.com/what-our-honeypot-sees-just-one-day-after-the-spring4shell-advisory-en/〔2023/5/19 確認〕
※ 127 Fortinet, Inc.：So RapperBot, What Ya Bruting For? https://www.fortinet.com/blog/threat-research/rapperbot-malware-discovery〔2023/5/19 確認〕
フォーティネットジャパン合同会社：RapperBot の脅威とは https://www.fortinet.com/jp/blog/threat-research/rapperbot-malware-discovery〔2023/5/19 確認〕
※ 128 Securonix, Inc.：Detecting EnemyBot – Securonix Initial Coverage Advisory https://www.securonix.com/blog/detecting-the-enemybot-botnet-advisory/〔2023/5/19 確認〕
※ 129 Fortinet, Inc.：Enemybot: A Look into Keksec's Latest DDoS Botnet https://www.fortinet.com/blog/threat-research/enemybot-a-look-into-keksecs-latest-ddos-botnet〔2023/5/19 確認〕
フォーティネットジャパン合同会社：Enemybot：Keksec による最新の DDoS ボットネットの外観 https://www.fortinet.com/jp/blog/threat-research/enemybot-a-look-into-keksecs-latest-ddos-botnet〔2023/5/19 確認〕
※ 130 AT&T Inc.：Rapidly evolving IoT malware EnemyBot now targeting Content Management System servers and Android devices https://cybersecurity.att.com/blogs/labs-research/rapidly-evolving-iot-malware-enemybot-now-targeting-content-management-system-servers〔2023/5/19 確認〕
※ 131 RCE：Remote Code Execution の略。リモートコード実行の脆弱性を表す。
※ 132 Apache Log4j の脆弱性の詳細に関しては、「情報セキュリティ白書 2022」の「3.1.2（1）（a）Log4Shell」（p.168）を参照。
※ 133 Qihoo 360 Technology Co., Ltd.：New Threat: B1txor20, A Linux Backdoor Using DNS Tunnel https://blog.netlab.360.com/b1txor20-use-of-dns-tunneling_en/〔2023/5/19 確認〕
※ 134 Qihoo 360 Technology Co., Ltd.：Fodcha, a new DDos botnet https://blog.netlab.360.com/fodcha-a-new-ddos-botnet/〔2023/5/19 確認〕
※ 135 「情報セキュリティ白書 2021」の「3.2.1（4）LILIN 社製 DVR のゼロデイ脆弱性を狙う攻撃」（p.199）を参照。
※ 136 Qihoo 360 Technology Co., Ltd.：Fodcha Is Coming Back, Raising A Wave of Ransom DDoS https://blog.netlab.360.com/fodcha-is-coming-back-with-rddos/〔2023/5/19 確認〕
※ 137 AT&T Inc.：Shikitega - New stealthy malware targeting Linux https://cybersecurity.att.com/blogs/labs-research/shikitega-new-stealthy-malware-targeting-linux〔2023/5/19 確認〕
※ 138 Mandiant, Inc.：Shikata Ga Nai Encoder Still Going Strong https://www.mandiant.com/resources/blog/shikata-ga-nai-encoder-still-going-strong〔2023/5/19 確認〕
※ 139 Lumen Technologies, Inc.：Chaos Is A Go-Based Swiss Army Knife Of Malware https://blog.lumen.com/chaos-is-a-go-based-swiss-army-knife-of-malware/〔2023/5/19 確認〕
※ 140 Rapid7 Inc.：CVE-2022-30525 (FIXED): Zyxel Firewall Unauthenticated Remote Command Injection https://www.rapid7.com/blog/post/2022/05/12/cve-2022-30525-fixed-zyxel-firewall-unauthenticated-remote-command-injection/〔2023/5/19 確認〕
※ 141 SentinelOne, Inc.：CVE-2021-45608 ¦ NetUSB RCE Flaw in Millions of End User Routers https://www.sentinelone.com/labs/cve-2021-45608-netusb-rce-flaw-in-millions-of-end-user-routers/〔2023/5/19 確認〕
※ 142 Forescout Technologies, Inc.：New Supply Chain Vulnerabilities Impact Medical and IoT Devices https://www.forescout.com/blog/access-7-vulnerabilities-impact-supply-chain-component-in-medical-and-iot-device-models/〔2023/5/19 確認〕
Forescout Technologies, Inc.：Access:7 - How Supply Chain Vulnerabilities Can Allow Unwelcomed Access to Your Medical and IoT Devices https://www.forescout.com/resources/access-

7-supply-chain-vulnerabilities-can-allow-unwelcomed-access-to-your-medical-and-iot-devices/〔2023/5/19 確認〕
※ 143 CISA:PTC Axeda agent and Axeda Desktop Server (Update C) https://www.cisa.gov/news-events/ics-advisories/icsa-22-067-01〔2023/5/19 確認〕
※ 144 PTC 社：Axeda Public Advisory https://www.ptc.com/en/documents/security/coordinated-vulnerability-disclosure/axeda-public-advisory〔2023/5/19 確認〕
PTC 社：CS363561- Security vulnerabilities identified in the Axeda agent and Axeda Desktop Server https://www.ptc.com/en/support/article/CS363561〔2023/5/19 確認〕
※ 145 Armis Security Ltd.：TLStorm 2 - NanoSSL TLS library misuse leads to vulnerabilities in common switches https://www.armis.com/blog/tlstorm-2-nanossl-tls-library-misuse-leads-to-vulnerabilities-in-common-switches〔2023/5/19 確認〕
Armis Security Ltd.：TLStorm 2.0 - A set of critical vulnerabilities for Aruba and Avaya switches that can break network segmentation https://www.armis.com/wp-content/uploads/2022/05/TLStorm2-WP.pdf〔2023/5/19 確認〕
※ 146 Erik Andersen：uClibc https://www.uclibc.org/〔2023/5/19 確認〕
※ 147 uClibc-ng - Embedded C library:https://www.uclibc-ng.org/〔2023/5/19 確認〕
※ 148 Nozomi Networks Inc.：Nozomi Networks Discovers Unpatched DNS Bug in Popular C Standard Library Putting IoT at Risk https://www.nozominetworks.com/blog/nozomi-networks-discovers-unpatched-dns-bug-in-popular-c-standard-library-putting-iot-at-risk/〔2023/5/19 確認〕
※ 149 Check Point Software Technologies Ltd.：VULNERABILITY WITHIN THE UNISOC BASEBAND OPENS MOBILE PHONES COMMUNICATIONS TO REMOTE HACKER ATTACKS https://research.checkpoint.com/2022/vulnerability-within-the-unisoc-baseband/〔2023/5/19 確認〕
※ 150 Realtek 社：Vulnerability Report - Realtek AP-Router SDK Advisory (CVE-2022-27255) https://www.realtek.com/images/safe-report/Realtek_APRouter_SDK_Advisory-CVE-2022-27255.pdf〔2023/5/19 確認〕
※ 151 PoC（Proof of Concept）：発見された脆弱性を実証するために公開されたプログラムコード。
※ 152 Faraday Security：New research findings from Faraday goes to DEF CON https://faradaysec.com/blog-new-research-from-faraday-goes-to-def-con/〔2023/5/19 確認〕
DEF CON ON YOUTUBE：DEF CON 30 - Octavio Gianatiempo, Octavio Galland - Hidden Attack Surface of OEM IoT devices https://www.youtube.com/watch?v=veicfLvqcOs〔2023/5/19 確認〕
※ 153 任天堂株式会社：「ニンテンドー Wi-Fi USB コネクタ」および「ニンテンドー Wi-Fi ネットワークアダプタ」使用中止のお願い https://www.nintendo.co.jp/support/information/2022/0720.html〔2023/5/19 確認〕
※ 154 Cisco 社：Cisco Small Business RV110W, RV130, RV130W, and RV215W Routers IPSec VPN Server Authentication Bypass Vulnerability https://sec.cloudapps.cisco.com/security/center/content/CiscoSecurityAdvisory/cisco-sa-sb-rv-vpnbypass-Cpheup9O〔2023/5/19 確認〕
※ 155 Cisco 社：End-of-Sale and End-of-Life Announcement for the Cisco Small Business RV Series Routers (selected models) https://www.cisco.com/c/en/us/products/collateral/routers/small-business-rv-series-routers/eos-eol-notice-c51-742771.pdf〔2023/5/19 確認〕
※ 156 Bleeping Computer：Cisco won't fix authentication bypass zero-day in EoL routers https://www.bleepingcomputer.com/news/security/cisco-won-t-fix-authentication-bypass-zero-day-in-eol-routers/〔2023/5/19 確認〕
※ 157 Microsoft Corporation：Vulnerable SDK components lead to supply chain risks in IoT and OT environments https://www.microsoft.com/en-us/security/blog/2022/11/22/vulnerable-sdk-components-lead-to-supply-chain-risks-in-iot-and-ot-environments/〔2023/5/19 確認〕
※ 158 https://notice.go.jp/〔2023/5/19 確認〕
※ 159 https://notice.go.jp/status〔2023/5/19 確認〕
※ 160 NICTER 解析チーム：https://twitter.com/nicter_jp/status/1519583257670479872〔2023/5/19 確認〕
※ 161 NICTER 解析チーム：https://twitter.com/nicter_jp/status/1524640416938659840〔2023/5/19 確認〕
※ 162 NICTER 解析チーム：https://twitter.com/nicter_jp/status/1534722508729229312〔2023/5/19 確認〕
※ 163 ユニモテクノロジー株式会社：UDR-JA1004/JA1008/JA1016 ファームウエアを更新しました http://www.unimo.co.jp/table_notice/index.php?act=1&resid=1643590226-637355〔2023/5/19 確認〕
※ 164 株式会社インターネットイニシアティブ：wizSafe Security Signal https://wizsafe.iij.ad.jp/〔2023/5/19 確認〕
※ 165 株式会社インターネットイニシアティブ：wizSafe Security Signal 2022 年 2 月 観測レポート https://wizsafe.iij.ad.jp/2022/03/1370/〔2023/5/19 確認〕
※ 166 株式会社インターネットイニシアティブ：wizSafe Security Signal 2022 年 3 月 観測レポート https://wizsafe.iij.ad.jp/2022/04/1380/〔2023/5/19 確認〕
※ 167 株式会社インターネットイニシアティブ：wizSafe Security Signal 2022 年 4 月 観測レポート https://wizsafe.iij.ad.jp/2022/05/1393/〔2023/5/19 確認〕
※ 168 株式会社インターネットイニシアティブ：wizSafe Security Signal 2022 年 5 月 観測レポート https://wizsafe.iij.ad.jp/2022/06/1407/〔2023/5/19 確認〕
※ 169 株式会社インターネットイニシアティブ：wizSafe Security Signal 2022 年 7 月 観測レポート https://wizsafe.iij.ad.jp/2022/08/1443/〔2023/5/19 確認〕
※ 170 株式会社インターネットイニシアティブ：wizSafe Security Signal 2022 年 8 月 観測レポート https://wizsafe.iij.ad.jp/2022/09/1455/〔2023/5/19 確認〕
※ 171 株式会社インターネットイニシアティブ：wizSafe Security Signal 2022 年 10 月 観測レポート https://wizsafe.iij.ad.jp/2022/11/1479/〔2023/5/19 確認〕
※ 172 株式会社インターネットイニシアティブ：wizSafe Security Signal 2022 年 11 月 観測レポート https://wizsafe.iij.ad.jp/2022/12/1489/〔2023/5/19 確認〕
※ 173 株式会社インターネットイニシアティブ：wizSafe Security Signal 2022 年 12 月 観測レポート https://wizsafe.iij.ad.jp/2023/01/1499/〔2023/5/19 確認〕
※ 174 IoT 機器に感染するウイルスの分類については、「情報セキュリティ白書 2020」の「表 3-2-1 IoT 機器に感染するウイルスの分類」（p.166）を参照。
※ 175 Imperva, Inc.：Record 25.3 Billion Request Multiplexing DDoS Attack Mitigated by Imperva https://www.imperva.com/blog/record-25-3-billion-request-multiplexing-attack-mitigated-by-imperva/〔2023/5/19 確認〕
※ 176 Cloudflare, Inc.：Cloudflare DDoS threat report 2022 Q3 https://blog.cloudflare.com/cloudflare-ddos-threat-report-2022-q3/〔2023/5/19 確認〕
Cloudflare, Inc.：Cloudflare DDoS 脅威レポート 2022 年第 3 四半期 https://blog.cloudflare.com/ja-jp/cloudflare-ddos-threat-report-2022-q3-ja-jp/〔2023/5/19 確認〕
※ 177 Microsoft Corporation：MCCrash: Cross-platform DDoS botnet targets private Minecraft servers https://www.microsoft.com/en-us/security/blog/2022/12/15/mccrash-cross-platform-ddos-botnet-targets-private-minecraft-servers/〔2023/5/19 確認〕
※ 178 クレデンシャル・スタッフィング攻撃：侵害された、または漏えいしたユーザー認証情報を悪用して、他のサービスへの大規模な不正ログインを試みる攻撃手法。
※ 179 FBI：Proxies and Configurations Used for Credential Stuffing Attacks on Online Customer Accounts https://www.ic3.gov/Media/News/2022/220818.pdf〔2023/5/19 確認〕
※ 180 DomainTools, LLC：Purpose Built Criminal Proxy Services and the Malicious Activity They Enable https://www.domaintools.com/resources/blog/purpose-built-criminal-proxy-services-and-the-malicious-activity-they-enable/〔2023/5/19 確認〕
※ 181 DARKReading（Informa PLC Informa UK Limited）：How APTs Are Achieving Persistence Through IoT, OT, and Network Devices https://www.darkreading.com/attacks-breaches/how-apts-are-achieving-persistence-through-iot-ot-and-network-devices〔2023/5/19 確認〕
※ 182 Forescout Technologies, Inc.：R4IoT: When Ransomware Meets the Internet of Things https://www.forescout.com/blog/r4iot-when-ransomware-meets-the-internet-of-things/〔2023/5/19 確認〕
Forescout Technologies, Inc.：R4IoT: When Ransomware Meets IoT and OT https://www.forescout.com/research-labs/r4iot/〔2023/5/19 確認〕
※ 183 CISA：People's Republic of China State-Sponsored Cyber Actors Exploit Network Providers and Devices https://www.cisa.gov/uscert/ncas/current-activity/2022/06/07/peoples-republic-

china-state-sponsored-cyber-actors-exploit〔2023/5/19 確認〕
CISA：People's Republic of China State-Sponsored Cyber Actors Exploit Network Providers and Devices　https://www.cisa.gov/uscert/ncas/alerts/aa22-158a〔2023/5/19 確認〕
※ 184 Qihoo 360 Technology Co., Ltd.：P2P Botnets: Review - Status - Continuous Monitoring　https://blog.netlab.360.com/p2p-botnets-review-status-continuous-monitoring/〔2023/5/19 確認〕
※ 185 Hajimeの詳細に関しては、「情報セキュリティ白書 2018」の「3.1.1（1）IoT 機器の Mirai 等の感染に対抗する『Hajime』」（p.162）、「情報セキュリティ白書 2020」の「3.2.1（2）機器保護型ウイルスの動向」（p.176）を参照。
※ 186 Moji の詳細に関しては、「情報セキュリティ白書 2020」の「3.2.1（1）（n）Mozi」（p.175）、「情報セキュリティ白書 2022」の「3.2.1（3）（b）Gafgyt の亜種『Mozi』」（p.175）を参照。
※ 187 Qihoo 360 Technology Co., Ltd.：Pink, a botnet that competed with the vendor to control the massive infected devices　https://blog.netlab.360.com/pink-en/〔2023/5/19 確認〕
※ 188 BSI：IT-Sicherheitskennzeichen jetzt auch für smarte Verbraucherprodukte (archiviert)　https://www.bsi.bund.de/DE/Service-Navi/Presse/Pressemitteilungen/Presse2022/220504_IT-SiK-Erweiterung.html〔2023/5/19 確認〕
※ 189 BSI：BSI and Singapore Cyber Security Agency Mutually Recognise Cyber Security Labels　https://www.bsi.bund.de/EN/Service-Navi/Presse/Pressemitteilungen/Presse2022/221020_IT-SiK-Singapur.html〔2023/5/19 確認〕
※ 190 https://www.etsi.org/deliver/etsi_en/303600_303699/303645/02.01.01_60/en_303645v020101p.pdf〔2023/5/19 確認〕
※ 191 経済産業省：第 1 回 産業サイバーセキュリティ研究会 ワーキンググループ 3 IoT 製品に対するセキュリティ適合性評価制度構築に向けた検討会　https://www.meti.go.jp/shingikai/mono_info_service/sangyo_cyber/wg_cybersecurity/iot_security/001.html〔2023/5/19 確認〕
※ 192 United States Attorney's Office：Russian Botnet Disrupted in International Cyber Operation　https://www.justice.gov/usao-sdca/pr/russian-botnet-disrupted-international-cyber-operation〔2023/5/19 確認〕
※ 193 IPA：「IoT 開発におけるセキュリティ設計の手引き」を公開　https://www.ipa.go.jp/security/iot/iotguide.html〔2023/5/19 確認〕
※ 194 IPA：欧州規格 ETSI EN 303 645 V2.1.1 (2020-06) の翻訳　https://www.ipa.go.jp/security/controlsystem/etsien303645.html〔2023/5/19 確認〕
※ 195 https://www.cloudsecurityalliance.jp/site/wp-content/uploads/2022/06/Guide-to-the-CSA-IoT-Controls-Matrix-v3_J.pdf〔2023/5/19 確認〕
※ 196 https://www.cloudsecurityalliance.jp/site/wp-content/uploads/2022/06/CSA-IoT-Controls-Matrix-v3_J.xlsx〔2023/5/19 確認〕
※ 197 一般社団法人セキュア IoT プラットフォーム協議会：「IoT セキュリティ手引書 Ver2.0」をリリース ～IoTビジネスに関わる事業者向けにセキュリティの課題と対応策のガイドラインを提示～　https://www.secureiotplatform.org/release/2022-01-31〔2023/5/19 確認〕
※ 198 https://csrc.nist.gov/publications/detail/nistir/8349/draft〔2023/5/19 確認〕
※ 199 https://csrc.nist.gov/publications/detail/nistir/8425/final〔2023/5/19 確認〕
※ 200 https://csrc.nist.gov/publications/detail/nistir/8431/final〔2023/5/19 確認〕
※ 201 https://csrc.nist.gov/publications/detail/sp/1800-36/draft〔2023/5/19 確認〕
※ 202 https://www.dsci.in/content/iot-security-guidebook〔2023/5/19 確認〕
※ 203 https://www.dsci.in/content/iot-security-best-practices-document〔2023/5/19 確認〕
※ 204 https://juas.or.jp/cms/media/2022/04/JUAS_IT2022.pdf〔2023/5/25 確認〕
※ 205 フォーティネットジャパン合同会社：2022 年クラウドセキュリティ レポート　https://www.fortinet.com/content/dam/fortinet/assets/analyst-reports/ja_jp/report-2022-cloud-security.pdf〔2023/5/25 確認〕
※ 206 https://www.soumu.go.jp/johotsusintokei/statistics/pdf/HR202100_002.pdf〔2023/5/25 確認〕
※ 207 総務省：令和 4 年版 情報通信白書 データ集（第 3 章第 6 節）　https://www.soumu.go.jp/johotsusintokei/whitepaper/ja/r04/html/nf306000.html〔2023/5/25 確認〕
※ 208-1 IDC Japan 株式会社：国内パブリッククラウドサービス市場予測を発表　https://www.idc.com/getdoc.jsp?containerId=prJPJ48986422〔2023/5/25 確認〕
※ 208-2 https://www.soumu.go.jp/johotsusintokei/whitepaper/ja/r04/pdf/01honpen.pdf〔2023/5/25 確認〕
※ 209 Sophos Ltd.：SMB におけるクラウドセキュリティの現状 2022 年版　https://news.sophos.com/ja-jp/2022/11/29/the-reality-of-smb-cloud-security-in-2022-jp/〔2023/5/25 確認〕
※ 210 https://resources.trendmicro.com/rs/945-CXD-062/images/m506-2022 年上半期サイバーセキュリティレポート.pdf〔2023/5/25 確認〕
※ 211 株式会社エイチーム：採用活動における個人情報漏えいの可能性に関するご報告とお詫び　https://www.a-tm.co.jp/news/29297/〔2023/5/25 確認〕
※ 212 一般社団法人シェアリングエコノミー協会：個人情報漏えいの可能性に関するお知らせとお詫び（※ 7 月 28 日追記）　https://sharing-economy.jp/ja/20220720〔2023/5/25 確認〕
※ 213 ライフイズテック株式会社：お客様情報の一部が閲覧可能な状態にあったことへのお知らせとお詫び　https://life-is-tech.com/news/wp-content/uploads/2022/06/453a575d0d32d7f2e6d0b3273ca54140.pdf〔2023/5/25 確認〕
※ 214 ケアプロ株式会社：個人情報閲覧の可能性に関するお詫びとご報告　https://carepro.co.jp/about/yobou_news_20200604.pdf〔2023/5/25 確認〕
※ 215 https://www.soumu.go.jp/main_content/000771515.pdf〔2023/5/25 確認〕
※ 216 https://www.ipa.go.jp/publish/wp-security/sec-2022.html〔2023/5/25 確認〕
※ 217 NHK NEWS WEB：マイクロソフト「チームズ（Teams）」障害 アクセスできないなど　https://www3.nhk.or.jp/news/html/20220721/k10013729031000.html〔2023/5/25 確認〕
NHK NEWS WEB：マイクロソフト チームズ（Teams）「サービス大部分が復旧」発表　https://www3.nhk.or.jp/news/html/20220721/k10013729211000.html〔2023/5/25 確認〕
※ 218 個人情報保護委員会：法令・ガイドライン等　https://www.ppc.go.jp/personalinfo/legal/〔2023/5/25 確認〕
※ 219 総務省：参考資料　https://www.soumu.go.jp/main_content/000067990.pdf〔2023/5/25 確認〕
※ 220 総務省：「クラウドサービスの安全・信頼性に係る情報開示指針」における「AI を用いたクラウドサービスの安全・信頼性に係る情報開示指針（ASP・SaaS 編）」の追加　https://www.soumu.go.jp/menu_news/s-news/01ryutsu06_02000306.html〔2023/5/25 確認〕
※ 221 https://www.ipa.go.jp/security/reports/economics/scrm/cloud2022.html〔2023/5/25 確認〕
※ 222 IPA：中小企業の情報セキュリティ対策ガイドライン　https://www.ipa.go.jp/security/guide/sme/about.html〔2023/5/25 確認〕
※ 223 https://www.ipa.go.jp/security/guide/sme/ug65p90000019cbk-att/000072150.pdf〔2023/5/25 確認〕
※ 224 一般財団法人日本情報経済社会推進協会：クラウドサービスに関連する国内外の制度・ガイドラインの紹介　https://www.jipdec.or.jp/library/sqau0900000055at-att/JIP-ISMS201-1.1.pdf〔2023/5/25 確認〕
※ 225 https://www.ismap.go.jp/csm/sys_attachment.do?sys_id=383d21a4dbf965106e6cb915f396192d〔2023/5/25 確認〕
※ 226 総務省：「クラウドサービス利用・提供における適切な設定のためのガイドライン」（案）に対する意見募集の結果と「クラウドサービス利用・提供における適切な設定のためのガイドライン」及び「ASP・SaaS の安全・信頼性に係る情報開示指針（ASP・SaaS 編）第 3 版」の公表　https://www.soumu.go.jp/menu_news/s-news/01cyber01_02000001_00149.html〔2023/5/25 確認〕
※ 227 経済産業省：「ISMAP － LIU」の運用を開始しました　https://www.meti.go.jp/press/2022/11/20221101002/20221101002.html〔2023/5/25 確認〕
※ 228 ASPIC：日本クラウド産業協会への名称変更のお知らせ　https://www.aspicjapan.org/pdf/20220401.pdf〔2023/5/25 確認〕
※ 229 ASPIC：情報開示認定300サービス突破記念表彰及び表彰式ライブ配信のお知らせ　https://www.aspicjapan.org/nintei/pdf/news/221110.pdf〔2023/5/25 確認〕
※ 230 ASPIC：クラウドサービスの安全・信頼性に係る情報開示認定制度とは　https://www.aspicjapan.org/nintei/〔2023/5/25 確認〕
※ 231 一般社団法人日本クラウドセキュリティアライアンス（CSA ジャパン）：STAR　https://www.cloudsecurityalliance.jp/site/?page_id=429〔2023/5/25 確認〕
※ 232 一般社団法人日本クラウドセキュリティアライアンス（CSA ジャパン）：グローバルプロバイダが日本語 CAIQ 評価レポートを登録する方法　https://cloudsecurityalliance.jp/newblog/author/mmorozum/

〔2023/5/25 確認〕
※ 233 長迫智子：今日の世界における「ディスインフォメーション」の動向——"Fake News"から"Disinformation"へ https://www.spf.org/iina/articles/nagasako_01.html〔2023/5/23 確認〕
※ 234 総務省：フェイクニュースを巡る動向 https://www.soumu.go.jp/johotsusintokei/whitepaper/ja/r01/html/nd114400.html〔2023/5/23 確認〕
※ 235 Dictionary.com："Misinformation" vs. "Disinformation"：Get Informed On The Difference https://www.dictionary.com/e/misinformation-vs-disinformation-get-informed-on-the-difference/〔2023/5/23 確認〕
※ 236 Malinformation は情報の虚偽性に加えて、有害性や倫理・法制の議論が必要となるが、本項では除外する。
※ 237 BBC News：Fake Obama created using AI video tool https://www.youtube.com/watch?v=AmUC4m6w1wo〔2023/5/23 確認〕
Supasorn Suwajanakorn, Steven M. Seitz, and Ilra Kemelmacher-Shlizerman：Synthesizing Obama: Learning Lip Sync from Audio https://grail.cs.washington.edu/projects/AudioToObama/〔2023/6/19 確認〕
※ 238 ニューズウィーク日本版：偽ニュース、小児性愛、ヒラリー、銃撃 ... ピザゲートとは何か https://www.newsweekjapan.jp/stories/world/2016/12/post-6501.php〔2023/5/23 確認〕
※ 239 Britannica：QANON https://www.britannica.com/topic/QAnon〔2023/5/23 確認〕
REUTERS：What is QAnon and how are social media sites taking action on it? https://jp.reuters.com/article/us-socialmedia-qanon-factbox/what-is-qanon-and-how-are-social-media-sites-taking-action-on-it-idUKKBN26203M〔2023/5/23 確認〕
※ 240 NII Today：「SNS によるデマ拡散」問題の本質とは https://www.nii.ac.jp/today/89/4.html〔2023/5/23 確認〕
※ 241 USA Today：Ukrainian President Volodymyr Zelenskyy shares a message from Kyiv https://www.youtube.com/watch?v=tLv9lqcoNe8〔2023/5/23 確認〕
※ 242 SYNODOS：ウクライナ戦争と「ナラティブ優勢」をめぐる戦い https://synodos.jp/opinion/international/28156/〔2023/5/23 確認〕
※ 243 Office of the Director of National Intelligence：Background to "Assessing Russian Activities and Intentions in Recent US Elections"：The Analytic Process and Cyber Incident Attribution https://www.dni.gov/files/documents/ICA_2017_01.pdf〔2023/5/23 確認〕
※ 244 HUFFPOST：ロシアの「フェイクニュース工場」は米大統領選にどう介入したのか https://www.huffingtonpost.jp/entry/russia-fakenews_jp_5c5b77b4e4b0faa1cb67da06〔2023/5/23 確認〕
※ 245 ボット：「ロボット（Robot）」を省略した「ボット（Bot）」から転じた、作業を自動化するプログラムの総称。ここでは、SNS に自動的に投稿するプログラムを指す。
※ 246 笹原和俊、デジタル影響工作に対する計算社会科学のアプローチ、一田和樹他、ネット世論操作とデジタル影響工作、原書房、2023 年 3 月 20 日
※ 247 The Guardian：'I made Steve Bannon's psychological warfare tool'：meet the data war whistleblower https://www.theguardian.com/news/2018/mar/17/data-war-whistleblower-christopher-wylie-faceook-nix-bannon-trump〔2023/5/23 確認〕
日本経済新聞社：フェイスブック、情報流用 8700 万人規模に拡大 https://www.nikkei.com/article/DGXMZO29021990V00C18A4000000/〔2023/6/19 確認〕
※ 248 東洋経済：ネットの検索結果が「投票」に及ぼす恐ろしい影響 https://toyokeizai.net/articles/-/447766〔2023/5/23 確認〕
※ 249 REUTERS：U.S. disrupted Russian trolls on day of November election: report https://jp.reuters.com/article/us-usa-trump-russia/u-s-disrupted-russian-trolls-on-day-of-november-election-report-idUSKCN1QF26Q〔2023/5/23 確認〕
※ 250 日本経済新聞：ロシア、SNS 工作拡大か 欧州社会分断あおる https://www.nikkei.com/article/DGXMZO23567000W7A111C1FF2000/〔2023/5/23 確認〕
※ 251 The Guardian：Russia report reveals UK government failed to investigate Kremlin interference https://www.theguardian.com/world/2020/jul/21/russia-report-reveals-uk-government-failed-to-address-kremlin-interference-scottish-referendum-brexit〔2023/5/23 確認〕
※ 252 FIRST DRAFT：Brexit: The false, misleading and suspicious claims CrossCheck has uncovered so far https://firstdraftnews.org/articles/brexit-the-false-misleading-and-suspicious-claims-crosscheck-has-uncovered/〔2023/5/23 確認〕
※ 253 公益財団法人 NIRA 総合研究開発機構：ポスト・トゥルースの時代とは https://www.nira.or.jp/paper/my-vision/2017/post-30.html〔2023/5/23 確認〕
※ 254 水谷瑛嗣郎、ポスト・トゥルース 陰謀論の時代における「リアル」な政治を求めて、駒村圭吾編：Liberty2.0 自由論のバージョンアップはありうるのか?、弘文堂、2023 年 2 月 28 日
※ 255 The Wall Street Journal：Lab Leak Most Likely Origin of Covid-19 Pandemic, Energy Department Now Says https://www.wsj.com/articles/covid-origin-china-lab-leak-807b7b0a〔2023/5/23 確認〕
※ 256 総務省：新型コロナウイルス感染症に関するフェイクニュースや偽情報 https://www.soumu.go.jp/johotsusintokei/whitepaper/ja/r03/html/nd125110.html〔2023/5/23 確認〕
※ 257 独立行政法人国民生活センター：これまでに寄せられた新型コロナウイルス関連の消費者トラブル https://www.kokusen.go.jp/soudan_now/data/coronavirus_jirei.html〔2023/5/23 確認〕
※ 258 米国・欧州等においては、ワクチン接種の可否は個人が決定すべきであり、政府の指示によるべきでないとの考えもある。
※ 259 REUTERS：中国とロシア、偽情報で欧米ワクチンの不信感植え付け＝ EU https://jp.reuters.com/article/health-coronavirus-disinformation-idJPKBN2CF2MR〔2023/5/23 確認〕
※ 260 笹原和俊、デジタル影響工作に対する計算社会科学のアプローチ、一田和樹他、ネット世論操作とデジタル影響工作、原書房、2023 年 3 月 20 日
※ 261 REUTERS：U.S. Supreme Court dumps last of Trump's election appeals https://www.reuters.com/article/us-usa-court-election-idUSKBN2B01LE〔2023/5/23 確認〕
REUTERS：米最高裁、激戦 4 州の結果無効化の訴え退ける トランプ氏に打撃 https://jp.reuters.com/article/usa-election-trump-idJPKBN28M084〔2023/6/19 確認〕
※ 262 The Washington Post：How one of America's ugliest days unraveled inside and outside the Capitol https://www.washingtonpost.com/nation/interactive/2021/capitol-insurrection-visual-timeline/?utm_campaign=wp_graphics&utm_medium=social&utm_source=twitter〔2023/5/23 確認〕
※ 263 Bloomberg：Fox's $787.5 Million Settlement Doesn't End Its Liability Over 2020 Election Fraud Claims https://www.bloomberg.com/news/articles/2023-04-18/fox-agrees-to-settle-dominion-lawsuit-over-election-fraud-claims?leadSource=uverify%20wall〔2023/5/23 確認〕
※ 264 日本経済新聞：ロシア、米大統領選で郵便投票標的か 偽情報に米警戒 https://www.nikkei.com/article/DGXMZO63427550U0A900C2FF8000/〔2023/5/23 確認〕
※ 265 CNN：フェイスブック、ロシア発の選挙工作を阻止 FBI の情報受け https://www.cnn.co.jp/tech/35159056.html〔2023/5/23 確認〕
※ 266 一般社団法人日本戦略研究フォーラム：アメリカ大統領選が揉めた最大の理由とは https://www.jfss.gr.jp/article/1397〔2023/5/23 確認〕
※ 267 The New York Times：Elon Musk Reinstates Trump's Twitter Account https://www.nytimes.com/2022/11/19/technology/trump-twitter-musk.html〔2023/5/23 確認〕
※ 268 佐々木孝博、ロシアによるデジタル影響工作、一田和樹他、ネット世論操作とデジタル影響工作、原書房、2023 年 3 月 20 日
※ 269 U.S. Department of State：GEC Special Report: August 2020 Pillars of Russia's Disinformation and Propaganda https://www.state.gov/wp-content/uploads/2020/08/Pillars-of-Russia%E2%80%99s-Disinformation-and-Propaganda-Ecosystem_08-04-20.pdf〔2023/5/23 確認〕
※ 270 Microsoft Corporation：ウクライナの防衛：サイバー戦争の初期の教訓 https://news.microsoft.com/ja-jp/2022/07/04/220704-defending-ukraine-early-lessons-from-the-cyber-war/〔2023/5/23 確認〕
※ 271 朝日新聞：ロシアの偽情報作戦、ソ連時代から「お家芸」 ウクライナ危機の深層 https://digital.asahi.com/articles/ASQ2S7H84Q2SUHBI03X.html〔2023/5/23 確認〕
※ 272 The New York Times：Russia has been laying groundwork online for a 'false flag' operation, misinformation researchers say. https://www.nytimes.com/2022/02/19/business/russia-has-been-laying-groundwork-online-for-a-false-flag-operation-misinformation-researchers-say.html〔2023/5/23 確認〕
※ 273 藤村厚夫、世界のメディアの変容、一田和樹他、ネット世論操作とデジタル影響工作、原書房、2023 年 3 月 20 日
※ 274 The Wall Street Journal：ロシアで SNS「テレグラム」急成長の理由 https://jp.wsj.com/articles/telegram-thrives-amid-russias-media-crackdown-11647826301〔2023/5/23 確認〕
※ 275 University of Cambridge：The failure of Russian propaganda

https://www.cam.ac.uk/stories/donbaspropaganda〔2023/5/23 確認〕
※ 276 公安調査庁：内外情勢の回顧と展望（令和５年度版）特集３ サイバー空間の広がりに伴う脅威の拡散 https://www.moj.go.jp/content/001386269.pdf〔2023/5/23 確認〕
※ 277 コンテンツファーム：広告収入を目的として質の高くない Web コンテンツを大量に作成・配信する企業・サービス。
※ 278 Brookings Institute：Disinformation in Taiwan, in Impact of disinformation on democracy in Asia https://www.brookings.edu/wp-content/uploads/2022/12/FP_20221216_democracy_asia_disinformation.pdf〔2023/5/23 確認〕
※ 279 NHK：サイカル journal 情報戦 https://www3.nhk.or.jp/news/special/sci_cul/2023/01/special/taiwan-2/〔2023/5/23 確認〕
※ 280 The Diplomat：China's Changing Disinformation and Propaganda Targeting Taiwan https://thediplomat.com/2022/09/chinas-changing-disinformation-and-propaganda-targeting-taiwan/〔2023/5/23 確認〕
※ 281 REUTERS：Taiwan president quits as party head after China threat bet fails to win votes https://www.reuters.com/world/asia-pacific/taiwan-votes-local-elections-amid-tensions-with-china-2022-11-26/〔2023/5/23 確認〕
※ 282 Varieties of Democracy (V-Dem)：Democracy Report 2023 https://www.v-dem.net/.〔2023/5/23 確認〕
※ 283 公益財団法人日本国際問題研究所：台湾有事におけるディスインフォメーションの脅威と対策のあり方 https://www.jiia.or.jp/research-report/security-fy2021-01.html〔2023/5/23 確認〕
※ 284 山本龍彦、大統領選挙後のアメリカ社会 SNS とフェイクポピュリズム、外交、Vo.66 Mar./Apr. 2021
※ 285 東洋経済：DeNA、第３者委報告書が明かした「構造問題」 https://toyokeizai.net/articles/-/162628?page=2〔2023/5/23 確認〕
※ 286 日経クロステック：DeNA が WELQ 事件受けキュレーション９サイトを閉鎖、守安社長「心よりお詫び」 https://xtech.nikkei.com/it/atcl/news/16/120103594/〔2023/5/23 確認〕
※ 287 山口真一：わが国における誹謗中傷・フェイクニュースの 実態と社会的対処 https://www.soumu.go.jp/main_content/000745067.pdf〔2023/5/23 確認〕
※ 288 藤代裕之：フェイクニュース検証記事の制作過程 ～2018 年沖縄県知事選挙における沖縄タイムスを事例として～ http://www.ssi.or.jp/journal/pdf/Vol8No2_10.pdf〔2023/5/23 確認〕
※ 289 琉球帰属論：「琉球は明・清の冊封国であったが、19 世紀に日本が武力で強制的に併合した」との考え方。
※ 290 読売新聞大阪本社社会部、情報パンデミック、あなたを惑わすものの正体 第２章 発信者を追う、中央公論社、2022 年 11 月 10 日
※ 291 読売新聞：SNS で「被害はウクライナの自作自演」拡散、陰謀論に次々傾倒のワナ…浮かぶ共通点 https://www.yomiuri.co.jp/national/20220414-OYT1T50064/〔2023/5/23 確認〕
※ 292 法務省：自粛警察と誤った正義感 https://www.moj.go.jp/JINKEN/jinken05_00055.html〔2023/5/23 確認〕
※ 293 POLITIFACT:https://www.politifact.com/〔2023/5/23 確認〕
※ 294 IFCN：Commit to transparency — sign up for the International Fact-Checking Network's code of principles https://ifcncodeofprinciples.poynter.org/〔2023/5/23 確認〕
※ 295 Meta Platforms, Inc.：Facebook のファクトチェックについて https://www.facebook.com/business/help/2593586717571940〔2023/5/23 確認〕
※ 296 The bmj：Covid-19：Researcher blows the whistle on data integrity issues in Pfizer's vaccine trial https://www.bmj.com/content/375/bmj.n2635/rr-80〔2023/5/23 確認〕
※ 297 Forbes：Elon Musk's Twitter Quietly Fired Its Democracy And National Security Policy Lead https://www.forbes.com/sites/thomasbrewster/2023/02/24/elon-musk-twitter-democracy-and-human-rights-layoffs/?sh=e902f4f6b97e〔2023/5/23 確認〕
※ 298 Poynter.：Elon Musk keeps Birdwatch alive — under a new name https://www.poynter.org/fact-checking/2022/elon-musk-keeps-birdwatch-alive-under-a-new-name/〔2023/5/23 確認〕
※ 299 Gigazine：YouTube が誤情報やデマの温床と化していると 80 以上のファクトチェック団体が抗議 https://gigazine.net/news/20220113-fact-checkers-urge-youtube-fight-disinformation/〔2023/5/23 確認〕
Poynter.：An open letter to YouTube's CEO from the world's fact-checkers https://www.poynter.org/fact-checking/2022/an-open-letter-to-youtubes-ceo-from-the-worlds-fact-checkers/〔2023/5/23 確認〕
※ 300 論座:動画や音声までも対象とする「ファクトチェック自動化」は、フェイクニュースの解決策となるか https://webronza.asahi.com/business/articles/2022072800007.html?page=1〔2023/5/23 確認〕
※ 301 DeepFake Detection https://paperswithcode.com/task/deepfake-detection〔2023/5/23 確認〕
※ 302 佐々木孝博、ロシアによるデジタル影響工作、一田和樹他、ネット世論操作とデジタル影響工作、原書房、2023 年３月 20 日
川口貴久、権威主義国家によるデジタル影響工作と民主主義、一田和樹他、ネット世論操作とデジタル影響工作、原書房、2023 年３月 20 日
※ 303 民放オンライン:ロシアでフェイクニュース法 各国メディアが報道・取材活動中止 https://minpo.online/article/post-91.html〔2023/5/23 確認〕
※ 304 湯淺墾道：アメリカ選挙法におけるディープフェイク規制の動向 https://www.spf.org/iina/articles/harumichi_yuasa_01.html〔2023/5/23 確認〕
※ 305 CISA：Rumor Control Start-Up Guide https://www.cisa.gov/resources-tools/resources/rumor-control-start-guide〔2023/5/23 確認〕
※ 306 European Commission：The Digital Services Act: ensuring a safe and accountable online environment https://commission.europa.eu/strategy-and-policy/priorities-2019-2024/europe-fit-digital-age/digital-services-act-ensuring-safe-and-accountable-online-environment_en〔2023/5/23 確認〕
※ 307 REUTERS：欧州議会、AI規則案の修正を採択 https://jp.reuters.com/article/tech-ai-eu-idJPKBN2Y01WN〔2023/6/27 確認〕
※ 308 総務省：プラットフォームサービスに関する検討会 https://www.soumu.go.jp/main_sosiki/kenkyu/platform_service/index.html〔2023/5/23 確認〕
※ 309 総務省：誹謗中傷等の違法・有害情報への対策に関するワーキンググループ（第１回）インターネット上の違法・有害情報に関する 流通実態アンケート調査 https://www.soumu.go.jp/main_content/000853886.pdf〔2023/5/23 確認〕
※ 310 総務省：プラットフォームサービスに関する検討会 偽情報対策に係る取組集 https://www.soumu.go.jp/main_content/000868124.pdf〔2023/5/23 確認〕
※ 311 総務省：「2030 年頃を見据えた情報通信政策の在り方」二次答申（案）に関する意見募集 https://www.soumu.go.jp/menu_news/s-news/01ryutsu20_02000001_00003.html〔2023/5/23 確認〕
※ 312 一般社団法人セーファーインターネット協会：Disinformation 対策フォーラム https://www.saferinternet.or.jp/anti-disinformation/〔2023/5/23 確認〕
※ 313 https://fij.info/〔2023/5/23 確認〕
※ 314 日本ファクトチェックセンター：https://factcheckcenter.jp/〔2023/5/23 確認〕
※ 315 総務省 プラットフォームサービスに関する研究会：日本におけるファクトチェック活動の現状と課題 https://www.soumu.go.jp/main_content/000861267.pdf〔2023/5/23 確認〕
※ 316 消費者庁：ステルスマーケティングに関する検討会 https://www.caa.go.jp/policies/policy/representation/meeting_materials/review_meeting_005/〔2023/5/23 確認〕
※ 317 日本経済新聞：「ステマ」法規制へ 消費者庁、広告主を行政処分 https://www.nikkei.com/article/DGXZQOUE260PX0W2A221C2000000/〔2023/5/23 確認〕
※ 318 日本経済新聞：「ステマ」10 月から規制へ 消費者庁、不当表示に追加 https://www.nikkei.com/article/DGXZQOUE274V00X20C23A3000000/〔2023/5/23 確認〕
※ 319 JIJI.COM：「生成 AI」活用へ環境整備 日本語アプリの開発促進―政府 https://www.jiji.com/jc/article?k=2023042500953&g=pol〔2023/5/23 確認〕
※ 320 日本経済新聞：日本は生成 AI 天国か 著作物「学び放題」に危機感も https://www.nikkei.com/article/DGXZQOCD072460X00C23A4000000/〔2023/5/23 確認〕
※ 321 東京大学：生成系 AI（ChatGPT, BingAI, Bard, Midjourney, Stable Diffusion 等）について https://utelecon.adm.u-tokyo.ac.jp/docs/20230403-generative-ai〔2023/5/23 確認〕
東洋大学：生成系 AI に関する INIAD の見解 https://www.toyo.ac.jp/news/academics/faculty/iniad/20230414/〔2023/5/23 確認〕
※ 322 G7 群馬高崎デジタル・技術大臣会合：「G7 群馬高崎デジタル・技術大臣会合」の開催結果 https://g7digital-tech-2023.go.jp/topics/topics_20230430.html〔2023/5/23 確認〕
※ 323 内閣官房：国家安全保障戦略について https://www.cas.go.jp/jp/siryou/221216anzenhoshou.html〔2023/5/23 確認〕
※ 324 読売新聞社大阪本社社会部、情報パンデミック あなたを惑わすものの正体 第２章 発信者を追う なぜ広めるのか、中央公論社、2022 年 11 月 10 日
※ 325 ニューズウィーク日本版：2023 年は AI が生成したフェイクニュースが巷にあふれる...... インフォカリプス（情報の終焉）の到来 https://www.newsweekjapan.jp/ichida/2023/01/2023ai.php〔2023/5/23 確認〕

# 付録

## 資料

# 資料A　2022年のコンピュータウイルス届出状況

IPA が 2022 年 1 月から 12 月の期間に受け付けたコンピュータウイルス（以下、ウイルス）届出の集計結果について述べる。

## A.1　届出件数

2022 年の年間届出件数は、前年の 878 件より 318 件（36.2%）少ない 560 件であった（図 A-1）。そのうち、ウイルス感染の実被害があった届出は 188 件であった。

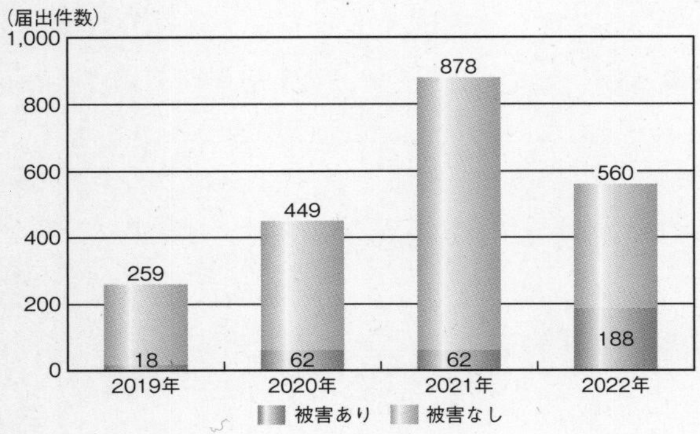


■図 A-1　ウイルス届出件数推移（2019～2022 年）

## A.2　届出のあったウイルス等検出数

2022 年に寄せられたウイルス等の検出数は、前年の 132 万 2,725 個より 28 万 950 個（21.2%）少ない 104 万 1,775 個であった（図 A-2）。

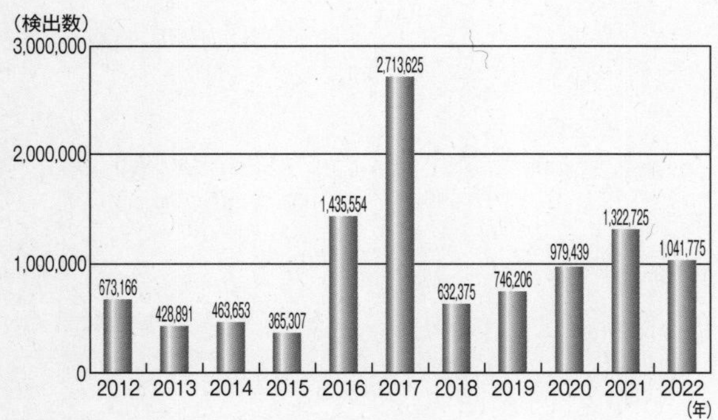


■図 A-2　ウイルス等検出数推移（2012～2022 年）

## A.3　届出者の主体別届出件数

2022 年は前年と比較すると、全体の届出件数は減少した一方で、「法人」からの届出は増加した。届出者の主体別の比率では「法人」からの届出が 69.3%（388 件）と最も多かった（表 A-1、図 A-3）。

| 届出者の主体 | 2020 年 | 2021 年 | 2022 年 |
|---|---|---|---|
| 法人 | 232 | 284 | 388 |
| 個人 | 188 | 578 | 145 |
| 教育・研究・行政機関 | 29 | 16 | 27 |
| 合計（件） | 449 | 878 | 560 |

■表 A-1　ウイルス届出者の主体別届出件数（2020～2022 年）

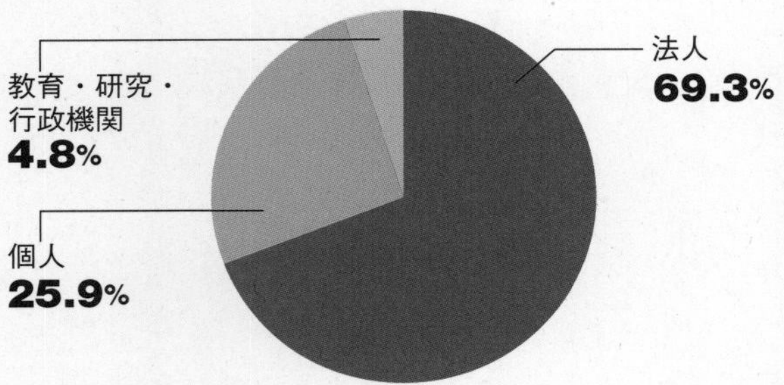


■図 A-3　ウイルス届出者の主体別届出件数の比率（2022 年）

## A.4　傾向

2022 年でウイルス感染の実被害に遭った届出 188 件のうち、145 件が Emotet に感染した被害であり、半数以上を占めた。特に 3 月においては 42 件の被害の届出があり、これは IPA が 2 月に「Emotet の攻撃活動の急増」として、注意喚起を行った時期と一致する。これらの届出件数の詳細は、下記の資料を参照いただきたい。また、本白書では「1.2.6 ばらまき型メールによる攻撃」にて、メールを介してウイルスを感染させる攻撃手口や対策について詳しく述べているので、ぜひこちらも一読いただきたい。

**参照**

■コンピュータウイルス・不正アクセスの届出状況［2022年（1月～12月）］
https://www.ipa.go.jp/security/todokede/crack-virus/ug65p9000000nnpa-att/000108005.pdf

# 資料B　2022年のコンピュータ不正アクセス届出状況

IPA が 2022 年 1 月から 12 月の期間に受け付けたコンピュータ不正アクセス（以下、不正アクセス）届出の集計結果について述べる。

## B.1　届出件数

2022 年の年間届出件数は、前年の 243 件より 17 件（7.0%）少ない 226 件であった（図 B-1）。そのうち、実被害があった届出は 187 件であった。

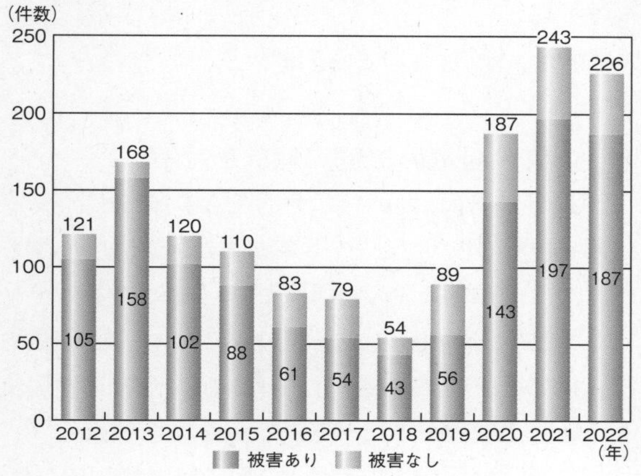


■図 B-1　不正アクセス届出件数推移（2012 年～2022 年）

## B.2　届出者の主体別届出件数

2022 年は前年と比較すると、「法人」からの届出件数が減少しているが、届出者の主体別の比率では「法人」からの届出が 60.6%（137 件）と最も多かった（表 B-1、図 B-2）。

| 届出者の主体 | 2020 年 | 2021 年 | 2022 年 |
|---|---|---|---|
| 法人 | 114 | 156 | 137 |
| 個人 | 57 | 46 | 50 |
| 教育・研究・行政機関 | 16 | 41 | 39 |
| 合計（件） | 187 | 243 | 226 |

■表 B-1　不正アクセス届出者の主体別届出件数（2020～2022 年）

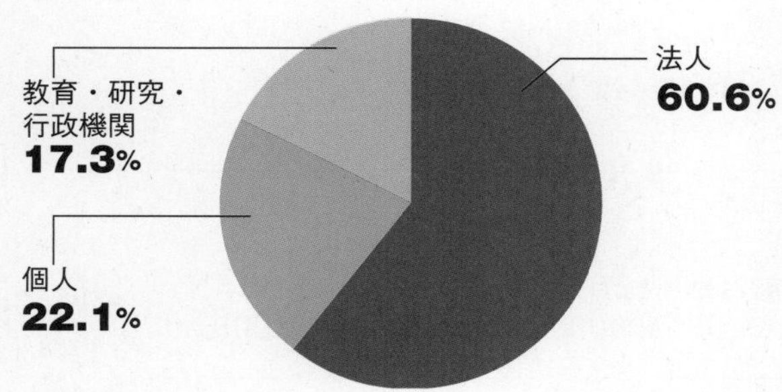


■図 B-2　不正アクセス届出者の主体別届出件数の比率（2022 年）

## B.3　手口別件数

届出を攻撃行為（手口）により分類した件数を図 B-3 に示す。なお、以降の分類も含め、届出 1 件につき、複数の分類項目が該当する場合がある。その場合は該当する項目のそれぞれにカウントした。

2022 年の届出において最も多く見られた手口は、前年と同様に「ファイル／データ窃取、改ざん等」の 168 件であり、次いで「不正プログラムの埋め込み」が 107 件、「脆弱性を悪用した攻撃」が 89 件であった。

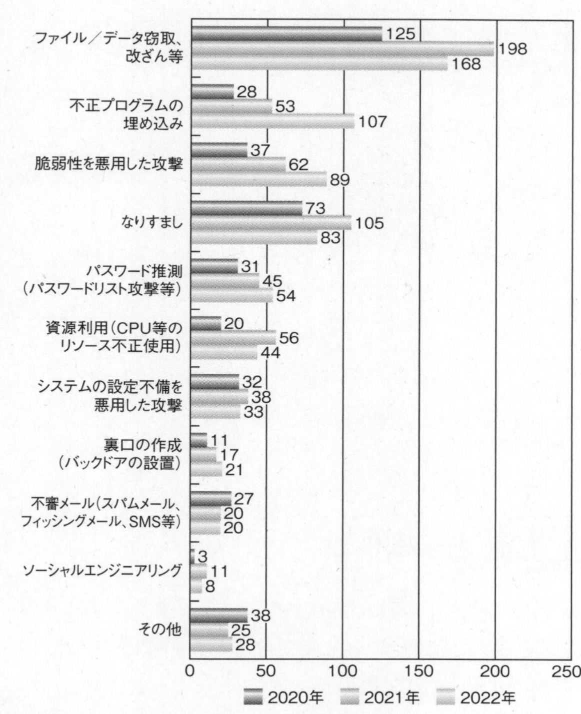


■図 B-3　不正アクセス手口別件数の推移（2020～2022 年）

## B.4　被害内容別件数

届出のうち、実際に被害に遭った届出について、被害内容により分類した件数を図 B-4 に示す。2022 年の届出において最も多く見られた被害は、「データの窃取、盗み見」と「不正プログラムの埋め込み」の 94 件であった。次いで「ファイルの書き換え」が 92 件、「踏み台として悪用」が 46 件であった。

なお、具体的な被害事例については、「コンピュータウイルス・不正アクセスに関する届出について」（https://www.ipa.go.jp/security/todokede/crack-virus/about.

html）において「コンピュータウイルス・不正アクセスの届出事例［2022 年上半期（1 月～ 6 月）］」及び「コンピュータウイルス・不正アクセスの届出事例［2022 年下半期（7 月～ 12 月）］」を紹介している。そちらも、ぜひ参考にしていただきたい。

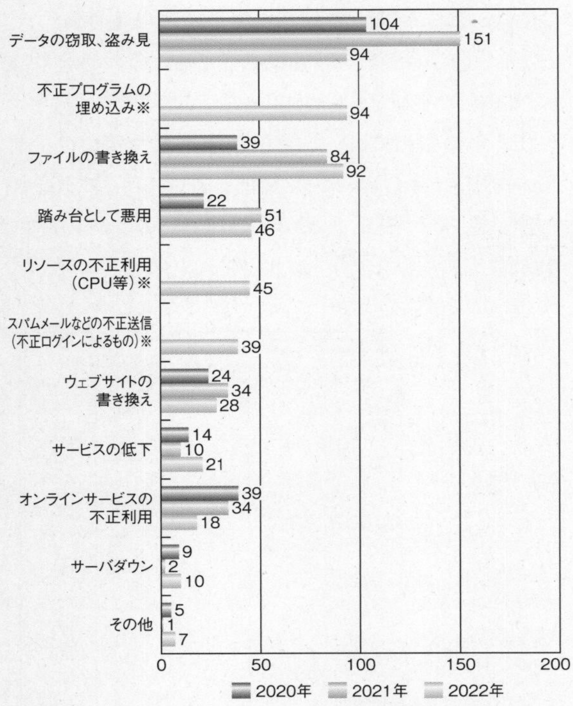


■図 B-4　不正アクセス被害内容別件数の推移（2020～2022 年）
※被害内容が多様化したため、2022 年から項目を細分化した。

## B.5 原因別件数

実際に被害に遭った届出について、不正アクセスの原因となった問題点／弱点で分類した件数を図 B-5 に示す。2022 年の届出において最も多く見られた原因は、前年と同様に「古いバージョンの利用や修正プログラム・必要なプラグイン等の未導入によるもの」であり 83 件であった。次いで「設定不備（セキュリティ上問題のあるデフォルト設定を含む）」が 34 件、「ID、パスワード管理の不備」が 27 件であった。

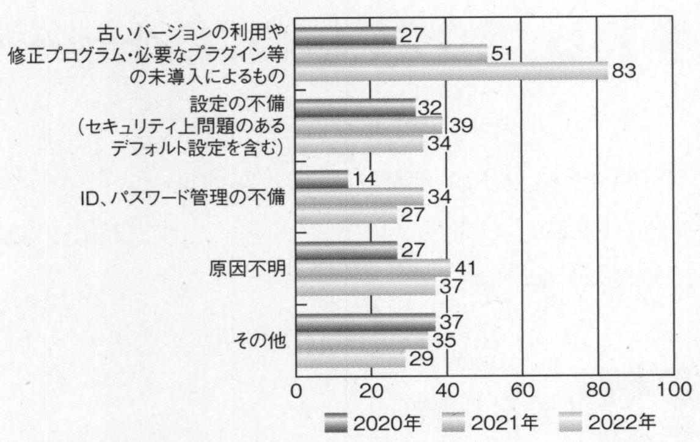


■図 B-5　不正アクセス原因別件数の推移（2020～2022 年）

## B.6 傾向と対策

不正アクセス被害の傾向と対策について述べる。

### (1) 企業・組織の被害の傾向と対策

2022 年は Web サイト（EC サイトを含む）の脆弱性や設定不備を悪用した不正アクセスに関する被害が多く見られた。また、VPN 装置の脆弱性やリモートデスクトップサービスの設定不備を悪用した不正侵入に関する被害も依然として多く確認されている（「1.2.5（1）VPN 製品の脆弱性を対象とした攻撃」「1.2.1 ランサムウェア攻撃」参照）。

対策としては、Web サイトや VPN 装置等に限らず、利用している機器やソフトウェアに関する脆弱性情報の収集と修正プログラムの適用、設定の見直しといった基本的なセキュリティ対策を実施することが重要である。更に、Web アプリケーションの脆弱性診断の実施等も含めて、着実に脆弱性や設定不備を解消していく必要がある。

### (2) システム利用者の被害の傾向と対策

2022 年も引き続き、パスワードリスト攻撃や総当たり攻撃により、認証が突破されたことで、メールアカウント等が不正利用されたとする被害が依然として見られた。

システム利用者においては、他者に推測されにくい複雑なパスワードを設定する、パスワードの使いまわしをしないといった基本的な対策を実施することに加えて、多要素認証等のセキュリティオプションを積極的に採用する等、自身が所有するアカウントが適切に管理できているか今一度見直していただきたい。

**参照**

■コンピュータウイルス・不正アクセスの届出状況［2022年（1月～12月）］
https://www.ipa.go.jp/security/todokede/crack-virus/ug65p9000000nnpa-att/000108005.pdf

# 資料C　ソフトウェア等の脆弱性関連情報に関する届出状況

IPA が受け付けた脆弱性関連情報に関する届出は、2022 年末までに 1 万 7,845 件に達した。

## C.1　脆弱性の届出概況

2022 年末時点で、届出受付開始（2004 年 7 月 8 日）からの累計は、ソフトウェア製品に関するもの 5,357 件、Web サイトに関するもの 1 万 2,488 件、合計 1 万 7,845 件で、Web サイトに関する届出が全体の 70.0% を占めている（図 C-1）。

表 C-1 に示すように、届出受付開始から各四半期末時点までの就業日 1 日あたりの届出件数は、2022 年第 4 四半期末時点で 3.97 件となっている。

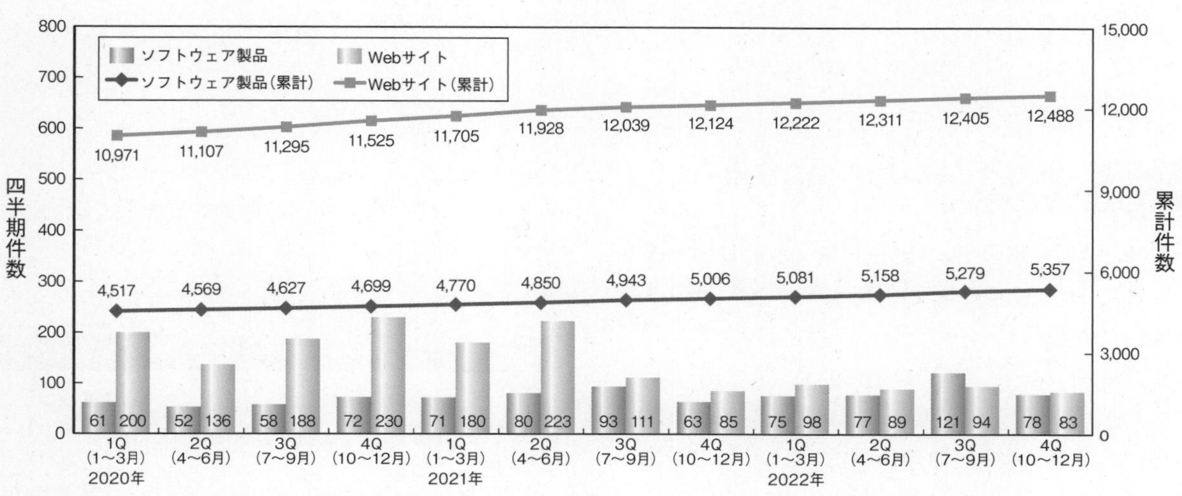


■図 C-1　脆弱性関連情報の届出件数の四半期別推移

| 2020年1Q（1～3月） | 2020年2Q（4～6月） | 2020年3Q（7～9月） | 2020年4Q（10～12月） | 2021年1Q（1～3月） | 2021年2Q（4～6月） | 2021年3Q（7～9月） | 2021年4Q（10～12月） | 2022年1Q（1～3月） | 2022年2Q（4～6月） | 2022年3Q（7～9月） | 2022年4Q（10～12月） |
|---|---|---|---|---|---|---|---|---|---|---|---|
| 4.04 | 4.03 | 4.03 | 4.04 | 4.04 | 4.06 | 4.05 | 4.02 | 4.01 | 3.99 | 3.98 | 3.97 |

■表 C-1　就業日 1 日あたりの届出件数（届出受付開始から各四半期末時点）

## C.2　ソフトウェア製品の脆弱性の処理の終了状況

2022 年末時点のソフトウェア製品に関する脆弱性の処理状況は、JPCERT/CC が調整を行い、製品開発者が脆弱性の修正を完了し、JVN で対策情報を公表したものは 2,488 件、JVN で公表せず製品開発者が個別対応を行ったものは 40 件、製品開発者が脆弱性ではないと判断したものは 108 件、告示で定める届出の対象に該当せず不受理としたものは 521 件で、処理の終了件数の合計は 3,157 件に達した（表 C-2）。

このほか、海外の CSIRT から JPCERT/CC が連絡を受けた 2,633 件を JVN で公表した。これらの脆弱性対策情報の公表件数の期別推移を図 C-2 に示す。なお、複数の届出についてまとめて 1 件の脆弱性対策情報として公表する場合があるため、表 C-2 の「公表済み」の件数と図 C-2 の公表件数は異なっている。

| 分類 | | 累計件数 |
|---|---|---|
| 修正完了 | 公表済み | 2,488件 |
| | 個別対応 | 40件 |
| 脆弱性ではない | | 108件 |
| 不受理 | | 521件 |
| 合計 | | 3,157件 |

■表 C-2　ソフトウェア製品の脆弱性の処理終了件数

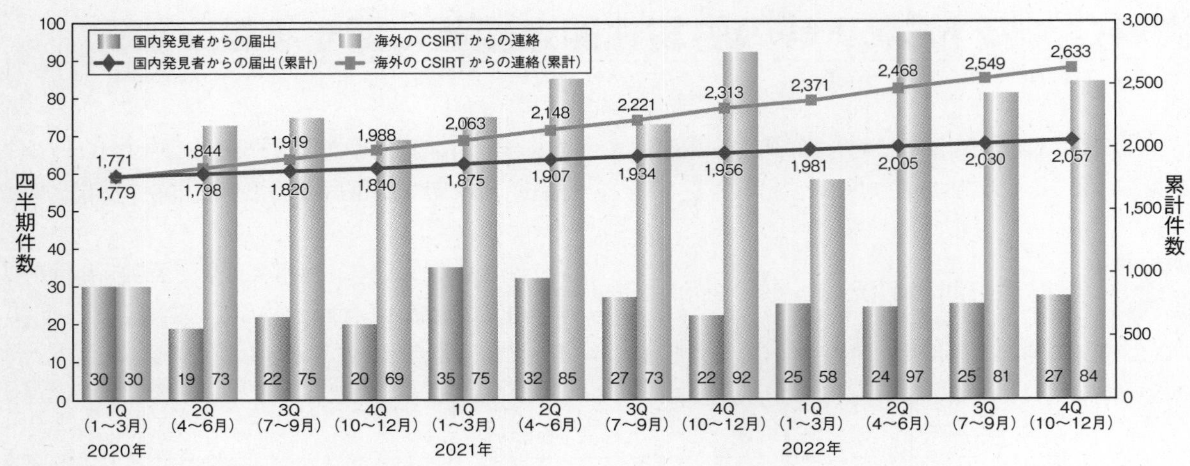


■図 C-2　ソフトウェア製品の脆弱性対策情報の公表件数

## C.3 Webサイトの脆弱性の処理の終了状況

2022年末時点のWebサイトに関する脆弱性の処理状況は、IPAが通知を行いWebサイト運営者が修正を完了したものは8,419件、IPAが注意喚起等を行った後に処理を終了したものは1,130件、IPA及びWebサイト運営者が脆弱性ではないと判断したものは732件、Webサイト運営者と連絡が不可能なもの、またはIPAが対応を促しても修正完了した旨の報告をしない、修正を拒否する等、Webサイト運営者の対応により取り扱いが不能なものが232件、告示で定める届出の対象に該当せず不受理としたものは286件で、処理の終了件数の合計は1万799件に達した（表C-3）。

これらのうち、修正完了件数の期別推移を図C-3に示す。

| 分類 | 累計件数 |
|---|---|
| 修正完了 | 8,419件 |
| 注意喚起 | 1,130件 |
| 脆弱性ではない | 732件 |
| 取扱不能 | 232件 |
| 不受理 | 286件 |
| 合計 | 10,799件 |

■表 C-3　Web サイトの脆弱性の終了件数

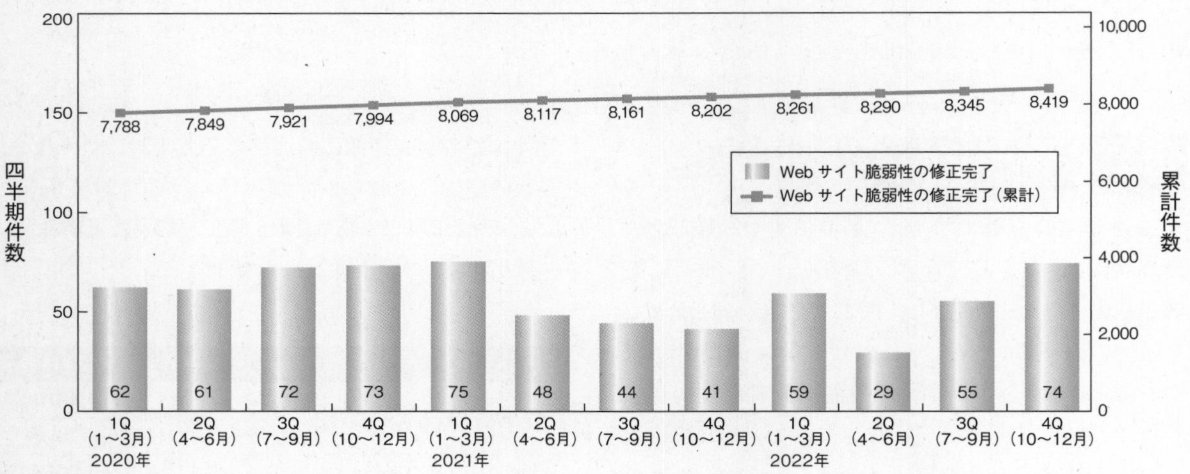


■図 C-3　Web サイトの脆弱性の修正完了件数

## C.4 ソフトウェア製品の脆弱性の届出の処理状況

ソフトウェア製品の脆弱性関連情報の届出について処理状況を図 C-4 に示す。2022 年に JVN で「公表済み」となったソフトウェア製品の件数は 136 件で累計 2,488 件となった。また、「取扱い中」の届出は 189 件増加し、2,200 件となった。「処理終了」した届出は、162 件増加し、累計 3,157 件となった。

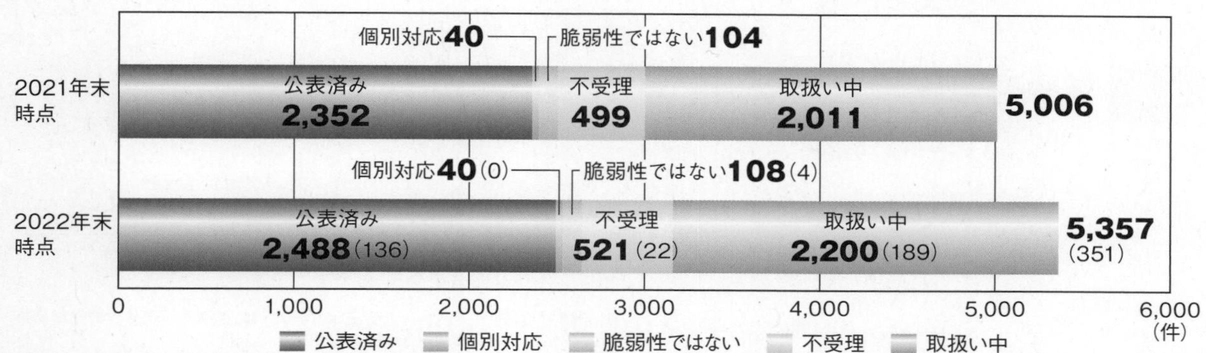


※( )内の数値は 2021 年末時点と 2022 年末時点の差分

■図 C-4　ソフトウェア製品の脆弱性関連情報の届出の処理状況の推移

## C.5 Webサイトの脆弱性の届出の処理状況

Web サイトの脆弱性関連情報の届出について処理状況を図 C-5 に示す。2022 年に「修正完了」した Web サイトの件数は 217 件で累計 8,419 件となった。また、「取扱い中」の届出は 116 件増加し、1,689 件となった。「処理終了」した届出は、248 件増加し、累計 10,779 件となった。

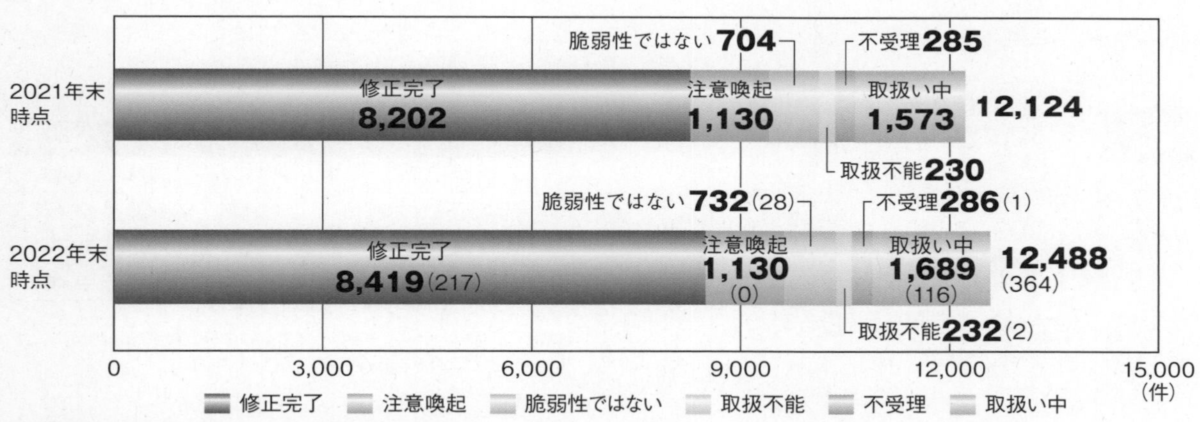


※( )内の数値は 2021 年末時点と 2022 年末時点の差分

■図 C-5　Web サイトの脆弱性関連情報の届出の処理状況の推移

**参照**

■ソフトウェア等の脆弱性関連情報に関する届出状況[2022年第4四半期(10月～12月)]
https://www.ipa.go.jp/security/reports/vuln/software/2022q4.html

# 資料D　2022年の情報セキュリティ安心相談窓口の相談状況

IPAが2022年1月から12月の期間に対応した、相談状況の集計結果について述べる。

## D.1　相談対応件数

2022年の年間相談対応件数は9,401件となり、2021年の相談対応件数6,403件より2,998件（46.8%）の増加となった（図D-1）。

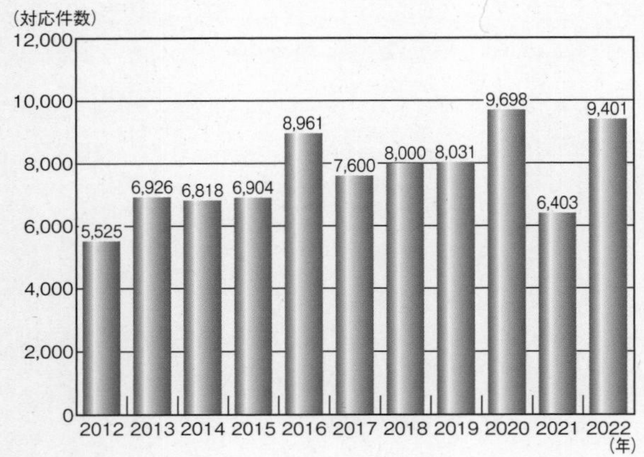


■図D-1　相談対応件数推移（2012～2022年）

## D.2　相談者の主体別相談件数

2022年は個人からの相談が7,043件（74.9%）と最も多かった。

相談者の主体別相談比率の推移では、法人からの相談比率が2年連続で前年を上回り、2022年は1,145件（12.2%）に達した（表D-1、図D-2）。

| 相談者の主体 | 2020年 | 2021年 | 2022年 |
|---|---|---|---|
| 法人 | 782 | 530 | 1,145 |
| 個人 | 8,110 | 4,984 | 7,043 |
| 教育・研究・公的機関 | 359 | 170 | 330 |
| 不明 | 447 | 719 | 883 |
| 合計（件） | 9,698 | 6,403 | 9,401 |

■表D-1　情報セキュリティ安心相談窓口の主体別相談対応件数（2020～2022年）

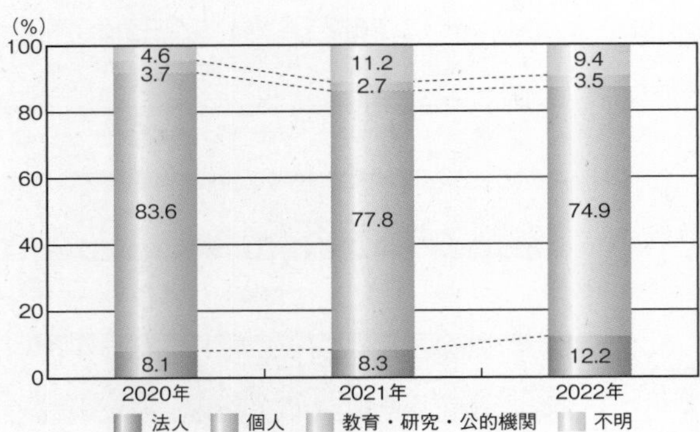


■図D-2　情報セキュリティ安心相談窓口の主体別相談件数の比率推移（2020～2022年）

## D.3　相談者の機器種別相談件数

2022年は「パソコン・サーバー」に関する相談が4,487件（47.7%）と最も多かった。

相談者の機器種別相談比率の推移では、「スマートフォン・タブレット」に関する相談が減少する一方で、「パソコン・サーバー」に関する相談は大幅に増加した（表D-2、図D-3）。「Emotet関連」についての相談増加が、要因の一つと考えられる。

| 機器種別の主体 | 2020年 | 2021年 | 2022年 |
|---|---|---|---|
| パソコン・サーバー | 4,163 | 2,304 | 4,487 |
| スマートフォン・タブレット | 4,411 | 2,666 | 3,173 |
| その他 | 1,124 | 1,433 | 1,741 |
| 合計（件） | 9,698 | 6,403 | 9,401 |

■表D-2　情報セキュリティ安心相談窓口の機器種別相談件数（2020～2022年）

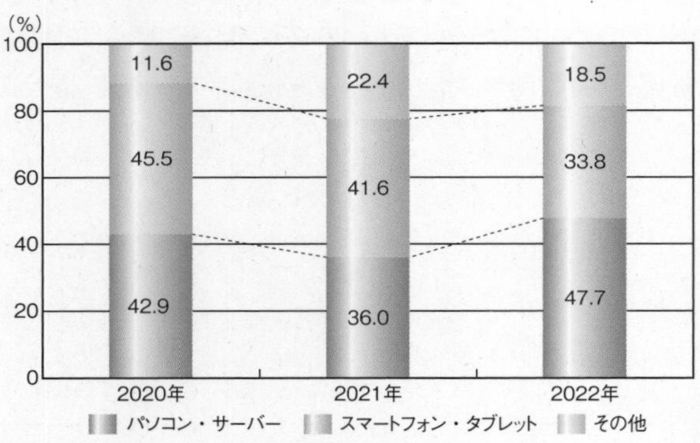


■図D-3　情報セキュリティ安心相談窓口の機器種別相談件数の比率推移（2020～2022年）

## D.4 手口別相談件数

主な手口ごとの相談件数を図 D-4 に示す。2022 年の相談で最も多く寄せられたのは、「ウイルス検出の偽警告」に関する相談で2,365件(25.2%)であった。次いで、「Emotet 関連」についての相談が 910 件(9.7%)、「宅配便業者・通信事業者・公的機関をかたる偽 SMS」に関する相談が 783 件(8.3%)であった。上位三つの手口による相談件数の合計は 4,058 件で、全相談件数(9,401件)の 43.2% であった。

問い合わせの多い手口については、情報セキュリティ安心相談窓口の発行する「安心相談窓口だより」や、「手口検証動画」で注意喚起を行っている。ぜひ参考にしてほしい。

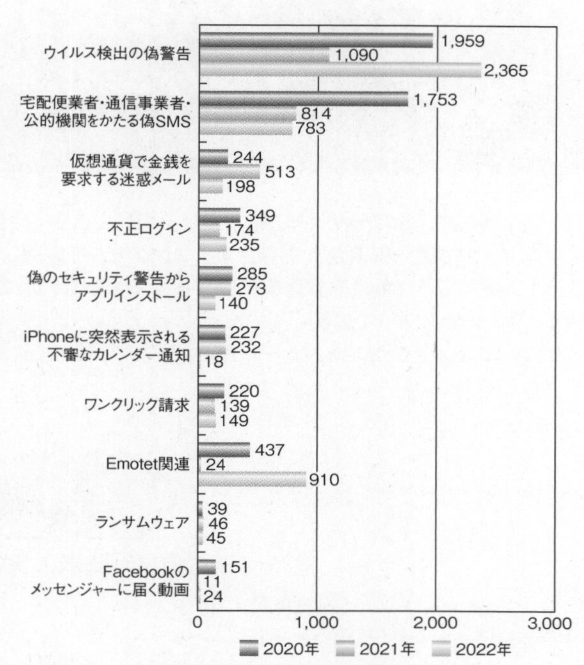


■図 D-4　主な手口別相談件数の推移（2020〜2022 年）



**参照**

■安心相談窓口だより
https://www.ipa.go.jp/security/anshin/attention/index.html
■手口検証動画シリーズ
https://www.ipa.go.jp/security/anshin/measures/verificationmov.html

IPAコンクール応援隊長「まもるくん」

# 第18回 IPA 「ひろげよう情報モラル・セキュリティコンクール」2022 受賞作品

IPAは、子どもたちがインターネットにまつわる課題に自ら向き合い、解決策を見出すきっかけとして、全国の小学生・中学生・高校生・高専生を対象とするコンクールを開催しています。

ここでは、全61,962点の応募作品の中から、受賞した作品の一部をご紹介いたします。なお、すべての受賞作品は下記のWebサイトで公開しています。

[https://www.ipa.go.jp/security/hyogo/]

## 最優秀賞

〈独立行政法人情報処理推進機構〉

### 〈標語部門〉

話すのは
ネット上でも
人と人

北海道 北海道帯広柏葉高等学校 2年 **小沼 裕詞郎**さん

### 〈ポスター部門〉

青森県 弘前大学教育学部附属中学校 2年 **橋本 和香**さん

### 〈4コマ漫画部門〉

それは罠

沖縄県 沖縄市立沖縄東中学校 2年
**安慶田 ひより**さん

# 優秀賞

〈独立行政法人情報処理推進機構〉

## 〈標語部門〉

だいじだよ　ぼくのぶんしん　パスワード

東京都　世田谷区立東玉川小学校　1年
加藤 佑悟さん

ネットだと　ついつい緩む　心の扉

福岡県　福岡市立那珂中学校　3年
柳瀬 優月さん

鍵はした?　家もスマホも　一緒だよ

兵庫県　神戸学院大学附属高等学校　3年
森岡 泰椛さん

## 〈ポスター部門〉

愛知県 知立市立知立小学校 5年
石川 花凛さん

埼玉県 越谷市立千間台中学校 2年
北村 汐月さん

長崎県 長崎県立長崎工業高等学校 2年
藤本 佳穂さん

## 〈4コマ漫画部門〉

画面のむこうの“あの子”は…

山梨県 山梨学院小学校 6年　大代 花凛さん

スマホの妖精くん

奈良県 香芝市立香芝北中学校 3年　内海 花菜さん

なりすまし注意

佐賀県 佐賀県立白石高等学校 1年　髙岸 孝仁さん

# IPAの便利なツールとコンテンツ

## 情報セキュリティ対策ベンチマーク
https://security-shien.ipa.go.jp/diagnosis/benchmark/index.html?bm_id=1

| 用途・目的 | 自組織のセキュリティレベルを診断 |
|---|---|
| 利用対象者 | 情報セキュリティ担当者 |
| 特 長 | ・他組織と比較した自組織のセキュリティレベルが判る<br>・自組織に不足しているセキュリティ対策が判る |

**概要**

「セキュリティ対策の取り組み状況に関する評価項目」27 問と「企業プロフィールに関する評価項目」19 問、計 46 問に回答すると以下の診断結果を表示します。

**■提供される診断結果**

- セキュリティレベルを示したスコア（最高点 135 点、最低点 27 点）と度数分布状況と偏差値
- 情報セキュリティリスクの指標の分布と企業規模、業種、情報資産数等が自組織と近い他組織と比較し、自組織の位置が示された散布図
- 自組織の過去診断結果との比較や従業員数別での比較を含む 4 種類のレーダーチャート
- 結果に応じた推奨される取り組み

※ベンチマークに使用する診断データは 2022 年 3 月に Ver.5.1 にアップデート

## 脆弱性体験学習ツール「AppGoat」
https://www.ipa.go.jp/security/vuln/appgoat/

| 用途・目的 | 脆弱性の基礎的な知識の学習 |
|---|---|
| 利用対象者 | ・アプリケーション開発者<br>・Web サイト管理者 |
| 特 長 | 脆弱性の概要や対策方法等、脆弱性に関する基礎的な知識を実習形式で体系的に学べるツール |

**概要**

SQL インジェクション、クロスサイト・スクリプティング等 12 種の Web アプリケーションに関連する脆弱性について学習できるツールです。
利用者は学習テーマ毎の演習問題に対して、埋め込まれた脆弱性の発見、プログラミング上の問題点の把握、対策手法を学べます。

**■活用方法例**

- Web アプリケーション用学習ツール（個人学習モード）を利用した、自宅等での個人学習
- Web アプリケーション用学習ツール（集合学習モード）を利用した、学校の講義や組織内のセミナー等における複数人での学習

## 脆弱性対策情報データベース「JVN iPedia」
https://jvndb.jvn.jp/

| 用途・目的 | 自組織で使用しているソフトウェア製品の脆弱性の確認と対策 |
|---|---|
| 利用対象者 | ・システム管理者<br>・製品・サービスの保守を担う担当者 |
| 特 長 | 国内外のソフトウェア製品の公開された脆弱性対策情報が掲載されたキーワード検索可能なデータベース |

**概要**

**■掲載情報例**

- 脆弱性の概要
- 脆弱性がある製品名とそのベンダー名
- 共通脆弱性識別子 CVE
- 脆弱性の深刻度 CVSS 基本値
- 本脆弱性に関わる製品ベンダー等のリンク

**■活用方法例**

- ネット記事等に記載された CVE 番号を JVN iPediaで検索し、脆弱性の詳細を確認
- 自組織で使用している製品名で検索し、脆弱性の詳細を確認

## MyJVN バージョンチェッカ for .NET
https://jvndb.jvn.jp/apis/myjvn/vccheckdotnet.html

| | |
|---|---|
| 用途・目的 | パソコンにインストールされたソフトウェア製品が最新バージョンかどうかを確認 |
| 利用対象者 | パソコン利用者全般 |
| 特 長 | インストールされている対象製品が最新バージョンかどうかとインストールされているバージョン等を一括確認できる |

**概要**

**■判定対象ソフトウェア製品**

- Adobe Reader
- Mozilla Firefox
- Lunascape
- VMware Player
- JRE
- Mozilla Thunderbird
- Becky! Internet Mail
- Google Chrome
- Lhaplus
- iTunes
- OpenOffice.org
- LibreOffice

**■活用方法例**

毎朝 MyJVN バージョンチェッカを実行して、使用しているソフトウェアが最新かどうかをチェックし、最新でなければそのソフトウェアを更新

**■動作環境・必須ソフトウェア**

- Windows 10、11
- .NET Framework

## 注意警戒情報サービス
https://jvndb.jvn.jp/alert/

| | |
|---|---|
| 用途・目的 | 脆弱性対策に必要な最新情報の収集 |
| 利用対象者 | • システム管理者<br>• 製品・サービスの保守を担う担当者 |
| 特 長 | 日本で広く利用され、脆弱性が悪用されると影響の大きいサーバー用オープンソースソフトウェアのリリース情報と IPA が発信する「重要なセキュリティ情報」を提供 |

**概要**

**■掲載情報例**

- Apache HTTP Server
- BIND
- WordPress
- Apache Struts
- Joomla!
- 重要なセキュリティ情報
- Apache Tomcat
- OpenSSL

**■活用方法例**

定期的に自組織で使用しているオープンソースソフトウェアのリリース情報や IPA が発信する「重要なセキュリティ情報」が公表されているかどうかを確認し、公表されていれば内容の確認、必要に応じ対応を行う

## サイバーセキュリティ注意喚起サービス「icat for JSON」
https://www.ipa.go.jp/security/vuln/icat.html

| | |
|---|---|
| 用途・目的 | IPA が発信する「重要なセキュリティ情報」のリアルタイム取得 |
| 利用対象者 | • システム管理者<br>• サービスの保守を担う担当者<br>• 個人利用者 |
| 特 長 | Web ページに HTML タグを埋め込むと、IPA が発信する「重要なセキュリティ情報」とリアルタイムに同期した情報を表示させる |

**概要**

**■「重要なセキュリティ情報」発信例**

- 利用者への影響が大きい製品の脆弱性情報
- サイバー攻撃への注意喚起
- 広く使われる製品のサポート終了情報

**■活用方法例**

icat を自組織の従業員がよくアクセスする Web ページ（イントラページ等）に表示させ、ソフトウェア更新等の対策を促す

## MyJVN 脆弱性対策情報フィルタリング収集ツール（mjcheck4）

https://jvndb.jvn.jp/apis/myjvn/mjcheck4.html

| 用途・目的 | 自組織で使用しているソフトウェア製品の脆弱性の確認と対策 |
|---|---|
| 利用対象者 | • システム管理者<br>• 製品・サービスの保守を担う担当者 |
| 特 長 | JVN iPedia に登録されている脆弱性対策情報をフィルタリングして自社システムに関連する脆弱性情報を効率よく収集 |

**概要**

**■フィルタリング例**

• 製品名　• CVSSv3　• 公開日　等

**■活用方法例**

• 自組織が利用しているオープンサーバーソフトウェア製品の脆弱性対策情報収集
• 情報システム部門が運用しているシステムの脆弱性対策情報の収集

**■動作環境・必須ソフトウェア**

• Windows 10、11

## Web サイトの攻撃兆候検出ツール「iLogScanner」

https://www.ipa.go.jp/security/vuln/ilogscanner/

| 用途・目的 | Web サイトに対する攻撃の痕跡、攻撃の可能性を検出 |
|---|---|
| 利用対象者 | Web サイト運営者 |
| 特 長 | Web サイトのアクセスログ、エラーログ、認証ログを解析し、攻撃の痕跡や攻撃に成功した可能性があるログを解析結果レポートに表示 |

**概要**

**■アクセスログ、エラーログから検出可能な項目例**

• SQL インジェクション
• OS コマンド・インジェクション
• ディレクトリ・トラバーサル
• クロスサイト・スクリプティング

**■認証ログ（Secure Shell、FTP）から検出可能な項目例**

• 大量のログイン失敗
• 短時間の集中ログイン
• 同一ファイルへの大量アクセス
• 認証試行回数

**■活用方法例**

定期的に iLogScanner を実行し、自組織の Web サイトを狙った攻撃が行われているか確認

## 5 分でできる！情報セキュリティ自社診断

https://security-shien.ipa.go.jp/diagnosis/selfcheck/

| 用途・目的 | 自社の情報セキュリティ対策状況を診断 |
|---|---|
| 利用対象者 | 中小企業・小規模事業者の経営者、管理者、従業員 |
| 特 長 | • 設問に答えるだけで自社のセキュリティ対策状況を把握することができる<br>• 診断後は、診断結果に即した推奨資料やツールが確認できる |

**概要**

「5 分でできる！情報セキュリティ自社診断」は、情報セキュリティ対策のレベルを数値化し、問題点を見つけるためのツールです。
オンライン版では、25 の質問に答えるだけで診断することができ、過去の診断結果や同業他社との比較もできます。また、診断結果に合わせてお薦めする資料、ツールが紹介されるため、今後どのような対策に取り組むべきかを把握することができます。

## 情報セキュリティ・ポータルサイト「ここからセキュリティ！」

https://www.ipa.go.jp/security/kokokara/

学習 

| | |
|---|---|
| 用途・目的 | • 情報セキュリティや情報リテラシーに関する情報収集<br>• 国内の主なレポート、ガイドライン、学習・診断等のツール等の利用 |
| 利用対象者 | • インターネットの一般利用者（小学生～大人）<br>• 企業の管理者／一般利用者 |
| 特 長 | 情報セキュリティ関連の民間及び公的な団体が公開する無償の資料、情報、ツールを網羅的に掲載。目的別、用途別、役割別に情報を選択し利用が可能 |

**概要**

• セキュリティベンダー、公的機関、政府等から発信される注意喚起や、資料・動画・ツール等のコンテンツを網羅的に掲載したポータルサイト
• コンテンツを「被害に遭ったら」「対策する」「教育・学習」「セキュリティチェック」「データ＆レポート」に分類。必要な情報が見つけやすい
• セキュリティレベルを診断するクイズを「小学生」「中高生・ホームユーザ」「社会人」というカテゴリー別に紹介。楽しみながら学べる

## サイバーセキュリティ経営ガイドライン実施状況の可視化ツール

https://www.ipa.go.jp/security/economics/checktool.html

診断

| | |
|---|---|
| 用途・目的 | セキュリティ対策の実施状況のセルフチェック |
| 利用対象者 | 主に従業員 300 名以上の企業の CISO 等、サイバーセキュリティ対策の実施責任者 |
| 特 長 | サイバーセキュリティ経営ガイドラインに準拠したセキュリティ対策の実施状況を成熟度モデルで自己診断し、レーダーチャートで可視化 |

**概要**

経営者がサイバーセキュリティ対策を実施する上で責任者となる担当幹部（CISO 等）に指示すべき“重要 10 項目”が、適切に実施されているかどうかを 5 段階の成熟度モデルで自己診断し、その結果をレーダーチャートで可視化するツールです。
診断結果は、経営者への自社のセキュリティ対策の実施状況の説明資料として利用できます。経営者が対策状況を定量的に把握することで、サイバーセキュリティに関する方針の策定や適切なセキュリティ投資の検討、投資家等ステークホルダとのコミュニケーション等に役立てることができます。

■提供される主な機能
・重要 10 項目の実施状況の可視化
・診断結果と業種平均との比較
・対策を実施する際の参考事例
・グループ企業同士の診断結果の比較

## 5 分でできる！情報セキュリティポイント学習

https://security-shien.ipa.go.jp/learning/

| | |
|---|---|
| 用途・目的 | 自社の情報セキュリティ教育の実施 |
| 利用対象者 | 中小企業の経営者、管理者、従業員等 |
| 特 長 | • 自社診断の質問を 1 テーマ 5 分で学べる<br>• インストール不要、無料の学習ツール |

**概要**

情報セキュリティについて e-Learning 形式で学習できるツールです。
身近にある職場の日常の 1 コマを取り入れた親しみやすい学習テーマで、セキュリティに関する様々な事例を疑似体験しながら適切な対処法を学ぶことができます。
また、利用者登録をしていただくと、学習の中断・再開ができ、これまでの学習進捗状況を表形式で確認することができます。

## 安心相談窓口だより

https://www.ipa.go.jp/security/anshin/attention/index.html

| 用途・目的 | 最新の「ネット詐欺」等の手口を知り被害防止につなげる |
|---|---|
| 利用対象者 | スマートフォン、パソコンの一般利用者 |
| 特 長 | 実際に相談窓口に寄せられる、よくある相談内容に関して「手口」と「被害にあった場合の対処」「被害にあわないための対策」を学べる |

**概要**

IPA 情報セキュリティ安心相談窓口では、寄せられる相談に関して手口を実際に検証し、そこで得られた知見をその後の相談対応にフィードバックするとともに、注意喚起等、情報発信にも活かしています。
「安心相談窓口だより」では中でも多く相談が寄せられる相談内容の「手口」「対処」「対策」について、パソコンやスマートフォンの操作等にあまり詳しくない人でも理解できるように分かりやすく説明を行っています。
記事は不定期に公開されますので、「安心相談窓口だより」を定期的に確認することで、最新のネット詐欺等の手口や対策を知り、被害の未然防止に役立てることができます。
手口に関する内容以外にも、被害にあわないための日ごろから気を付けるポイントについての記事も公開しています。

## 映像で知る情報セキュリティ　各種映像コンテンツ

https://www.ipa.go.jp/security/videos/list.html

| 用途・目的 | 動画の視聴により、情報セキュリティの脅威、手口、対策等を学ぶ |
|---|---|
| 利用対象者 | スマートフォンやパソコンを使用する一般利用者<br>組織の経営者、対策実践者、啓発者、従業員等 |
| 特 長 | 組織内の研修等で利用できる10分前後の動画を公開。情報セキュリティ上の様々な脅威・手口、対策をドラマ等の動画を通じで学べる |

**概要**

「標的型サイバー攻撃」「ワンクリック請求」「偽警告」等の脅威をテーマにした動画のほか、「中小企業向け情報セキュリティ対策」「スマートフォンのセキュリティ」「新入社員向け」といった訴求対象者別の動画を公開しています。動画の視聴により、スマートフォン・パソコンを使用する際に利用者に求められる振舞いや対策を身に付けることができます。
情報セキュリティの自己研さんを目的とした個人の視聴のほか、組織内の研修用としての利用が可能です。

**■動画のタイトル例**

- 今そこにある脅威　組織を狙うランサムウェア攻撃
- What' s BEC ？～ビジネスメール詐欺 手口と対策～
- 妻からのメッセージ ～テレワークのセキュリティ～
- あなたのパスワードは大丈夫？～インターネットサービスの不正ログイン対策～

# 索引

## A



## B



## C



## D



## E



## F



## G



## H

## I



## J



## K



## L



## M



## N



## O



## P

## さ

## た

## な



## は



## ま



## ら



## わ

**著作・製作**　独立行政法人情報処理推進機構（IPA）

**編集責任**

| | | | | |
|---|---|---|---|---|
| 高柳 大輔 | 小山 明美 | 涌田 明夫 | 白石 歩 | 小川 隆一 |

**執筆者**

IPA

| | | | | |
|---|---|---|---|---|
| 和泉 隆平 | 板垣 寛二 | 伊藤 彰朗 | 伊藤 吉史 | 内海 百葉 |
| 大島 尚 | 大友 更紗 | 小川 隆一 | 奥田 美幸 | 小幡 宗宏 |
| 甲斐 成樹 | 金子 成徳 | 神谷 健司 | 亀田 恭史 | 唐亀 侑久 |
| 河合 真吾 | 神田 雅透 | 木下 弦 | 小山 明美 | 佐川 陽一 |
| 佐藤 栄城 | 柴本 憲一 | 清水 碩人 | 白石 歩 | 菅 大豪 |
| 竹内 智子 | 武智 洋 | 田島 威史 | 丹野 菜美 | 近澤 武 |
| 辻 宏郷 | 中島 健児 | 中島 尚樹 | 楢原 龍史 | 西尾 秀一 |
| 西村 奏一 | 野村 春佳 | 橋本 徹 | 長谷川 智香 | 平尾 謙次 |
| 福岡 尊 | 福原 聡 | 冨士 愛恵里 | 古居 敬大 | 松島 伸彰 |
| 松田 琳花 | 宮本 冬美 | 森 淳子 | 安田 進 | 湯澤 凱貴 |
| 横山 美晴 | 吉野 和博 | 吉本 賢樹 | 與那嶺 崇 | 渡邉 祥樹 |
| 藁科 綾子 | | | | |

株式会社日立製作所　相羽 律子
サイバーセキュリティ国際会議 CODE BLUE　発起人　篠田 佳奈
国立研究開発法人情報通信研究機構　中尾 康二
デジタル庁　戦略・組織グループ　セキュリティ危機管理チーム　満塩 尚史
国立研究開発法人情報通信研究機構　横山 輝明
一般社団法人 JPCERT コーディネーションセンター　米澤 詩歩乃
情報規格調査会 JTC 1 ／ SC 27 ／ WG 5 小委員会

**協力者**

IPA

| | | | | |
|---|---|---|---|---|
| 板橋 博之 | 伊藤 真一 | 井上 佳春 | 江島 将和 | 小沢 理康 |
| 加賀谷 伸一郎 | 亀山 友彦 | 菅野 和弥 | 栗原 史泰 | 桑名 利幸 |
| 小杉 聡志 | 塩田 英二 | 柴田 直 | 白鳥 悦正 | 高見 穣 |
| 高柳 大輔 | 田口 聡 | 土屋 正 | 遠山 真 | 西原 栄太郎 |
| 日向 英俊 | 前島 肇 | 前田 祐子 | 松田 修平 | 宮崎 卓行 |
| 渡辺 貴仁 | | | | |

国立研究開発法人情報通信研究機構　井上 大介
一般社団法人 JPCERT コーディネーションセンター　江田 佳領子
長崎県立大学　島 成佳
三井物産セキュアディレクション株式会社　増田 聖一
明治大学　湯淺 墾道
経済産業省商務情報政策局サイバーセキュリティ課
経済産業省貿易経済協力局安全保障貿易管理課

## おわりに

新型コロナウイルス感染症の拡大防止対策は結果としてテレワークやDXの推進を加速させ、ニューノーマルと呼ばれる大きな変化をもたらしました。そして、2022年2月に勃発したロシアによるウクライナ侵攻では、国同士の武力による衝突に、 サイバー攻撃や情報戦という新しい戦いが重大な要素として含まれるようになりました。2022年後半は生成系AIが話題となり身近なツールとして誰もがAIを利用できるようになりました。こんなに急激で大きな技術、環境の変化は経験したことがありません。本白書のサブタイトルの「進む技術と未知の世界 新時代の脅威に備えよ」には、このような大きな変化に潜む脅威に対しても基本を見失わず、連携して対処しなければならないという思いを込めています。

本白書は多岐にわたるサイバーセキュリティに関する国内外の事象や動向を調査・分析し、分かりやすい解説を心掛け、IPA職員だけでなく外部有識者の協力を得て作成しています。なお、IPAのWebサイトから本白書のPDF版が無料でダウンロードいただけます。 冊子、PDF版ともに、皆さまのサイバーセキュリティ対策の検討・実践の一助となれば幸いです。

編集子

- 定価は裏表紙に記載されています。
- 乱丁・落丁本は、お取り替えいたします。
  お手数ですが、情報処理推進機構（E-Mail：spd-book@ipa.go.jp）までご連絡ください。
- 本白書の引用、転載については、IPA Web サイトの「書籍・刊行物等に関するよくあるご質問と回答」（https://www.ipa.go.jp/publish/faq.html）に掲載されている「2. 引用や転載に関するご質問」をご参照ください。なお、出典元が IPA 以外の場合、当該出典元の許諾が必要となる場合があります。
- 本白書は 2022 年度の出来事を主な対象とし、執筆時点の情報に基づいて記載しています。
- 電話によるご質問、及び本白書に記載されている内容以外のご質問には一切お答えできません。
  あらかじめご了承ください。
- 本白書に記載されている会社名、製品名、及びサービス名は、それぞれ各社の商標または登録商標です。本文中では、™ または ® マークは明記しておりません。
- 本白書に掲載しているグラフ内の数値の合計は、小数点以下の端数処理により、100% にならない場合があります。

**情報セキュリティ白書 2023**

**進む技術と未知の世界：新時代の脅威に備えよ**

2023 年 7 月 25 日　第 1 版発行

**企画・著作・制作・発行**　**独立行政法人情報処理推進機構（IPA）**

〒 113-6591
東京都文京区本駒込2丁目28 番8号
文京グリーンコートセンターオフィス 16 階
URL　https://www.ipa.go.jp/
電話　03-5978-7503
E-Mail spd-book@ipa.go.jp

**印刷・製本**　**株式会社サンワ**

**表紙デザイン／本文 DTP・編集**　**伊藤 千絵、久磨 公治、涌田 明夫、北林 俊平**



ISBN978-4-905318-79-8　Printed in Japan